新 潮 文 庫

アンナ・カレーニナ

中　巻

トルストイ
木村　浩訳

新 潮 社 版

2023

アンナ・カレーニナ

中巻

第三編

1

　コズヌイシェフは、頭の疲れを休めたいと思って、いつものように外国へ行くかわりに、五月の末に、田舎の異父弟のところへやって来た。彼は、田園生活こそ最高の生活であると確信していた。彼は今この生活を楽しむために、弟のところへやって来たのであった。リョーヴィンはとても喜んだ。彼はもうこの夏は、兄のニコライが来そうもないと思っていた矢先だったので、その喜びはなおさらであった。ところが、リョーヴィンはコズヌイシェフを愛し、かつ尊敬していたにもかかわらず、この兄とふたりで田舎暮しをするのは、なんとなくばつが悪かった。つまり、この兄の農村に対する態度を見るのが、ばつが悪いというよりも、不愉快でさえあったからである。リョーヴィンにとっては、農村は生活の場、すなわち、喜びと、悲しみと、労働の場であった。ところが、コズヌイシェフにとっては、田舎暮しは、一方からいえば、労働のあとの休息であると同時に、いま一方からいえば、堕落を防ぐのに有効な解毒剤《げどくざい》であって、彼自身もその効能を認めて、喜んで服用しているのであった。リョーヴィンにとって田舎が好ましかったのは、そこが疑いもなく、有益な労働の道場であったからであり、コズヌイシェフにとって田舎がとくに好ましかったのは、そこではなにもしないでいられるから、いや、なにもしてはならないからであった。そのほか、農民に対するコズヌイシェフの態度は、リョーヴィンにいささか不快な印象を与えた。コズヌイシェフは、自分は農民を愛しかつ理解していると称して、よく百姓を相手に話をした。彼の話術はなかなか巧みで、わざとらしいところや、ぶったところがなく、そうした話をするたびごとに、なにかしら農民の側に有利な一般的資料や、自分は農民を知っているという証拠を引きだすのであった。農民に対するこのような態度は、リョーヴィンの気に入らなかった。リョーヴィンにとっては、農民は共同の仕事にたずさわる重要な協力者でしかなかった。したがって、彼は百姓に対しては深い尊敬をいだいており、自分でもいっているとおり、おそらく百姓女の乳母の乳といっしょに吸いこんだであろう一種の肉親的な愛情を感じていたので、彼自身も共同の仕事における協力者として、農民のもつ力や、温厚さや、高潔さに、時として有頂天になることもあった。しかし、それにもかかわらず、この共同の仕事においてもっと別な資質が要求される場合には、彼も農民ののんきさや、だらしなさや、のんだくれや、うそつきなどの悪癖に対して、憤慨することもまれではなかった。リョーヴィンは、もし農民を愛しているかときかれたら、それに対してなんと答えたらいいか、さっぱりわからなかったにちがいない。彼は、普通、すべての人に対してと同様、農民を愛すると同時に嫌悪《けんお》していた。もちろん、彼は善良な人間のつねとして、人をきらうよりも愛することのほうが多かった。これは農民の場合でも同様であった。しかし、彼は農民をなにか特別なものとして、愛したりきらったりすることは、できなかった。なぜなら、彼は農民とともに生活し、自分のすべての利害が農民に結びつけられていたばかりでなく、自分自身をも農民の一部と考え、自分自身と農民の中になにひとつ特別な美点や欠点を見いだすことなく、したがって、自分を農民と対立させて考えることができなかったからである。そのほか、彼は主人として、調停委員として、また何よりも相談相手として（百姓たちは彼を信頼しており、四十キロも遠いところから、彼のもとへ相談にやって来た）長いあいだ農民ときわめて親密な関係で生活してきながら、農民についてはなんらの定見をももっていなかった。したがって、農民を理解しているかという問いに対しても、農民を愛しているかときかれた場合と同様、その返答に窮したにちがいない。もし農民を理解しているといったら、それは彼にとって、人間を理解しているというのにひとしかった。彼はつね日ごろから、あらゆる種類の人間を観察し、少しずつ認識を新たにしていった。その中には百姓も含まれており、彼は百姓を善良な興味ある人間と考えていたので、彼らの中にたえず新しい特質を発見し、彼らに対する以前の考えを変更することによって、新たな意見を組み立てていった。ところが、コズヌイシェフはその反対であった。彼は自分の好まぬ生活との対照において、田園生活を愛しかつ賞讃《しょうさん》していたが、それとまったく同様に、彼は自分の好まぬ階級の人びととの対照において、農民を愛していたのであり、一般に普通の人間と相反したなにものかとして、農民を理解していたのであった。彼の方法論的なものの考え方の中には、農民生活というものの一定の形式が、ちゃんとつくりあげられていた。それは部分的に農民生活そのものから引きだされたものであったが、しかし、その大部分は、対照的なものの見方から生れたものであった。彼は農民についての意見も、農民に対する同情的態度も、ついぞ一度も変更したことはなかった。

ところが、このふたりの兄弟のあいだで、農民についての見解が生れる場合には、いつもコズヌイシェフが弟を負かすことになるのであった。というのは、コズヌイシェフはいつも農民について、その性格、資質、趣味などについて、ある一定の見解をもっていたのに対して、リョーヴィンには、そうした一定不変の見解というものがまったくなかったからである。したがって、論争となると、リョーヴィンは、いつも自己撞着《どうちゃく》を指摘されるのであった。

コズヌイシェフの目には、弟は、ちゃんとした（彼はフランス風にこんな表現をした）心情をそなえた、愛すべき好漢ではあったが、ただ知的な面では、頭が敏活に働くとはいうものの、その時々の印象に影響されやすく、そのために、矛盾撞着におちいっているように思われた。彼は兄としての寛大な気持から、ときには、弟に物事の意義を説明してやったが、弟と議論をすることには満足を覚えなかった。相手を負かすのが、あまりにも容易だったからである。

リョーヴィンは、この兄を卓越した知性と教養を備えた人物として、もっともすぐれた意味における高潔な人物として、また万人の福祉のために活動する能力を授けられた人物としてながめていた。しかし、その心の奥底では、自分が年をとって新しく兄という人物を知れば知るほど、ますます次のような考えが頭に浮んでくるのであった。すなわち、自分にまったく欠けていると思われるこの万人の福祉のために活動できる能力というものは、ひょっとすると、けっしてすぐれた資質ではなくて、かえって、なにかの欠如を意味するものなのではあるまいか。もっともそれはなにも善良で、正直で、潔白な願望や、趣味の欠如というのではなく、生命力の欠如とか、心情と呼ばれるものの欠如とか、人びとが自分の前に無数に開けている人生行路のうちからただ一つを選び、ただそれだけを希求するあの衝動の欠如とかいったものなのではなかろうか。彼は兄という人物を知るにしたがって、ますます次のような点に気づいていった。すなわち、コズヌイシェフにしても、また万人の福祉のために働く他の多くの活動家にしても、心の底からそうした万人の福祉のための仕事にひかれていったのではなく、そうした仕事に従事するのはよいことだと理性で判断したうえ、ただそのためにのみそうした仕事にたずさわっているのであった。なおそのほか、リョーヴィンは兄が万人の福祉とか、霊魂の不滅とかいう問題を、将棋《しょうぎ》の勝負や新しい機械の変った構造の問題以上には、身近なものに感じていないことを見てとり、ますますこの判断に確信をもつようになった。

このほか、リョーヴィンが田舎で兄と暮すのを気まずくさせていた理由が、もう一つあった。それは、田舎にいると、ことに夏場は、リョーヴィンはつねに農事に追われていて、必要ないっさいの仕事をなしとげるには、夏の長い日も足りないほどであるのに、コズヌイシェフはのんびりと休息していたからである。もっとも、彼は今のんびり休息していたが、つまり、著述の筆こそとっていなかったが、いつも知的な労働に慣れっこになっているので、頭に浮んでくる思想を美しく圧縮された形式で表現するのを好み、かつ、それをだれかに聞いてもらうのを喜んだ。ところで、こうした場合、彼にとってもっとも自然な、ふさわしい聞き手は、弟であった。したがって、ふたりの関係は、親しいざっくばらんなものであったにもかかわらず、リョーヴィンは兄をひとりぼっちにしておくのが、なんとなく気まずかった。コズヌイシェフは、日のあたる草の上にねそべったまま、日に照りつけられながら、のんびりとおしゃべりをするのが好きだった。

「おまえにはとても信じられないだろうが」彼は弟に話しかけた。「こうした小ロシア風ののんびりした気分は、ぼくにとってこのうえもなく楽しいことなんだよ。頭の中には考えなんてなにひとつなくなって、玉でもころがしたいくらいからっぽだよ」

しかし、リョーヴィンにはその場にすわって、兄の話を聞いているのは退屈だった。とくに、彼は自分のいないあいだに、百姓たちが畝《うね》を切ってもいない畑へどんどん肥料を運んでしまい、監督していなければ、どんなやり方をするかもしれないことや、犂《すき》の歯をねじでよく留めもしないでおきながら、あとでこんな犂なんか愚にもつかない発明だ、アンドレエヴナ婆《ばあ》さんの犂のほうがずっとましだ、などといいだしかねないのを承知していたので、なおさらじっと落ち着いていられなかったのである。

「おまえも、こんな炎天を歩きまわるのは、もうたくさんじゃないか」コズヌイシェフは弟にいった。

「いや、ぼくはちょっと、事務所へ行って来るだけですよ」リョーヴィンは答え、畑のほうへ駆けだして行った。

2

六月の初めに、ばあや兼家政婦のアガーフィヤが、自分で漬《つ》けたばかりの茸《きのこ》の壺《つぼ》を、穴蔵へ運んで行く途中、足をすべらして倒れたひょうしに、手首の関節を脱臼《だっきゅう》させるという騒ぎが起きた。最近学校を出たばかりの、若い、おしゃべりの郡医がやって来た。医者はアガーフィヤの手を見て、これは脱臼ではないといい、湿布をした。そして、食事に残ると、どうやら有名なコズヌイシェフと話をする機会を喜んでいる様子で、自分の文化的なものの見方を示そうと、郡行政の乱脈ぶりを訴えながら、田舎らしい陰口をさんざんまくしたてた。コズヌイシェフは相手の話を注意ぶかく聞きながら、いろいろ質問したあげく、新しい聞き手ができたのに有頂天になり、すっかり熱をいれて弁じたてた。そして、いくつかなかなかうがった意見を述べたところ、若い医師がうやうやしく感嘆したので、彼はリョーヴィンのよく知りぬいている、あの溌《はつ》剌《らつ》とした気分になった。医師が立ち去ると、彼は川へ釣《つ》りに行きたいといいだした。彼は魚釣りが好きだったが、それはまるで、こんなばかげたことが好きだということを、わざと自慢しているみたいであった。

リョーヴィンは耕地や草場へ、見まわりに行かなければならなかったので、兄を馬車に乗せて送って行こうと申し出た。

それはちょうど夏の峠で、今年の収穫はすでに決定し、もうそろそろ来年の播《ま》きつけのことを心配するときであり、草刈りも近づいていた。裸麦は一面に穂を出してはいたが、まだ十分実っておらず、灰色がかった緑色をして、風に揺られていた。青々とした燕麦《えんばく》は、ところどころに黄色い草の株をまじえながら、遅《おそ》蒔《ま》きの畑に、ふぞろいに頭を出していた。早蒔きのそばはもう葉を出して、地面をおおっていた。家畜に踏まれて石のように固くなっていた休田も、鋤《すき》の歯のたたぬ道だけを残して、半分ほど鋤き返されていた。畑へ運び出された肥料は日にかわいて、蜜《みつ》のような草のかおりとともに、夕日ににおい、窪《くぼ》地《ち》では大事な草場が、ところどころ抜かれたすかんぽの黒い茎を見せて、今にも鎌《かま》で刈られるのを待ちながら、はてしない海のようにひろがっていた。

それは野良《のら》仕事において、毎年繰り返され、毎年百姓の全力を出させる収穫《とりいれ》を控えて、短い休息が訪れるときであった。収穫は上々だった。そして、明るく晴れわたった暑い夏の日と、露っぽい短い夜がつづいていた。

兄弟は草場へ行くのに、森を抜けて馬車を進めなければならなかった。コズヌイシェフは、こんもりと茂った森の美しさにたえず見とれながら、陰のほうを黒く見せて黄色い托葉《たくよう》がまだらになっている、もう花を開くばかりの菩提樹《ぼだいじゅ》の古木や、エメラルドのように輝く今年のひこばえなどを、弟に指さして見せるのだった。ところが、リョーヴィンは自然の美しさをみずから語るのも、人から聞かされるのも、好まなかった。彼にいわせると、言葉などというものは、自分がこの目で見たものから美しさをはぎ取るばかりであった。彼は兄の話に相槌《あいづち》をうちながらも、心ならずもほかのことを考えはじめた。ふたりが森から出たとき、彼の注意は、丘の上の休田のながめにひきつけられた。その休田はところどころ草におおわれて黄色くなったり、踏み固められたまま格子形《こうしがた》に区切られたり、肥料が方々に山と積まれたり、すでに耕されたりしているところがあった。野面《のづら》には荷車が列をなして動いていた。リョーヴィンは車の数を数えて、必要なだけのものが運ばれているのに満足した。彼は草場を見わたしたとき、草刈りの問題へ移っていった。彼はいつも牧草の収穫のときには、なにか特別心ひかれるものを感じた。草場へ馬車を乗り入れると、リョーヴィンは馬を止めた。朝露は、厚く茂った草の根もとにまだ残っていたので、コズヌイシェフは足をぬらさないために、川鱸《かわすずき》のとれる楊《やなぎ》の茂みのところまで、草場の中を馬車に乗せて行ってくれと頼んだ。リョーヴィンにとっては、牧草を踏み荒すのは、とても我慢ならなかったが、草場の中へ馬車を入れた。丈《たけ》の高い牧草は、車輪や馬の足にからみつき、ぬれた輻《や》や轂《こしき》にその種子をくっつけるのだった。

兄は釣り道具を整えて、茂みの陰に、腰をおろした。リョーヴィンは馬をひきもどして、立ち木につなぎ、風にそよとも動かぬ草場の、灰色がかった緑の海へはいって行った。熟しはじめた種子をつけた絹のような牧草は、窪地のところでは、ほとんど腰のあたりまであった。

リョーヴィンは草場を横ぎって街道へ出ると、蜜蜂籠《みつばちかご》をかついだ、片目のはれた老人に出会った。

「どうだね？　とれたかい、フォミッチ？」彼はきいた。

「どうしてとれるもんですかい。リョーヴィンのだんな！　自分のを逃がさねえようにするのが、やっとでさあ。もう二度も逃げられやしたが、ありがてえことに、若い衆が追っかけてくれやしたよ。だんなのとこの畑を起してたもんで、馬を車から放して、すぐ追っかけてくれたんでさあ……」

「そりゃそうと、フォミッチ、どうしたもんかね、――草刈りをしたものか、それともう少し待ってみるか？」

「さようでごぜえますな！　てめえどものほうでは、ペテロ祭（訳注　七月十二日（旧六月二十九日））まで待ちますが。でもだんなはいつも早めにお刈りなせえますな。なあに、神さまのおぼしめしで、ええ草が取れますだよ。牛や馬もたっぷり食べられますだよ」

「じゃ、天気ぐあいはどうかね？」

「そりゃ、神さまのおぼしめししだいでごぜえますよ。きっと、ええ天気になりますとも」

リョーヴィンは兄のそばへ近づいて行った。

獲物は一尾もなかったが、コズヌイシェフは退屈するどころか、きわめて上きげんらしかった。リョーヴィンは、兄が例の医師との会話に刺激されて、まだしゃべりたそうなのを、見てとった。ところが、リョーヴィンはその反対で、一刻も早くわが家へ帰って、あすの草刈り人夫を集める手配をし、とても気になっている干し草刈りの問題を解決したかったのである。

「どうです、もう帰りませんか？」彼はいった。

「どこへそう急ぐんだい？　まあ、ちょっとすわれよ。それにしても、おまえはひどくぬれちまったね！　獲物はなくてもいい気分だよ。猟というやつはどれもこれも、自然が相手だからいいなあ。おい、どうだい、あの鋼色《はがねいろ》の水の美しさときたら！」彼はいった。

「こういう草場の川岸は」彼は言葉をつづけた。「いつも、ある謎《なぞ》のような文句を思いださせるよ、——知ってるかい？　草が水に、おれたちは揺れている、揺れている、なんていってるのを」

「ぼくはそんな謎は知りませんね」リョーヴィンは気のない返事をした。

3

「いや、じつは、私はおまえのことを考えていたのさ」コズヌイシェフはいった。「あの医者の話したところじゃ、おまえの郡でやってることは、まったく、ひどいものらしいね。あの男はどうしてなかなか話せるやつじゃないか。いや、これは前にもいったことだし、今またいうんだが、おまえが地方自治会へ顔を出さないのは、いや、一般に地方自治会の仕事から手をひいてしまったのは、よくないことだね。しっかりした人物が手をひいたら、なにもかもめちゃめちゃになるのに、きまってるからね。こちらがいくら税金を払っても、ただ俸給《ほうきゅう》にまわるばかりで、学校もなけりゃ、医者見習もいない、産婆《さんば》もいなけりゃ、薬屋もない、いや、まったくなにひとつないじゃないか」

「ぼくだってやってはみたんですよ」リョーヴィンは小さな声で、気のない返事をした。「でも、どうにもならないんです！　しかたがないじゃありませんか！」

「じゃ、いったい、なにがどうにもならないんだね！　正直なところ、私にはわからないね。無関心とか、無能とかいうことは、認めるわけにいかないね。まさか、ただ面倒くさいってわけじゃないだろうね？」

「それもこれもみんな違いますよ。なにしろ、ぼくだってやってみたうえで、これじゃどうにもならないってことを見きわめたんですからね」リョーヴィンはいった。

彼は兄の話を、あまり身を入れて聞いていなかった。彼は川向うの耕地に目をこらして、そこになにか黒いものを認めたが、はたしてそれが馬か、馬に乗った支配人か、見当がつかなかった。

「なんだっておまえはなにもできないんだろうね？　一度だけやってみて、もうだめだとひとりぎめしたまま、降参しちまったってわけなんだろ。それでも自尊心をもってるのかね？」

「自尊心ですって？」リョーヴィンは、兄の言葉にいささかむっとして、いった。「わかりませんね。そりゃ、大学で、ほかのものは積分計算ができるのに、きみだけはわからないのかといわれりゃ、自尊心だって傷つけられますよ。でも、この場合は、なによりもまず、そういう仕事には一定の能力が必要であり、またそうした仕事はすべてひじょうに重大なものだという、信念をもっていなくちゃなりませんからね」

「それじゃ、なにかい、これは重大なことでない、というわけかい？」コズヌイシェフは、いささかむっとしていった。それは、自分の関心をひいていることを、弟が重大ではないとし、しかもそのうえ、弟がどうやら自分の話にほとんど耳をかしていないらしいからであった。

「とにかく、ぼくには重大なこととは思われませんね。どうにも本気になれないんですよ、しかたがないじゃありませんか」リョーヴィンは自分の見つけたものが支配人であり、その支配人は、どうやら、耕地から百姓を帰すところらしいのを見分けて、こう答えた。百姓たちはみんな鋤を上向きに引っくり返していた。《もう鋤きあげてしまったのだろうか》彼は考えた。

「しかし、まあ、聞けよ」兄はその聡明《そうめい》そうな美しい顔をくもらせて、いった。「ものにはなにごとによらず限度というものがあるんだよ。たとえ変り者でも、誠実な人間として、虚偽を憎むことは、そりゃ、大いにけっこうなことだよ――私だってそんなことはよくわかっているさ。しかし、おまえの意見は、もし無意味でなければ、きわめて危険な意味をもっていることになるんだ。いったい、なぜおまえはそれが重大ではないなんて、平気でいえるんだろうね、おまえは自分でも力説している、心から愛している百姓たちが……」

《おれはけっして力説した覚えはないが》リョーヴィンは心の中で考えた。

「……救いの手をさしのべられずに、死んでゆくのに？　無知な取りあげ婆さんは生れてくる赤ん坊を殺しているし、百姓たちはいつまでも暗愚の中に暮して、どこかそこらの書記どもにあごで使われているじゃないか。それなのに、おまえは彼らを助ける手段をもっていながら、少しも助けてやろうとしない。なぜかというと、おまえの言いぐさでは、それが重大ではないからなんだ」

そういって、コズヌイシェフは弟のジレンマを指摘した。すなわち、おまえは、精神的発達が遅れているために、自分のできることを悟れないのか、それとも、なぜかわからないが、自分の平安と虚栄心を犠牲にしてまでそれをしようとしないのか、そのどちらかだときめつけたのである。

リョーヴィンはもう今となってはいさぎよくかぶとを脱いで、公共事業に対する自分の熱意の不足を認めるよりほかはないと感じた。そして、そう考えると、彼は侮辱を感じ、悲しくなった。

「それもこれも」彼はきっぱりといった。「ぼくの見るところでは、ありうることとは思えませんが……」

「どうして？　金をうまく配分して、農民に医療救助の手をさしのべることができないんだって？」

「できませんね、ぼくの見るところでは。なにしろ、うちの郡は四千平方キロもあって、雪解けの水が出たり、雪あらしが吹きつのったり、農繁期というやつもありますからね。すみからすみまでくまなく医療救助の手をさしのべるなんてことは、とてもできるとは思えませんね。それに、だいたい、ぼくはあまり医学の力を信用していないんですよ」

「いや、待ってくれ、それはまちがっているよ……私はその証拠を、何千でもあげることができるよ……それじゃ、学校は？」

「なぜ学校がいるんです？」

「なんてことをいうのだ！　教育の効果に疑いがあるというのかい？　もし教育がお

まえのためになったとすれば、ほかのだれにだって同じことじゃないか」

　リョーヴィンは、自分が精神的に壁ぎわへ押しつめられたような気がした。そのためにかっと逆上して、思わずわれを忘れて、自分が公共事業に対して無関心でいるおもな原因を、白状してしまった。

「たぶん、そうしたことはみんなけっこうなことかもしれません。しかし、なんだってぼくは自分が一度も利用しない診療所や、自分の子供をやるわけでもない、いや、百姓だって子供をやりたがらない学校のことを心配しなくちゃならないんです。それに、ぼくは子供たちを学校へやらなくちゃいかんなんて、まだ確信をもっていえないんですからね」彼はいった。

　コズヌイシェフはこの意外なものの見方に、一瞬、とまどった形だった。しかし、すぐさま新しい攻撃をかけてきた。

　彼はしばらく口をつぐんで、一本の竿《さお》を引きあげ、それを入れなおしてから、微笑を浮べながら、弟に話しかけた。

「まあ、待てよ……第一に、さっきも診療所が必要になったじゃないか。アガーフィヤのために、郡医を呼びにやったじゃないか」

「なあに、あの手なんか、曲ったまま、なおりゃしませんよ」

「そりゃ、まだ疑問だよ……それから、百姓や人夫だって、読み書きのできるほうがおまえにとっても必要で便利じゃないかね」

「いや、だれにきいてもらってもわかりますがね」リョーヴィンはきっぱりした調子で答えた。「人夫として、読み書きのできるなんてことは、かえって困りものですよ。道路ひとつなおせなければ、橋なんか架けても、すぐなにかしら盗んで行ってしまうんですからね」

「それにしてもだね」コズヌイシェフは相手の矛盾だらけの議論に眉《まゆ》をひそめていった。彼は議論の相手がたえずあれからこれへと飛躍して、なんの脈絡もなく、新しい論拠を引き出し、こちらがなんと返答すべきかわからなくなるのをきらっていた。「それにしてもだね、問題はそんなところにあるんじゃない。それじゃ、おまえは教育が民衆にとって幸福だということを認めるかね？」

「認めますよ」リョーヴィンはうっかり口をすべらしてから、すぐこれは心にもないことをいってしまった、と気づいた。もしそれを承認することになれば、今自分のいったことは、なんの意味もないたわ言だと証明されるだろう、と感じた。それがどんなふうに証明されるかはわからなかったが、かならず論理的に証明されるにちがいないと思ったので、相手の証明を待っていた。

その論証は、リョーヴィンの予期したよりも、ずっと簡単なものであった。

「もしそれを幸福だと認めるなら」コズヌイシェフはいった。「おまえは誠実な人間として、そういう仕事を愛さないわけにはいかないし、そうしたことに共感しないわけにもいくまい。したがって、そのために努力を惜しんではならないはずだよ」

「でも、ぼくはまだその仕事をいいこととは認めていませんからね」リョーヴィンは顔を上気させながら、いった。

「どうして？　だって今そういったじゃないか……」

「いや、つまり、ぼくはそれをよいことだとも、できうることだとも認めてはいないんですから」

「努力もしてみないで、そんなことがわかるはずないさ」

「じゃ、かりに」そんなことを仮定する気はさらになかったのに、リョーヴィンはそう口をすべらした。「まあ、かりにそうとしておきましょう。しかし、それにしても、いったい、なんのためにぼくがそんなことまで心配しなくちゃならないのか、てんで納得できませんね」

「というのは、どういうことかね？」

「いや、もう議論がここまできた以上、ひとつ哲学的な面から説明してくださいよ」

リョーヴィンはいった。

「こんな問題になぜ哲学が必要なのか、さっぱりわからんね」コズヌイシェフはいったが、その口ぶりは、おまえなんかに哲学を論じる権利はない、とでもいうようにリョーヴィンには受けとれた。そして、このことがまたリョーヴィンの気持をいらだたせた。

「それはこうなんですよ！」彼はかっとなって、しゃべりだした。「ぼくの考えでは、われわれの行為の原動力となるものは、やっぱり、個人的な幸福というものです。現在、ぼくはひとりの貴族として、地方自治会に、ぼくの幸福を増進してくれるようなものを、なにひとつ見いだすことができないんですからね。道路はちっともよくなりませんし、いや、よくなるはずがないんです。ですから、ぼくの馬は悪い道だってちゃんと引いていきますよ。医者も診療所もぼくには必要じゃありません。治安判事もいりませんね、——そんなところへは相談に行ったこともないし、これからだってけっして行きませんからね。学生だってぼくに不要であるばかりか、さっきもお話ししたとおり、かえって有害なくらいですよ。地方自治制度なるものはぼくにとっては、ただ一ヘクタールについて十八コペイカの税を取られたり、町へ出かけて行って、南《ナン》京虫《キンむし》だらけの宿屋に泊ったり、ありとあらゆるばかげたことや、けがらわしいことを聞かされたりする義務を意味するだけで、ぼくの個人的な利害などとはまるっきり関係がないんですからね」

「ま、待ってくれ」コズヌイシェフは、微笑を浮べながらさえぎった。「われわれはなにも個人的な利害から農奴解放をやったわけじゃないが、それでも努力してきたんだからね」

「いいえ、違いますよ！」リョーヴィンはますます興奮しながら、相手をさえぎった。「農奴解放は別問題ですよ。あれには個人的な利害があったのです。あれはわれわれ善良な人間を圧迫していた軛《くびき》を、自分から振り落そうとしたのですからね。しかし、地方自治会の議員になって、自分が住んでもいない町に、便所のくみ取り人夫が何人いるとか、鉄管の敷設《ふせつ》をどうしたらいいとかなんて評議したり、陪審員になって、ハムを盗んだ百姓の裁判に出て、弁護人や検事のこねまわすたわ言を、六時間も聞かされたりしてはね。先日も裁判長が、ぼくの村のばかのアリョーシカという爺《じい》さんに、『被告はハムを盗んだ事実を認めるか？』なんてきくと、爺さんが『なんだねえ？』と答える始末ですからね」

リョーヴィンはもう横道へそれてしまって、裁判長やばかのアリョーシカのまねをはじめた。彼にはそうしたことも問題と関係があるように思われたのであった。

しかし、コズヌイシェフは、ひょいと肩をすくめた。

「それで、おまえはいったいなにがいいたいんだね?」

「ぼくがひと言いいたいのはですね、ぼくはいつだって、自分に……自分の利害に関係のある権利なら、全力をつくして擁護しますよ。ぼくがまだ大学生だったころ、憲兵の捜索を受けて、手紙まで読まれたことがありましたが、ぼくはそういう権利、つまり、教育や自由の権利は、全力を尽して擁護するつもりですよ。また、ぼくは自分の子供や兄弟や、それから自分自身の運命にも深い関係のある兵役の義務については、承知していますよ。自分に関係のあることなら、すすんで評議しますよ。しかし、四万ルーブルという自治会の金をどう割り当てるかとか、ばかのアリョーシカの裁判とかについては、なんにもわかりませんし、わかるはずもありませんよ」

リョーヴィンは、まるで言葉の堤でも切れたように、とうとうと弁じたてた。コズヌイシェフはにやりと笑った。

「それじゃ、あすにもおまえが裁判にかかるとしたら、従来の刑事裁判所で裁かれたほうがいいとでもいうのかね?」

「ぼくが裁かれるなんてことはありませんよ、ぼくはだれも殺したりしませんから、そんな必要はありませんよ。いや、まったくの話!」彼はまたもや、当面の問題とはなんの関係もない議論に飛躍しながら、言葉をつづけた。「われわれの地方自治制度なんてものは、聖霊降臨祭の日（訳注　復活祭から五十日め）に、森に似せようとして地面にさすあの白樺《しらかば》みたいなものですよ。しかも、この森は、ヨーロッパでは自然に育ったものですからね。ぼくはそんなおまじないの白樺なんかを信じて、水なんかかけてやる気にはなりませんよ」

コズヌイシェフは、ただちょっと肩をすくめて見せた。彼はそのしぐさでそんな白樺がいったいどこから、ふたりの議論の中へ飛びこんできたのか、という驚きを表わしたのだが、弟がそれでなにをいおうとしたかは、すぐに察してしまった。

「まあ、待ってくれ。そんなことをいいだしたら、議論もなにもできやしないじゃないか」彼はたしなめた。

ところが、リョーヴィンは自分でも認めている欠点、つまり、万人の福祉に対する自分の無関心を弁明したかったので、なおも言葉をつづけた。

「ぼくが考えるにはですね」リョーヴィンはいった。「たとえそれがどんな活動であっても、個人的な利害に基づいていなければ、強固なものにはなりえませんよ。これは普遍的な、哲学的な真理ですからね」彼は断固たる調子で、哲学的という言葉を繰り返した。それはさながら、自分にもすべての人と同様、哲学について語る権利があることを、示そうとするかのようであった。

コズヌイシェフはもう一度にやりと笑った。《こいつにも、やはり、自分の性癖に都合のいいような一流の哲学があるんだな》彼は考えた。

「まあ、おまえは哲学なんか振りまわさないほうがいいね」彼はいった。「いかなる時代の哲学でも、そのおもな使命は、個人の利益と公共の利益のあいだに存在する、不可欠の関連を発見することにあるんだからね。しかし、そんなことは今の問題とは関係がないさ、今の問題に関係があるのは、おまえの使った比較を訂正することだからね。白樺はなにも地面にさされたものじゃなくて、あるものは植えたのだし、あるものは播《ま》いたのだ。だから、その取扱いには慎重を期さなくちゃいけないね。未来を有する国民とか、歴史的な国民とか呼ばれる資格のあるのは、自分たちの制度の中で、重要かつ有意義なものに対して鋭敏な感覚をもって、それらを尊重する国民だけなんだからね」

それからコズヌイシェフは、リョーヴィンには歯のたたぬ哲学的、歴史的領域へ問題を移し、彼の見解の誤りを徹底的に指摘した。

「いや、それがおまえの気に入らないという点については、失礼だが、それはわれわれロシア人のものぐさや地主気質《かたぎ》からきているのさ。でも、おまえのそれは一時的な迷いにすぎないから、きっと、じきに消滅するだろうがね」

リョーヴィンは黙りこくっていた。彼は自分が八方破れなのを感じたが、それと同時に、自分のいいたかったことが、兄には理解されなかったのを感じた。ただなぜ理解されなかったのかは、わからなかった。それは自分が、いいたいと思うことを、はっきり表現できなかったからだろうか？　それとも、兄が理解しようとしなかった、いや、理解することができなかったからだろうか？　しかし、彼はこの問題を深く考えてみようともせず、兄に反論もしないで、まるっきり別の、自分自身のことを考えはじめた。

コズヌイシェフは最後の釣竿《つりざお》を片づけ、馬を木から解いた。そしてふたりは家路についた。

4

リョーヴィンが兄と話しているあいだ、気にかかっていた彼個人の問題というのは、次のようなことであった。去年、あるとき草刈りに出かけて、支配人に腹を立てたとき、リョーヴィンは自分の気持をしずめる独特の方法として、百姓の手から大鎌《おおがま》を取って、みずから草刈りをはじめたのである。

　彼はこの仕事がひどく気に入ったので、幾度か草刈りをやり、屋敷の前の草場を全部刈ってしまった。そして、今年は春の初めから、百姓たちといっしょに、毎日朝から晩まで草刈りをしようと、プランをたてていた。兄が到着してから、彼は草刈りをしたものかどうかと、迷っていた。兄を毎日朝から晩まで、ひとりにしておくのも気がとがめたし、そんなことをする自分を兄が笑いはしないか、という心配もあった。ところが、草場を通ってみて、あの草刈りの印象を思いだすと、彼はもう草刈りをすることをほとんどきめてしまった。兄を相手にいらだたしい議論をしたあとだったので、彼はまたこの計画を思いだしたのであった。

《とにかく肉体労働が必要なんだ。さもないと、おれの性格はすっかりだめになってしまう》彼はそう考え、たとえ兄や百姓たちの手前どんなにばつが悪くても、断じて草刈りをしなければならないと心にきめてしまった。

　その夕方リョーヴィンは事務所へ行って、仕事の手配をし、あすいちばん広くていちばんいいカリン草場を刈るからといって、村々へ草刈り人夫を呼びにやった。

「それから、ぼくの大鎌を、チートのとこへ打ち直しにやって、あす持って来るようにいってくれ。ひょっとしたら、ぼくも自分で草刈りをするかもしれないから」彼は努めて平静をよそおいながら、いった。

　支配人はにやりと笑っていった。

「かしこまりました」

　その晩のお茶のときに、リョーヴィンはそれを兄にもいった。

「どうやら、天気もさだまったようですから」彼はいった。「あすから草刈りをはじめますよ」

「私もあの仕事は大好きだよ」コズヌイシェフはいった。

「ぼくはとっても好きなんですよ。それでときどき、自分でも百姓たちといっしょに、刈っているんです。あすも一日じゅう草刈りをするつもりですよ」

　コズヌイシェフは顔を上げ、好奇心に富んだ表情で弟をながめた。

「というと、どんなふうに？　百姓といっしょに、朝から晩まで？」

「ええ、とても気持のいいもんですよ」リョーヴィンは答えた。

「そりゃ、肉体運動としてはすばらしいが、ただおまえがそれに耐えられるかな」コズヌイシェフは、少しも嘲笑《ちょうしょう》することなく、そうたずねた。

「もうやってみたことがあるんですよ。そりゃはじめは苦しいですが、じきに夢中になってしまいますよ。自分ではひけをとらないつもりですよ……」

「ほう、そうかね！　じゃ、ひとつきくがね、百姓たちはそれをどう見ている？　きっと、物好きなだんなだと笑うだろうね」

「いや、ぼくはそうは思いませんね。なにしろ、とても楽しくて、それに骨の折れる仕事ですから、そんなことを考えてる暇はありませんよ」

「でも、なんだっておまえは百姓たちといっしょに食事をするんだい？　そんなところへラフィット（訳注　上等の赤ぶどう酒）や、七面鳥の焼き肉なんか届けさせるのは、ばつが悪いだろうに」

「なに、ぼくはみんなが休んでいるときに、家へ帰って食べますから」

　翌朝、リョーヴィンはいつもより早めに起きた。しかし、農場のさしずで手間どったために、彼が草刈り場へ着いたときには、人夫たちはもう二列めを刈っていた。まだ彼が丘の上にいるうちから、日陰になった、もう刈り取られた草場の一部が、眼下に望まれた。そこには灰色の列や草刈りをはじめた場所に、人夫たちの脱ぎ捨てた長上着《カフタン》の黒いかたまりが見えた。

　彼が馬で近づくにしたがって、百姓たちが互いに間隔をとって、ひとりひとり長い列をなして、てんでに大鎌を振るっているのが見えてきた。百姓たちは長上着《カフタン》を着ているものもあれば、シャツ一枚のものもあった。彼が数えてみると、四十二人いた。

百姓たちは草場のでこぼこした裾《すそ》のほうを、ゆっくりと動いていた。そこは前に堰《せき》のあったところだった。リョーヴィンは、自分の村の百姓をいくたりか見つけた。そこには、背をかがめて鎌を振るっている、恐ろしく長い白のシャツを着たエルミール爺さんもいれば、もとリョーヴィンの御者をしていた若者のワーシカも、力いっぱい、一列一列、刈り取っていた。そこにはまた、草刈りではリョーヴィンの先生格にあたる、小がらでやせた百姓のチートもいた。チートは背中も曲げずに、まるで鎌を玩具《がんぐ》のようにあつかいながら、みんなの先頭に立って、自分の持ち分を大幅に刈っていった。

リョーヴィンは馬からおりて、それを道ばたにつなぐと、チートといっしょになった。チートは茂みの中から、もう一梃《ちょう》の鎌を取り出して、彼に渡した。

「だんな、やっときましたよ。まるで剃刀《かみそり》みてえなもんでさ。これじゃ、ひとりでに刈れてしめえますよ」チートはにこにこしながら帽子をとって、鎌を渡しながら、いった。

リョーヴィンは鎌を受け取って、調子を見にかかった。自分の持ち分を刈り終えて、汗だらけになった草刈り人夫たちは、次々に道へ出て来て、大声で笑いながらだんなにあいさつした。みんなはリョーヴィンを見つめていたが、だれひとり口をきかなかった。そのうちにやっと、羊皮の短い上着を着た、ひげのないしわくちゃ顔の、背の高い老人が道へ出て来て、彼に話しかけた。

「ようがすね、だんな、いったん仕事にとっついたら、中途でやめちゃいけねえですよ」老人はいった。すると、人夫たちのあいだで忍び笑いが起ったのを、リョーヴィンは耳にした。

「中途でやめんようにがんばるよ」リョーヴィンはチートのうしろに立って、草刈りのはじまるのを待ちながら、答えた。

「ようがすね」老人は繰り返していった。

チートが場所をあけてくれたので、リョーヴィンはそのあとから刈っていった。そこは道ばただったので、草の丈《たけ》が低く、しかもリョーヴィンは長いこと草刈りをしなかったうえに、今は大勢の視線をあびて照れていたので、はじめのうちは力いっぱい鎌を振るったが、なかなかうまく刈れなかった。うしろのほうからさまざまな声が聞えてきた。

「柄《え》のつけ方がよくねえな、取っ手が長すぎるだよ、ほれ、だんなはあんなにかがみこんでるじゃねえか」ひとりがいった。

「踵《かかと》のほうにもっと力を入れにゃ」いまひとりがいった。

「なあに、たいしたことはねえ、すぐに慣れちまうで」老人はつづけた。「そうれ、調子が出てきた……あんまり大幅に刈ると、くたびれるだよ……なにしろ、ご主人さまだで、てめえのために骨折っていなさるのはむりねえ話さ！　あっ、ほれ、刈りのこしだあ！　おらたちがあんなことしたら、よく背中をどやされたもんよ」

草はだんだんやわらかくなってきた。そこで、リョーヴィンはチートのいうことを聞きながらも、返事をしないで、できるだけじょうずに刈ろうと努めながら、そのあとについて行った。ふたりは百歩ばかり進んだ。チートは立ち止るどころか、少しの疲れも見せずに、どんどん刈り進んで行った。一方、リョーヴィンはとても最後までやれそうもない気がしてきて、恐ろしくなった。それほど彼は疲れはててしまった。

彼は、自分がもう最後の力をふりしぼって、鎌を振るっているような気がしたので、チートにちょっと休んでくれと頼むことにきめた。ところが、ちょうどそのとき、チートは自分から立ち止り、かがみこんで草をひと握りつかむと、鎌をふいて、研ぎにかかった。リョーヴィンは腰を伸ばして、ほっと溜息《ためいき》をつくと、あたりを見まわした。彼のうしろにひとりの百姓がついて来ていたが、これもやはり疲れたとみえて、リョーヴィンのそばまで来ないうちに、さっさと立ち止って、鎌を研ぎはじめた。チートは自分のとリョーヴィンの鎌を研ぎあげ、ふたりはまた先へ進んで行った。

二回めも同じことであった。チートは立ち止りもしなければ、疲れた様子も見せずに、ひと振りごとに刈り進んで行った。リョーヴィンは遅れぬように努めながら、そのあとについて行ったが、だんだん苦しくなってきた。もうこれ以上力が出ないと感じた一瞬、ちょうどチートも歩みを止めて、研ぎにかかった。

こうして、ふたりは最初の一列を刈り終えた。リョーヴィンにはこの長い一列が、とりわけ骨が折れたように思われた。しかし、そのかわり、その一列を刈り終え、チートが大鎌を肩にかつぎ、ゆっくりした足どりで、自分の踵の跡を踏んで後もどりし、リョーヴィンも自分の刈り跡づたいに引き返したときには、汗はあられのように顔を伝って流れ、鼻先からしずくとなってしたたり、背中は水を浴びたようにぐっしょりぬれていたが、彼はそれにもかかわらず、じつにさっぱりした気分であった。とりわけ、おれはもう最後までがんばれそうだという自信のついたことが、彼を一段と喜ばせた。

ただ、自分の刈り跡のかんばしくないことだけが、彼の満ちたりた気分をそこねた。《鎌を手先だけで使わずに、もっとからだ全体で刈っていこう》彼は、きちんとまっすぐに刈られたチートの列と、不規則に乱れている自分の刈り跡とを比べてみながら、そう考えた。

最初の一列は、リョーヴィンの気づいたところによると、チートが主人の力をためそうと思って、ことさら早く刈り進んだらしく、その距離も長かった。その次の列からは、もうだんだん楽になっていった。しかし、それでもリョーヴィンは、百姓たちに遅れないようにするためには、全力を傾けなければならなかった。

彼はいまや百姓たちに遅れないで、できるだけじょうずに仕事をやろうと、ほかのことはなにひとつ考えず、なにひとつ望まなかった。彼は、ただざっざっと鳴る鎌の刃音を耳にし、先に立って、一歩一歩進むチートのしゃんとした姿と、刈り跡の半月状になった草と、自分の鎌の刃のまわりにゆっくり波を打って倒れていく草や、その先についた小花と、そこまで行けばひと休みできる、列の終りめとを見るばかりであった。

彼は仕事半ばに、それはなんで、どこから来るのかわからなかったが、焼けるように暑い汗ばんだ肩に、ふと、ひんやりする快い感触を覚えた。鎌を研いでもらっているあいだに、彼は空を仰いだ。重々しい雨雲が低くたれこめてきて、大粒の雨が落ちて来たのだった。百姓たちは、長上着《カフタン》のほうへ走って行って、それをひっかけるものもあれば、リョーヴィンと同じように快い冷気のもとに、うれしそうに両肩をすくめているものもいた。

それから、一列、一列と刈り進んで行った。長い列も、短い列もあり、いい草もあれば、悪い草もあった。リョーヴィンは、時間の観念をすっかりなくしてしまって、今は早いのか遅いのか、まったく見当がつかなかった。彼の労働にはいまや転機が訪れて、大きな喜びをもたらした。彼は仕事半ばに、ふと、自分がなにをしているのか忘れてしまって、ほっとした気分になり、そういうときに刈ったところは、ほとんどチートのと同じくらい、よくそろって、きれいだった。ところが、彼は自分のしていることを思いだして、もっとうまくやろうと努めはじめるや、たちまち、労働の苦痛をひしひしと身に感じて、その刈り跡もきたなくなるのであった。

またもう一列刈り終えて、彼が新しい列にかかろうとしたとき、チートは立ち止って、ひとりの老人のそばへ行き、なにやら小声でささやいた。ふたりはいっしょに太陽を仰いだ。《あのふたりはいったいなんの話をしてるんだろう、なぜチートは新しい列にかからないんだろう?》リョーヴィンは考えた。彼は百姓たちはもう四時間以上もぶっとおしに刈りつづけていたので、もう弁当にする時分だということには、気がつかなかったのである。

「弁当でごぜえますよ、だんな」老人はいった。

「え、もうそんな時分かい? じゃ、弁当にしよう」

リョーヴィンはチートに鎌《かま》を渡すと、パンをとりに長上着《カフタン》のおいてあるところへ行く百姓たちといっしょに、軽い雨のしぶきを浴びた刈り草が、幾列も幾列も連なっている広い野原を横ぎって、馬のいるほうへ行った。そのときはじめて、彼は天候を見誤って、雨が干し草をぬらしてしまったのに気がついた。

「干し草がだめになっちまうな」彼はいった。

「なあに、大丈夫でごぜえますよ、だんな、雨降りにゃ刈って、日和《ひより》にゃかきよせろ！　っていっとりますだ」老人は答えた。

リョーヴィンは馬を解くと、コーヒーを飲みにわが家へ帰った。

コズヌイシェフは、たった今起きたところであった。リョーヴィンはコーヒーを飲むと、まだコズヌイシェフが着替えをして食堂へ出て来ないうちに、再び草刈りに出かけて行った。

5

食後は、リョーヴィンももう前の場所でなく、隣に来るように呼んでくれたひょうきんな爺《じい》さんと、去年の秋、女房をもらったばかりで、草刈りはこの夏がはじめての若い百姓とのあいだの列に加わった。

老人はからだをまっすぐにして、がに股《また》の足で大股に規則正しく進みながら、先頭に立って行った。彼は一見して、歩くときに手を振るぐらいにしか思われない一様に正確な動作で、まるで遊び半分のように、丈の高い草をきちんきちんとそろえながら、刈り倒していった。さながらそれは、彼の仕業《しわざ》ではなく、ただ一梃の鋭利な鎌がひとりでに、みずみずしい草をさっさっと切っていくかのようであった。

リョーヴィンのうしろには、若者のミーシュカがつづいていた。新しい草をよじって髪をしばっている、その愛敬《あいきょう》のある若々しい顔は、いつも懸命の色を見せていた。そのくせ、人に見られるたびに、彼はすぐにっこり笑った。若者はつらいなどと白状するくらいなら、むしろ死んだほうがましだとでも思っているらしかった。

リョーヴィンはこのふたりのあいだに立って進んで行った。いちばん暑い盛りでも、草刈りはそれほど苦しいとは思われなかった。からだじゅうを流れる汗はすがすがしい感じで、背中や頭や袖《そで》をひじまでたくし上げた腕を照りつける太陽は、仕事に力と根気を与えてくれた。そして、自分のしていることを考えないでいられる、あの無意識状態の瞬間が、ますます多くなっていた。鎌はひとりでに草を刈った。それは幸福な瞬間であった。しかし、それよりもっとうれしかったのは、草場のはしを流れる川のほとりまで来たとき、老人が、雨にぬれて厚く茂った草で鎌をふき、すがすがしい川水でその刃をすすぎ、ブリキ缶《かん》に水をくんで、リョーヴィンにふるまってくれたことであった。

「さあ、ひとつ、わしのクワス（訳注　主として裸麦と麦芽で作るロシア独特の清涼飲料）を飲んでくだせえ！　え、ようがしょう？」老人は目くばせしながらいった。

実際、そのとおりで、リョーヴィンは今まで一度も、草の葉の浮いた、ブリキ缶の錆《さび》の味がする、この生ぬるい水ほどうまい飲料を、飲んだことはなかった。そして、このあとにはすぐまた、鎌を手にした例の幸福なそぞろ歩きがはじまるのだった。そのときには、流れる汗をぬぐうこともできれば、胸いっぱいに息を吸いこんだり、長々とつづく草刈り人夫たちの列や、まわりの森や畑の様子をながめることもできるのだった。

リョーヴィンは草刈りをつづけるにしたがって、ますますこの忘我の一瞬を感ずることが多くなった。そういうときには、もう手が鎌を振るうのではなく、むしろ鎌のほうが、自意識と生命にみちた肉体を引っぱっていき、まるで魔法にでもかかっているように、仕事のことなどまったく考えてもいないのに、仕事はひとりでに規則正しく、きちんきちんとできていくのであった。これこそこのうえなく幸福な瞬間であった。

　ただつらかったのは、この無意識になされる運動をやめて、ものを考えなければならないときであった。それは地面が盛りあがっているところを刈ったり、雑草まじりのすかんぽを取り除いたりするときであった。老人はそれをいともたやすくやってのけた。土が盛りあがっているところへ来ると、老人は動作を変え、時には踵で、時には鎌の先で両側から軽い打撃を加えて、そこをくずしていった。しかも、それをやりながら、たえず目の前に現われてくるものを、注意ぶかく観察していた。そして、時には野いちごをむしって食べたり、それをリョーヴィンにもふるまったり、時にはまた、鎌の先で小枝をほうりのけ、時には鎌のすぐ下から雌鳥《めんどり》の飛びたったあとの鶉《うずら》の巣をのぞきこみ、時には行く手に現われた小さな蛇《へび》をつかまえて、まるでフォークでさすように、それを鎌で高々と持ちあげ、リョーヴィンに見せてから、わきへ投げ捨てるのであった。

　リョーヴィンにしても、そのあとにつづく若者にしても、このように動作を変えることはむずかしかった。ふたりとも、緊張した動作を繰り返すだけで、ほとんど仕事に精いっぱいだったから、動作を変えると同時に、目の前のものを観察する余裕などはなかった。

リョーヴィンは時間のたつのも気がつかなかった。もしだれかに何時間ぐらい刈ったかときかれたら、きっと、三十分ぐらいと答えたであろう。しかし、もう昼食の時間になっていた。老人は新しい列にかかりながら、四方八方からこちらへ集まって来る女の子や男の子たちに、リョーヴィンの注意を向けた。子供たちは丈の高い草を分けて来るので、やっと見分けのつくものもいれば、道路づたいに来るものもいたが、みんなパンの包みや、ぼろきれで栓《せん》をしたクワスの瓶《びん》を、重そうに手にさげていた。

「ほれ、ごらんなせえ、ちび公どもがやって来ますだ」老人は子供たちを指さしていい、手をかざして太陽を仰いだ。

それからまた二列刈り終ると、老人は足を止めた。

「さあ、だんな、飯でがすよ」老人はきっぱりといった。そこで刈り手たちは、川のふちまで行き着くと、刈り草を踏み越えて、長上着《カフタン》のおいてあるほうへ行った。そこには、弁当を持って来た子供たちが、待ちかねてすわっていた。百姓たちはひとところに集まった。——遠いものは荷車の下に、近いものは刈り草のいっぱいかかっている楊《やなぎ》の木陰に。

リョーヴィンは彼らのそばに腰をおろした。そこを立ち去りたくなかったからである。

だんなに対する遠慮などは、もうとっくになくなっていた。百姓たちは食事のしたくにかかった。あるものは顔を洗い、若い連中は川へ飛びこみ、あるものは休む場所をこしらえて、パンのはいった袋をひらいたり、クワスの瓶の栓を抜いたりした。老人は、茶碗《ちゃわん》の中にパンを粉々にして入れ、それをさじでかきまぜ、ブリキ缶の水をついで、さらにまたパンを砕いて入れ、塩をふりかけたあと、東のほうへ向いてお祈りをはじめた。

「さあ、だんな、わしのパン汁をひとつ」老人は茶碗の前にひざをつきながら、いった。

パン汁があまりにうまかったので、リョーヴィンはわが家へ食事に帰るのをやめてしまった。彼は老人と食事をともにして、すっかり話しこんでしまった。彼は老人の家庭の事情を聞いて、親身に相談にのってやったり、老人に興味のありそうな自分の仕事や、家庭の事情などを話して聞かせた。彼は兄よりもむしろこの老人のほうに、身近な親しみを感じ、相手に対する自分の愛情に、思わず微笑を浮べるのであった。老人が再び立ちあがって、お祈りをささげ、すぐそばの楊の茂みへ横になって、まくら代りに草を頭の下に敷いたとき、リョーヴィンもそれにならった。そして、蠅《はえ》が日盛りをいいことに、うるさくまつわりついたり、小さな虫けらが汗ばんだ顔やからだをくすぐるのも平気で、たちまち、眠りに落ちてしまった。ようやく目がさめたときには、もう太陽は楊の茂みの反対側にまわって、彼のからだに光をあてていた。老人はとうに起きていて、若い者たちの鎌の刃をなおしてやっていた。

リョーヴィンはあたりを見まわしたが、そこがどこだか、ちょっと見当がつかなかった。それほどなにもかもが一変していた。見わたすかぎりの草場はすっかり刈りとられて、夕日の斜めな光線のもとに、はやくもかおりをたてはじめた刈り草は、一種特別な新しい光輝をおびて輝いているのだった。まわりの草を刈り取られた川岸の楊の茂みも、先ほどまでは見えなかったのに今は鋼《はがね》色に輝いている川そのものも、動きまわったり起きあがったりしている百姓たちも、まだ刈られていない草場の境めに壁のように連なっている草も、裸にされた草場の上を舞っている大鷹《おおたか》も、こうしたものがなにもかもまったく新しい趣を呈していた。リョーヴィンはすっかりわれに返って、もうどれだけ刈ったか、これからまだどれだけできるかと、考えはじめた。

四十二人の仕事にしては、驚くほどはかがいっていた。農奴制時代の賦役《ふえき》の時分には、三十梃《ちょう》の鎌で二日かかった大きな草場を、もうあらかた刈り終っていた。まだ残っているのは、すみのほうの短い列だけであった。しかし、リョーヴィンは、きょうじゅうにできるだけたくさん刈りたかったので、あまりにも早く傾きかけた太陽がいまいましかった。彼は少しも疲労を感じていなかった。ただ少しでも早く、できるだけたくさん、仕事がしたくてうずうずしていた。

「どうだね、もう少し刈ったら、マーシュキン丘のほうも。おまえはどう思うね？」彼は老人に話しかけた。

「さあ、どうしたもんだかね。おてんとうさんももう高くはねえし。まあ、若えもんに酒手《さかて》でもはずんでくだせえましたら……」

またみんながすわりこんで、たばこなどをふかしはじめた昼休みに、老人は一同に向って、「マーシュキン丘を刈ったら、酒手が出るとさ」と、ふれまわった。

「それじゃ、刈らねえでいられねえや！　さあ、やろうぜ、チート！　威勢よくやっちまおうぜ！　晩飯は夜中になったってかまやしねえや！　さあ、やろうぜ！」みんなは口々にいって、パンの残りをほおばると、仕事にかかった。

「さあ、みんな、しっかりやろうぜ！」チートはいって、ほとんど駆け足で先頭に立った。

「行った、行った！」老人はそのあとにつづき、なんなく追い着きながら、いった。「おめえらを刈り負かしちまうぞ！　しっかりしろや！」

若い者も年寄りも、まるで競争のように刈って行った。しかし、いくら急いでも、草を台なしにするようなことはなかった。刈られた草の列は、相変らず規則正しく、きちんと並んでいた。片すみに残っていた一画は五分間で刈りつくされた。しんがりの者が自分の列をまだ刈り終らないうちに、先頭の連中は、もう長上着《カフタン》を肩にひっかけて、街道を横ぎり、マーシュキン丘へ向った。

一同がブリキ缶をがらがら鳴らしながら、マーシュキン丘の森の窪地《くぼち》へはいったときには、太陽はもう木々の梢《こずえ》に傾いていた。窪地のまん中あたりの草は、腰ほども丈《たけ》があって、しなやかで柔らかく、葉も大きく、林のところどころには、継子菜《ままこな》が色どりを添えていた。

縦に刈るか横に刈るかで、ちょっと相談してから、草刈りの名手で、浅黒い顔をした大男のプローホルが、先頭に立って刈りはじめた。彼は一列だけ先頭に立って刈ったあと、引き返してわきへよけた。そこで、一同もそれにつづいて、まず窪地づたいに丘を下って行き、それから丘の上の森のはしまで登った。太陽は森陰に隠れた。はやくも露がおりて、刈り手が日に照らされているのは丘の上だけで、水蒸気の立ちのぼっている下のほうや、向う側などでは、さわやかな露のおりた日陰の中を刈り進むのだった。仕事は調子づいてきた。

香ばしいにおいを放つ牧草は、みずみずしい音をたててなぎ倒されながら、高い列をなしていった。ブリキ缶をがらがら鳴らしたり、鎌をかち合せたりしながら、短い距離の草場に八方からひしめき集まって来た刈り手たちは、しゅっしゅっという砥石《といし》の音をたてたり、陽気な叫び声をあげたりしながら、互いに競争しあっていた。

リョーヴィンはやはり例の若者と老人とのあいだに立っていた。短い羊皮のジャケットを着た老人は、相変らず陽気で、冗談ばかりいいながら、いとも軽々と刈っていた。森の中では、みずみずしい草におおわれて太った白樺茸《しらかばたけ》が、たえず鎌にかかって切り捨てられた。ところが、老人は茸《きのこ》を見つけると、いつもきまってかがみこんでそれを取りあげ、ふところに入れた。『また、婆《ばあ》さんにみやげができた』それが老人の口癖であった。

湿った柔らかい草を刈るのは、とても楽ではあったが、谷のけわしい斜面をのぼったりおりたりするのは、かなり苦しかった。しかし、老人はそれにもへこたれなかった。相変らずの調子で鎌を振るいながら、老人は大きな草鞋《わらじ》をはいた足を、しっかりと小股《こまた》に踏みながら、ゆっくりと急坂をよじのぼっていた。そして、からだを震わせながら、股引《ももひき》がシャツの下にずりおちても、行く手のひと株の草も一本の茸も見のがすことなく、例の調子で、百姓たちやリョーヴィンを相手に冗談をいっていた。リョーヴィンは老人のあとにつづいて行ったが、こんなけわしい坂は鎌なしでものぼるのは骨が折れるのに、まして鎌などを持っていたら、きっと、落ちるにちがいない、と幾度も観念した。しかし、それにもかかわらず、彼はそこをのぼりきって、きめられたことをちゃんとやりとげた。彼には、なにか外的な力が自分を動かしているように感じられた。

6

マーシュキン丘は刈りつくされた。一同は最後の幾列かを片づけてしまうと、長上着《カフタン》を着こんで、陽気そうに家路についた。リョーヴィンは馬に乗り、なごり惜しそうに百姓たちに別れを告げると、わが家へ馬を進めた。丘の上で、彼は一度振り返って見たが、低地から立ちのぼる霧のために、百姓たちの姿は見えなかった。ただ、にぎやかな、荒っぽい話し声と、大きな笑い声と、鎌のふれあう響きが聞えるばかりであった。

リョーヴィンが、乱れた髪を汗で額にべとつかせ、背中や胸を黒々とぬらしたまま、陽気に兄に話しかけながら、その部屋へはいって行ったとき、コズヌイシェフはとうの昔に食事をすませて、自分の部屋でレモン入りの氷水を飲みながら、郵便局から届いたばかりの新聞や雑誌に目を通しているところだった。

「やあ、ぼくらは草場をすっかり刈りあげてしまいましたよ！　ああ、じつに愉快ですね！　ところで、兄さんはなにをしていたんです？」リョーヴィンは、きのうの不愉快な会話などけろりと忘れて、いった。

「おい、どうしたんだ！　いったい、なんて格好だい！」コズヌイシェフは、とっさに、なにかむっとして弟をじろじろ見ながらいった。「おい、ドアを、ドアをしめてくれよ！」彼は叫んだ。「きっと、すくなくとも十匹ぐらいははいったにちがいない」

コズヌイシェフはおそろしく蠅がきらいだったので、自分の部屋の窓は夜しかあけず、ドアはまちがいなくしめるようにしていた。

「大丈夫ですよ、一匹もはいりゃしませんでしたから。はいってたら、ぼくがとってあげますよ。兄さんにはちょっと想像もできないでしょうね、あのすばらしい気分なんか！　きょうは一日なにをしていたんです？」

「私も愉快だったよ。それにしても、ほんとに、いちんちじゅう草刈りをやってたのかい？　それじゃ、狼《おおかみ》のように腹をへらしてるだろうな。クジマーが、すっかり食事のしたくをしておいたよ」

「いや、ぼくは食べたくないんです。向うで食事をしたんで。じゃ、ちょっと行って、からだを洗ってきますよ」

「ああ、早く、行ってきなさい。私もすぐおまえのところへ行くから」コズヌイシェフは首を振りふり、弟をながめながら、いった。「さあ、早く行っておいで！」彼は微笑を浮べながら、いい足すと、もう本を集めて、出かけるしたくをした。彼は急に自分まで愉快になって、弟と離れたくなくなったのである。「じゃ、雨のあいだはどこにいたんだね？」

「あれが雨だなんて！　ちょっと、ぱらぱらっとしただけですよ。じゃ、すぐもどって来ますから。それじゃ、兄さんは愉快に一日を過されたんですね？　そりゃ、けっこうです」そういって、リョーヴィンは着替えをしに出て行った。

五分後に、兄弟は食堂でいっしょになった。リョーヴィンは食べたくない様子だったが、クジマーの気を悪くさせないために、テーブルについた。ところが、食べだしてみると、食事はすごくうまいように思われた。コズヌイシェフはにこにこしながら、弟の様子をながめていた。

「あっ、そうだ。おまえに手紙がきているよ」彼はいった。「クジマー、すまんが、下から持って来てくれ。それから、忘れずに、ドアをちゃんとしめとくんだよ」

その手紙は、オブロンスキーからであった。リョーヴィンはそれを声をだして読んだ。オブロンスキーは、ペテルブルグから書いてよこしたのだった。

『ぼくはドリイから手紙を受け取った。あれは今エルグショーヴォにいるのだが、どうも、なにもかもうまくいってないらしい。頼むから、出かけて行って、あれの相談にのってくれないか。きみはなんでもよくわかっているのだから、あれもきみに会えたら、大喜びするだろう。かわいそうに、たったひとりぼっちでいるんだ。義母《はは》のほうはみんなといっしょに、まだ外国にいる』

「こりゃ、すばらしい！　ぜひ、行ってこなくちゃ」リョーヴィンはいった。「なんなら、いっしょに行きませんか。とてもいいひとですよ。どうです？」

「そこはここからそう遠くないのかね？」

「三十キロばかり、いや、四十キロもあるかな。でも、いい道ですから、愉快な旅ができますよ」

「そりゃ、いいね」コズヌイシェフは相変らず、にこにこしながら、いった。

彼は弟の様子にすっかり圧倒されて、自分まで愉快な気分にさせられるのだった。

「いや、それにしても、すごい食欲じゃないか！」彼は弟が皿の上に突き出している赤銅色《しゃくどういろ》に焼けた顔や、首筋をながめながら、いった。

「まったく、すばらしいもんですよ！　信じちゃくださらないかもしれませんが、くだらん考えをすっかり頭の中から追い出すのには、あれくらい有効な療法はありませんね。ぼくは Arbeitscur（訳注 労働療法）という新しい術語をつくって、医学に貢献しようかと思いますよ」

「でも、どうやら、おまえにはそんなものは必要なさそうだね」

「ええ、そりゃいろんな神経病患者用ですがね」

「うん、それは試みてみる必要があるな。いや、じつは私もおまえの様子を見に草刈り場へ行こうとしたんだが、あまりの暑さなので、森のところまでしか行かなかったよ。そこでひと休みして、森づたいに村へ行ったら、おまえの乳母に会ったので、百姓たちがおまえのことをどうながめているか、ちょっとさぐりを入れてみたがね。私の見たところでは、どうやら、みんなはおまえのああした行動には反対らしいね。乳母は『だんな衆のなさるお仕事じゃありません』といってたよ。一般的にいって、農民の観念の中には、いわゆる『だんな衆』の仕事というものについて、ある種の固定観念がちゃんとできているらしいね。だから、そうした観念で規定されている枠《わく》を、だんな方が踏みはずすのを、あの連中は許そうとしないんだね」

「そうかもしれませんね。でも、とにかく、あれはじつに愉快な仕事で、生れてこのかたあんな経験は一度もしたことがないほどですよ。それに、悪いことなんかなにもないでしょう。ね、そうじゃありませんか？」リョーヴィンは答えた。「たとえ、あの連中の気に入らないとしても、そりゃ、しかたがありませんよ。もっとも、ぼくはたいしたことないと思っていますがね。ねえ？」

「まあ、どうやら」コズヌイシェフはつづけた。「私の見たところでは、おまえはきょう一日に、満足してるらしいね」

「大いに、満足していますよ。なにしろ、ぼくらは草場を一つ、すっかり刈りあげたんですからね。それに、あるひとりの老人と友だちになりましてね！　その老人がどんなにすばらしい人物か、兄さんにゃちょっと想像もつかないでしょうね」

「いや、とにかく、きょう一日に満足したんだね。私もご同様だよ。第一、私は将棋《しょうぎ》の問題を二つ解いたが、その一つはすごくおもしろいやつでね――歩《ふ》からはじめるやつでね。あとで教えてやるよ。それから、きのうの議論のことを考えてみたんだ」

「なんですか？　きのうの議論って？」リョーヴィンはさも幸福そうに目を細めて、食後の溜息《ためいき》をつきながら、こういったが、きのうの議論というのはどんなことだったか、まったく思いだせなかった。

「今じゃ、おまえの説も部分的には正しいと思うようになったよ。われわれの意見の相違はだね、おまえが個人的な利害をいっさいの原動力と考えるのに対して、私は相当程度の教養のある人間なら、だれだって万人の福祉のための観念をもつべきだと考える、そこにあるわけだね。もっとも、おまえの説にも一理あるかもしれない。なにしろ、物質的な利害に根ざした活動のほうが、いっそう望ましいかもしれないからね。一般的にいって、おまえの気性は、フランス人の口にするprime-sautière（訳注　衝動的傾向）が強すぎるよ。おまえが望んでいるのは、激しい精力的な活動か、それとも無なんだから」

リョーヴィンは兄の話に耳を傾けていたが、まるっきりなにもわからなかったし、またわかろうとも欲しなかった。彼はただ兄になにか質問されて、自分がなにも聞いていなかったことが明らかになりはしないかと、それだけをたえず心配していた。

「いや、そうなんだよ」コズヌイシェフは、弟の肩に手をのせながらいった。

「もちろん、そうですとも。それにまた、ぼくはなにも自説を固持してなんかいませんよ」リョーヴィンは、子供っぽい、さもすまなさそうな微笑を浮べて、答えた。《それにしても、おれはいったいなんの議論をしたんだったっけ！》彼は考えた。《もちろん、おれも正しければ、兄も正しいのさ。それに、なにもかもうまくいってるんだ。ただちょっと事務所へ行って、手配をしてこなくちゃ》彼は伸びをして、にこにこ笑いながら、立ちあがった。

コズヌイシェフも同じように微笑した。

「おまえが行きたいんなら、私もいっしょに行くよ」彼はいった。彼は見るからに新鮮な気分と、若々しさを発散させている弟と、別れたくなかったのである。「さあ、出かけよう。おまえに用があるなら、事務所へも寄って行こう」

「あ、たいへんだ！」急にリョーヴィンは、コズヌイシェフがびっくりするほど、大声で叫んだ。

「どうしたんだい、おまえ？」

「アガーフィヤの手はどうなったかな？」リョーヴィンは自分の頭を自分でたたきながら、いった。「あの人のことをすっかり忘れていましたよ」

「とってもよくなったよ」

「それにしても、ちょっと、見て来よう。兄さんが帽子をかぶるあいだに、もどって来ますよ」

そういうと、彼は玩具《おもちゃ》のがらがらのように靴《くつ》の踵《かかと》を鳴らしながら、階段を駆けおりて行った。

役所に勤めていない者にはちょっと理解できないが、勤めている者にとってはごく自然な、それがなくては役所勤めができぬほど重要な義務、つまり、自分のことを忘れられないために本省へ顔出しする義務を果すために、オブロンスキーがペテルブルグへ出かけて行き、その義務を遂行するために、家から有り金をほとんど持ちだし、競馬や別荘でおもしろおかしく日を過していたとき、ドリイはできるだけ経費を節約するために、子供たちを連れて田舎へひっこんだ。引き移った先というのは、ドリイの持参した財産の一部であるエルグショーヴォ村だった。そこはこの春、森が売られたところで、リョーヴィンのポクローフスコエ村からは、五十キロ離れていた。

7

エルグショーヴォにあった大きな古い屋敷は、とうの昔に取りこわされて、今はただ一軒の離れが、公爵《こうしゃく》の手で修繕され、建て増しされていた。この離れは、離れの常として、並木道にも、南にも面していなかったが、二十年ばかり前、ドリイがまだ子供だった時分には、広々していて、住み心地《ごこち》がよかった。ところが、今ではこの離れも古びて、荒れはてていた。この春、オブロンスキーが森を売りに行ったとき、ドリイは夫によく家を見て、必要な修繕をさせるように頼んでおいた。オブロンスキーは、自分で悪いことをした夫の例にもれず、妻の便宜をはかることに懸命だったので、みずから家を点検してから、必要と認められたことをすっかり処理して来た。彼が必要と認めたことは、全部の家具を更紗《さらさ》で張りかえ、窓にカーテンをかけ、庭をきれいにし、池に小さな橋をかけ、花を植えることであった。ところが、彼はそのほか肝心なことをたくさん忘れていたので、そうした不備が、あとでドリイを悩ますことになったのである。

オブロンスキーは、自分がよく気のつく父親や夫になりたいといくら努めていても、どうしても自分は妻子のある人間だということを、自覚することはできなかった。彼には独身者の趣味があって、なにごともそれを標準にして行動していた。モスクワへ帰ると、彼はさも得意げに妻に向って、すっかり用意はできた、家はまるで玩具のようにかわいいから、ぜひ行くようにと、勧めた。オブロンスキーにとっては、妻の田舎行きはすべての点で、大いに好都合だった。子供たちの健康にもいいし、経費も節約できるし、自分も前より自由がきくというわけである。ドリイにしても、夏のあいだ田舎へ行くのは子供のために、ことに猩紅熱《しょうこうねつ》のあとがはかばかしくない女の子のために、必要であるばかりでなく、いまや苦痛の種となっている薪屋《まきや》、魚屋、靴屋などのこまごました借金や、それにともなうつまらない屈辱感からのがれるためにも、必要なことであると考えていた。なおそのうえ、この田舎行きがうれしく思われたのは、妹のキチイを村のほうへ呼びよせようと、空想していたからである。当のキチイは夏の半ばに外国から帰って来るはずであったし、かねて医者から水浴を勧められていたからである。キチイは温泉場から姉のもとへ手紙で、あたしたちふたりにとって、幼いころの思い出に満ちているエルグショーヴォで、お姉さまとごいっしょにひと夏をおくれるなんて、ほんとにうれしいことですわ、と書いてよこした。

田園生活もはじめのうちはドリイにとって、ひどくつらいものであった。ドリイは子供のころ、この村で暮したことがあるので、田舎はありとあらゆる都会生活の不愉快さからの救いであり、田舎の生活は優美でこそないが（この点ではドリイもすぐあきらめがついた）、そのかわり安価で便利であり、物はなんでもあって、なんでも安く、なんでも手に入れることができ、子供たちの健康にもいい、といった印象が残っていた。ところが、今主婦として田舎へやって来てみると、そのいっさいがまるで予想と違っているのに気づいた。

着いた翌日、ものすごい夕立が降って、夜中に廊下と子供部屋に雨もりがしはじめたので、寝台を客間へ移さなければならなかった。女中部屋には料理女がいなかったし、雌牛《めうし》は九頭もおりながら、家畜番の女の説明によると、あるものは孕《はら》んでいたり、あるものはまだ子牛だったり、あるものは年をとりすぎていたり、またあるものは乳の出が悪くなったりで、バターもなければ、子供たちに飲ます牛乳さえ足りない始末であった。卵もなかった。鶏も手に入れることができなかった。焼いたり煮たりするのは、いつも紫色に変った、筋だらけの、雄鶏《おんどり》だけであった。床をふくのに百姓女を雇おうと思っても、みんなじゃがいも掘りに行って間にあわなかった。馬車に乗ることもできなかった。一頭きりの馬が強情で、轅《ながえ》につけるとあばれだす始末であった。水浴びする場所もなかった。川岸がすっかり家畜に踏み荒されて、街道からまる見えなのである。いや、それどころか、ちょっと庭先を散歩することもできなかった。こわれた垣根《かきね》から家畜が庭へはいりこむからであった。その中には恐ろしい雄牛も一頭まじっていたが、ものすごくうなるところからみると、どうやら、角で突くやつにちがいなかった。洋服だんすもなかった。いや、ひとつふたつあるにはあったが、戸がよくしまらず、そばを通ると、ひとりでにあくというしろものであった。鉄鍋《てつなべ》も土壺《つちつぼ》もなかった。洗濯《せんたく》用の大鍋もなければ、女中部屋にはアイロン台さえなかった。

安静と休息のかわりに、こんな恐ろしい、彼女にいわせれば、災難にぶつかったので、はじめのうちは、ドリイも絶望におちいってしまった。彼女は一生懸命やきもきしてみたが、その状態がどうにもならないことを痛感して、たえず目ににじみでてくる涙をおさえていた。美しく上品な風采《ふうさい》のためにオブロンスキーに気に入られて、玄関番から支配人に抜擢《ばってき》された騎兵曹長《そうちょう》あがりの男は、ドリイの困惑にはいっこう同情を示さず、ただうやうやしい調子で、「なんとも、いたしかたございません。なにしろ、みんなしようのないやつらばかりでございますから」といって、なにひとつ力をかそうとはしなかった。

こうした状態は、まったく救いのないもののように思われた。ところが、オブロンスキー家には、どこの家庭にもいるように、たいして目だたないが、重要かつ有益な人物がひとりいたのである。それはマトリョーナであった。老婆《ろうば》は奥さまを慰めて、今になにもかも丸くおさまりますよ（これは老婆の口癖で、マトヴェイも彼女からそれを借用したのであった）、といいきかせ、自分はあわてず騒がず、ちゃんと務めをはたしていた。

マトリョーナは、たちまち、支配人の女房と懇意になり、もう着いた日からこの女房と亭主の支配人といっしょに、アカシヤの下でお茶を飲みながら、あらゆる問題を相談した。まもなく、このアカシヤの下にマトリョーナのクラブができあがってしまった。支配人の女房と、村長と、帳場の男からなるこのクラブを通して、厄介《やっかい》な生活上の問題が、少しずつ解決されていき、一週間もたつと、ほんとうに、なにもかも丸くおさまったのであった。屋根は修理され、料理女には村長の懇意にしている女が見つかり、鶏も買い入れ、雌牛も乳を出すようになった。庭の囲いもでき、調理台も大工につくらせ、洋服だんすには鍵《かぎ》をつけたので、もうひとりでにあかなくなった。軍服用のラシャをかぶせたアイロン台も、肘《ひじ》掛けいすの腕木からたんすへかけ渡されて、女中部屋ではアイロンのにおいがするようになった。

「それ、ごらんなさいまし！　奥さまはいつもおこぼしでいらっしゃいましたけれど」マトリョーナは、アイロン台をさしながら、いった。

麦藁《むぎわら》で垣をした水浴小屋まで建てられた。ドリイは水浴をはじめた。こうして、ドリイにとっては、それほど落ち着きこそなかったが、便利な田園生活にかけられた期待が、部分的ながら、実現された。六人の子供をかかえていたドリイには、落ち着きなどはとても望めぬことであった。ひとりが病気になれば、またもうひとりが病気になりそうになるし、ひとりになにか足りないことがあると、もうひとりにはなにかよからぬ性質のきざしが見えてくる、云々《うんぬん》といったありさまで、落ち着いた気分になれるのはほんの時たま、ごく短いあいだであった。もっとも、こうした心づかいや不安が、ドリイにとっては、ただひとつ望みうる幸福でもあった。もしこうしたことがなかったら、彼女は自分を愛してくれぬ夫のことを、ひとりでくよくよと考えていなければならなかったにちがいない。いや、そればかりか、子供の病気を想像する恐怖や、病気そのものや、よからぬ性質のきざしを発見したときの悲しみは、母親にとって耐えがたいものではあるが、しかし今ではもう、子供たち自身が、ささやかな喜びとなって、彼女の悲しみを償なってくれるのであった。そうした喜びは、さながら砂の中の金のように、目だたぬほど小さなものであった。そして、悪いときには、彼女はただ悲しみばかりを、ただ砂ばかりを見ていたが、気持のいいときには、ただ喜びばかりを、ただ金ばかりを見るのであった。

今度、田舎へひっこんでから、彼女はこの喜びを感ずることが、ますます多くなってきた。彼女はよく子供たちをながめながら、自分はまちがっているのだ、母親の欲目でわが子を買いかぶっているのだ、といくら自分にいいきかせようとしたかしれなかった。しかし、やっぱり、自分の子はすばらしく、六人が六人ながらみんなそれぞれ性質は違うけれども、類のないほどいい子供ばかりだ、と自分にいいきかせるのだった。そして、これらの子供たちによって自分を幸福だと考え、子供たちを誇りに思うのであった。

8

五月の終りに、もうどうやらなにもかも整理がついたとき、彼女が田舎暮しの不便さを訴えた手紙に対して、夫から返事を受け取った。彼は万事に注意の行き届かなかったことをわびながら、機会のありしだい、そちらへ行くと約束してよこした。が、そんな機会は、なかなかなかなかったので、ドリイは六月の初めまで、ひとりで田舎暮しをしていた。

ペテロ祭週の日曜日に、ドリイは子供たち全部に、聖餐《せいさん》を受けさせるため、馬車で祈禱式《きとうしき》に出かけて行った。ドリイは妹や母親や友だちなどを相手に、哲学的な話をうちとけてするようなとき、宗教に対して自由主義的な考え方をすることで、よく相手を驚かしたものであった。彼女は輪廻《りんね》という一種独特な宗教をいだいていて、教会のドグマなどにはほとんどおかまいなく、かたくそれを信じていた。ところが、家庭にあっては単にみずから範を示すためばかりでなく、心の底から教会のいっさいの掟《おきて》を厳格に実行していた。そのため、子供たちがもう一年近くも、聖餐を受けていないということが、ひどく気になっていたので、今度マトリョーナの賛成と同情を得て、この夏のうちにそれをすませてしまおうと、決心したのであった。

ドリイはもう幾日も前から、子供たちにどんな服を着せたらいいかと、思案していた。幾枚かの服が新しく縫われたり、仕立てなおされたり、洗濯されたり、縫いこみやひだが出され、ボタンがつけられ、リボンで飾られた。ただ、イギリス婦人が仕立てを引き受けてくれたターニャの服だけが、ひどくドリイの気持をやきもきさせた。イギリス婦人は、縫いなおしをするときに、縫いしろを間違えて、あまり袖《そで》ぐりを深くとりすぎたので、危うくその服を台なしにするところだった。ターニャは肩のところが窮屈で、見る目も苦しそうだった。しかし、マトリョーナが気をきかして、まちを入れたり、ケープを上にかけることを思いついた。こうして、そのほうはどうやらおさまったものの、イギリス婦人とは、一悶着《ひともんちゃく》起すところであった。しかし、その朝までには、なにもかもうまく運んで、九時には——それまで祈禱式を待ってもらうよう神父に頼んでおいたのである——着飾った子供たちが、うれしそうに顔を輝かせながら、母親が出て来るのを、階段の下の幌馬車《ほろばしゃ》の前に立って待っていた。

幌馬車には、癇《かん》の強い青毛の代りに、マトリョーナのはからいで、支配人の栗毛《くりげ》がつけられた。やがて、化粧に手間どったドリイが、純白のモスリンの衣装を着て、階段の下に現われた。

ドリイはいろいろと気をつかって、心をおどらせながら、髪を結ったり、着つけをしたりした。以前は彼女も、美しく装いをこらして、人の気に入られようと思ってみずから進んで化粧したものであった。が、その後、年をとるにしたがって、しだいに身じまいをするのが面倒になってきた。われながら器量の落ちたことに気づいたからである。ところが、今はまた、なにか満ちたりた、心おどるものを感じながら、身じまいをするようになった。今の彼女は自分のためでも、自分を美しく見せるためでもなく、ただかわいい子供たちの母親として、見る人の印象を傷つけないために装いをこらすのだった。そのため、最後にもう一度鏡をながめたとき、彼女は自分の容姿に満足した。彼女は美しかった。もっとも、その美しさは、その昔、彼女が舞踏会などで美しくありたいと願ったような美しさではなかった。しかし、彼女が現にめざしている目的には十分かなった美しさであった。

教会には、百姓や門番と、その女房たちのほかは、だれもいなかった。しかし、ドリイは、彼らが自分や子供たちをうっとりとながめているのを見てとった。いや、見てとったように思われた。子供たちは、華やかに着飾った姿がとても美しかったばかりでなく、しとやかな行儀作法が愛らしかった。もっとも、アリョーシャのふるまいは、申し分ないとはいえなかった。少年はたえず上体をくねらせて、自分のジャケットの背中を見ようとしていた。それにもかかわらず、この少年は並みはずれてかわいらしかった。ターニャはお姉さんぶって、弟や妹の面倒を見てやっていた。しかし、末っ子のリリイは、なにを見てもあどけなく驚くところが、それはかわいらしく、聖餐を受けてから、“Please, some more”（訳注　どうか、もう少し）といったときには、だれもが思わずほほえまずにはいられなかった。

　子供たちは家へ帰る途中、なにか荘厳《そうごん》なことが行われたのを感じた様子で、とてもおとなしかった。

　家へ帰ってからも、万事調子よく運んだ。ところが、朝食のとき、グリーシャは口笛を吹きだしたうえ、なによりも悪いことには、イギリス婦人のいうことを聞かなかったので、ついにおいしいパイがもらえなくなってしまった。もっとも、ドリイがその場に居あわせたら、こういう日には罰など与えさせなかったにちがいない。しかし、イギリス婦人のやり方を支持しないわけにはいかなかったので、グリーシャにはおいしいパイをやらないという決定に同意せざるをえなかった。このことはみんなの喜びを少々そこねた。

　グリーシャは泣きながら、ニコーレンカも口笛を吹いたのに、ちっとも罰を受けないじゃないか、ぼくはパイがもらえないから泣くんじゃない——そんなことなんか平気だけれど、ぼくだけ不公平にされるのがいやなんだ、と訴えた。その様子はとても見るにしのびなかったので、ドリイはイギリス婦人と話し合って、グリーシャを許してやろうと思い、イギリス婦人の部屋へ出かけて行った。ところがそのとき、彼女が広間を通り抜けようとして、ふと目にした光景は、思わず涙があふれるほどの喜びで、彼女の胸をいっぱいにしたので、彼女はもう母親の独断で、幼い罪人を許してしまった。

罰せられた少年は、広間のすみの窓のところに腰かけており、そのそばには、ターニャがお菓子皿を持って立っていた。ターニャは、お人形にごちそうしてやりたいという口実をつくって、自分のパイを子供部屋へ持って行く許可をイギリス婦人からもらい、そうするかわりに、弟のところへ持って来たのであった。少年は自分に加えられた罰が不公平だといって泣きつづけながら、持って来てもらったパイを食べていた。そして、なおも泣きじゃくりながらときどき「お姉さんもお食べよ、いっしょに食べようよ……ねえ、いっしょに」といっていた。

ターニャは、はじめグリーシャがただかわいそうでならなかったが、やがて自分の善行を意識するようになって、自分でも目に涙を浮べていた。しかし、ターニャは弟の申し出《いで》をこばまないで、自分も食べていた。

母の姿を見ると、ふたりはびくっとしたが、母親の顔の表情から、自分たちはいいことをしているのだとわかると、急に声をたてて笑いだした。そして、口にいっぱいパイをつめこんだまま、微笑にほころびた唇《くちびる》を両手でこすりはじめたので、ふたりの喜びに輝く顔は、涙とジャムですっかりべとべとになってしまった。

「まあ、たいへん!! こんな新しい白い服を！ ターニャ！ グリーシャ！」母親は子供の服をよごさないように努めながらも、目にいっぱい涙をため、さも幸福そうな歓喜の微笑を浮べながら、こういった。

子供たちは新しい服を脱がされて、女の子はブラウスを、男の子は古いジャケットを着せられた。そして、馬車のしたくが命ぜられ、支配人の不満をよそに、またも栗毛がつけられた。それは茸《きのこ》取りと、水浴びに行くためであった。子供部屋には、どっとばかり歓声があがって、それは、水浴びに出かけるときまでやまなかった。

茸は籠《かご》いっぱい取れた。リリイでさえ白樺茸《しらかばたけ》を見つけた。以前はミス・グールが見つけて、それをリリイに見せたものであったが、今度はリリイが自分で、大きな白樺茸を見つけたのであった。そこで、みんなは「リリイが茸を見つけたよ！」と声をそろえて歓呼をあげた。

それから川へ行き、馬車を白樺の木陰に止め、水浴小屋へ歩いて行った。御者のチエレンチイは、しっぽで虻《あぶ》をはらっている馬を木につなぐと、草を踏み柔らげて、白樺の木陰に横になり、下等な葉たばこをふかしはじめた。と、水浴小屋からは、子供たちの楽しそうな叫び声が、たえず彼のところまで伝わってきた。

全部の子供たちを監督して、そのいたずらをやめさせるのは面倒なことだったし、大きさのまちまちなみんなの靴下《くつした》や、ズボンや、靴などを、ちゃんと覚えていて、まちがわないようにしたり、紐《ひも》やボタンをといたり、はずしたり、結んだりするのは、なかなか骨の折れることであった。ところが、ドリイは前々から自分でも水浴びが好きなうえ、子供たちのためにもなると考えていたので、子供たちみんなと水浴びすることほど、楽しいことはなかった。子供たちのふっくらした小さな足を手にとって、靴下をはかせたり、丸裸になった小さなからだを両手に抱いて水に浸《つ》けたり、時にはうれしそうな、時にはおびえたような叫び声を耳にしたり、こわいような、うれしいような目を大きく見ひらいて、息を切らしている顔や、水をぴちゃぴちゃはねかえしているかわいい天使たちの姿をながめたりするのは、彼女にとって大きな喜びであった。

子供たちの半分がもう服を着てしまったとき、薬草取りに行ってきた着飾った百姓女たちが、水浴小屋のそばに近寄って、おずおずと立ち止った。マトリョーナは、水に落したタオルとシャツを干してもらおうと思って、その中のひとりに声をかけた。ドリイも、女房たちと話をはじめた。女房たちははじめのうちこそなにをきかれているかわからないで、手を口にあてて笑っていたが、じきに臆《おく》することなく、話しはじめ、心底から子供たちに見とれている様子を示したので、ドリイはたちまちこの百姓女たちが気に入ってしまった。

「まあ、なんてべっぴんさんだこと、まるで砂糖でこせえたように色が白いだね」ひとりがターネチカに見とれて、首でうなずきながら、いった。「でも、ちっと、やせてるようだね……」

「ええ、病気だったのでね」

「あれまあ、こんな赤子まで水浴びさせなさっただか?」もうひとりが乳飲み子をさしていった。

「いいえ、この子はまだ三カ月にしかなっていないのよ」ドリイは誇らしげに答えた。

「あれ、まあ!」

「あんたにもお子さんがあるの?」

「四人ありましたが、ふたりになっちめえましたよ。男の子と女の子で。下の女の子が、やっと、この前の謝肉祭に乳離れしましただ」

「その子はいくつになるの？」

「数え年で二つでごぜえますよ」

「どうしてそんなに長くお乳を飲ませたの？」

「そりゃ、うちらのしきたりでごぜえますだよ、斎戒期《さいかいき》を三度すまさなくちゃいけねえというのが……」


こうして、話はドリイにとってなによりも興味のある話題に移っていった――お産のときはどうだったか？　子供はどんな病気をしたか？　亭主はどこにいるか？　しょっちゅう家に帰って来るか？

ドリイはこの女房たちと別れて帰りたくなかった。それほど女房たちとの話はおもしろく、お互いの関心はまったく同じことにあったからである。ドリイにとってなによりも気持がよかったのは、これらの女房たちがみんな、ドリイ自身がたくさんの子持ちで、しかもその子供たちがみんな器量よしなのに感心しているのがはっきりわかったからである。女房たちはドリイを笑わせたが、それと同時に、イギリス婦人をおこらせてしまった。というのは当のイギリス婦人が、自分にとって不可解な笑いの原因となったからである。ひとりの若い女房が、いちばんあとから服を着ていたイギリス婦人を、つくづくながめていたが、彼女が三枚めのペチコートをはいたとき、ついに我慢しきれないで、「あれまあ、巻きつけるわ、巻きつけるわ、いくら巻いても、きりがねえだね！」と口をすべらしたので、みんなどっとばかり大声で笑いくずれたからである。

9

水浴びをしてまだ頭のぬれている子供たちにとりかこまれながら、ネッカチーフで頭をしばったドリイが、もう家の近くまで来たとき、御者がいった。

「どこかのだんなが歩いてお見えになりましたよ。どうやら、ポクローフスコエのだんならしいですが」

ドリイは前方に目をこらし、ねずみ色の帽子にねずみ色の外套《がいとう》を着た見覚えのあるリョーヴィンの姿が、向うからやって来るのを見つけて、急に、うれしくなった。彼女はいつもリョーヴィンに会うのが好きだったが、ことに今はこうしたすばらしい幸福につつまれている自分を見てもらえることに、特別な喜びを感じていた。リョーヴィンよりほかに、彼女の偉大さを理解してくれるものはなかったからである。

リョーヴィンは彼女を見たとき、前々から想像に描いていた、将来の家庭生活の一場面をそこに見る思いだった。

「これじゃ、まるで巣ごもりの雌鶏《めんどり》みたいじゃありませんか、奥さん」

「まあ、なんてうれしいんでしょう！」ドリイは相手に手をさし伸べながらいった。

「うれしいなんておっしゃりながら、知らせてくださらないんですからね。ぼくのところには、いま兄が来ているんですよ。いや、じつは、スチーヴァからの手紙で、あなたがここにいらっしゃることを知ったんですよ」

「まあ、スチーヴァから？」ドリイはびっくりして問い返した。

「ええ、あなたがここへ移ったことを、知らせてよこしたうえ、ぼくがなにかあなたのお役に立つかもしれない、と考えてるようですね」リョーヴィンはいった。そして、そういってしまってから、急に、どぎまぎして、言葉を切り、菩提樹《ぼだいじゅ》の若い芽をむしってはかみすてながら、黙々と、馬車の横を歩いて行った。彼がどぎまぎしたわけは、夫のなすべきことに他人の助けをかりるのは、ドリイにとってさぞ不快だろうと気をまわしたからである。実際、ドリイは家庭内のことを他人におしつけようとする夫のやり方が気に入らなかった。そして、彼女もすぐに、リョーヴィンにはそのことがわかっているのだと気づいた。こうした細かい思いやりや感情のデリケートなところがあるので、ドリイはリョーヴィンを愛しているのであった。

「ぼくには、もちろん、わかっていたんです」リョーヴィンはいった。「それはただ、あなたがぼくに会いたがっていらした、という意味にすぎないってことぐらい。それで、ぼくも大いに愉快なんです。きっと、あなたのような都会のご婦人には、ここはさぞ野蛮なところに思われるでしょうが、もしなにかご用があれば、喜んでお役に立ちますよ」

「まあ、どういたしまして！」ドリイはいった。「はじめのうちこそなにかと不自由でしたけれど、うちのばあやのおかげで、今じゃなにもかもうまくいってますの」ドリイは、マトリョーナをさしながらいった。老婆《ろうば》は自分のことが話題になっているのを察して、にこにことさも親しそうな笑顔をリョーヴィンに向けた。老婆はリョーヴィンの人がらを知っており、彼が末の令嬢に似合いの花婿《はなむこ》であることを考えて、その話がまとまることを望んでいたのであった。

「どうぞ、お乗りになって。ここを少しつめますから」彼女はリョーヴィンにいった。

「いや、ぼくは歩いて行きますよ。さあ、みんな、だれかぼくといっしょに、馬と駆けっこする子供はいませんか！」

子供たちはほとんどリョーヴィンのことを知らなかったし、いつ会ったかも覚えていなかった。しかし、おとなが見えすいたごきげんとりをするときに、子供たちがよく感ずる、あの奇妙なはにかみや、嫌悪《けんお》の色は示さなかった。子供たちはそういう見えすいたおとなたちの態度に手きびしく反応するものである。偽善というものは、それがどんな種類のものであろうとも、きわめて聡明《そうめい》な洞察力《どうさつりょく》のある人さえ、だましおおせることがある。ところが、子供はどんなに知恵の足りないものでも、相手がいかに巧みに偽装していても、すぐに気づいて、そっぽを向いてしまうものである。ところが、リョーヴィンには、たとえどんな欠点があったにしても、そうした偽善的な性質だけはひとかけらもなかったので、子供たちは母親の顔に見つけたのと同じ親愛感を、彼に示した。そこで、彼の呼び声にこたえて、上のふたりはすぐさま馬車から飛びおりて、彼といっしょに駆けだして行った。その様子は、まるで相手がばあやか、ミス・グールか、それとも母親ででもあるかのように、ごく自然な態度だった。リリイまでが彼のところへ行きたいといいだしたので、母親は娘を彼に手渡した。彼はリリイを肩車に乗せて、そのまま、駆けだして行った。

「いや、大丈夫、大丈夫、奥さん」彼は母親に陽気な笑顔を見せながら、いった。「絶対にぶっつけたり、落したりしませんから」

実際、彼の器用そうな、力強い、慎重な、とても緊張している動作を見ていると、母親もすっかり安心して、明るい微笑を浮べて、うなずきながら、彼の姿を目で追っていた。

この村へ来て、子供たちや親切なドリイといっしょにいると、前にもよくあったことだが、リョーヴィンは子供っぽい快活な気分になってきた。ドリイもまた、彼のこういう気分がとくに好きであった。子供たちといっしょに走りながら、彼はみんなに体操を教えたり、まずい英語でミス・グールを笑わせたり、自分の田舎での仕事についてドリイに話をしたりするのだった。

昼食のあと、ドリイは彼とふたりきりでバルコニーにすわり、キチイのことを話しだした。

「ご存じかしら？　もうじきキチイがここへ来て、あたしといっしょにひと夏過すことになっていますの」

「ほんとですか？」彼は思わず心をおどらせながら、いった。が、すぐに話題を変えるために、「それじゃ、雌牛を二頭お宅へ送りましょうか？　もし勘定をきちんとしたいとおっしゃるなら、月五ルーブルということでけっこうです。もっとも、あなたのほうが気恥ずかしくなかったらのことですが」

「ええ、ありがとうございます。でも、こちらも万事すっかり整いましたから」

「じゃ、とにかく、お宅の雌牛を拝見してみましょう。もしよろしかったら、飼い方もお教えしますよ。なにしろ、それはただもう、餌《えさ》のやり方ひとつにかかっているんですからね」

こうして、リョーヴィンはただ話をそらすために、雌牛というものは、飼料を牛乳に変える機械にすぎない云々《うんぬん》という、乳牛飼養の理論を、ドリイに説明しだした。彼はそんな話をしながらも、キチイについての詳しい話を聞きたくてたまらなかったが、それと同時に、それを聞くのを恐れていた。彼にはあれほどつらい思いをしてかちえた平安を乱されるのが、恐ろしかったのである。

「そうでしょうね。でも、そんなことにいちいち気をつけるには世話がたいへんですわね。そんなことをしてくれる人がいるかしら?」ドリイは気のない返事をした。

彼女はマトリョーナの手で、一応の家政はととのえたので、今はもうこれ以上なにも変更したくなかったのである。それに、リョーヴィンの農事上の知識も信用していなかった。雌牛は牛乳を製造する機械だという彼の意見も、納得いかなかった。そんな種類の意見は、ただもう家政の仕事を混乱させるだけのことにすぎないように思われた。彼女の目から見ると、そうしたことはすべてずっと単純なものであって、マトリョーナが説明したように、ペストルーハやベロパーハに、もっと飼料と麩《ふすま》の溶き水をやり、料理人が台所の汚水を、洗濯《せんたく》女の雌牛に飲ませないようにすれば、もうそれで十分なことに思われるのであった。それはもうわかりきったことであった。ところが、粉類の餌や草の飼料についての彼の意見は、どうも納得がいかず、はっきりわからなかった。いや、それになによりも肝心なことは、彼女はキチイのことを話したかったのである。

10

「キチイが手紙をよこしまして、今の自分には孤独と平安ほど望ましいものはない、なんて書いてきましたのよ」しばらく沈黙してから、ドリイはいった。

「で、どうなんです、おからだのほうは、よくなったんですか?」リョーヴィンは、胸をどきどきさせながら、たずねた。

「おかげさまで、すっかりよくなりましたの。あたしは一度だって、あの子が胸の病だなんてこと、本気になどしませんでしたわ」

「そりゃ、ぼくもほんとにうれしいですよ!」リョーヴィンはいった。彼がそういって、黙ってドリイの顔を見つめたとき、ドリイには彼の顔になにか胸をうつような、哀れっぽい表情が、浮んだように思われた。

「ねえ、リョーヴィンさん」ドリイは持ち前の人の好《よ》い、いくらか自嘲《じちょう》の影をおびた微笑を浮べながら、いった。「あなたはなんだって、キチイのことをおこっていらっしゃいますの？」

「ぼくが？　いや、ぼくはおこってなどいませんよ」リョーヴィンは答えた。

「いいえ、あなたはおこっていらっしゃいますわ。それじゃ、この前モスクワへおいでのとき、あたしどものとこへも、キチイのとこへも、お寄りにならなかったのはなぜですの？」

「奥さん」彼は髪の根もとまで赤くなりながら、いった。「いや、ぼくには、あなたのように優しい心をもった方が、それを察してくださらないなんて、心外なくらいですよ。なぜぼくのことを、ただかわいそうなやつだと思ってくださらないんでしょう。ああいうことをご存じだったら……」

「あたしがなにを知っておりまして？」

「ぼくが結婚の申し込みをして、断わられたことをご存じじゃありませんか」リョーヴィンは一気にいった。ところが、つい一分前までキチイに対して感じていた優しさが、たちまち、彼の心の中で、侮辱に対する憎悪《ぞうお》の念に変ってしまった。

「なぜあたしが知ってるなんて、お思いになりまして？」

「だって、みんなが知っていることなんですから」

「いいえ、その点はあなたのお考え違いですわ。あたしはそんなこと知りませんでしたもの。そりゃ、うすうすは察してはいましたけれど」

「そうですか！　じゃ、今はっきりお知りになったわけですね」

「あたしが知ったのはただ、あの子になにかあったために、あの子がひどく悩んでいたことと、もうその話はけっしてしないでくれとあの子があたしに頼んだことだけですわ。あの子は、あたしにさえ話してくれなかったくらいですから、ほかの人には話しっこありませんわ。でも、あなた方のあいだに、いったい、どんなことがありましたの？　どうぞ、聞かせてくださいな」

「そのことなら、今お話ししたじゃありませんか」

「いつでしたの？」

「ぼくがいちばん最後にお宅へあがったときですよ」

「じつは、申しあげますけど」ドリイはいった。「あたし、あの子がほんとに、ほんとに、かわいそうでなりませんの、あなたのほうは、ただ自尊心から苦しんでいらっしゃるだけですけれど」

「そうかもしれませんね」リョーヴィンは答えた。「それでも……」

ドリイは相手をさえぎった。「でも、あたしは、あの子がかわいそうでなりませんの、ほんとに、ほんとに、かわいそうで。今になってみれば、なにもかもすっかりわかりますけれど」「いや、失礼ですが、奥さん」彼は立ちあがりながら、いった。「ぼくはおいとまします、奥さん、さようなら」

「いいえ、ちょっとお待ちになって」ドリイは彼の袖《そで》をとらえながらいった。「ねえ、お待ちになって。まあ、ちょっとおかけになってくださいまし」

「どうか、お願いですから、その話はもうしないことにしましょう」彼はすわりながらいった。が、それと同時に、彼の胸の中ではいったん葬《ほうむ》られた希望が、また頭をもちあげて、かすかに動きだしたような気がした。

「もしあたしがあなたに好意をもってなかったら」ドリイはしゃべりだしたが、その目には涙があふれていた。「もしあたしがこれほど、あなたって方を存じあげていなかったら……」

もう死んでしまったと思われていた感情が、徐々によみがえって、たかまっていき、たちまち、リョーヴィンの胸をいっぱいにしてしまった。

「ええ、今こそあたしには、なにもかもよくわかりましたわ」ドリイはつづけた。

「こんなことは、とてもおわかりにならないでしょうけれど、自由な立場で選択のおできになる、あなた方殿方には、自分がだれを愛してるかなんてことは、いつだってはっきりしていることでございましょうね。ところが、ただ待ちうける立場にある年ごろの娘には、処女の羞恥心《しゅうちしん》というものもありますし、あなた方殿方を遠くのほうかららながめているばかりで、そういう娘たちはなんでも言葉を真《ま》にうけてしまうものなんですの。で、そういう娘の身になってみると、自分でもなんといっていいかわからないような気持になることも少なくありませんわ」

「ええ、心で語ることができなければですね……」

「いいえ、そりゃ心で語ることもできますわ。でも、まあ、考えてもくださいまし。あなた方殿方は、かりにある娘に目をおつけになると、そのお宅へ出入りをして、近づきになったうえ、ご自分の好きなものが相手の中にあるかどうか、十分見きわめをおつけになってから、自分はたしかに愛していると確信されてはじめて、結婚の申し込みをなさいますでしょう……」

「さあ、いつもそうとばかりはいえませんね」

「まあ、そんなこと、どっちだってかまいませんけれど。いずれにしても、ご自分の愛が熟するか、選ばれたふたりのあいだで愛の重みが一方へ傾いた場合、あなた方は結婚の申し込みをなさるんですわ。娘の気持なんか、たずねてもみないで。そりゃ、娘も自分で選ぶべきだといってますけれど、娘が選ぶなんてことできませんわ、ただ『ええ』とか、『いいえ』とか答えるだけですわ」

《そうだ、おれとヴロンスキーとが秤《はかり》にかけられていたのだ》リョーヴィンは考えた。すると、彼の心の中によみがえりかけていた亡霊は再び死んでしまって、ただ苦しいほど彼の胸を締めつけるのであった。

「奥さん」彼はいった。「いや、そうやって選ぶのは、服とかなにかそういった買い物の場合のことで、愛情の問題は別ですよ。それに、その選択はもうすんでしまったのですから。いや、それでいいんです……もう二度と取り返しはつきません」

「まあ、ほんとに、自尊心のお高いこと！」ドリイはいった。その調子には女だけが知っている別の感情と比べて、相手の感情の卑《いや》しさを、さげすむような響きが感じられた。「あなたがちょうどキチイに結婚の申し込みをなすったとき、あの子はご返事ができないような立場にいたんですわ。あの子は迷っていたんですのよ。あなたにしようか、ヴロンスキーにしようか、とね。ヴロンスキーには毎日会っていましたけれど、あなたには長いことお目にかかっておりませんでしたわね。まあ、かりに、あの子がもう少し年をとっておりましたら……たとえば、あたしがあの子の立場にいたとすれば、迷うなんてことはありえませんでしたけど。あたしはあの男がなんとなく虫が好かなかったのですが、やっぱり、ああいう結果になってしまいました」

リョーヴィンはキチイの答えを思いだした。『いいえ、そういうわけにはまいりませんの』キチイはそういったのである。

「奥さん」彼はそっけない調子でいった。「ぼくを信頼してくださってありがたいとは思いますが、やっぱり、あなたは思い違いをしていらっしゃるようですね。いや、ぼくの態度が正しいか、まちがっているか、それは別として、あなたが現に軽蔑《けいべつ》していらっしゃるぼくの自尊心は妹さんに関するどんな考えをも不可能なものにしているんです。ねえ、おわかりですか、もう絶対に不可能なんです」

「あたしはただもうひと言だけ申しておきますわ。おわかりでしょうが、あたしはわが子のように愛している妹の話をしておるのでございますよ。そりゃ、あたしもあの子があなたを愛していたなどとは申しませんが、あのときお断わりしたのは、べつにあの子の気持がどうってことの証明にはならないってことだけを申しあげたかったんですの」

「ぼくにはわかりませんね！」リョーヴィンはおどりあがりながら、いった。「あなたはぼくをどんなに苦しめていらっしゃるか、ご自分ではおわかりになっちゃいないようですね！　まあ、たとえていってみれば、あなたの赤ちゃんが亡《な》くなったのに、あの子はああだった、こうだった、今生きていたら、あなたもそれを見てさぞお喜びになるでしょうに、なんて人からいわれるのと同じことなんですからね。ところが、その赤ちゃんはもう亡くなってしまったんです、亡くなってしまって、生き返っては来ないんですよ……」

「まあ、ほんとに、おかしな方ですのね」ドリイはリョーヴィンの興奮をよそに、もの憂《う》い笑いを浮べながら、いった。「ええ、これであたしもだんだんにわかってきましたわ」彼女は考えぶかそうにつづけた。「それじゃ、キチイがまいりましても、もううちへはいらしてくださいませんのね？」

「ええ、うかがいません。そりゃ、ぼくは妹さんを避けようなんて気はありませんが、でも、ぼくなんかがおじゃまして、あの方を不愉快にさせることのないようにできるだけ努めるつもりですよ」

「まあ、ほんとに、ほんとに、おかしな方ですのね」ドリイは優しく、相手の顔を見つめながら、繰り返した。「じゃ、よろしゅうございます。この話はしなかったことにいたしておきましょう。おや、なにしに来たの、ターニャ？」ドリイははいって来た女の子に、フランス語でいった。

「ママ、あたしのシャベルはどこ？」

「ママはフランス語でお話ししてるでしょ、だからおまえもそうしなくちゃだめよ」

女の子はいおうとしたが、フランス語でシャベルをなんというのか忘れてしまった。母親はそれを教えてやってから、そのシャベルはどこを捜したらいいか、またフランス語でいった。リョーヴィンにはそれが不愉快に思われた。

もう今となっては、ドリイの家庭にしても、その子供たちにしても、そこにあるいっさいのものが前ほど魅力がなくなったように思われるのだった。

《それに、なんだってこの母親は子供たちと、フランス語で話をするんだろう？》彼は考えた。《まったく、不自然で、情がこもっていないじゃないか！　子供たちだって、それを感じているんだ。フランス語を教えこむことで、真心を忘れさせているんだ》彼は心の中で考えた。もっとも、当のドリイにしても、この問題を二十ぺんも考えたあげく、多少の真実を犠牲にしても、この方法で子供たちを教育する必要を認めたのであるが、彼はそれを知らなかったのである。

「まあ、どこへいらっしゃいますの。もう少しおすわりになって」

リョーヴィンはお茶のときまで残ったが、あの楽しい気分はすっかり消えてしまって、妙にばつの悪い思いだった。

お茶のあとで、リョーヴィンは馬車の用意を命じるために、玄関へ出て行った。ところが、もどってみると、ドリイが顔を曇らせ、目には涙までたたえて、なにかひどく興奮していた。リョーヴィンが部屋を出て行ったとき、ドリイにとってきょう一日の幸福と、子供たちを誇りに思う気持を、いっぺんに破壊させるような出来事がとつぜん起ったのである。それはグリーシャとターニャが球《まり》を奪いあって、けんかしたことであった。ドリイが子供部屋の叫び声を聞きつけて、駆けだして行ってみると、ふたりは恐ろしい形相をしていた。ターニャはグリーシャの髪の毛をつかんでいたし、グリーシャは顔がひんまがってしまうほどかんかんになりながら、所かまわずに拳固《げんこ》でターニャをなぐりつけていた。その光景を見たとき、ドリイの胸の中では、なにかが一時に引き裂かれたような気がした。彼女の生活に、さながら闇《やみ》がおおいかぶさってきたような感じであった。彼女は自分があれほど誇りにしていた子供たちも、ごくありふれた子供であるばかりか、粗野で野獣的な傾向をおびた、教育の行き届かない、意地悪で悪い子供たちであることを一瞬にして悟ったのである。

彼女はもうほかのことは、なにひとつ話すことも考えることもできなかった。そして、リョーヴィンに自分の不幸について話さないではいられなかった。

リョーヴィンは、ドリイが不幸なことを見てとって、それはなにも子供たちの性質が悪いことを証明しているのではなく、子供ならだれでもけんかするのはあたりまえだといって、彼女を慰めようと試みた。が、リョーヴィンは自分でそういいながらも、心の中ではこう考えた。《いや、おれは変に気どったりして、自分の子供たちとフランス語なんかでしゃべるのはよそう。とにかく、おれの子供たちはこんなふうにはならないだろう。ただ子供たちを台なしにしないように、心と体をゆがめないようにすればいいんだ。そうすれば、みんなすばらしい子供たちになるだろう。そうとも、おれの子供たちはこんなふうにはならないだろう》

彼は別れを告げて、立ち去った。そして、ドリイもそれを引き止めようとはしなかった。

11

七月の中旬に、ポクローフスコエから二十キロ離れた姉の持ち村の村長が、農事の状態や草刈りの報告を持って、リョーヴィンのもとへやって来た。姉の領地のおもな財源は、川沿いの草場からあがる収入であった。先年まで、そこの草は一ヘクタール二十ルーブルの割で、百姓たちに買い取られていたが、リョーヴィンがその領地の管理を引き受けたとき、彼は草場を見まわって、そこがもっと値うちのあることを知り、一ヘクタール二十五ルーブルという値段をきめた。百姓たちは、それだけの値段を出そうとしなかったうえ、リョーヴィンのにらんだところでは、どうやら、ほかの買い手まで追っぱらってしまったようであった。そこで、リョーヴィンはみずから現場へ乗りこんで行って、一部は日雇いで一部は歩合制度で、草場を刈るように手配した。その村の百姓たちは、この改革をあらゆる手段に訴えて妨害したが、仕事はうまくはかどって、最初の年でも、草場の収入はほとんど二倍に達した。一昨年も去年も、百姓たちの妨害運動は相変らずつづけられたが、刈り入れは同じ方法で行われた。ところが、今年になると、百姓たちは三分の一という歩合で全部の草場を引き受けることになった。そこで、今村長がやって来て、草刈りはすっかり終ったが、雨の心配があったので、支配人を呼んで、その立ち会いの上で収穫を分配し、もうご主人の分として十一の稲叢《いなむら》を積み上げた、と報告した。いちばん大きな草場では干し草がどれだけ取れたかとたずねたとき、その返事があいまいだったところからみても、村長が相談もしないで、急いで干し草を分けたところからみても、この百姓の話全体の口調からみても、リョーヴィンはこの分配に、なにか不正な点があると見ぬいて、みずからその調査に出かけることにきめたのである。

昼食のころ村へ着くと、兄の乳母の亭主で、前から知り合いの老人の家に馬を残して、リョーヴィンは干し草の取り入れについて詳しいことをきくために、老人のいる養蜂場《ようほう》へはいって行った。話し好きで、品のいい顔だちのパルメヌイチ老人は、喜んでリョーヴィンを迎え、自分の仕事をすっかり見せたうえ、自分の蜜蜂《みつばち》のことや今年の蜂群のことなどについて詳しい話をしてくれた。ところが、いざリョーヴィンが草刈りのことをたずねると、要領をえない返事をしぶしぶするだけだった。このことがなおいっそう、リョーヴィンの推測に自信を与えた。彼は草場へ行って干し草の山を見た。どの干し草の山も五十車ずつはとてもありそうに見えなかった。そこで、リョーヴィンは百姓たちの不正をあばくために、ただちに、干し草運びの荷車を集めさせ、一つの山を起して、それを納屋《なや》へ移すように命じた。ひと山を移してみると、三十二車分しかなかった。村長は干し草がふわふわしているから、積んでいるうちに嵩《かさ》が減ったのだと弁解し、なにもかも真っ正直にやったと神かけて誓ったにもかかわらず、リョーヴィンは自説をゆずらず、干し草は自分の命令なしに分けられたのだから、この干し草をひと山五十車として受けとるわけにはいかない、と主張した。長い押し問答のすえ、この問題は、百姓たちがその十一山を五十車ずつとして、自分たちのほうへ引き取り、地主の分としてはあらためて分けることでけりがついた。この交渉と干し草の山の分配は午後の休みのときまでつづいた。ようやく最後の干し草を分け終ったとき、リョーヴィンはあとのことを支配人にまかせて、自分は楊《やなぎ》の棒でしるしをした干し草の山に腰をおろして、百姓たちが右往左往している草場の様子に見とれていた。

彼の目の前には、小さな沼の向うの川の曲り角《かど》で、百姓女たちが甲高《かんだか》い声で陽気にしゃべりながら、色とりどりな服を着て、列をなして動いていた。そして、あたりにちらばっている刈り草は、うす緑の草の上に、灰色のまがりくねった土塁となって、見るみるうちに、延びていった。女たちのあとには、レーキを手にした百姓たちがつづき、その刈り草の土塁は幅が広くて、丈《たけ》の高い、ふっくらした干し草の山になっていった。もう取り片づけられた草場の左側には、荷馬車がごろごろと音をたて、禾堆《やま》は次々に大きな熊手《くまで》でかきくずされながら、消えてゆき、そのあとに、かおりのいい干し草が馬の尻《しり》が隠れるほど、重い荷車の上に積まれていった。

「取入れにゃ、おあつらえむきの日和《ひより》でごぜえますよ！　けっこうな干し草ができますじゃろう！」リョーヴィンのそばに腰をおろしていた老人がいった。「これじゃ、まるで干し草でなくて、お茶みてえでごぜえますな。ほれ、あひるに麦粒まいてやってるみてえに、あっという間に拾いあげるでねえですか！」老人はしだいに高くなっていく干し草の山を指さしながら、こうつけ加えた。「昼飯がすんでから、もう半分方運びやしたよ」

「なあ、それでおしめえかよ？」老人は、荷馬車の御者台に立って、麻の手綱《たづな》の端を振りながら、そばを通りかかったひとりの若者に、呼びかけた。

「ああ、おしめえだよ。父《と》っつぁん！」若者は、馬をひきしめながら、大声で答えて、にこにこしながら、やはり笑顔で荷台にすわっていた、頬《ほお》の赤い、陽気そうな百姓女を振り返って、そのまま先へ馬を進めた。

「あれはだれだね？　むすこさんかい？」リョーヴィンはたずねた。

「わしの末っ子でごぜえますよ」老人は優しい笑顔を見せて答えた。

「いい若者じゃないか！」

「まあ人並みでごぜえますよ」

「もう女房もちかね？」

「へえ、せんだっての聖フィリップ祭（訳注　クリスマス前の十一月十五日から十二月二十五日までの精進期間）で、まる二年になりやした」

「それじゃ、子供もあるのかね？」

「子供なんぞとても！　なんせ、まる一年も、なんにも知らねえでいたくれえですでな。それに、えらく恥ずかしがりやでしてな」老人は答えた。「いや、まったくてえした干し草だ！　まるでほんもののお茶でごぜえますな」老人は話題を変えようとして、また同じようなことをいった。

リョーヴィンはワニカとその女房を、注意ぶかく観察しはじめた。ふたりはあまり遠くないところで、干し草を積んでいた。ワニカは荷車の上に立って、器量よしの若い女房がはじめは両手にかかえて、それからレーキにのせて要領よく手渡す干し草の大きな束を受けとっては、それを平らにならしたり、踏みつけたりしていた。若い女房は楽々と、楽しそうに、要領よく働いていた。大きく固まっている干し草の山は、一度ではなかなかレーキで起せなかった。彼女はまずそれを平らにほぐしたのち、レーキを突っこみ、きびきびした素早い動作で、全身の重みをレーキの上にかけ、すぐさま、赤い帯を結んだ背をそらしてからだを起すと、白い仕事着の下から、豊かな胸をぐっと突き出しながら、器用な身のこなしで、レーキを持った両手を握り変え、干し草の束を高々と荷車の上へほうり上げるのだった。と、ワニカはどうやら、少しでも女房にむだ骨を折らせまいとするもののように、すぐさま、両手を大きくひろげながら、手渡される干し草を受けとって、それを荷車の上にひろげるのだった。最後の干し草を熊手で渡してしまうと、女房は首筋にかかった干し草のごみをはらって、日焼けしてない白い額をむきだしにしてうしろへずれていた赤いネッカチーフをなおすと、荷を縛るために、荷馬車の下へもぐりこんだ。ワニカは轅《ながえ》に綱をかけるやり方を教えていたが、なにか女房のいった言葉に、大きな声で笑いころげた。ふたりの顔の表情には、力強い、若々しい、目ざめてまもない愛情が、はっきりと見てとれた。

12

荷車は綱がかけられた。ワニカは車から飛びおりて、まるまると見事に太った馬の手綱をとって来た。女房は車の上へ熊手をほうり上げると、輪舞でもするようなかたちに集まっている女たちのほうへ、両手を振りながら、元気な足どりで歩いて行った。ワニカは道路へ出て、ほかの荷車の列に加わった。女たちは熊手を肩にかつぎ、あたりに華やかな色どりをふりまき、甲高い陽気な声をはりあげながら、車のあとについて行った。女のひとりが、荒っぽい、野性的な声で歌をうたいだし、繰り返しのところまでくると、五十人ばかりの、あるいは荒っぽい、あるいはかぼそい、あるいは健康そうな、さまざまの声が、一度に調子をそろえて、また同じ歌をはじめからうたいだした。

女たちは歌声とともに、リョーヴィンのほうへ近づいて来た。と、彼には、喜びの雷鳴をともなった雨雲が、自分に襲いかかってくるような気がした。雨雲は襲いかかるや、たちまち、彼をとらえた。と、彼の寝ころんでいた干し草の山も、そのほかの山も、遠い野につらなる草場全体も——なにもかも、甲高い叫びや、口笛や、はやし声のまじった、この野性的な、すごく陽気な歌の拍子につれて、ぐらぐらっと揺らぎはじめた感じだった。リョーヴィンは、この健康的な陽気さがうらやましくなり、こうした生命の喜びの表現に加わりたくなってきた。しかし、彼はなにもすることができず、ただその場に横たわって、それをながめたり、聞いたりするよりほかどうしようもなかった。女たちが歌声とともに視界と聴覚から消え去ったとき、リョーヴィンは自分の孤独と、肉体的な怠惰と、この世界に対する自分の敵意を思う重苦しい気持を、身にしみて感ずるのだった。

干し草の件でだれよりもいちばん彼と争った幾人かの百姓も、彼が侮辱した百姓も、あるいは、彼をだまそうとした百姓も——そういう百姓たちがみんな、快く彼にあいさつしていったが、その様子を見ると、彼に対してなんの敵意もいだかず、なんの後悔も感じないばかりか、彼をだまそうとしたことさえ、まるっきり覚えていないみたいであった。そんなことはいっさい、楽しい共同作業の海の中に没してしまったのである。神は一日を与え、神はそのための力を与えたもうたのだ。この一日も、その力もすべて労働にささげられ、労働そのものの中に報酬があるのだ。では、だれのための労働なのであろうか？　その労働の結果はどうなるのであろうか？　いや、こうした考えこそ、第二義的な、取るに足らないものなのだ。

リョーヴィンは今までにもしばしば、こうした生活に惚《ほ》れぼれと見とれ、こうした生活を送っている人びとに、しばしば羨望《せんぼう》の念を味わったものであるが、きょうは生れてはじめて、とりわけワニカとその若い女房との関係を見て受けた印象のために、次のような一つの考えがはっきりと頭の中に浮んできた。すなわち、きょうまで自分の生きてきたあの重苦しい、無為な、個人的で不自然な生活を、こうした労働に満ちた、清らかな、万人にとってすばらしい生活に変えることも、自分ひとりの意志にかかっているのだ、と。

彼といっしょにすわっていた老人は、もうとうに家へ帰ってしまっていた。百姓たちもみんなちりぢりになった。近所のものは家へ帰り、遠くのものは草場で夕食をとり、一夜を明かすために集まっていた。リョーヴィンはみなに気づかれないまま、相変らず干し草の山の上に、寝ころんで、あたりの様子を見たり、聞いたりして、もの思いにふけりつづけた。草場で一夜を明かすために残った連中は、夏の短い夜をほとんど寝ずに過した。はじめのうちは、食事しながらの陽気な話し声や、高笑いが聞えていたが、やがてまた、歌と笑い声に変っていった。

長い労働の一日も、百姓たちにはこうした楽しい気分のほか、なんの陰も残さないのであった。朝焼け近くなって、あたりはひっそりとなった。耳に聞えるものといっては、ただ沼の中で夜をこめて鳴きつづける蛙《かえる》の声と、夜明けに立ちこめる草場の霧の中で、馬が鼻を鳴らす音ばかりであった。リョーヴィンはふとわれに返って、干し草の上から起きあがり、星を仰いだとき、夜が明けたのを知った。

《さて、おれはいったい、どうすればいいのだろう？　どんなふうにやったらいいのだろう？》そう彼はつぶやき、この短い夜に考えつくしたいっさいのことを、自分自身のためにはっきりさせようと努めた。彼が何度も考えつくし、感じつくしたいっさいのことは、三つの異なる思索の系列に分れていた。第一は、自分の古い生活を、つまり、無益な知識や不必要な教養を否定することであった。この否定は、彼に喜びをもたらすものであり、彼にはいとも容易で簡単なことであった。第二の思索と空想は、彼が現に生きようと望んでいる生活そのものに関するものであった。彼はその生活の簡素さ、清純さ、正当性をはっきりと感じたので、こうした生活の中にこそ、自分がたえず病的なほどその不足を痛感していた、あの満ちたりた気持と、安らぎと、品位とを、見いだすことができるものと確信していた。ところが、第三の系列に属する思索は、この旧生活から新生活への転換をどうすべきか、という問題のまわりをさまよっていた。しかも、そこではなにひとつはっきりしたものが彼の前には浮んでこなかった。《妻をもつことだろうか？　仕事を、仕事の必要性を感ずることだろうか？　ポクローフスコエを捨てたものだろうか？　土地を買うことだろうか？　村の組合に加入したものだろうか？　百姓娘と結婚したものだろうか？　いったい、おれはそれをどんなふうにすればいいんだろう？》彼はまた自問してみたが、答えを見いだすことはできなかった。《もっとも、おれはひと晩じゅう眠らなかったんだから、はっきりした考えなんか生みだせないわけだ》彼は自分にいいきかせた。《あとではっきりさせよう。それにしても、ただ一つたしかなことは、このひと晩がおれの運命を決したことだ。今までおれが描いていた家庭生活についての夢は、みんなくだらない、見当ちがいなことばかりだ》彼は自分にいいきかせた。《そんなことはみんなもっとずっと簡単で、しかも、もっとずっとすばらしいことなんだ……》

《ああ、じつにきれいだなあ！》彼は頭の真上の中空《なかぞら》に浮んでいた、小羊のような白雲の真珠貝に似た奇妙な形の雲をながめながら、考えた。《こんな素敵な晩には、なにもかも見るものがじつにすばらしいなあ！　あんな真珠貝のような雲は、いったい、いつできたんだろう？　ついさっき空を仰いだときには、ただふた筋の白い雲のほか、なんにもなかったのに。そうだ、ちょうどあれと同じように、おれの人生観も、いつのまにか変ってしまったのだ！》

彼は草場を出て、街道づたいに、村のほうへ歩いて行った。そよ風が起って、空は灰色に曇ってきた。いつも闇《やみ》に対して光が完全な勝利を占める暁を前にした、あのどんよりしたひとときが訪れてきたのであった。

リョーヴィンは寒さに身を震わせ、地面を見ながら、速足に歩いて行った。《あれはなんだろう。だれかが車に乗ってやって来るんだな》彼はふと鈴の音を聞きつけて、顔を上げた。四十歩ばかり離れた向うから、彼の歩いている同じ草ぶかい街道づたいに、四頭立ての箱馬車がやって来るのだった。轅につけられた馬は、轍《わだち》の跡を避けて、轅のほうに寄ってしまったが、御者台の上に横すわりにかけていた熟練した御者は、轅を轍の跡にそって向けなおしたので、馬車はまた平らなところを走りだした。

ただそれだけのことに気づいたリョーヴィンは、だれが乗っているかということなど少しも考えずに、ぼんやりと箱馬車の中に目をやった。

箱馬車の中には、ひとりの老婦人が片すみでまどろんでおり、その窓ぎわにはいましがた目をさましたばかりらしい若い娘が、白い帽子のリボンを両手でおさえながらすわっていた。リョーヴィンの生活とは縁のない、この優雅で、複雑な内容を秘めた、明るい感じの令嬢は、なにか考えこむような風情《ふぜい》で、彼の頭越しに、朝焼けをながめていた。

その幻影が消えかけた瞬間、誠実さのこもった二つの目が、彼をちらと見た。彼女は、相手がだれであるかに気づいた。と、思いがけない喜びが彼女の顔をぱっと明るくした。

彼が見誤るわけはなかった。あの目こそこの世にただ一つしかありえないものであった。彼のために、生活の光明と意義のすべてを集中する力をもった人は、この世にただひとりしかいないのであった。それは彼女であった。それはキチイであった。彼女は鉄道の駅から、エルグショーヴォへ行くところなのだ、と彼は察した。すると、このまんじりともしなかった一夜に、リョーヴィンの心を興奮させたいっさいのものが、彼の誓ったいっさいの決意が――なにもかもまたたく間に消えてしまった。彼は百姓娘と結婚しようと夢みたことを思いだして、嫌悪《けんお》の念にかられた。ただあそこの中に、あのみるみるうちに遠ざかって、道路の反対側へ移って行くあの箱馬車の中にこそ、このところずっと彼を悩まし苦しめている生活上の謎《なぞ》をとく可能性が見いだされるのであった。

彼女はもうそれ以上のぞかなかった。馬車のばねの音は聞えなくなって、鈴の音ばかりがかすかに響いていた。犬のほえ声が、やがて、馬車が村を通り抜けたことを示した、――そして、そこに取り残されたものは、ただがらんとした野原と、行く手の村と、荒れはてた街道をひとり行く、いっさいのものに縁のない、孤独な彼自身だけであった。

彼は空を仰いだ。先ほど見とれたあの真珠貝の雲を捜そうと思ったのである。それは彼にとって、昨晩の思索と感情の動きを、すべて象徴するものであった。が、空には真珠貝に似たものは、もうなにひとつなかった。その、はかり知れぬ高みでは、はやくも神秘的な変化が行われていた。そこには、真珠貝の跡形さえなく、空の半ばをおおう、平らな雲のじゅうたんが一枚、ひろがっていて、その小羊のような模様は先へいくほどしだいに小さくなっていた。空は青みがかって、輝きはじめた。そして、彼のもの問いたげなまなざしに対しては、同じような優しさを示しながらも、しかし相変らず近づきがたいきびしさをもってこたえるのであった。

《いや》彼はつぶやいた。《あの単純で労働にみちた生活がどんなにいいからといっても、おれはもうそこへもどることはできない。おれはあの人を愛しているのだか

ら》

13

カレーニンにもっとも近しい人びとのほかは、だれひとり、この一見きわめて冷静で、思慮ぶかい人物が、その性格とは矛盾する一つの弱点をもっていることを、知らなかった。カレーニンは、女子供が泣くのを、平然とながめたり、聞いたりすることのできないたちだった。涙を見ると、とたんに、どうしていいかわからない気持になり、物事を考える力をすっかり失ってしまうのだった。彼の事務主任や秘書は、それを知っていたので、婦人の請願者に対しては、もし用件をだめにしたくなかったら、けっして泣いてはいけないと、前もって注意していた。『あの方は腹を立てて、とてもあなたのいうことを聞いてはくれませんよ』彼らはそう警告するのだった。いや、実際、こうした場合、涙のためにひき起されるカレーニンの精神的困惑は、性急な怒りとなって表われるのであった。『いや、できません。私にはなにもしてあげることはできません。さっさとお帰りください』そんな場合、彼はいつもこんなふうにどなるのであった。

競馬から帰る途中、アンナが彼にヴロンスキーとの関係を告白してから、いきなり両手で顔をおおって泣きだしたときも、カレーニンの心の中には妻に対する憎悪《ぞうお》がわき起ったにもかかわらず、それと同時に、彼は涙を見て起る例の精神的困惑が、潮《うしお》のようにおそってくるのを感じた。彼は自分でもそれを知り、その瞬間における自分の感情の表現が、その場にふさわしくないことを承知していたので、努めて自分の生命感の表現をおさえて、そのために、じっと身じろぎもせず、妻のほうを見ようとはしなかった。その結果、彼の顔には、アンナをぎょっとさせたあの奇妙な、死人のような表情が浮かんだのである。

ふたりが別荘へ帰ると、彼は妻を馬車からおろし、努めて自分をおさえながら、例の慇懃《いんぎん》な態度で別れを告げ、あとで少しも気にかからないおざなりの言葉を口にした。彼はあす、自分の決意を知らせよう、といったのである。

彼の最悪の想像を肯定した妻の言葉は、カレーニンの心に残酷な苦痛を与えた。この苦痛は、妻の涙によって呼び起された妻に対する奇妙な肉体的憐憫感《れんびんかん》のために、なおいっそう激しくなった。ところが、馬車の中でひとりきりになってみると、カレーニンはその憐憫の情からも、最近ずっと苦しめられていた嫉妬《しっと》の疑いや苦しみからも、まったく解放されているのを感じて、われながら驚くと同時に、とてもうれしかった。

彼は長いこと痛んでいた歯を、やっと抜き取った人のような感じを味わった。病人は恐ろしい苦痛を覚え、なにかしら巨大な、自分の頭よりも大きなものが、あごから引き抜かれたような感じになってから、急に、あれほど長く自分の生活をわざわいし、いっさいの注意を一点に釘《くぎ》づけにしていたものが、もはや存在しなくなったのを感じ、これから自分はまた生活したり、考えたり、自分の歯以外のことに興味をもったりすることができると知って、すぐには自分の幸福を信じられないことがあるが、この感じをカレーニンも味わったのである。その苦痛は奇妙な、恐ろしいものであった。しかし、今はそれもなくなってしまった。彼は、自分が再び生きていくことができ、妻以外のことも考えることができるのを感じた。

《まったく、名誉心もなければ、誠意も宗教心もない堕落した女だ！　わしには前々からそれがわかっていたのだ。ただ、あれをかわいそうに思って、自分で自分を欺《あざむ》こうと努めてはいたが、前からちゃんとそれは承知していたのだ》彼は自分にいいきかせた。すると、彼にはほんとうに前々からそれを承知していたように思われるのだった。以前にはそれほど悪いとも思われなかったふたりの過去の生活を、細かい点まで思い起した。すると、今ではその細かい点のひとつひとつが、妻が前々から堕落した女だったことを、はっきりさせるのであった。《あんな女と結婚したのは、わしの誤りだったよ。もっとも、このわしの誤りにはなにひとつ悪いことはないさ。となると、わしは不幸になるわけにはいかん。悪いのはわしじゃなくて》彼は考えた。《あいつなのだから。しかし、わしにはもうあんな女なんて用はないさ。あいつはわしにとってはもう存在しちゃおらんのだ……》

妻とむすこの身にふりかかるであろういっさいのことは、もう彼の関心をひかなくなった。むすこに対しても、彼は妻に対すると同様、従来の感情を一変してしまった。いまや彼の唯一《ゆいいつ》の関心事は、どうしたらいちばんうまく、世間体もよく、また、自分に都合のいいように、したがってもっとも公平なやり方で、妻の醜行によって浴びせられた恥辱の泥《どろ》をはらい落し、自己の勤勉な、名誉ある有益な生活の歩みをつづけることができるか、という問題にしぼられていた。

《卑《いや》しむべき女が罪を犯したからといって、わしまで不幸になるわけにいかん。ただわしは、その女のためにおちいった苦しい立場から抜けだす最善の道を見いださなくてはならんのだ。なに、わしはそれを見つけだすさ》彼はしだいに深く眉《まゆ》をひそめながら、自分にいいきかせた。《こんなことはなにも、わしがはじめてでもなければ、最後でもないんだから》すると、あの美女ヘレネーによって万人の記憶によみがえった、メネラオス（訳注　スパルタ王。妻ヘレネーをパリスに奪われ、トロイア戦争がはじまった）をはじめとする歴史的な実例はいうにおよばず、現代の上流社会における夫に対する妻の不貞の実例が、次々にカレーニンの頭の中に浮びあがってきた。《ダリヤーロフ、ポルタフスキー、カリバーノフ公《こう》爵《しゃく》、パスクージン伯爵、ドラム……。そう、ドラムまでが……あれほど潔白で有能な人物でも……。セミョーノフ、チャーギン、シゴーニン》カレーニンは思いだしていった。《まあ、かりに、ある種の不合理な ridicule（訳注 嘲笑）が、これらの人たちに降りかかったとしても、わしはその中に不幸以外のなにものをも見ようとはしなかったし、そうした人たちにいつも同情をいだいたものだ》カレーニンは考えた。もっとも、これは事実ではなく、彼は今まで一度も、この種の不幸に同情したためしがなかったばかりか、夫にそむいた妻の話が多ければ多いほど、自分というものをますます高く評価していたのであった。《これはどんな人間にも降りかかる可能性のある不幸なのだ。そして今、その不幸がわしにも降りかかってきたわけだ。問題はただ、どうしたらいちばんうまいぐあいに、この状態に耐えられるかということだ》そう考えて彼は自分と同じ状態にあった人びとの行動を、細かいところまでいちいち吟味しはじめた。《ダリヤーロフは決闘をやったな……》

決闘ということは、若い時分、カレーニンの心をとくに強くひきつけたものであるが、それは彼が肉体的に臆病《おくびょう》な人間であり、自分でもそれを痛感していたからであった。カレーニンは、ピストルが自分に向けられている光景を、恐怖の思いなしに、想像することができなかったし、これまでに一度も、いかなる武器をも手にしたことはなかった。この恐怖心が若い時分から彼によく決闘ということを考えさせ、自分の生命を危険にさらさねばならぬ場合に対処する心がまえをさせてきたのであった。彼も社会的に成功して、確固たる位置を獲得してからは、長らくこの感情を忘れていた。ところが、感情の習性がたちまち目ざめて、自分の臆病に対する恐怖心が、今なおきわめて強かったので、カレーニンは決闘という問題を長いこと、あらゆる観点から考察し、頭の中でいじくりまわしていた。もっとも、彼はどんなことがあっても、自分は絶対に決闘などしないということを、前もって承知していたのである。

《疑いもなく、われわれの社会はまだまだかなり野蛮だから（イギリスなんかとは比較にもならん）、きわめて多数のものが（このきわめて多数のものの中には、カレーニンがとくにその意見を尊重しているような人びとも含まれていた）、決闘というものを是認するだろう。しかしながら、それからどんな結果がえられるというのか？まあ、かりに、わしが決闘を申し込むとする》カレーニンは心の中で考えつづけたが、決闘をあすにひかえた晩と、自分に向けられたピストルをまざまざと思い描くと、思わずびくっと身ぶるいし、自分にはそんなことはできない、と悟るのだった。《まあ、かりに、わしがやつに決闘を申し込むとしよう。そして、わしはやり方を教えられて》彼は考えつづけた。《定めの位置に立たされて、引き金を引くとしよう》彼は目を閉じながら、つぶやいた。《そして、わしがやつを殺したとしても》カレーニンはそうつぶやいたが、すぐに、こんな愚かな考えを追いはらおうとでもするかのように、頭を左右に振った。《罪を犯した妻とむすこに対する自分の態度をきめるために、こんな殺人がいったいどんな意味をもつというのだ？　あれに対してとるべき処置も、やっぱり、そうした方法できめるべきなのだろうか？　いや、それよりもっとたしかなまちがいのないことは、このわしが殺されるか、傷を受けるかということじゃないか。このわしのように、なんの罪もない、単に犠牲者にすぎない人間が、殺されたり、傷を受けたりするなんて。このほうがもっと無意味なことじゃないか。いや、そればかりではない。わしのほうから決闘を申し込むのは、誠意を欠いた行為になるだろう。それに、友だちがわしにそんなことを許さないのは、前からわかりきった話じゃないか。つまり、ロシアにとって必要な国家的人物の生命が危険にさらされるのを、みんなは黙って放っておくはずがないじゃないか。じゃ、いったい、どうなるというのだ？　いや、結局のところ、わしは事件が生命の危険というところまでいかないのを、前もって承知のうえ、この挑戦《ちょうせん》によって、一種の虚偽の見栄《みえ》をはろうとするだけのことなのだ。これは誠意のない、偽りの行為だし、これでは他人をも、自分自身をも欺くことになる。いや、とても決闘なんて考えられやしないさ。それに、第一、だれもそんなことをこのわしに期待しちゃいない。わしの目的は、自分の活動を順調につづけていくのに必要な名声を保つ、ということなんだから》以前からカレーニンの目に大きな意義をもっていた役所の仕事が、いまや彼にとって、とくに意義ぶかいものに思われるのだった。

決闘という問題を吟味したうえ、それを否定してしまうと、カレーニンは、自分の思い浮べた夫たちの幾人かが選んだ第二の方法たる離婚という問題を取りあげてみた。彼は離婚の場合を、いろいろと記憶の中で調べてみたが(そうした例は、彼のよく知っている最上流社会には、ひじょうに多かった)、しかしカレーニンは、その離婚の目的が自分の今考えている目的に合致するようなものは、一つとして見いだすことができなかった。どんな場合をとってみても、夫は不貞な妻を譲るか、売るかしていた。そして、犯した罪のために正当な結婚をする権利を失った女たちは、新しい夫とうわべだけ合法的な虚構の関係を結んでいた。そこで自分の場合を考えてみると、カレーニンは正式な離婚、つまり、罪を犯した妻だけが追い出されるような離婚の目的を達することは、不可能なことに気づいた。彼は自分のおかれている複雑な生活条件が、妻の罪を証拠だてるために法の要求する、醜悪な事実の証明を許さないことを見てとった。たとえ、そうした証拠があったとしても、彼の生活上のあの洗練された立場が、そうした証拠の適用を許さず、もしあえてそれを適用すれば、彼は妻以上に、社会的な信用を失うことを認めざるをえなかった。

離婚の試みは、単に不体裁な裁判ざたとなって、敵のためにはまたとない誹謗《ひぼう》の種となり、高い社会的地位を占める彼を傷つけるにすぎないであろう。その肝心な目的は、つまり、騒ぎを最小限度にとどめて、事態を解決することは、離婚によっても達することはできなかった。そればかりか、離婚すれば、いや、単に離婚の試みをすることだけでも、妻が夫との関係を絶って、情夫と結びついてしまうのは、わかりきったことであった。しかも、カレーニンはいまや妻に対して、激しい侮蔑《ぶべつ》と無関心の態度をとっていると自分では思っていたにもかかわらず、その心の底には、妻がなんの障害もなくヴロンスキーと結ばれて、その犯した罪が妻のためにかえって役立つことを、望まない気持が残っていた。こうしたことをちょっと考えただけでも、カレーニンはすっかり気分がいらいらしてしまった。そうしたことを想像するだけで、心の痛みに思わずうめき声をたてて、からだを起し、馬車の中で席を変えたほどであった。そして、彼はその後も長いこと眉をしかめながら、すぐ冷えこみやすい骨ばった足を、毛のふわふわした膝掛《ひざか》けでくるむのであった。

《正式な離婚のほかにも、まだカリバーノフやパスクージンや、あの善良なドラムがやったような方法もあるわけだ。つまり、妻と別居することだ》彼は少し落ち着きを取りもどしてから、なおも考えつづけた。ところが、この方法も離婚の場合と同様、醜聞をまくという不便をともなっていたし、それになによりも、肝心なことはこれまた正式な離婚の場合と同じく、妻をヴロンスキーの抱擁にまかせることになるのであった。《いや、そんなことはできない、断じてできない!》彼はまたもや膝掛けをなおしながら、大声でこういった。《わしは不幸になってはならんし、彼女と彼は幸福になってはならんのだから》

真実のはっきりしなかったあいだ、彼を苦しめていたあの嫉妬の感情は、妻の言葉でひと思いに痛い歯を抜かれた瞬間、消えてしまった。ところが、この感情は別のものに取って代えられた。それは妻に勝利を祝福させないばかりか、おのれの罪に対する報いを受けさせたい、という願望であった。彼もこの感情を自認してはいなかったが、心の奥底では、夫の平安と名誉を傷つけた罰として、妻が苦しむことを望んでいたのである。こうして、再び決闘や離婚や別居の条件を、吟味してみて、それらを改めて否定してから、カレーニンは解決の法はただ一つしかないことを確信した。すなわち、今度の出来事を世間から隠して、ふたりの関係を絶つためにあらゆる手段を講じ、なによりも肝心なことは、これは自分でも気づかなかったことであるが、妻を罰するために、これからも妻を手もとにおくことであった。《わしは自分の決意を言明しなくちゃならん。つまり、あれのおかげで家族のおちいった困難な状態をよくよく考えたすえ、いっさいの他の方法は、外面的な statu quo（訳注　現状維持）より以上に、双方のためにならんから、わしは後者を選ぶことに同意しよう。ただしかし、あれが情夫との関係を絶つという、わしの意志を遂行するというきびしい条件をつけなければならん》この決意が最終的なものとして受けいれられたとき、それを裏書きするような一つの重大な考えが、カレーニンの頭に浮んできた。《この決意によってのみ、わしは宗教とも一致した行動をとることになるのだ》彼はつぶやいた。《この決意によってのみ、わしは罪ある妻をしりぞけないで、改悛《かいしゅん》の可能性を与えることができるのだ。いや、それに――このことはわしにとってどんなに苦しいことであろうとも、妻を改悛させ救うために、自分の力の一部をささげることにしよう》カレーニンは、自分が妻に対して精神的な感化を及ぼしえないから、したがって、この改悛の試みからも虚偽以外のなにものも生れないことを承知しておりながら、また、今この苦しい立場に立たされて、宗教に啓示を求めようなどとは、まったく考えてみたこともなかったにもかかわらず、いまや彼の決意が宗教の要求と一致したかと思うと、この宗教的是認が、彼に十分な満足と、ある程度の落ち着きをもたらしてくれるのだった。これほど重大な生活上の事件においても、彼がつねに世間の冷淡と無関心の中にあって、高々とその旗を掲げてきた、宗教の掟《おきて》に反する行為をしたとは、だれひとりいうものはあるまいと思うと、彼もすっかりうれしくなった。カレーニンはさらにいろいろと細かい点を吟味していくうちに、妻に対する自分の態度が、これまでとほとんど同じものではありえないということすら、わからなくなってしまった。疑いもなく、彼はもう二度と再び、妻に対して尊敬の念をもつことはできないだろう。しかし、妻が悪い女であり、不貞な妻であったために、彼が自分の生活を破滅させ、苦しまなければならないという理由は少しもないし、またありえなかった。《いや、時がたてば、いっさいのものをうまく処理してくれるだろう。そして、以前の関係が復活するだろう》カレーニンは自分にいいきかせた。《まあ、わしが自分の生活の流れに不都合を感じないぐらいには復活するだろうよ。そりゃ、あれが不幸になるのは当然だが、わしにはなんの罪もないんだから、わしが不幸になるわけにはいかんよ》

14

ペテルブルグへ近づいたころには、カレーニンはこの決意をかたく心に秘めていたばかりでなく、妻へ書く手紙の文面まで、頭の中で組み立てていたほどであった。玄関番の部屋へはいると、カレーニンは本省から届いていた書類や手紙に目を走らせ、すぐ書斎のほうへ持って来るように命じた。

「馬をはずしておいてくれ。それから、だれも通さんように」彼は玄関番の問いに答えて、『通さんように』という言葉に力をこめながら、上きげんであることを示す、一種の満足感を表わして、いった。

カレーニンは、書斎の中を二度ほど歩きまわって、大きな仕事机のわきで立ち止った。その机の上には先にはいって来た召使が、もうろうそくを六本ともしてあった。彼は指をぽきぽき鳴らすと、文房具をいじりながら、腰をおろした。彼は机の上に両肘《ひじ》をつき、頭を横にかしげ、ちょっと考えてから、いっときも手を休めず、書きはじめた。彼は妻に対する呼びかけの言葉を書かずに、フランス語で『あなた』という代名詞を用いながら、書いていった。この言葉はロシア語の場合ほど冷やかな響きをもっていなかったからである。

『先ほど話し合ったとき、私はあの話合いの内容について自分の決意をお伝えするということを表明しておきました。私はすべてを慎重に考えたうえ、その約束を果すために、今筆をとりました。私の決意は次のようなものであります。あなたの行為がどのようなものであろうとも、私は神の権威によって結ばれた私たちの絆《きずな》を自分で破る権利はないと考えています。家庭というものは、気まぐれや、わがままや、いや、それどころか、夫婦どちらかの罪によってすらも、破壊さるべきものではありません。したがって、私たちの生活は、今までどおりにつづけられねばなりません。このことは私にとっても、あなたにとっても、私たちのむすこにとっても必要なことであります。私は今、あなたがこの手紙の原因となった事実について、悔悟されたことを、いや、悔悟されつつあることを、また、あなたが私たちの不和の原因を根絶し、過ぎ去ったことを忘れるために、私に協力してくださることを確信しております。もしそうでない場合には、なにがあなたとあなたのむすこを待ち受けているかは、あなた自身もたやすく想像できることと存じます。こうしたいっさいのことについては、いずれお目にかかったおりに、もっと詳しくご相談したいと思います。別荘生活の季節も終りに近づいたことですから、なるべく早く、火曜日までにはペテルブルグへ帰って来てほしいと思います。あなたの引き揚げに必要な用意は、いっさい、させておきましょう。なお、私はこのお願いが実行されることに、特別の意味を認めていることを、一言注意しておきます。

A・カレーニン

追伸　そちらの経費として必要と思われる金額を、この手紙に同封いたします』

彼はその手紙を読み返し、その内容に満足した。とくに、金を同封することを思いついたことに満足を感じた。そこには残酷な言葉づかいもなければ、非難めいた語調もないが、さりとて、卑下したようなところもなかった。なによりも肝心なのは、妻の帰宅のために黄金の橋をかけることであった。手紙をたたみ、大きなどっしりした象牙《ぞうげ》のペーパー・ナイフで、それをひとなでし、それをお金といっしょに封筒へ入れると、彼はいつもよく整った文房具を扱うときのような満足感をいだきながら、ベルを鳴らした。

「これをあす使いの者に渡して、別荘のアンナにとどけるようにいってくれ」

彼はそういって、立ちあがった。

「かしこまりました、閣下。お茶は書斎のほうへお持ちいたしましょうか？」

カレーニンはお茶を書斎へ持って来るように命じ、例のどっしりしたペーパー・ナイフをいじくりながら肘掛けいすのほうへ立って行った。そこにはランプと、読みかけのエウグビウムの碑文（訳注　古代イタリア語の一つで、紀元前の一世紀ごろにすたれたウンブル語を解くかぎとなった文献）に関するフランス語の本がおかれてあった。その肘掛けいすの上には、有名な画家が見事に描いたアンナの肖像画が、楕円形《だえんけい》の金の額縁にいれてかかっていた。カレーニンは、ふと、それを見上げた。なにを考えているのかわからないようなひとみが、最後にふたりが話合いをした晩のように、傲然《ごうぜん》とあざけるような表情で、彼を見おろしていた。画家によって巧みに描かれた頭の上の黒レースや黒髪や薬指に指輪をいっぱいはめた美しい白い手などを見ていると、カレーニンは耐えがたいほど厚顔な、挑戦的な印象を受けた。カレーニンはちらと肖像画を見上げただけで、唇《くちびる》が震え、思わず「ぶるっ」という音をたてたほど、激しく身ぶるいして、顔をそむけた。彼は急いで肘掛けいすに腰をおろし、書物を開いた。彼は読もうと努めてみたが、以前のように、エウグビウムの碑文に対するきわめて生きいきした興味を、どうしてもよみがえらすことはできなかった。彼は本をながめながら、ほかのことを考えていた。もっとも彼が考えたのは妻のことではなく、近ごろ彼の政治活動に生じた、ある複雑な事がらについてであった。

それは彼の最近の勤務上における主要な関心事だったからである。彼は、自分が今いつにもましてこの複雑な事件の核心に迫り、あるすばらしい考えが頭に浮んだように感じた。この考えこそ問題のすべてを解決し、官界における彼の立場を高め、敵を失脚させ、したがって、国家に大きな利益をもたらすにちがいないと、彼はうぬぼれぬきで断言できるものであった。召使がお茶をおいて、部屋を出て行くと、カレーニンはすぐ立ちあがって、仕事机へ行った。当面の仕事に関する書類のはいっているかばんを、机のまん中へ引き寄せると、彼はかすかな自己満足の微笑を浮べながら、筆立てから一本の鉛筆を抜き取って、目下の複雑な事情に関して取り寄せた書類に読みふけりはじめた。複雑な事情とは次のようなものであった。政治家としてのカレーニンの特質、つまり、だれでもすぐれた官吏に共通の、個人的な特質である、激しい名誉心や、控えめな態度や、誠実さや、自信などとともに、彼の今日の出世を保証した特質は、文書万能の官僚主義を蔑視して、往復文書を簡略化し、できるだけ生《なま》の事件にぶつかっていき、すべてを節約することであった。ところで、有名な六月二日の委員会では、たまたまザライスキー県の耕地灌漑《かんがい》の問題が提出された。それはカレーニンの省の管轄《かんかつ》で、予算の浪費と事件処理におけるお役所式な公文書取扱いという点で絶好の例であった。カレーニンは、それが問題になるのはもっともだと心得ていた。ザライスキー県の耕地灌漑事業は、カレーニンの前々任者によって着手されたのであった。そして、事実、この事業にはひじょうに多額な金が支出され、今も支出されつつあるのだが、まったく効果はあがらず、この事業がなんの成果をもあげないであろうことは、もはや明らかであった。カレーニンは就任すると同時に、すぐその点を見抜いて、この問題を自分で処理しようと思った。しかし、最初のうちは、自分の立場がまだあまり安定していないのを感じて、あまり多くの人びとの利害にふれるこの事業に手をそめるのは、得策ではないと考えた。その後、彼はほかの仕事に忙殺されて、単にこの問題のことを忘れていた。ただ、事業のほうは、他のすべてのお役所仕事と同様、惰性で進んでいった（多くの人びとがこの事業のおかげで食べていたが、ことに、あるきわめてまじめな、音楽好きな一家族などは、その代表的なものであった。その家の娘たちはみんな弦楽器をひいた。カレーニンはこの家族を知っており、上の娘のひとりの名付け親になったほどであった）。反対派の省がこの事業を問題にしたのは、カレーニンの意見によれば、卑劣なことであった。というのは、どんな省にも、これよりもっとひどい問題があるのだが、世間周知の役人同士の仁義によって、だれも問題にはしないのが普通だからである。しかし、今はもう挑戦《ちょうせん》の合図として手袋が投げつけられたのであるから、彼は思いきって、それを取りあげ、ザライスキー県耕地灌漑委員会の仕事を研究し、検討するために、特別委員会の制定を要求したのである。しかし、そのかわり、彼は今後もう相手方の連中に対しても、いっさい容赦しないことにきめたのであった。彼は異民族統治の問題についても、さらに特別な委員会の制定を要求した。この異民族統治の問題は、偶然、六月二日の会議で提起されたのであったが、カレーニンは異民族の悲惨な状態を理由に、猶予《ゆうよ》を許さぬ問題として、熱心に支持したのである。この問題は委員会においていくつかの省の抗議の原因となった。カレーニンと敵対関係にある省は、異民族の状態はきわめて良好であり、予想されている改革は、かえってその繁栄を滅ぼすおそれがあるし、もし現になにか良からぬことがあるとすれば、それは単にカレーニンの省が、法律の命ずることを遂行していないためである、と反論した。そこで今カレーニンは、次のような要求を提出しようともくろんだのである。第一、新しい委員会を組織して、これに異民族の状態の現地調査を行わせること、第二、もし異民族の状態が、実際、委員会の手もとにある公文書の示すようなものであるならば、異民族のこのような悲しむべき状態をもたらした原因を調査するため、改めて、新しい学術委員会を組織し、(a)政治的、(b)行政的、(c)経済的、(d)人種学的、(e)物質的、(f)宗教的見地から検討すること。第三、今日、異民族がおかれている不利な条件を防止するために、反対派の省が最近十年間にどんな政策をとってきたかについて、同省から報告を求めること。第四、最後に、いかなる理由で同省は、委員会に提出された報告、すなわち、一八六三年二月五日付第一七〇一五号、および一八六四年六月七日付第一八三〇八号にあらわれているように、法令集第＊巻第十八条および第三十六条但書《ただしが》きの根本精神にまったく反するような行動をとったかについて、同省から弁明を求めること。以上のような腹案のあらましを素早く書きとめていったとき、カレーニンは急に活気づいて、顔を紅潮させた。一枚の紙にびっしり書き終ると、彼は立ちあがって、ベルを鳴らし、必要な事項を調査して届けるようにという走り書きの手紙を、事務主任のもとへ持たしてやった。立ちあがって、部屋の中をひとまわりしてから、彼は再び肖像画にちらっと目をやり、眉《まゆ》をひそめて、さげすむような笑いをもらした。それからエウグビウムの碑文に関する書物をまた少し読んで、その本に対する興味をとりもどすと、カレーニンは十一時に寝室へ足を運んだ。そして、床の中に身を横たえながら、妻との一件を思い起したときには、それはもうそれほど陰鬱《いんうつ》なものとは思われなかった。

15

アンナは、ヴロンスキーからきみが今の立場をとるのはもうこれ以上むりだといわれ、すべてを夫に打ち明けるべきだと説得されたときには、やっきとなって頑強《がんきょう》に反対したものの、心の底では自分の立場を偽りな、恥ずべきものと感じて、心底からそれを一変したいと願っていた。夫といっしょに競馬から帰る途中、アンナは興奮のあまり、すべてを告白してしまった。もっとも、そのときは激しい心の痛みを覚えたもののの、アンナはそれをあえてしたことを喜んだ。夫が彼女を残して行ったあと、アンナはこれですべてははっきりするだろう、いや、すくなくとも、虚偽や欺瞞《ぎまん》はなくなるわけだ、と喜んで、自分にそういいきかせた。アンナには、今度こそまちがいなく自分の立場が永久に決定されるような気がしたのである。その新しい立場はひょっとするとよくないかもしれないが、そのかわり、すべてがはっきりして、そこにはあいまいさも虚偽もなくなるだろう。あのようなことを告白して、自分と夫に与えた苦痛も、いまやすべてのことがはっきりするということで償われるだろう、とアンナは考えた。その同じ晩、アンナはヴロンスキーに会ったが、夫とのあいだに起ったことについてはなにも話さなかった。しかし、彼女の立場を決定するためには、それはぜひとも話さなければならないことであった。

翌朝、目をさましたとき、最初に彼女の頭に浮んだのは、自分が夫にいった言葉であった。その言葉はあまりにも恐ろしいものに思われたので、今になってみると、なぜあんな乱暴な言葉を口にすることができたか、自分でも納得がいかなかったし、その結果がどんなことになるか、想像もできないくらいであった。しかし、とにかく、あの言葉はもう口から発せられたのであり、カレーニンはなにもいわずに立ち去ってしまったのである。《あたしはヴロンスキーに会いながら、なにもあの人に話さなかった。あの人が帰りかけたとき、あたしはよほど呼びとめて話そうかと思ったのに、なぜはじめにすぐいわなかったのかと、変に思われそうな気がして、やめてしまった。なぜあたしは話そうと思いながら、やめてしまったのかしら？》さながらこの問いに対する答えのように、燃えるような羞恥《しゅうち》の色が、アンナの顔にひろがった。彼女は自分をおさえたものがなんであるかを悟った。つまり、自分は恥ずかしかったのだと悟った。きのうの晩にははっきりしたように思われた自分の立場が、今になってみると、はっきりしないどころか、逃げ道がないように思われるのだった。前には考えてもみなかった恥辱ということが、急に恐ろしくなってきた。夫がどういう態度に出るだろう、と考えただけでも、彼女にはこのうえもなく恐ろしい想像が頭に浮んでくるのだった。今すぐにも執事がやって来て、自分を家から追い出し、自分の恥知らずな行いが世間に知れわたる、そんな想像も浮んできた。もし家から追い出されたら、どこへ行ったものだろうと、アンナは自問してみたが、その答えを見いだすことはできなかった。

アンナはヴロンスキーのことを考えても、彼はもう自分を愛してはおらず、かえって自分をもう厄介者《やっかいもの》に感じているのだから、とても彼に自分をまかせるわけにはいかないような気がして、そのために、彼に対して敵意すら感ずる始末であった。彼女はまた、自分が夫にいったあの言葉、いや、今も自分の心の中でたえず繰り返しているあの言葉は、夫だけでなくすべての人にいったものであり、今はだれもかれもそれを知っているような気がした。そのため、彼女はいっしょに住んでいる人たちの顔を、まともに見る勇気がなかった。小間使を呼ぶ気にもなれなかったばかりか、階下《した》へおりて行って、むすこや家庭教師と顔をあわせることなど、なおさら、思いもよらなかった。

もうかなり前から戸口で様子をうかがっていた小間使は、自分のほうから部屋の中へはいって来た。アンナはもの問いたげに、ちらとその目を見たが、すぐさま、おびったように頬《ほお》をそめた。小間使は黙ってはいって来たことをあやまり、ベルが鳴ったような気がしたので、といった。小間使は衣服と手紙とを持って来た。手紙はベッチイからのものだった。ベッチイは、けさ自分のところへ、リーザ・メルカーロヴァとシュトルツ男爵《だんしゃく》夫人が、それぞれの崇拝者であるカルジュスキーとストリョーモフ老人を伴って、クロケットをするために集まることになっているからと、わざわざアンナに念をおしてきたのである。『風俗の研究にもなりますから、せめてちょっとだけでもいらしてくださいお待ち申しあげております』と、彼女は結んでいた。

アンナはその手紙を読み終えると、苦しそうに溜息《ためいき》をついた。

「なんにも、なんにも、用はないわ」アンナは化粧台の上の香水瓶《こうすいびん》やブラシを、置きかえているアンヌシカに向って、いった。「もう行ってもいいわよ。あたしはすぐ着替えをして、出かけるから。なんにも、なんにも用はないわ」

アンヌシカは出て行った。しかし、アンナは着替えをしようともせず、頭をたれ、両手をだらりと下げたまま、じっと同じ姿勢ですわっていた。そして、時たま、なにかいいたそうに、ある種の身ぶりをするかのように、全身をぴくっと震わせたかと思うと、またもとの不動の姿に返るのであった。アンナはひっきりなしに、『あたしの神さま！　あたしの神さま！』と繰り返していた。しかし、その『あたし』も『神さま』も、彼女にとってはなんの意味ももっていなかった。自分の境遇に宗教の救いを求めようという考えは、彼女が宗教的な環境に育って、宗教に対しては一度として疑いをいだいたことがないにもかかわらず、アンナにとっては、あたかもカレーニンその人に救いを求めるのと同じくらい無縁なものであった。彼女は、ただ自分の生活の意義となっているものを断念するという場合にのみ、宗教の救いが可能であることを、あらかじめ承知していた。アンナは今まで一度も経験したことのない新しい精神状態に対してただ苦しいと感ずるばかりでなく、それに恐怖の念さえ覚えはじめていた。彼女はときどき自分の心の中で、すべてのものがみんな二重になっていくような気がした。それは疲れた目に、ときどき、まわりの物がすべて二重に映るようなぐあいだった。ときには、自分がなにを恐れているのか、なにを望んでいるのか、自分でもわからなかった。彼女が恐れたり、望んだりしているのは、もうすでにできてしまったことなのか、それとも、これから起ることなのか、いったい、なにを待ち望んでいるのか、彼女には自分でもわからなかった。

《まあ、あたしったら、なにをしてるんだろう？》アンナはふと頭の両側に痛みを感じて、ひとり言をいった。気がついてみると、両手で自分のこめかみのあたりの毛をつかんで、ぎゅっと締めつけているのだった。彼女はさっと立ちあがって、あちこち歩きはじめた。

「コーヒーのおしたくができました。マドモアゼルもセリョージャさまとごいっしょにお待ちでいらっしゃいます」アンヌシカは再びもどって来て、相変らずアンナが同じ姿勢でいるのを見て、いった。

「セリョージャですって？　セリョージャがどうかしたの？」アンナは急に生きいきした顔つきになって、たずねた。それはけさになってからはじめて、わが子の存在を思いだしたからであった。

「なにか、おいたをなすったようでございます」アンヌシカはにこにこ笑いながらいった。

「まあ、おいたをしたですって？」

「あちらのかどのお部屋に桃がおいてありましたの。それをこっそり一つ召しあがったらしいのでございます」

わが子のことを思いだすと、アンナはたちまち、今まで自分が落ちこんでいた救いのない状態から抜けだすことができた。彼女は、かなり誇張もあるが、一部には真実である、子供のために生きている母親の役割を思い起したのである。彼女はここ数年来、この役割を引き受けてきたのであるが、今自分がおちいっているこの救いのない状態にいても、夫やヴロンスキーとの関係に左右されない自分の王国があることをうれしく感じた。この王国とはむすこのことであった。たとえどんな境遇になろうとも、むすこだけは見捨てることはできないだろう。たとえ夫にはずかしめられ、追い出されようと、また、ヴロンスキーが自分に愛想《あいそ》をつかして、ひとり勝手な生活を送るようになろうとも（アンナはまたしてもかんしゃくを起して、非難めいた気持で彼のことを考えた）、むすこだけは手放すことはできないだろう。自分には生活の目的があるのだ。なんとか行動しなければならない。わが子との現在の境遇を保障するために、子供を奪われないために、なんとか行動をしなければならない。いや、それもなるべく早く、一刻も早く、子供が自分の手から奪われないうちに、行動しなければならないのだ。さあ、子供を連れて、出かけなければいけないのだ。これが、今自分のしなければならぬただ一つのことなのだ。この苦しい境遇から抜けだして、気持を落ち着ける必要があるのだ。と、わが子に結びついた目前の仕事と、その子供を連れてすぐにもどこかへ行かなければならぬという思いが、彼女に必要な落ち着きを与えた。

アンナは素早く着替えをして、階下《した》へおりて行くと、しっかりした足どりで客間へはいって行った。そこには例によって、コーヒーとセリョージャと女の家庭教師が待っていた。白ずくめの服装《なり》をしたセリョージャは、鏡の下のテーブルのそばに立って、背中と頭をかがめ、緊張した面持《おもも》ちで、自分が持って来た花をいじくっていた。その様子は、彼女のよく承知しているものであり、父親そっくりのところがあった。

家庭教師は特別きびしい態度をとっていた。セリョージャは、いつもの癖で、甲高《かんだか》い声で、「ああ、ママ！」と叫んだきり、その場に釘《くぎ》づけになった。少年は花を捨て、母親のそばへあいさつに行ったものか、それとも、花輪を仕上げてから、それを持って行くべきかと、決心がつかなかったのである。

家庭教師はあいさつをしてから、セリョージャのやったいたずらについて、長々と克明に、話しだしたが、アンナは相手の話を聞いていなかった。アンナは、この女《ひと》も連れて行ったものかしら、と考えていたのである。《いいえ、やっぱり、連れて行くのはよそう》アンナはきめた。《あの子とふたりだけで行ったほうがいいわ》

「ええ、それはほんとによくないことですわね」アンナはいって、わが子の肩に手をかけ、きびしいというより、むしろおどおどしたような目つきでその顔をのぞきこみ、接吻《せっぷん》した。むすこはその目つきにちょっとまごついたが、すぐ笑顔をみせた。「ちょっと、子供とふたりだけにしてくださいね」アンナはびっくりしている家庭教師にいって、むすこの手を放さずに、コーヒーの用意のできているテーブルについた。

「ママ、ぼくは……ぼくは……なんにも」少年は桃の一件でどんな罰を受けるかと、母の顔つきで察しようと努めながら、いった。

「ねえ、セリョージャ」アンナは家庭教師が部屋を出ると、すぐに話しかけた。「あんなことをしてはいけないわ。でも、もうあんなことはしないわね……坊やはママが好き？」

アンナは、目に涙があふれてくるのを感じた。《こんなかわいい子を愛さないわけにはいかないわ》彼女はわが子のおびえたような、同時にさもうれしそうな目をじっと見つめながら、そう自分にいいきかせた。《この子が父親といっしょになって、あたしを罰するなんてことがあるかしら？　あたしをかわいそうだと思わないなんてことがあるかしら？》もう涙は彼女の頰をつたって流れた。すると、アンナはそれを隠すために、だしぬけに立ちあがり、ほとんど走るようにして、テラスへ出て行った。

この二、三日つづいた雷雨のあとで、涼しい、さわやかに晴れた日和《ひより》が訪れていた。雨に洗われた木の葉を透してくる日ざしは明るかった。大気はひんやりと冷えこんでいた。

アンナはぶるっと身ぶるいした。それは冷気のためと同時に、澄んだ大気の中で新しい力をもって彼女をとらえた恐怖のためでもあった。

「あっちへ行ってらっしゃい。マリエットのところへ行ってらっしゃい」アンナは自分のあとを追って来たセリョージャにいって、テラスに敷いた麦藁《むぎわら》カーペットの上を歩きはじめた。《ほんとに、あの人たちって、あたしを許してはくれないのかしら？なにもかもみんなこうなるよりほかにしかたがなかったことを、わかってはくれないのかしら？》彼女は心の中でつぶやいた。

アンナはふと足を止めて、冷たい日ざしにまぶしく輝きながら、雨に洗われた木の葉をつけて風に揺れているやまならしの梢《こずえ》をながめたとき、あの人たちは許してはくれまい、だれもかれも、この空のように、この緑のように、今の自分に対しては情け容赦もしないだろう、と悟った。するとまたしても、彼女は自分の心の中が二重になっていくのを感じた。《もうしかたがないわ。もう考えたってしかたがないわ》アンナは心の中でつぶやいた。《さあ、出かけるしたくをしなくちゃ。でも、どこへ？いつ？　だれを連れて行こうかしら？　そうだわ、モスクワへ、夜の汽車がいいわ。アンヌシカとセリョージャに、ごく必要なものだけにして。でも、その前に、あのふたりに手紙を書かなくちゃ》アンナは急いで家の中へもどって、自分の居間へはいると、テーブルにすわって、夫への手紙を書きはじめた。

『あのようなことがございましたからには、あたくしはもうあなたさまのお家《うち》にとどまっているわけにはまいりません。あたくしはセリョージャを連れて、出て行きます。あたくしは法律を知りませんから、むすこは両親のうちどちらの側に行くべきものか存じません。ただ、あたくしがあの子を連れてまいりますのは、あの子なしには生きて行くことができないからでございます。どうぞ、寛大なお心をもって、あの子をあたくしの手もとへお残しくださいますように』

ここまでは彼女もすらすらと自然に書けた。ところが、自分でも認めていない夫の寛大な心に訴える言葉を書き、なにか感動的な文句で手紙を結ばなければと考えたとき、彼女はふと手を止めた。

『あたくしは自分の罰のこととか、悔悟とかいうことについてはなにも申しあげるわけにはまいりません。というのは……』

アンナは、また、自分の頭に浮んだことに脈絡を見いだすことができずに、手を休めた。《いいえ》彼女はつぶやいた。《もうそんな必要はないわ》そして、書きかけの手紙を破り、寛大な心云々《うんぬん》というところをけずって書きなおした。封をした。

もう一通、ヴロンスキーへあてて書かなければならなかった。『あたくしは主人に打ち明けてしまいました』アンナはそう書いたが、先をつづける気力がなく、長いことじっとすわっていた。それはあまりにも乱暴で、あまりにも女らしくなかった。《このうえ、あの人にいったいなにを書くことができるかしら?》彼女は考えた。と、再び羞恥の紅《くれない》がその頰をそめ、彼の落ち着きはらった態度が思いだされた。すると、彼に対する無念の思いが、一行だけ書いた便箋《びんせん》をずたずたに引き裂かせた。《もうそんな必要はないわ》アンナは心につぶやいた。それから紙挟《かみばさ》みを畳んで、二階へあがり、家庭教師と召使たちに、今晩モスクワへ発《た》つと申しわたして、すぐに荷物の準備にかかった。

16

別荘の部屋という部屋を、庭番や、植木屋や、下男たちが、荷物を運び出しながら、歩きまわっていた。戸棚《とだな》やたんすはあけ放しになっていた。使いの者が二度も小店へ、細引きを買いに駆けだして行った。床には新聞紙がちらかっていた。二つのトランクをはじめ、いくつかの旅行袋や物をくるんだ膝掛《ひざか》けなどが、玄関わきの控室へ運び出された。一台の箱馬車と一台の辻馬車《つじばしゃ》が、入口の階段の下に待っていた。荷造りの忙しさにまぎれて内心の不安を忘れていたアンナは、居間のテーブルの前に立って、旅行袋に物をつめていた。と、不意にアンヌシカが、馬車の近づく音がすると彼女の注意をうながした。アンナはちらと窓の外を見ると、カレーニンの使いが入口の階段に立って、ベルを鳴らしているのが、目にはいった。

「行って、なんの用だか、聞いてきてごらん」アンナはいって、どんなことにも覚悟のできている落ち着きを示しながら、両手を膝の上に組み合せて、肘掛《ひじか》けいすに腰をおろした。下男が、カレーニンの手で上書《うわが》きされた小さな包みを持って来た。

「使いの者はご返事をいただいてくるようにと申しつかったそうでございます」下男はいった。

「いいわ」アンナはいった。そして、下男が出て行くのを待って、震える指先で手紙の封を切った。帯封をかけた、折り目のない紙幣の束が、その中から落ちた。彼女は手紙を取り出して、終りのほうから読みはじめた。『あなたの引き揚げに必要な用意は、いっさい、させておきましょう。なお、私はこのお願いが実行されることに、特別の意味を認めている』と彼女は読んだ。彼女はその先に目を走らせ、前へもどり、全部を読み通したが、さらにもう一度、はじめから読みなおした。アンナは読み終ってしまうと、急に寒けを覚えて、夢にも思わなかった恐ろしい不幸が、自分の上におそいかかってきたような感じをうけた。

けさは、アンナも夫にあんなことをいったのを後悔して、あんな言葉さえいってなかったらとそればかりを望んでいた。ところがいまや、この手紙はあんな言葉がいわれなかったものと見なして、彼女の望んでいたものを与えてくれたのである。ところが、今になってみると、この手紙は彼女の想像しうるかぎりのもっとも恐ろしいものに思われたのであった。

《あの人は正しいんだわ！　正しいんだわ！》アンナはつぶやいた。《もちろん、あの人はいつだって正しいんだわ。あの人はキリスト教徒だし、心のひろい人ですもの！　でも、卑劣でいやらしい人間だわ！　でも、そのことは、あたしのほか、だれひとりだってわかってはいないし、また、わかりっこないことだわ。あたしにだって、ちゃんと説明なんかできやしないわ。そりゃ、世間では、あの人のことを信心ぶかい、道徳的な、誠実な、聡明《そうめい》な人物だといってるけど、世間の人はあたしの見たことに気づいていやしないんだもの。あの人が八年間もあたしの生活を窒息させてきたことも、あたしの心の中に生きていたいっさいのものを窒息させたことも、あたしが愛情を必要とする生きた女だってことを、あの人は一度も考えてみてくれたことがなかったことも、世間の人はそれもこれもまったく知ってはいないんだわ。あの人がことごとにあたしを侮辱しながら、自分ひとり悦に入っていたことを、だれも知らないんだわ。あたしは生活の意義を見いだそうとして、一生懸命に努力しなかったとでもいうのかしら？　あたしはあの人を愛そうと努めなかったかしら？　もうあの人を愛することができなくなったときも、あたしは子供を愛そうと努めなかったかしら？　でも、もう潮時がきたんだわ。あたしもこれ以上は自分を欺《あざむ》くことができないと悟ったんですもの。あたしだって生きた人間なのだから、神さまがあたしをこんな女につくってくださったからといって、あたしが悪いわけじゃないし。あたしだって愛さなくちゃならない、生きなくちゃならないんだわ。そうよ、それなのに、今のこの状態はどういうことなの？　たとえ、あの人があたしを殺したとしても、彼を殺したとしても、あたしはきっと、なにもかも我慢して、すべてを許したにちがいないわ。でも、もうだめだわ、だってあの人は……》

《なぜあたしは、あの人のしそうなことがわからなかったのかしら？　だって、あの人は自分の卑劣な性格にふさわしいことをするにきまっていたのに。あの人は自分だけ正しい人でおしとおしながら、もう破滅した女のあたしを、もっと手ひどく、もっとみじめに破滅させようとしているんだわ》『なにがあなたとあなたのむすこを待ち受けているかは、あなた自身もたやすく想像できることと存じます』という手紙の文面を彼女は思いだした。《これはあの子を奪ってやるぞというおどかしなんだわ。それに、きっとあの連中のばかげた法律では、それが可能なことなんだわ。それにしても、なんだってあの人がこんなことをいうのか、あたしにはそれがわからないとでも思ってるのかしら？　あの人はむすこに対するあたしの愛情を信じていないか、でなければ軽蔑《けいべつ》しているんだわ（あの人がいつも物事をせせら笑っているあの調子で）。でも、あの人は、あたしのそうした感情を軽蔑しながら、あたしがあの子を捨てはしない、捨てることはできないってことを、ちゃんと承知しているんだわ。あの子がいなくては、たとえ愛する人といっしょになってもあたしには生活なんてありえないってことも、もしあの子を捨てて、夫のもとを逃げだしたら、あたしがだれよりも卑《いや》しい、けがらわしい女になるってことも、ちゃんと承知しているんだわ。ええ、あたしにそれをする気力がないってことも承知ずみなんだわ》

『私たちの生活は、今までどおりにつづけられねばなりません』アンナはまた別の文面を思いだした。《ふたりの生活は前だってとても苦しいものだったけれど、ことに近ごろではもう恐ろしいものになっているのに、これから先はどうなっていくのかしら？　それに、あの人はそのことをなにもかも承知しているんだわ。あたしが息をついたり、愛したりすることを、後悔なんかするわけにいかないってことを、ちゃんと承知しているんだわ。そんなことをしてみたって、うそとごまかしのほかに、なにひとつ成果のないってことも、知っているくせに、あの人はこれからもずっとあたしを苦しめなければ、気がすまないんだわ。あたしにはあの人の正体がちゃんとわかっているわ。あの人は水をえた魚のように、虚偽の中をすいすい泳ぎまわって、楽しんでいるんだわ。でも、もうだめ。あたしはそんな楽しみなんかさせておかないわ。あの人はあたしを虚偽の蜘蛛《くも》の巣でしばろうとしているけれど、あたしはそんなものを破ってやるわ。もうどうなってもかまわないわ。どんなことだって、うそやごまかしよりはましですもの！》

《でも、どうしたらいいのだろう？　ねえ、あたしの神さま！　あたしのように不幸な女が、この世にいたことがございましょうか？……》

「いいえ、破ってやるわ、なんとしても、破ってやるわ！」アンナはおどりあがって、涙をおさえながら、叫んだ。そして、また夫あてに別の手紙を書くつもりで、文机《ふづくえ》のそばへ近づいた。しかし、心の奥底では、自分にはなにひとつ破る力のないことを、それがどんなに虚偽に満ちた恥ずべきものであっても、今までどおりの境遇から抜けだす力はないということを、はやくも感じていた。

彼女は文机に向って腰をおろしたが、手紙を書くかわりに、机の上に両手を重ね、その上に頭をのせて、まるで子供のように、しゃくりあげながら、胸を震わせて泣きはじめた。彼女が泣きだしたのは、自分の立場を明らかに決定しようと思った夢が、永久にくずれさったのを悲しんだからであった。すべてはもとのままで、いや、もとのままどころか、いっそう悪くなるということが、アンナには前からわかっていたのである。彼女は今まで自分が享受《きょうじゅ》してきた、そしてけさほどはなんの価値もないように思われていた社交界の地位が、自分にとっては貴重なものであり、夫とむすこを捨てて情夫といっしょになった恥ずべき女の立場に、それを見返るだけの力はないであろうことも、どんなに苦しんでみたところで、結局は今の自分自身以上に強くはなれないだろうということも、感じたのである。彼女はいつになってもけっして愛の自由を味わうことなく、罪ぶかい女としてとどまるだろう。彼女は生活をともにすることのできない、勝手気ままな、他人にもひとしい男と恥ずべき関係をつづけていくことによって夫を欺き、たえずおのれの罪証が明るみに出されることにおびえていかなければならないだろう。アンナはそうなるであろうことを承知しながらも、それと同時に、それがあまりに恐ろしかったので、それがどんな結末をつげるか、想像することもできなかったのである。彼女はついに我慢できなくなって、罰を受けた子供のように、泣きくずれた。

近づいて来る下男の足音に、アンナはわれに返った。そして、彼女は顔を見せないようにして、手紙を書いているようなふりをした。

「使いの者がご返事をいただきたいと申しております」下男はいった。

「返事ですって？　ああ、そう」アンナはいった。「ちょっと、待たせておいてちょうだい。ベルを鳴らすから」

《あたしになにを書くことができるというの？》彼女は考えた。《あたしひとりでなにがきめられるというの？　あたしにはなにがわかってるのかしら？　あたしはなにを望んでるのかしら？　あたしはなにを愛してるのかしら？》彼女はまたもや、自分の心が二重になっていくのを感じた。彼女はまたこの気持にぎょっとして、自分のことばかり考えたがる思いからそらしてくれるような、ある行為が頭に浮ぶと、すぐそれにとびついた。《あたしはアレクセイ（彼女は心の中でヴロンスキーをそう呼んだ）に会わなくちゃならないわ。あたしがなにをしなければいけないか、それがいえるのはあの人だけですもの。ベッチイのところへ行ってみよう。もしかしたら、あそこであの人に会えるかもしれない》彼女はつぶやいた。アンナはついきのうのこと、あたしはトヴェルスコイ公爵《こうしゃく》夫人のところへは行きませんといったら、彼もそんならぼくも行かない、といったことをすっかり忘れてしまっていた。彼女は文机へ行って、『お手紙を拝見しました。A』と夫あてに書くと、ベルを鳴らして、下男に手渡した。

「出発はとりやめにしたわ」アンナははいって来たアンヌシカにいった。

「まあ、すっかりおとりやめになるんでございますか！」

「いいえ、あすまで荷物はとかないでおいてちょうだい。馬車のほうもそのままにしておいて。あたしはこれから公爵夫人のところまで行ってくるから」

「お召し物はどれになさいますか？」

17

トヴェルスコイ公爵夫人がアンナを招待したクロケー競技の面々は、ふたりの貴婦人とその崇拝者たちの予定であった。このふたりの貴婦人というのは、なにかの模倣を模倣するところから、Les sept merveilles du monde（訳注 社交界の七ふしぎ）と呼ばれていた、新しいペテルブルグ社交界の選《え》り抜きのグループの代表者たちであった。このふたりは、事実、社交界でも最高のグループに属していたが、それはアンナの出入りしていたグループとは、敵対関係にあった。いや、そればかりか、リーザ・メルカーロヴァの崇拝者であり、ペテルブルグの有力者のひとりであるストリョーモフ老人は、その勤めの関係からいってカレーニンの敵であった。こうしたいっさいのことを考慮したうえで、アンナはこの招待に気がすすまなかった。だから、アンナが断わったことに対して、トヴェルスコイ公爵夫人が手紙でわざわざ念をおしてきたのも、じつはこの点を気にしていたからである。ところが、いまやアンナは、ヴロンスキーに会えるかもしれないという希望のために、出かける気になったのである。

アンナはほかの客たちよりも先に、トヴェルスコイ公爵夫人のところへ着いた。

アンナが中へはいって行こうとしたとき、頰《ほお》ひげをきれいになでつけ、侍従武官然としたヴロンスキーの召使が、これまたはいって行くところだった。召使は戸口に立ち止って、帽子を脱ぎ、アンナを先に通した。アンナは相手がだれだか気づくと、そのときはじめて、ヴロンスキーがきのういったことを思いだした。たぶん、彼はそのことで、手紙を持たせてよこしたのであろう。

アンナは、控室で上着を脱ぎながら、その召使がRの音までを侍従武官式に発音しながら、『伯爵から公爵夫人へ』といって、手紙を渡しているのを耳にした。

アンナはこの男に、だんなさまはどこにおいでかとたずねたかった。いや、すぐ引き返して、ヴロンスキーが自分のところへ来てくれるか、自分のほうから彼のところへ出かけて行くかするように、手紙をこの男にことづけたかった。しかし、それもこれもとても不可能なことであった。もう向うのほうでは、彼女の訪問を告げるベルの音が聞え、トヴェルスコイ公爵夫人の召使が、はやくもドアのところで、からだを半ば横向きにして、彼女が部屋へ通るのを、待ちかまえていたからである。

「奥さまはお庭ですが、今すぐお取次ぎいたします。なんならお庭のほうへいらしってはいかがですか？」別の部屋にいた別の召使がこう申し出た。

なにかはっきりしない、あいまいな状態は、家にいたときとまったく変らなかった。いや、もっとひどかった。というのは、ここではなにひとつ試みることもできず、ヴロンスキーに会うこともできず、縁もゆかりもない、今の自分の気分とはそぐわない人びとの中に残っていなければならないからであった。それでも、アンナは自分がよく似合う服装《なり》をしていることを承知していたし、そこではひとりぼっちでもなかった。彼女をとりまいていたのは、いつものなじみぶかい、華やかな、遊惰な雰囲気《ふんいき》だったので、家にいるよりは気が楽であった。彼女はなにをしなければならぬか、などと頭を悩ます必要はなかった。なにもかもひとりでにはかどっていった。はっとするほど優雅な白い服をつけたベッチイがアンナのほうへ歩みよって来たとき、アンナはいつものようににっこりとほほえんだ。トヴェルスコイ公爵夫人はトゥシュケーヴィチと、親戚《しんせき》の令嬢を伴って歩いて来たが、田舎にいるこの娘の両親は、娘が有名な公爵夫人のもとで夏を過しているというので、すっかり喜んでいたのである。

たぶん、アンナはなにか変ったところがあったのだろう。ベッチイがすぐそのことをいいだしたからである。

「あたし、よく眠れなかったんですの」アンナは向うからやって来る召使をじっと見つめながら、答えた。彼女はその召使がヴロンスキーの手紙を持って来たものと考えたふうだった。

「でも、ほんとによく来てくださいましたわね」ベッチイはいった。「あたし、疲れたものですから、みなさまがお見えになるまでに、今お茶をひとついただこうと思っていたところでしたの。じゃ、あなたはいらしてくださいますわね」彼女はトゥシュケーヴィチのほうを向いていった。「マーシャといっしょにクロケーのグラウンドへ。あの刈りこんだところをためしてごらんになってくださいね。そのあいだに、あたしたちはお茶をいただきながら、打ち明け話をいたしましょうよ。we'll have a cosy chat.（訳注　おもしろいおしゃべりをいたしましょうよ）ねえ、いかがですの」彼女はパラソルを持ったアンナの手を握りながら、笑顔で話しかけた。

「けっこうですわ。それに、きょうはこちらに長くおじゃまできませんから、なおさらですわ。どうしても、ヴレーデ老夫人のところへ伺わなければなりませんの。なにしろ、もう百年も前からのお約束なので」アンナはいった。こんなうそをつくことは彼女の性質とはまるっきり縁のないことだったのに、今では社交界でうそをつくことなんかいとも自然で簡単なことであるばかりでなく、彼女はそのことに満足すら覚えているのであった。

アンナはつい一秒前まで考えてもいなかったこんなことを、なんのために口にしたのか、自分でもとても説明できなかったにちがいない。彼女がこんなことをいったのは、ヴロンスキーがこないからには、自分の自由を確保しておいて、なんとか彼に会う手段を講じなければならないと、考えたからにすぎなかった。それにしても、ほかの多くの人びとと同様、少しも用のない老女官のヴレーデのことをなぜ持ちだしたのかは、彼女にも説明できなかった。が、それと同時に、これはあとでわかったことだが、ヴロンスキーと会うために、どんなに巧妙な手段を考えだそうとしても、これ以上いい方法はなかったのである。

「いいえ、どんなことがあっても、あなたを帰しゃしませんわ」ベッチイはアンナの顔を注意ぶかく見つめながら、答えた。「ほんとに、もしあなたのことが好きでなかったら、あたし、腹を立てるところですわよ。だって、あなたは、うちへ集まる人たちとつきあったら、ご自分の名誉にかかわるとでもおっしゃるみたいなんですもの。さあ、あたしたちのお茶を、小さいほうの客間に用意しといてちょうだい」彼女はいつも召使にものをいうときの癖で、目を細めながら、いった。ベッチイは召使から手紙を受け取って、それに目を通した。「アレクセイはあたしどもにうそをつきましたわ」彼女はフランス語でいった。「こられないっていってよこしましたの」彼女はそうつけ足したが、その口ぶりはまるでアンナにとってヴロンスキーは、クロケーをして遊ぶ以外になにか特別の意味があるとは考えてもみないような、ごく自然で率直な調子だった。

アンナはベッチイがなにもかも知っているのを承知していた。しかし、ベッチイが自分の前でヴロンスキーのことを話題にすると、いつも一瞬、ベッチイはなんにも知ってはいないのだ、と思いこんでしまうのだった。

「あら、そう!」アンナはそっけなくいうと、そんなことにはたいして興味がないように、微笑を浮べながら、言葉をつづけた。「なぜお宅へ集まるお客さまとつきあったら、どなたかの名誉にかかわるんですの?」こうした言葉の遊びや、他人行儀の話は、すべての婦人同様、アンナにとっても大きな魅力であった。彼女の心をひきつけたものは、それを秘密にする必要でもなければ、その目的でもなく、それを秘密にする経過そのものであった。「あたくし、ローマ法王より信仰の厚いカトリック信者にはなれませんわ」アンナはいった。「ストリョーモフとリーザ・メルカーロヴァは、社交界の粋の粋ですわね。それに、あの方たちは、どこでも歓迎されていらっしゃいますわ。あたくしもそうですけど」彼女はあたくしという言葉にとくに力を入れた。

「どんなときでもけっしてやかましいことを申しませんし、短気も起しませんものね。あたしにはただ暇がないだけですの」

「ねえ、あなたはひょっとしたら、ストリョーモフさんと顔をあわすのが、おいやなのかもしれませんわね？　いえ、あの人とカレーニンさんは、勝手に委員会でけんかをさせておけばいいんですよ——そんなことはあたしたちに関係ないことですもの。でも、あの方は社交界じゃ、あたしの知っているかぎり、いちばんの好人物ですわ。それに、クロケー気ちがいなんですもの。ごらんになったら、すぐわかりますわ。それに、今はリーザに老いらくの恋をして、そりゃこっけいな立場にいらっしゃいますけど、あの方がそのこっけいな立場をなんとかうまく切り抜けていらっしゃるところは、買ってあげなくちゃなりませんわ！　とても気持のおやさしい方ですの。あなた、サフォ・シュトルツをご存じかしら？　こちらは新しい、まったく新しいタイプの方ですけど」

ベッチイはこんなことを次々にしゃべっていったが、アンナは相手の楽しそうな利口そうな目つきから、彼女がある程度、アンナの立場をのみこんでいて、なにかたくらんでいるような気がした。ふたりは小さいほうの書斎にいたのである。

「それにしても、アレクセイに返事を書かなくちゃなりませんわね」ベッチイはそういってテーブルに向うと、二、三行書いてから、封筒に入れた。「あの人に食事に来るようにって書きましたわ。うちでは、ご婦人がひとり、食事に残ることになってるんですけど、お連れの男の方がいらっしゃらないとね。まあ、ちょっと、ごらんになって。これでいいかしら？　失礼、ちょっと席をはずしますけど。どうぞ、封をして、使いに持たしてやってくださいまし」ベッチイは戸の外からいった。「あたし、すこし世話をやかなければなりませんので」

すぐさま、アンナはベッチイの手紙を持ってテーブルに向うと、内容を読みもせずに、その下へ、『ぜひともお目にかかりたいことがございます。ヴレーデさんのお庭までいらしてくださいまし。あたしは六時にそちらへまいります』と書き添えた。アンナが封をしたところへ、ベッチイがもどって来て、目の前で使いの者に手紙を渡した。

涼しい小さな客間へ、お茶が小さな台にのせられて運ばれて来たとき、ふたりの婦人のあいだには、ベッチイがお客の集まるまでと約束した、例の a cosy chat が実際にはじまった。ふたりがまもなくやって来るお客たちの品定めをしているうちに、話はリーザ・メルカーロヴァのことに落ち着いた。

「あの方はほんとにおやさしい方ですわね。あたし、いつも好感をもってましたの」アンナがいった。

「あの方を好きになってあげなくちゃいけませんわ。だって、あの方はあなたのことを、夢にまで見るんですって。きのう、競馬のあと、あたしのところへ来て、あなたにお会いできなかったので、すっかりしょげていらっしゃいましたのよ。リーザったら、あなたのことをほんとうに小説のヒロインみたいな方だ、もしあたしが男だったら、あの方のために、どんなばかげたことでもやりかねないわ、なんていうんですのよ。そしたら、ストリョーモフさんが、あなたはそうでなくても、ばかげたことばかりやってますね、っていったんですの」

「じゃ、一つおききしますけど、あたしにはどうしても、わからないことがありますの」アンナは、しばらく口をつぐんでから、切りだした。その言葉の調子から、それが単に暇つぶしの質問でないどころか、本人にとって考えられる以上に重要なことであることが、はっきりとわかった。

「ねえ、お願いですから、教えてくださいな。いったい、あの方とカルジュスキー公爵、つまり、ミーシュカとの関係はどうなんですの？　あのおふたりには、ほとんどお目にかかったことがございませんけど。どうなんですの？」

ベッチイは目で笑って、アンナをじっとながめた。

「新しいスタイルなんですの」彼女はいった。「あのおふたりは、そのスタイルを選んだわけなのね。見栄《みえ》も外聞もけとばしてしまって。でも、そのけとばし方にも、いろんなスタイルがあるわけですけど」

「そうね。でも、あの方とカルジュスキー公爵との関係は、どうなんですの？」

ベッチイはいきなり、さもおもしろそうに、こらえきれなくなって、笑い声をたてた。こんなことは彼女として珍しいことであった。

「まあ、そんなことといったら、ミャフキー公爵夫人のお株をとることになってしまいますわ。それは恐るべき子供の質問ですわね」そういって、ベッチイはこらえようとしたらしかったが、ついに、こらえきれずに、他人にまで感染させずにはおかないような笑いを爆発させた。そんな笑い方はめったに笑わない人しかしないものである。

「そりゃ、あのおふたりにきかなくちゃわかりませんわ」彼女は笑いに誘われた涙を浮べながら、いった。

「いえ、あなたはそうお笑いになるけど」アンナも思わず笑いをうつされながら、いった。「あたしにはどうしても納得がいきませんの。そうした場合のご主人の役割はどんなものなのかしら、その点がわかりませんの」

「まあ、ご主人ですって？　リーザ・メルカーロヴァのご主人はあの方のあとから膝掛《ひざか》けを持って歩いて、いつでもご用を務める用意をしていますわ。でも、それから先はほんとのところどうなのか、だれもそんなことは知りたいなんて思いませんわ。だって、りっぱな社会では、だれもお化粧の詳しい秘訣《ひけつ》のことなんか口に出しませんし、考えもしないじゃありませんか。これもそれと同じことですわ」

「それはそうと、ロランダキ夫人のお祝いにはいらっしゃいます？」アンナは話題を変えるために、たずねた。

「行くつもりはありませんわ」ベッチイは答えた。そして、友だちのほうを見ないで、小さな透きとおったカップに用心ぶかく、かおりの高いお茶を注《つ》ぎはじめた。彼女はカップをアンナのほうへ勧めて、とうもろこしの葉につつんだ巻たばこを取りだすと、銀のパイプへさして、吸いはじめた。「ねえ、ごらんのとおり、あたしはしあわせな立場におりますから」彼女はもう笑わずに、お茶のカップを手に取って、しゃべりはじめた。「あたしにはあなたのこともわかってますし、リーザのこともわかってますわ。あのリーザという人は、とても素朴《そぼく》な性質《たち》でしてね。まるっきり子供みたいに善悪の区別がつかないんですの。すくなくとも、ごく若い時分には、あの人にそれがわからなかったことだけはほんとうですわ。ところが今じゃ、そのわからないってことが、自分には似合いのことだって承知しているんですのね。今は、ひょっとしたら、わざとわからないふりをしてるのかもしれませんわ」ベッチイはかすかな微笑を浮べながら、いった。「でも、とやかくいっても、やはり、それがあの人には似合っているんですわ。ねえ、おわかりになって。同じ一つのことを、悲劇的に見て、そのために苦しむこともできれば、もっと単純にながめて、いいえ、それどころか、楽しくながめることもできるんですのよ。どうやら、あなたは物事をあまりに悲劇的に見るほうかもしれませんわね」

「あたしはただ自分に自分のことがわかってるように、ほかの人のことも知りたくてたまらないんですけど」アンナはまじめくさって、考えこむような調子でいった。「あたしはみんなより悪い人かしら、それとも、いい人かしら？　悪いような気がしますけど」

「恐るべき子供、そう、恐るべき子供ですよ！」ベッチイは繰り返した。「それはそうと、みなさまがお見えになりましたわ」

18

人の足音と男の声が聞え、それから女の声と笑い声がしたかと思うと、それにつづいて待たれていたお客たちがはいって来た。サフォ・シュトルツと、はちきれんばかりの健康に輝く、ワーシカと呼ばれている青年であった。一見して、この青年には、血のたれるようなビフテキや、松露や、ブルゴーニュ産の赤ぶどう酒などの栄養が十分役立っていることが見てとれた。ワーシカは婦人たちに会釈《えしゃく》して、その顔をちらと見たが、それもほんの一瞬のことであった。青年はサフォにつづいて客間へはいると、まるで彼女に縛りつけられているかのように、彼女のあとにぴたりとつきながら、まるで彼女を食べてしまいたいといわんばかりに、ぎらぎら光る目を彼女から放さずに、客間の中を歩きまわった。サフォ・シュトルツは、黒いひとみをしたブロンドだった。彼女はハイ・ヒールをはいた足を、小刻みに元気よく運びながらはいって来ると、まるで男のように、きつくふたりの婦人の手を握った。

アンナは一度も、この有名な社交界の新星に会ったことがなかったので、その美貌《びぼう》と、思いきった化粧ぶりと、大胆なものごしに驚かされた。サフォの頭には自分の毛と入れ毛のまじった柔らかな金髪が、台座ほどもある大きな髷《まげ》に束ねられていたので、その頭の大きさは、形のいい、豊かな、ぐっと開いた胸と同じくらいになっていた。彼女は身のこなし方も激しかったので、歩くたびに、ひざから腿《もも》の形がドレスを透して、はっきり描きだされた。そのため、上半身が思いきりあらわにされ、下半身や背後がすっかり隠されている、その小がらな、すらりとしたからだそのものは、この美しく揺れ動く山のような衣装のどの辺で終っているのか、と思わず疑問をいだかずにはいられないほどであった。

ベッチイは急いで彼女をアンナに紹介した。

「ねえ、たいへんでしたのよ。あたしたち危うく兵隊さんをふたり、轢《ひ》き殺すところでしたの」彼女は目くばせしたり、ほほえんだりしながら、いきなり物語をはじめた。と同時に、あまり横のほうへさばきすぎたスカートの先を、さっと引きもどしたりした。「あたしはワーシカ（訳注　ワシーリイの卑称）といっしょに乗ってまいりましたんですが……あら、まだご存じじゃなかったんですわね」そこで、彼女は苗字《みょうじ》をいって、青年を紹介した。それから、顔をぱっと赤らめて、自分の誤りを笑いとばした。誤りというのは、未知の人に向って、連れの青年をいきなりワーシカと呼んだからである。

ワーシカはもう一度アンナに会釈した。が、なんともいわなかった。青年はサフォに話しかけた。

「賭《か》けはあなたの負けですよ。ぼくたちのほうが早く着いたんですから。さあ、お金を払ってください」彼はにやにやしながら、いった。

サフォはいっそうおもしろそうに笑いだした。「なにも、今でなくたって」彼女はいった。

「どっちみち、同じことですよ。じゃ、あとでもらいますよ」

「ええ、けっこうですとも。あら、そうだわ！」彼女はいきなり女主人のほうへ振り向いた。「まあ、あたしったら、……すっかり、忘れていましたわ……こちらにお客さまをお連れして来たんですのに。ほら、あの方ですわ」

サフォが連れて来て忘れていたとつぜんの来客というのは、まだ年こそ若かったけれど、とても身分の高い人だったので、婦人たちは、相手を迎えに席を立った。

それはサフォの新しい崇拝者であった。彼は今もワーシカと同様、彼女のあとをつけまわしているのであった。

まもなくカルジュスキー公爵《こうしゃく》とリーザ・メルカーロヴァが、ストリョーモフを伴ってやって来た。リーザ・メルカーロヴァは、東洋風の物憂《ものう》げな顔だちをしたやせぎすのブリュネットで、みんなのうわさどおり、えもいわれぬ美しいひとみをしていた。

その地味づくりな衣装の好みは（アンナはすぐにそれに気づいて、高く評価した）彼女の美しさと完全に調和していた。サフォがすごくてきぱきして、すらりとしているのと対照的に、リーザはふっくらして、しまりのない感じだった。

しかし、アンナの好みとしては、リーザのほうがずっと魅力があった。ベッチイはアンナにリーザはおぼこ娘のようにふるまっているのだといった。アンナは、今彼女に会ってみて、それがまちがっていることを感じた。リーザはたしかに無知で、頽廃《たいはい》的なところはあったが、しかし、愛すべき、従順な女であった。もっとも、彼女の調子もサフォのそれと同じで、サフォの場合と同様、リーザのあとにもふたりの崇拝者が、縛りつけられたようにつきまとって、むさぼるような目つきで彼女をながめていた。ひとりは青年で、ひとりは老人だった。しかし彼女には、自分をとりまいているものをなにか抜きんでたところがあった。彼女にはガラスにまじる本物のダイヤモンドのような光輝があった。この光輝はまったく、えもいわれぬほど美しいそのひとみから発しているのであった。暗い輪でくまどられた、疲れたような、と同時に情熱的なそのまなざしは、非の打ちどころのない誠実さで人を打った。そのひとみをひと目見たものは、だれでも彼女のすべてを知ったような気がして、それを知ったが最後、愛さないわけにはいられないのだった。アンナを見ると、たちまち、彼女の顔はさっとうれしそうな微笑に輝いた。

「まあ、お目にかかれて、ほんとうにうれしゅうございますわ！」彼女は近よりながらいった。「きのう競馬場で、やっとあなたのお席までたどり着いたと思ったら、もうお帰りになったあとなんですもの。きのうぜひともお会いしとうございましたの。ほんとに恐ろしいことでございましたわねえ？」彼女は心の底まですっかり開いてみせるかと思われるような目つきで、じっとアンナを見つめながら、いった。

「ええ、あんなに興奮させられるとは、あたしも思いもよりませんでしたわ」アンナは頬《ほお》をそめながら、いった。

そのとき一座の人びとは、庭へ出ようとして、席を立った。

「あたしはまいりませんわ」リーザは微笑を浮べて、アンナのそばへ腰をおろしながら、いった。「あなたもいらっしゃいませんでしょう？　クロケーなんか、どこがおもしろいんでしょうね！」

「あら、あたしは好きですのよ」

「まあ、あなたって方はそんなふうにして、退屈でないようになさるんですのね？　あなたのお顔を拝見してるだけで、楽しくなってまいりますわ。あなたは生きいきと暮していらっしゃるのに、あたしときたら、それは退屈なんですの」

「どうして退屈なんですの？　いえ、あなた方はペテルブルグでも、いちばん楽しそうなお仲間じゃございませんか」アンナはいった。

「ひょっとすると、あたしどものお仲間以外の方は、もっと退屈してらっしゃるのかもしれませんわね。でも、すくなくともあたしは、楽しいどころか、とっても、とっても退屈していますの」

サフォは巻たばこに火をつけると、ふたりの青年といっしょに庭へ出て行った。ベッチイとストリョーモフはお茶に残った。

「どうなさいました、退屈していらっしゃいますの？」ベッチイはいった。「サフォのお話では、きのうはお宅でみなさんとてもにぎやかだったそうじゃございませんか」

「いいえ、それどころか、すっかり気がめいってしまいましたわ！」リーザ・メルカーロヴァはいった。「競馬のあとで、みんなが、宅へ集まりましたの。でも、いつもいつも、まったく同じ顔ぶればかりで、いつもいつもすることはまったく同じことばかりなんですものね。ひと晩じゅう、みんな長いすの上でごろごろしていましたわ。そんなことしてて、なにがおもしろいもんですか！　ねえ、あなたは退屈しないために、どんなことをなすっていらっしゃいますの？」彼女はまたアンナに話しかけた。

「だって、あなたのお顔を拝見していますと、ああ、これこそ幸不幸はともかく、けっして退屈していないご婦人だ、と思いますものね。ねえ、どんなふうにしていらっしゃるか、教えてくださいな」

「べつに、なんにもいたしておりませんわ」アンナはそのしつこい問いに顔を赤らめながら、答えた。

「いや、それがいちばんいい方法なんですとも」ストリョーモフが会話に口をはさんだ。

ストリョーモフは五十がらみの、半ば白髪頭《しらがあたま》のまだ元気いっぱいの人物で、男前こそひどく悪かったが、個性的な、聡明《そうめい》そうな顔をしていた。リーザ・メルカーロヴァは、彼の妻の姪《めい》であったが、暇さえあれば、彼はいつも彼女と時を過しているのであった。彼はアンナ・カレーニナに出会うと、その勤務上からカレーニンとは敵対関係にあったものの、聡明な社交家として、政敵の妻である彼女に、とりわけ愛想《あいそ》よくしようと努めていた。

「なんにもしない、か」彼はかすかにほほえんで、彼女の言葉を引き取った。「いや、それこそ最上の方法なんですよ。前々からあなたにもそういっておいたでしょう」彼はリーザ・メルカーロヴァのほうへ顔を向けた。「退屈しないようにするためには、退屈だろうなんて考えちゃいけないってね。それは不眠症を心配するのなら、寝つかれないのじゃないかなんて心配してはいけないのと、まったく同じことですよ。カレーニン夫人のおっしゃったのは、まさに、そのことなんですよ」

「あたしがそう申したのでしたら、ほんとにうれしゅうございますけど。だって、それは機知に富んでるばかりか、真理でございますものね」アンナは微笑を浮べながら、いった。

「でも、それよりなぜ寝つくことができないのか、なぜ退屈しないではいられないか、教えてくださいましな」

「寝つくためには、働かなくちゃなりません。楽しい気分になるためにも、やはり、働かなくちゃなりませんよ」

「あたしの働きなんかだれにも必要ないとしたら、いったい、なんのために働かなければならないんでしょう？　それに、わざと働くふりをするなんてこと、あたしにはできませんし、そんなことしたくありませんわ」

「あなたにはどうにも救いの見込みがありませんな」ストリョーモフは相手を見ないでいってから、またアンナに話しかけた。

彼はほとんどアンナに会うことがなかったので、月並みなことしかなにも話題がなかった。そこで、いつペテルブルグへ引き揚げるつもりかとか、リジヤ伯爵夫人はどんなに彼女が気に入っているかとか、そんな月並みな話をはじめた。しかも、彼はそう語りながらも、心の底から相手に好感を与え、自分の尊敬を、いや、それ以上のものまでを示そうと努めているのが、その表情に読みとれた。

トゥシュケーヴィチがはいって来て、みながクロケーをする人びとを待っていると告げた。

「あら、どうか、お帰りにならないで」リーザ・メルカーロヴァは、アンナが帰ると聞いて、そう頼んだ。ストリョーモフもそれに口をあわせた。

「あまりにコントラストが激しすぎますよ」彼はいった。「こんな連中のところから、ヴレーデ婆《ばあ》さんのところへいらっしゃるなんて。第一、あなたがいらっしゃればあの婆さんにただ悪口をいう機会をつくっておやりになるだけのことですよ。ところが、ここにいらっしゃれば、それとはまったく別な、悪口なんかとは正反対の、世にもすばらしい感情を、呼び起してくださるばかりですからね」彼はアンナにいった。

アンナはちょっと決しかねるように考えこんだ。この聡明な人物のこびるような言葉や、リーザ・メルカーロヴァの示してくれた子供っぽい好意や、このなじみぶかい社交界の雰囲気《ふんいき》などは、どれもこれもとても気楽なものであったし、それにひきかえ、彼女を待ちうけているものは、あまりにも苦しいことだったので、彼女はこのままここに居残って、苦しい話合いのときをもう少し先へのばすことにしようかと、一瞬、心を決しかねたのである。しかし、もし自分がなんの決断もつけなかったら、わが家でひとりきりになったとき、どんなことが自分を待ち受けるであろうかと考え、あの思いだしてさえぞっとする、自分の髪の毛を両手でひっつかんだときのありさまを思い起すと、アンナは別れを告げて、立ち去った。

19

ヴロンスキーは、表面いかにも軽薄な社交生活を送っていたにもかかわらず、だらしのないことの大きらいな男であった。まだ幼年学校時代の若いころに、金に困って借金を申し込んだところ、きっぱり断わられて赤恥をかいたため、それ以来、けっして一度も自分をそういう立場に立たせたことがなかった。

自分の財政をいつもきちんとしておくために、彼はその時々の状況に応じて、その回数を増減するものの、だいたい、年に五回ばかり一室に閉じこもって、自分の財政状態をはっきりさせることにしていた。彼はそれを「勘定する」あるいは faire la lessive（訳注 洗濯する）と名づけていた。

競馬の翌日、ヴロンスキーは遅く目をさますと、ひげも剃《そ》らず、風呂《ふろ》も浴びないで、夏の白い軍服をひっかけたまま、机の上に金やそろばんや手紙をひろげて、仕事にかかった。ペトリツキーは、こんな場合のヴロンスキーが、おこりっぽいのを承知していたので、目をさまして、友人が文机《ふづくえ》に向かっているのを見ると、そっと着替えをして、じゃまをしないように、部屋を出て行った。

どんな人でも、自分をとりまいている条件の複雑さを、とことんまで知りつくすと、その条件の複雑さや、それを解明することのむずかしさは、つい自分だけの、偶然な特殊なものだと考えがちで、ほかの人も自分とまったく同じように、それぞれ個人的に複雑な条件にとりかこまれているなどとは、夢にも考えないものである。ヴロンスキーもやはりそんな気がしていた。そして、彼はいくらか内心の誇りを感じながら、もしほかのものがこんな苦しい条件におかれたら、とっくの昔にあごを出して、よくない行動をとったにちがいないと考えていたが、それはあながち根拠のないことでもなかった。しかし、ヴロンスキーは先へ行って、窮地におちいらないために、今こそ自分の状態をよく考えて、はっきりさせておかなければならないと感じていた。

ヴロンスキーがいちばん楽な仕事として、まず手をつけたのは金銭上の問題であった。彼は自分の借金を便箋《びんせん》に、細かい筆跡ですっかり書きだすと、合計してみて、一万七千ルーブルなにがしの借金があることを発見した。はしたの何百ルーブルかは、計算をはっきりさせるために、切り捨てたのである。現金と銀行通帳を計算してみて、彼は手もとに千八百ルーブルしか残っていないことを発見した。しかも、新年まで金は一文もはいる見込みがなかった。借金のリストを読みなおしてみて、ヴロンスキーはそれを三種類に分けて清書した。第一は、今すぐ払わなければならないか、あるいは請求され次第、一刻の猶予《ゆうよ》もなく、支払えるだけの金を用意していなければならない負債であった。この種の負債が、約四千ルーブルあった。すなわち、馬の代金が千五百ルーブルと、同僚の若いヴェネフスキーが、ヴロンスキーの見ている前で、トランプのいかさま師にやられて負けたとき、保証にたった金が二千五百ルーブルであった。ヴロンスキーはそのとき、すぐ金を払おうとしたのだが（それだけの金は手もとにあった）、ヴェネフスキーとヤーシュヴィンが、それは自分たちで払う、勝負にも加わらなかったヴロンスキーに払ってもらうわけにはいかない、といい張ったからである。それはそれでけっこうであった。しかし、ヴロンスキーはこのけがらわしい事件については、言葉の上でヴェネフスキーの保証をした、というだけの関係でしかなかったとはいうものの、とにかく、二千五百ルーブルの金を握っていなければならない、と承知していた。それはいかさま野郎にその金をたたきつけて、もうそんなやつとはあれこれ面倒な口をきかないためであった。こうしたわけで、この第一のもっとも重要な種類の金として四千ルーブル用意しておかなければならなかった。

第二の八千ルーブルという金は、それほど重要でない借金であった。それらは主として、競馬場の厩《うまや》とか、燕麦《えんばく》や干し草の請負商人とか、イギリス人の調教師とか、馬具商などから借りた金であった。これらの借金についても、一応きりをつけておくためには、やはり二千ルーブルくらいは支払わなければならなかった。借金の最後の部類は、あちこちの商店やホテルや仕立屋などの支払いで、それらはそう重大に考える必要のないものであった。こういったわけで、さしあたって、すくなくとも、六千ルーブルの金が必要だったが、手もとにわずか千八百ルーブルしかなかった。世間でいわれているように、ヴロンスキーの収入が年十万ルーブルもあるのなら、それほどの財産家にとっては、これくらいの借金など少しも困ることはないはずであった。ところが、問題は、彼の年収がこの十万ルーブルに遠くおよばないということであった。父の遺《のこ》した莫大《ばくだい》な財産は、年に二十万からの収益をあげていたが、これはふたりの兄弟に分配されていなかった。しかも、山のような借財を背負っていた兄が、一文の財産もない十二月党員のチルコフ公爵の令嬢ワーリヤと結婚したとき、アレクセイは年に二万五千ルーブルだけもらえばいいといって、父の領地からあがる全収入を兄に譲ってしまったのであった。アレクセイはそのとき兄に向って、結婚するまでは、これだけの金で十分だろうし、それに第一、けっして結婚なんかしないだろう、といったのである。兄は当時、もっとも費用のかかる連隊の長をしていたうえ、結婚したばかりでもあったので、この申し出《いで》を受けないわけにはいかなかった。ところが、自分自身の財産を持っている母は、この規定の二万五千ルーブルのほかに、さらに毎年二万ルーブルほどの金をアレクセイにくれたので、彼はそれをみんな使いはたしてきたのであった。最近になって、母はむすこの情事と彼が勝手にモスクワから帰って来たことに腹を立て、その金を送らなくなったのである。その結果、ヴロンスキーはもう四万五千ルーブルの生活に慣れていたところへ、今年はたった二万五千ルーブルしかはいらなかったので、いまや、すっかり窮地に追いこまれてしまったのである。この窮地から抜けだすために、母に金をねだるわけにはいかなかった。前の日に母から受けとった最後の手紙は、とりわけ彼の気持をいらいらさせた。というのは、その手紙の中で母は、あたしがおまえの力になってあげようと思っているのは社交界や勤務上で成功させてやりたいからで、上流社会に迷惑をかけるような生活のためではない、と思わせぶりなことを書いてよこしたからである。彼を買収しようという母親の願いは、彼に心底から侮辱を感じさせ、母に対する気持をますます冷たいものにしてしまった。しかし、もう今となっては、彼もカレーニナとの関係から、なにか事件が生ずるのを予想して、兄にいったあの寛大な言葉があまりにも軽率であり、独身の自分にも、年収十万ルーブル全部が必要になる場合もありうるだろう、といかに痛感してみても、いったん口から出してしまったあの寛大な言葉を、いまさら取り消すわけにはいかなかった。いや、そんなことはなんとしてもできなかった。それには、ただ兄嫁のことを思いだすだけでよかった。あの愛すべきワーリヤがおりあるごとに、あたしはあなたの寛大なお心をいつも覚えていて、ありがたく思っていますというのを思いだすだけで、いったんあげるといったものを、今になって取り返すわけにいかないことが、納得されるのだった。それは女の人をなぐったり、盗みを働いたり、うそをついたりするのと、同じくらい不可能なことであった。ただ一つ可能であり、しかも当然であると思われる手段があった。そこで、ヴロンスキーは一刻の猶予もなく、その手段をとることにきめた。すなわち、高利貸から一万ルーブルの金を借りること、それにはなんの面倒もないはずだった。一般的に経費を節約すること、競馬用の馬を売ることなどであった。彼はそう決心すると、さっそく、これまで一再ならず馬を売ってくれと使いをよこしたロランダキに手紙を書いた。それから、イギリス人と高利貸のところへ使いをやり、手もとの金を勘定書の高に応じて、分けた。こうした仕事を片づけてしまうと、彼は母の手紙に対して冷やかな、辛辣《しんらつ》な返事を書いた。それから、紙入れの中からアンナの手紙を三通取りだし、もう一度読み返してから、焼きすてた。そのとき、彼はきのうアンナとかわした話をふと思いだして、もの思いに沈んでいった。

20

ヴロンスキーの生活は、自分がしなければならぬことと、してはならぬことを、すべて明瞭《めいりょう》に決定する規範が、ちゃんとできあがっていたので、とくに幸福であった。これらの規範は、きわめて狭い範囲の生活を包容するものにすぎなかったが、そのかわり、規範そのものは、疑いをいれないものであった。そのため、ヴロンスキーはけっしてその範囲から踏みだすことなく、しなければならぬことを実行するのに、かつて一分たりとも躊躇《ちゅうちょ》したことはなかった。これらの規範は一点の疑念もなく、次のことを規定していた。すなわち、トランプのいかさま師には負けた金を払わなければならないが、仕立屋には払う必要がない。男にはうそをついてはいけないが、女ならばかまわない。どんな人をも欺《あざむ》いてはいけないが、相手の女の夫だけはこの限りでない。

侮辱を許すことはできないが、他人を侮辱するのはかまわない、等々である。すべてこうした規範は、不合理であり、よくないことかもしれなかったが、しかしそれらは疑う余地のないものであったので、ヴロンスキーはそれを実行しながら、心安らかに、昂然《こうぜん》と頭をそらしていくことができたのである。ただ、ごく最近、アンナとの関係が原因になって、自分の規範がかならずしもすべての生活条件を規定するものではない、と感じはじめ、将来に困難と疑惑が起りそうな気がしてきたけれども、ヴロンスキーはもはやそれに対処する導きの糸を見いだすことはできなかった。

アンナとその夫に対する彼の現在の関係は、彼にとって単純明瞭なものであった。それは彼を導いている規範で、明瞭かつ正確に規定されていた。

アンナは、彼に愛をささげた、れっきとした婦人であり、彼もまた彼女を愛していた。したがって、アンナは彼にとって法律上の妻と同様の、いや、それ以上の尊敬に値する婦人であった。彼はアンナを侮辱することはもちろん、単に婦人に対する当然の尊敬が表われていないような言葉を口にしたり、あるいは、そうしたほのめかしをするくらいだったら、むしろその前に、自分の手を切り落してもらったであろう。

社会に対する関係もまた明瞭であった。世間の人はだれでもふたりの情事を知ることも、想像することも自由であるが、それがだれであろうと、あえてそれを口に出すことは許されなかった。そうした事態が起れば、彼はそんなことを口にする連中を沈黙させ、自分の愛している婦人のありもしない名誉を尊重させるだけの覚悟をもっていた。

夫に対する関係はなによりも明瞭であった。アンナがヴロンスキーを愛するようになってから、彼はアンナに対する自分の権利だけは、犯すべからざるものと見なしていた。夫は単によけいな邪魔者にすぎなかった。夫がみじめな立場に立たされていることは疑いもなかったが、しかし、いまさらどうすることもできなかった。夫の有する唯一《ゆいいつ》の権利は、武器を手にして償いを望むことであり、それに対してはヴロンスキーも最初の瞬間から、覚悟をきめていた。

ところが、最近になって、ヴロンスキーと彼女のあいだには、新しい内面的な関係が表われてきて、そのなかにはっきりしないところが、彼に無気味な感じを与えるようになった。きのうはじめて、アンナは妊娠していると打ち明けた。すると彼は、この知らせと、アンナが彼に期待しているものとは、今まで自分の生活の指針としてきた例の規範では、はっきりと規定されないなにものかを要求しているような気がした。いや、事実、彼はまったく不意をつかれたので、最初、彼女が自分の妊娠について打ち明けた瞬間、彼の心はすぐ夫を捨てるようにと彼にささやいた。彼はそれを口にしたが、今になって考えてみると、そんなことをせずにすましたほうがよかったことが、はっきりしてきた。が、それと同時に、そう自分にいいながらも、これは醜いことではなかろうか、と心配するのだった。

《夫を捨てろといったことは、おれといっしょになれということだ。だが、おれにはそうする用意ができているだろうか？　今は金もないのに、どこへ彼女を連れて行くというのだ？　まあ、かりに、なんとかなるとしても……いや、軍務のあるおれが、どうやって彼女を連れて行けるというのだ？　もっとも、ああいったからには、その用意だけはしておかなくちゃならない。つまり、金をつくって、退職することだ》

そこで彼は考えこんだ。退職すべきかどうかという問題は、もう一つの秘密な、彼だけしか知らない利害と結びついていたからである。それはかたく秘められていたが、彼の全生活におけるもっとも重大な事がらともいうべきものであった。

名誉心は彼の少年時代および青年時代を通じて、長いあいだの夢であった。もっとも、彼はそれを自分では認めようとしなかったが、しかし、その夢はきわめて激しいものであって、今でもこの情熱は彼の愛情と戦っているほどであった。社交界と軍務における第一歩は成功をおさめたが、二年前に、彼はとんでもない誤りを犯してしまった。自分の独立心を示すことによって、昇進を早めようと期待しながら、勧められたある地位を断わったのである。彼はそれを断わることで、自分の株がさらにあがるものと考えていた。ところが、その結果はただ彼があまりに大胆すぎたということで終り、彼の地位はそのままに放っておかれた。そのため、彼はいやおうなしに、独立心にもえる人間という立場に立って、きわめて微妙な態度を巧みにとらざるをえなかった。つまり、自分はだれにも腹を立ててはいない、だれにも侮辱されたとは考えていない、ただ、そっとしておいてもらいたい、自分はこういう立場が愉快なのだから、とでもいったような態度をとっていたのである。しかし、正直なところ、もう去年モスクワへ去ったころから、彼は少しも愉快ではなくなっていたのである。彼は、何事もしようと思えばできるのだが、ただなにもしたくないのだという、この独立心にもえる人間の立場も、しだいに、その箔《はく》がはげてきて、多くの人は自分のことを、ただ誠実で善良な青年という以外、なんの能もない人間だと評価するようになってきたことを感じていた。あれほど世間を騒がして、みんなの注意をひいたアンナとの関係は、彼に新しい光輝を与え、彼の心を蝕《むしば》む名誉心の虫を一時おさえつけていた。ところが、一週間ばかり前に、この虫がまた新たな力をもって目ざめたのであった。というのは、彼の少年時代からの友人であり、同じ環境、同じ社会の出身で、幼年学校でも同窓で、教室でも、体操場でも、いたずらでも、名誉心の夢でも、いつも彼の競争相手だったセルプホフスコイが、最近、中央アジアから、二階級昇進して、こんな年若い将官には、めったに授けられない勲章をもらって帰還したからである。

彼がペテルブルグへ到着すると、たちまち、まるで新しく天空にさし昇った一等星かなにかのように、人びとはそのうわさをしあった。ヴロンスキーと同い年で同級であった男が、もうすでに将官となり、一国の政治にも影響を与えうる地位に任命されるのを待っていた。一方、ヴロンスキーは独立心にもえる人間として、美しい女性に愛されている華やかな存在ではあったが、しかし、いまだに一介の騎兵大尉《たいい》であり、いつまでも好きなだけ独立心にもえているがよいと、いうわけなのであった。《そりゃ、おれはなにもセルプホフスコイのことをうらやんだりしないし、うらやむこともできないさ。ただ、しかし、あの男の出世ぶりは、時期さえ待てば、おれのような人間の出世がひじょうに早いものだってことを示している。三年前には、あの男もまだおれと同じ地位にいたのだ。今退職するのは、自分で自分の船を焼きはらうようなものだ。おれも軍務に止《とど》まっていれば、なにひとつ失うものはないわけだ。いや、彼女だって自分の境遇を変えたくないといっていた。それに、おれは彼女の愛をかちえているのだから、なにもセルプホフスコイをうらやむにはあたらないさ》そう考えると、彼はゆっくり口ひげをひねりながら、テーブルから立ちあがって、部屋の中をひとまわりした。彼の目は一段ときらきら輝き、いつも自分の状態をはっきりさせたあとに経験する、あのしっかりした、安らかな、喜ばしい気持を覚えた。なにもかも、先ほどの計算のあとと同様、きれいさっぱりして、明瞭であった。彼はひげを剃《そ》り、冷水を浴び、服を着替えて、出かけて行った。

21

「おい、ぼくはきみを迎えに来たんだぜ。きょうはまた洗濯《せんたく》がばかに長くかかったじゃないか」ペトリツキーがいった。「どうだい、もうすんだのかい？」

「ああ、すんだよ」ヴロンスキーは、目だけで笑いながら、そう答えると、口ひげの先を用心ぶかくひねった。そのしぐさは、まるで自分の仕事をきちんと整理したあとでは、何事にせよ、あまり思いきった素早い動作は、それをぶちこわすおそれがある、とでもいうふうであった。

「いつもきみはあれをやったあとは、まるで風呂《ふろ》からあがったみたいじゃないか」ペトリツキーはいった。「ぼくは今グリーツカ（彼らは連隊長のことをこう呼んでいた）のところから来たのさ。みんなが、きみのくるのを待ってたぜ」

ヴロンスキーは返事もせずに、ほかのことを考えながら、友だちの顔を見つめていた。

「じゃ、あの音楽は連隊長のところかい？」彼は聞えてくる、聞きなれた軍楽隊の奏するポルカやワルツの響きに耳を傾けながら、きいた。「いったい、なんのお祝いだい？」

「セルプホフスコイがやって来たのさ」

「なーるほど！」ヴロンスキーはいった。「そいつは知らなかった」

彼の目の微笑は、さらにきらきらと輝きだした。

一度みずから、自分は恋をえて幸福なのだから、そのために名誉心を犠牲にしたのだと、決心した以上、いや、すくなくとも、そういう役割を自分に選んだからには、ヴロンスキーは、もはやセルプホフスコイに対する羨望《せんぼう》も、彼が連隊へ到着していちばんに彼を訪問しなかった無念さも、感じるわけにいかなかった。セルプホフスコイは善良な友人だったから、彼は友人の来訪を喜んだ。

「やあ、そいつはうれしいね」

連隊長のジョーミンは、大きな地主邸を借りていた。一同は階下の広々としたバルコニーに集まっていた。邸内にはいって、すぐヴロンスキーの目についたものは、ウォッカの小樽《こだる》のそばに立っていた白い夏服の唱歌手たちと、将校連にとりかこまれた連隊長の健康そうな、きげんのいい姿であった。連隊長はバルコニーの一段めへおり立って、オッフェンバッハのカドリールをかなでていた軍楽隊にも負けぬほどの大声で、わきのほうに立っていた兵士たちに、なにやら命じながら、手を振っていた。一団の兵士と、曹長《そうちょう》と、幾人かの下士官が、ヴロンスキーといっしょにバルコニーへ近づいた。テーブルへ引き返した連隊長は、またもや杯を手にして入口の階段のところへ出て来て、乾杯の音頭《おんど》をとった。「われらのかつての同僚にして、勇敢な将軍たるセルプホフスコイ公爵《こうしゃく》の健康を祝して。乾杯!」

連隊長のうしろから、杯を手にして、微笑を浮べながら、セルプホフスコイも姿を現わした。

「ボンダレンコ、おまえは相変らず若いな」彼は自分の正面の、二度めの勤務についている、頬《ほお》の赤い、元気溌剌《はつらつ》たる曹長に向って、話しかけた。

ヴロンスキーは三年間、セルプホフスコイに会わなかった。彼は頬ひげをたくわえて、いくらか老《ふ》けたように見えたが、相変らず、すらりとしていて、その顔かたちの美しさよりもむしろ、そこにただよう優しい気品で人目を惹《ひ》いた。ヴロンスキーの気づいたただ一つの変化は、なにかある事に成功して、その成功が万人に認められていると確信している人の顔に自然とにじみでる、あのおだやかな不断の輝きであった。ヴロンスキーはこの輝きを知っていたので、すぐそれを、セルプホフスコイの顔に認めたのであった。

セルプホフスコイは階段をおりて来ながら、ヴロンスキーに気づいた。喜びの微笑がぱっとセルプホフスコイの顔を明るくした。彼は首でうなずいて、ヴロンスキーを歓迎する意味で、杯をさし上げた。それと同時に、この身ぶりで、さっきから不動の姿勢で、接吻《せっぷん》しようと唇《くちびる》をつぼめていた曹長のほうへ、先に行かなくてはならないことを示した。

「やあ、やっと来たな！」連隊長はいった。「ヤーシュヴィンの話じゃ、きみは例の憂鬱《ゆううつ》にかられてるそうだな」

セルプホフスコイは、元気溌剌たる曹長の湿って生きいきした唇に接吻すると、ハンカチで口をぬぐいながら、ヴロンスキーのそばへやって来た。

「やあ、じつにうれしいね！」彼はいって、ヴロンスキーの手を握ると、わきのほうへ連れて行った。

「あの男のことは頼んだぞ！」連隊長はヴロンスキーを指さしながら、ヤーシュヴィンにいうと、兵士たちのほうへおりて行った。

「なぜきみはきのう、競馬に来なかったんだね？　あすこで会えると思っていたのに」ヴロンスキーは、セルプホフスコイを見まわしながら、いった。

「行ったんだが、遅かったのさ。いや、失敬したよ」彼はつけ加えて、副官のほうを振り返った。「ひとつ、おれからだといって、みんなに平等に分けてやってくれ」

そういって、彼は急いで紙入れから百ルーブル札《さつ》を三枚取りだし、顔を赤らめた。

「ヴロンスキー！　なにか食おうか、それとも、飲むかい？」ヤーシュヴィンがきいた。「おい、ここへなにか伯爵の食べるものを持って来い！　さあ、こいつを飲めよ」

連隊長邸での宴会は長いことつづいた。

一同はすごく飲んだ。セルプホフスコイは胴上げされて、投げおとされた。それから、連隊長も胴上げされた。そのあとで、連隊長がみずからペトリッキーといっしょに唱歌手の前で踊りだした。つづいて、もう少々疲れてきた連隊長は、庭のベンチに腰をおろして、プロシャに比べてロシアのすぐれている点、とくに騎兵攻撃における優越を、ヤーシュヴィンを相手に論証しはじめたので、宴席はいっとき静かになった。セルプホフスコイは屋敷へはいって、手を洗いに化粧室へ行くと、そこでヴロンスキーを見つけた。ヴロンスキーは水を浴びているところだった。彼は上着を脱ぎ、毛ぶかい赤い首筋を水栓《すいせん》の下へ突き出して、両手で首と頭を洗っていた。洗いおわるとヴロンスキーはセルプホフスコイのそばに腰をおろした。ふたりはそこにあった小さな長いすに腰をおろすと、ふたりにとって、とても興味のある会話がはじまった。「きみのことは、女房からいつも聞いていたよ」セルプホフスコイはいった。「きみがよくあれをたずねてくれて、うれしいよ」

「きみの奥さんは兄嫁のワーリヤと友だちでね。あのふたりの女性は、ペテルブルグでぼくが気楽につきあえる唯一の人たちなんだよ」ヴロンスキーは微笑しながらいった。彼が微笑したのは、話の糸口を見つけて、話題の予想ができたのがうれしかったからである。

「唯一の人たちだって？」セルプホフスコイは、にやにやしながら、きき返した。

「ぼくだってきみのことは知っていたよ。でも、それは奥さんを通してばかりじゃないよ」ヴロンスキーは急にきびしい顔の表情で、相手の思わせぶりをおさえながら、いった。「きみの成功はすごくうれしかったよ。しかし、少しも驚きはしなかったさ。だって、ぼくはもっとそれ以上のことを期待していたからね」

セルプホフスコイはにっこり笑った。彼は、どうやら、自分に関する相手の意見に気をよくして、それを隠す必要も認めないらしかった。

「いや、白状するとね、ぼくが予期していたのは、その反対に、あれ以下のものだったのさ。でも、うれしいよ、じつにうれしいよ。ぼくは名誉心が強くてね。これは欠点だが、自分でも認めているさ」

「いや、もし、きみが成功していなかったら、自分じゃ認めなかったかもしれないね」ヴロンスキーはいった。

「そんなことはないよ」セルプホフスコイは、また微笑しながら答えた。「それがなくちゃ生きる価値がないとまではいわないが、それでも寂しいだろうな。そりゃ、これはひょっとすると、ぼくがまちがっているのかもしれないが、ぼくは自分の選んだ活動舞台では、ある程度の才能があるらしい。それに、ぼくの手もとにある権力は、たとえそれがどんなものであろうと、もしそうしたものがあるとすれば、ぼくの知っている多くの人の手中にあるよりも、ぼくの手にあるほうがいいと思っているよ」セルプホフスコイは自分の成功を意識する晴れやかな気持で、こういった。「そういう意味で、ぼくはその権力に近づけば近づくほど、満足を覚えるのさ」

「たぶん、きみにとってはそうかもしれないが、その考えはすべての人にあてはまるというわけじゃないよ。ぼくもやはり昔はそう思っていたが、今じゃこんな生活をしながら、そんなことのためばかりでは生きる意味がないと思うようになったよ」ヴロンスキーはいった。

「それ！　それ！」セルプホフスコイは、笑いながらいった。「だから、ぼくはいきなり、きみについて聞きこんだ話、つまり、例の拒絶の一件から話を切りだしたのさ……そりゃぼくはきみの考えに賛成した。でも、そのやり方にはいろいろあるからね。ぼくの考えじゃ、きみの行為そのものはよかったんだが、やり方はまちがっていたよ」

「もうすんだことはすんだことさ。きみも知ってるとおり、ぼくは自分のしたことに対してはけっして否定しない男だ。いや、それだから、そのあとでもいい気持でいられるのさ」

「いい気持でいられるのは──一時だけのことだよ。しかも、きみはそれに満足できやしないのさ。そりゃ、ぼくもきみの兄貴にはこんなことはいわないがね。あの人はここのご主人と同様、愛すべき子供だからね。や、やって来たぜ」彼は『ウラー』の叫びに耳を傾けながら、いった。「あの人ならそれでも愉快だろうが、きみはそんなことに満足できやしないさ」

「ぼくも満足できるとはいってないさ」

「いや、そればかりじゃない。きみのような人間は必要なんだ」

「だれに」

「だれにだって？　社会にさ。ロシアには人材が必要なんだ。政党が必要なんだ。でなければ、なにもかもだめになっていく、いや、なりつつある」

「というと、どういうことだね？　ロシアのコミュニストに反対するベルテニョフ党のことかい？」

「いや」セルプホフスコイはそんなくだらぬことを口にしていると疑われた無念さに、眉《まゆ》をひそめて、いった。「Tout ça est une blague.（訳注　そんなことはみんな無意味だよ）そんなことは、いつだってあったし、これからもあるだろうよ。コミュニストなんて、まるっきり、存在してやしないさ。しかし、陰謀をたくらむ連中にとっては、いつだって、有害で危険な党派を考えだす必要があるのさ。そんなことはもう古いお話さ。いや、ぼくのいってるのは、きみやぼくのように独立心にもえている人間の権力をもった政党が必要だということさ」

「でも、いったい、なぜだい」ヴロンスキーは、権力をもっている数人の名前をあげた。「でも、なんだってこうした連中は独立心にもえていないというんだね？」

「それはただ、あの連中が財政的に独立していないからさ。いや、生れながらにして、持っていなかったからさ。まったく財産を持っていなかったんだね。われわれのように太陽に近いところで生れなかったからさ。あの連中は金なり恩義なりで、買収することができる。だから、あの連中は自分の地位を維持するために、主義主張を考えだす必要があったわけさ。そのために、自分でも信じていない、この世に害毒を流すような思想や主義を振りまわすが、そうした主義もただ官舎とか、いくらかの俸給《ほうきゅう》にありつくための手段なんだからね。あの連中のトランプの手をのぞいてみれば Cela n'est pas plus fin que ça.（訳注　それほど巧妙なものじゃないよ）ひょっとすると、ぼくはあの連中よりばかで、劣っているかもしれないが、しかし、ぼくがあの連中より劣っていなくちゃならんという理由も、べつに見あたらないね。ところが、ただ一つまちがいなく重大な長所は、われわれはあの連中よりずっと買収しにくいってことだよ。そういう人間が今とても必要なんだよ」

ヴロンスキーは注意ぶかく相手の話を聞いていた。しかし、彼が興味をひかれたのは、言葉の内容そのものよりも、セルプホフスコイのそうした問題に対する態度であった。ヴロンスキーの軍務上の興味といえば、ただ自分の中隊だけに限られているのに、相手はもう政治的なことに自分の好悪《こうお》をもち、はやくもそうした権力と戦うことを考えているのだ。ヴロンスキーはまた、セルプホフスコイほど物事を深く考察し、すぐれた理解力をもち、自分などの住んでいる世界ではめったに見られない知力と天与の弁舌を備えていたら、さぞかし有力な人物になれるだろう、ということを理解した。そのため、彼は恥ずかしいこととは思いながら、相手をうらやまずにはいられなかった。

「そうはいっても、ぼくにはそのために必要なもっとも重大なものが一つ欠けているんだ」彼は答えた。「権力に対する熱望が欠けているんだ。そりゃ、昔はあったが、もうなくなってしまったよ」

「失敬だが、それはほんとうじゃないね」セルプホフスコイは、笑いながら、いった。

「いや、ほんとうだ、ほんとうだとも……すくなくとも今のところは、正直にいってね」ヴロンスキーはつけ加えた。

「そりゃ、今のところはそうかもしれない。それは別問題さ。しかし、その今のところはなにも永久にってわけじゃないからね」

「そうかもしれないね」ヴロンスキーは答えた。

「きみはそうかもしれないといってるけど」セルプホフスコイは相手の胸のうちを察したかのように、つづけた。「ぼくなら、たしかにというね。いや、このためにこそきみに会いたかったのさ。きみは当然そうしなければならなかったとおりに行動した。それはぼくにもわかるよ。しかし、きみは我を張るべきではないよ。きみに頼みたいことはただ carte blanche（訳注　行動の自由）ということさ。ぼくはなにもきみに対して保護者めいた態度をとろうってわけじゃない……もっとも、保護者めいた態度をとっていかん、というわけもないがね。きみにしたってこれまでずいぶんぼくを保護してきてくれたからね！　ぼくらの友情は、そんなことを超越してると信じたいよ。そうだろう」彼はまるで女のように優しい微笑を浮べながら、いった。「ぼくにその carte blanche を貸してくれ。ここの連隊をやめたまえ。ぼくが目だたぬように、きみを引っぱりあげるから」

「しかし、まあ、考えてみてくれ。ぼくは今なんにも求めてはいないんだぜ」ヴロンスキーはいった。「ただ、なにもかも、今のままであればいいのさ」

セルプホフスコイは腰をあげると、彼の真正面に立ちはだかった。

「なにもかも今のままであればいい、ときみはいったね。それがどんな意味か、ぼくにもわかってるよ。しかし、ぼくの話も聞いてくれ。ぼくらは同い年だが、おそらく、その数からいえば、きみのほうがよけい女を知ってるだろう」セルプホフスコイの微笑と身ぶりは、ヴロンスキーに対して、いや、なにも恐れるにはあたらない、ぼくはきみの弱みにそっと、やさしくふれるだけだから、といってるみたいであった。「しかしね、ぼくは結婚してるから、まあ、信用してほしいな。だれかも書いていたけれど、自分の愛しているひとりの女房をちゃんと理解すれば、何千という女を知るよりも、はるかにすべての女を理解できるようになるっていうからね」

「ああ、今行くよ！」ヴロンスキーは、部屋の中をのぞきこんで、連隊長のところへ行こうと誘った将校に向って、叫んだ。

いまやヴロンスキーは、セルプホフスコイがどんなことをいうか、最後まで耳を傾けて、聞いていたくなった。

「さて、そこで、ぼくの意見はだね。女というやつは男の活動に対して、大きなつまずきの石になるんだ。女を愛しながら、なにかしようというのは、実にむずかしいことだよ。そのためには、つまり、さしさわりなしに女を愛しうる唯一《ゆいいつ》の便法は——結婚ということさ。ところで、どんなふうにいったら、ぼくの考えていることを、うまくきみに伝えられるかなあ」たとえ話の好きなセルプホフスコイはいった。「ま、待ってくれ！　そうだ fardeau（訳注 重荷）を運びながら、両手でなにかすることができるのは、ただその fardeau が背中に縛りつけられたときだけだね。いや、つまり、それが結婚というものさ。ぼくも結婚してみて、それを感じたよ。急に手が自由になっちゃってね。しかし、結婚しないで、この fardeau を引っぱって行けば、どうしても両手はふさがってしまって、なにひとつすることもできやしない。マザンコフやクルーポフを見たまえ。ふたりとも女のために、出世を棒に振っちまったじゃないか」

「たいした女どもだよ！」ヴロンスキーは、今名前をいわれたふたりと関係のあったフランス女と女優を思いだしながら、いった。

「しかも、女の社会的地位がしっかりしていればいるほど、かえってまずいんだよ。だってそれはもうfardeauを両手で引きずって行くどころじゃなくて、他人の手からひったくるのも同じことだからね」

「きみは一度も恋をしたことがないんだね」ヴロンスキーはじっと目の前を見つめて、アンナのことを考えながら、静かにいった。

「そうかもしれないね。しかし、今ぼくのいったことを思いだしてみてくれ。それから、もう一つ。女ってやつはだれでもみんな男よりも物質的だってことさ。われわれ男性は愛からなにか雄大なものを造りだすが、女ときたら、いつだってterre-à-terre（訳注 卑俗）だからね」

「今すぐ、今すぐ行くよ！」彼ははいって来た召使にいった。しかし、召使は、彼が考えたように、ふたりを呼びに来たのではなかった。その召使はヴロンスキーに手紙を持って来たのであった。

「トヴェルスコイ公爵《こうしゃく》夫人からの使いが、これをあなたさまに持ってまいりました」

ヴロンスキーは手紙の封を切ると、さっと赤くなった。

「ぼくは頭が痛くなってきた、家へ帰るよ」彼はセルプホフスコイにいった。

「そうか、じゃ失敬。きみの carte blanche（訳注 行動の自由）はくれるね？」

「そのことはあとでまた話そう。ペテルブルグで会えるはずだから」

22

もう五時を過ぎていた。そこで、うまく時間にあうためと、だれもが知っている自分の馬車を避けるために、ヴロンスキーはヤーシュヴィンの辻馬車《つじばしゃ》に乗って、できるだけ急ぐように命じた。古風な四人乗りの辻馬車は、ゆったりしていた。彼は片すみに腰をおろすと、前の席へ足を伸ばして、じっと考えこんだ。

自分の仕事が一段落して、さっぱりしたという漠然《ばくぜん》たる意識や、自分を有為な人物と認めてくれたセルプホフスコイの友情と愛想《あいそ》のいい言葉をぼんやり思いだす気持や、それからなによりも目前に控えたあいびきへの期待など、それもこれもすべてのものが、生の喜びという一つの印象に溶けあっていた。この感情はあまりにも強烈だったので、彼は思わず微笑をもらしたほどであった。彼は両足を下へおろして、片足を膝《ひざ》にのせ、片方の足を手でおさえて、きのう落馬したとき打ち身をした、弾力性のあるふくらはぎにさわってみた。それから、うしろへ身を投げるようにして、五、六ぺん、胸いっぱいに溜息《ためいき》をついた。

《すばらしい、じつにすばらしい！》彼はつぶやいた。彼は今までにもよく自分の肉体に対して喜ばしい気持を味わったことがあるが、しかし、今ほどわが身を、わが肉体をいとおしく思ったことはかつてなかった。たくましい足に軽い痛みを覚えるのも快かったし、呼吸するたびに胸の筋肉が動く感覚も気持よかった。アンナにあれほど絶望的な感じを与えた、からりと晴れて、ひんやりした八月の日そのものも、彼には身をひきしめるような新鮮なものに感じられ、冷水を浴びてほてっている顔や首筋を快く冷やしてくれるのだった。彼の口ひげから発散するポマードのにおいは、この新鮮な空気の中で、とりわけ快く感じられた。馬車の窓に見えるすべてのもの、このひんやりした清澄《せいちょう》な空気につつまれ、日没の青白い光を受けたすべてのものが、彼自身と同じように、さわやかで、楽しげで、力強く見えた。落日の光線に輝いている家々の屋根も、塀《へい》や建物の角《かど》のはっきりした輪郭も、まれに行き会う人や馬車の姿も、草木のじっと動かぬ緑も、きちんと畦《あぜ》をきってあるじゃがいも畑も、家や、木や、藪《やぶ》や、じゃがいも畑の畦の投げている斜めの影も、なにもかもすべてのものが、たった今描き終って、ニスを塗られたばかりの、すばらしい風景画のように美しかった。

「さあ、急いでくれ、急いでくれ！」彼は窓から身を乗りだして、御者にいった。そしてポケットから三ルーブル取りだすと、振り向いた御者の手に握らせた。御者の手がランプのそばでなにかをさぐったと思うと、鞭《むち》の鳴る音が聞えて、馬車は平坦《へいたん》な大通りを、勢いよく走りだした。

《なんにも、なんにも、おれはいらないよ、この幸福さえあれば》彼は窓と窓のあいだにあるベルのボタンをながめ、最後にアンナの姿を見たときのことを思い描きながら、考えた。《時がたつにつれて、おれはますます彼女のことがかわいくなってくる。おや、あれはもうヴレーデの国有別荘の庭じゃないか。いったい、あの女《ひと》はどの辺にいるんだろう？　どの辺に？　どんなふうをして？　でも、なんだってこんなところをあいびきに選んだのだろう。いや、またなんだってベッチイの手紙に書きそえたんだろう？》彼は今やっとそのことに思いあたった。しかし、もう考えている暇はなかった。彼は並木道まで乗り入れないうちに御者にいって、ドアを開き、まだ動いている馬車から飛びおりて、別荘へ通ずる並木道へはいって行った。並木道にはだれもいなかった。が、ふと右手のほうを見ると、彼女の姿が目にはいった。彼女の顔はヴェールに包まれていた。しかし、彼はすぐ歓喜に満ちたまなざしで、彼女独特の歩きぶりや、なだらかな肩の線や、首のかしげ方などを見てとった。と、たちまち、まるで電流のようなものが、彼の全身をつらぬいた。彼はまたもや、弾力に満ちた足の動きから、呼吸するたびに動く心臓にいたるまで、自分自身を、はっきりと力強く感じた。そして、なにかに唇《くちびる》をくすぐられるような感じがしてきた。

彼といっしょになると、アンナはかたく彼の手を握った。

「お呼びたてなんかして、おおこりになってはいらっしゃいませんの？　あたし、どうしてもお目にかからなくちゃならなかったものですから」アンナはいった。そのとき、彼がヴェールの下に認めたまじめにきっとしまった唇の形は、たちまち、彼の気分を一変させてしまった。

「ぼくがおこるだなんて！　でも、なんだってここへやって来たんです？　これからどこへ？」

「どこだってかまいませんわ」アンナは彼の手の上へ自分の手を重ねながら、いった。「さあ、まいりましょう。少しお話がございますの」

彼はとっさに、これはなにか起ったな、このあいびきは喜ばしいものではなくなるだろう、と悟った。彼はアンナの前に出ると、もう自分の意志をもたなくなるのだった。まだ彼女の狼狽《ろうばい》の原因はわからないながらも、それと同じ不安な気持が、思わず自分にも伝わってくるのを感じた。

「どうしたんです、え、どうしたんです?」彼は肘《ひじ》で彼女の腕を締めつけて、その顔色に心の中を読みとろうと努めながら、たずねた。

アンナは気をひきたてようとして、無言のまま、五、六歩あるいて行った。と、不意に立ち止った。

「きのうはお話ししませんでしたけど」彼女は苦しげにあえぎながら、しゃべりだした。「主人といっしょに家へ帰る途中、あたし、なにもかもいってしまいましたの……そして、……あたしはもうあの人の妻ではいられないって、いってしまいましたの……そして、なにもかもすっかりいってしまったんですの」

彼は思わず上体を傾けながら、彼女の言葉に聞き入った。その様子はまるでそうすることによって、少しでも相手の立場の苦しさを軽くしようと願っているみたいであった。ところが、アンナが話し終ってしまうが早いか、彼は急にきっと身をそらした。と、その顔は傲然《ごうぜん》とした、きびしい表情になった。

「ええ、ええ、そのほうがいいんです。千倍もいいんです! どんなにかつらかったでしょうね、ぼくにもわかりますよ」彼はいった。

しかし、アンナは彼の言葉を聞いていなかった。彼女は相手の顔の表情で、その心の中を読みとろうとした。が、アンナはその表情が彼の頭へまっ先に浮んだ思い、つまり、もう今となっては決闘は避けられないという思いにつながっていたとは、知るよしもなかった。決闘などという考えは一度も彼女の頭に浮んだことがなかったからである。そのために、彼の顔に一瞬浮んで消えたいかめしい表情を、彼女は別な意味にとったのであった。

夫の手紙を受け取ったとき、アンナはすでに心の奥底では、なにもかも今までどおりになってしまうだろう、自分は現在の地位を無視し、むすこを捨てて、情人のもとに走るだけの勇気が欠けているのだ、と、ちゃんと承知していた。トヴェルスコイ公爵夫人のもとで過した朝のひとときは、いっそう彼女のこの考えを強めた。しかしながら、このあいびきはやはり彼女にとって、きわめて重大であった。彼女は、このあいびきがふたりの状態を変え、自分を救ってくれるものと、期待していた。もし彼がこの知らせを聞いて、ただちに、一刻の猶予《ゆうよ》もなく、断固とした情熱的な態度で、『なにもかも捨てて、ぼくといっしょに行こう』といってくれたならば、彼女もむすこを捨てて、彼のもとに走ったであろう。ところが、この知らせは、彼女の期待していたような印象を彼には与えなかった。彼はただ、なにかに侮辱されたような態度を見せたばかりであった。

「あたし、ちっともつらいことなんかありませんでしたわ。だって、ひとりでにそうなったんですもの」アンナはいらいらしながら、いった。「それなのに、こんなものを……」彼女は手袋の中から、夫の手紙を取りだした。

「わかってます、わかってますよ」彼は手紙を受けとりながらも、それを読みもしないで、相手の気持をしずめさせようと努めながら、さえぎった。「ぼくはただ一つのことを願っていました。ただ一つのことを望んでいたんです。つまり、こんな状態をぶちこわして、自分の生活をあなたの幸福にささげたいんです」

「なぜそんなことをおっしゃいますの？」アンナはいった。「あたしがそれを疑うことがあって？　もし疑っているのだったら……」

「あすこへ来るのはだれです？」ヴロンスキーはこちらへやって来るふたりの婦人を指さしながら、だしぬけにこういった。「ひょっとすると、ぼくたちのことを知ってるのかもしれない！」彼はアンナを引っぱって、大急ぎでわきの小道へそれて行った。

「ああ、もうどうなってもかまわないわ！」アンナはいった。その唇はぶるぶる震えだした。と、ヴロンスキーは、彼女の目がふしぎな憎悪《ぞうお》をこめて、ヴェールの中から自分を見つめているような気がした。「だから、いってるじゃありませんか、そんなことは問題じゃないって。そんなことは疑うはずもありませんわ。でも、あの人ったら、こんなことを書いてよこしたんですのよ。さあ、読んでください」アンナはまた立ち止った。

またしても、ヴロンスキーは彼女と夫との決裂を聞かされた瞬間と同じように、その手紙を読みながら、あのごく自然な気持におそわれた。それははずかしめられた夫のことを考えたとき、彼の胸に呼びおこされた気持であった。いまや、彼はその手紙を握りしめながら、ひとりでに、おそらくきょうあすにも自分のところへ届けられるであろう決闘の挑戦状《ちょうせんじょう》と、決闘そのものを心に描いていた。決闘にのぞむ場合、自分は今も顔に浮べているような冷やかな傲然たる表情で、空中へ向けてピストルを放ち、はずかしめられた夫の射撃の前に立つであろう。が、そう考えたとたん、彼はつい先ほどセルプホフスコイが口にし、自分でもけさがた考えた、自分で自分を縛るようなことはしないほうがいいという思いが、ちらと頭の中をかすめた。もっとも、こんな考えを彼女に打ち明けるわけにはいかないことは、彼も承知していた。

手紙を読み終ると、彼は目を上げてアンナを見た。が、彼のまなざしには、きっぱりしたところがなかった。アンナはすぐに、相手がもうこのことを前に自分ひとりで考えたにちがいない、と察した。彼が今なにをいおうとも、それは自分ひとりで考えたすべてではないと、見てとった。アンナは最後の望みが裏切られたのを知った。それは彼女の期待していたこととは違っていたからである。

「ねえ、あなた、ほんとになんて人でしょうね」アンナは震える声でいった。「あの人ったら……」

「ま、待ってください。でも、ぼくはむしろこうなることを喜んでるんですよ」ヴロンスキーはさえぎった。「ねえ、後生ですから、ぼくに最後までいわせてください」彼はどうか自分の言葉を説明する時間を与えてくれといわんばかりの目つきをしながら、こうつけ加えた。「ぼくが喜んでいるという意味は、これが不可能なことだからですよ。あの人が考えているように、今のままでいるなんてことは、絶対に不可能なことだからですよ」

「じゃ、どうして不可能なんですの？」アンナは涙をこらえながらいったが、どうやら、もう彼の言葉にはなんの意義も認めないような調子だった。彼女はもう自分の運命が決せられたのを感じたのである。

ヴロンスキーは、もう避けることができないように思われる決闘のあとでは、今までどおりの状態をつづけることは不可能だといおうとした。しかし、口をついて出たのは、まったく別のことであった。

「もう今までどおりつづけるなんて不可能なことです。こうなったら、あなたもあの人を捨ててくださるでしょうね。ぼくはそれを期待しているんです」彼はどぎまぎして、赤くなった。「ねえ、ぼくがふたりのこれからの生活をよく考えて、うまくきりまわすことを、許してくださるでしょうね。あす……」彼はそういいかけた。が、アンナはしまいまでいわせなかった。

「じゃ、むすこはどうなりますの?」彼女は叫んだ。「あの人がどんなことを書いてるかおわかりでしょう? あの子を捨てて行かなければならないって。でも、そんなこと、あたしにはできませんし、したくもありませんわ」

「しかし、お願いですから、よく考えてください。いったい、どっちがいいか、むすこさんをおいて行くか、それとも、この屈辱的な状態をつづけていくか」

「だれにとって屈辱的な状態なんですの?」

「みんなにとって、いや、だれよりもあなたにとって」

「あなたは屈辱的っておっしゃいますのね……どうか、そんなことはいわないで。そんな言葉はあたしにとって、なんの意味もないんですから」アンナは声を震わせていった。もう今となっては彼にうそをいってもらいたくなかった。彼女に残されているのは、ただ彼の愛情だけであり、彼女は彼を愛したかったからである。「ねえ、おわかりになって、あたしにとっては、あなたが好きになったあの日から、なにもかもすっかり変ってしまったんです。あたしにとってたった一つのもの、それはあなたの愛情なんですもの。もしその愛情があたしのものだったら、あたしは自分をとても高潔に、しっかりしたものに感じるでしょうから、そんな屈辱的なものなんか、あたしにはなにひとつありえないんです。あたしは自分の状態を誇りに思ってますわ、だって……誇りに思ってるのは……誇りに思って……」彼女はなにを誇りに思っているのか、しまいまでいいきれなかった。羞恥《しゅうち》と絶望の涙が、その声をかき消してしまった。アンナは立ち止まって、泣きくずれた。

ヴロンスキーもまた、なにかがのどへこみ上げてきて、鼻の中が刺されるような気がした。彼は生れてはじめて、自分が今にも泣きだしそうなのを感じた。なにがいったい彼の心をうったのか、自分でもはっきりいうことはできなかったであろう。彼は相手がかわいそうになってきたが、自分も力をかしてやることができないのを感じていた。が、それと同時に、彼は自分が相手の不幸の原因であり、自分がなにか悪いことをした、ということも知っていた。

「離婚ができないなんてはずはないのに」彼は弱々しい声でいった。アンナはそれに答えず、ただ頭を左右に振った。「むすこさんを引き取ったうえで、あの人のところを逃げだすわけにはいかないんですか?」

「そうね。でも、そういったことはみんな、あの人の出方にかかっているんですわ。

さあ、これからすぐ、あたしはあの人のとこへ行かなければなりませんわ」彼女はそっけない調子でいった。なにもかも今までどおりだろうという彼女の予感は、やはり、誤りではなかった。

「火曜日に、ぼくはペテルブルグへ行きます。そしたら、なにもかも解決しますよ」

「ええ」彼女はいった。「でも、もうこの話はしないことにしましょうね」

アンナの馬車が近づいて来た。彼女は帰してやるときに、ヴレーデの庭の格子《こうし》のところへ迎えに来るように、命じておいたのである。アンナはヴロンスキーに別れを告げると、家路についた。

23

月曜日に、六月二日の委員会の定例会議が行われた。カレーニンは会議室へはいると、例のとおり、議員たちや議長にあいさつをして、自分の席につき、目の前に用意してあった書類の上に片手をのせた。それらの書類の中には、必要な参考資料や、これからしようと思っている提案のあらすじを書いた紙片などがまじっていた。もっとも、彼にはそんな参考資料など必要なかった。彼はすっかり覚えこんでいたので、これから話そうとすることを、頭の中で復習してみる必要さえ認めなかったほどである。彼は、やがて番がきて、自分の目の前に、平然たる様子を示そうと、やっきになっている反対者の顔を見たら、自分の演説は今準備しうるものよりもはるかに弁舌さわやかに、自然に流れだすであろうと、承知していた。彼は、自分の演説の内容がじつにすばらしいものであって、その一語一語が意味をもつようになるだろうと感じていた。しかも、定例の報告を聞いているうちは、彼もきわめて無邪気な、おだやかな顔つきをしていた。その長い指先で、前に置いてある白い紙の両端を、優しくなでている血管のふくれあがった白い手や、疲れたような表情で首を横にかしげたところを見ていると、今にも彼の口から、すさまじいあらしを巻きおこして、議員たちを絶叫させたり、相互に罵倒《ばとう》させたりして、議長に秩序の維持を宣告させるような弁舌がほとばしり出ようとは、だれひとり想像することもできなかった。報告が終ったとき、カレーニンは例の静かな細い声で、異民族統治問題について若干私見を述べたい、といった。一同の注意は彼へ向けられた。カレーニンは咳《せき》ばらいをしてから、いつも演説をするときの癖で、わざと自分の反対者を見ず、自分の正面にすわっている男――委員会でかつて一度も自分の意見を発表したことのない、小がらなおとなしい老人の顔を目標に選んで、自分の意見を述べはじめた。問題がいよいよ根本的かつ有機的な法規のことにふれると、反対者はおどりあがって、反駁《はんばく》をはじめた。同じく委員会の一員であり、同じく急所をつかれたストリョーモフも弁明をはじめた。いや、一言にしていえば、議場はあらしのような騒ぎとなった。しかし、カレーニンは凱歌《がいか》を奏した。彼の提案は採択され、新たに三つの委員会が組織されることになったからである。その翌日、ペテルブルグの有力者たちのあいだでは、この委員会のうわさでもちきりであった。カレーニンの成功は、彼自身の予期した以上のものであった。

翌火曜日の朝、カレーニンは目をさますと、きのうの勝利を快く思い起した。そして、事務主任が、長官たる彼のごきげんをとろうと、自分の耳にはいった委員会のうわさを伝えたときには、平静を装おうと思いながらも、つい顔をほころばさずにはいられなかった。

事務主任を相手に仕事をしながら、カレーニンはきょうが火曜であり、アンナに引っ越しを命じた日であることをすっかり忘れていた。そのため、召使が妻の帰宅を告げにはいって来たとき、彼はびっくりして、不快な気分におそわれた。

アンナはペテルブルグへ朝早く着いた。電報を打っておいたので、迎えの馬車が来ていた。つまり、カレーニンは、妻の帰宅を知ることができたはずである。ところが、彼女が着いたとき、彼は迎えに出なかった。だんなさまはまだお出かけにならないで、事務主任とお仕事の最中ですという話だった。アンナは、自分の着いたことを夫に知らせるようにと命じ、自分の居間へはいって、夫がやって来るのを待ちながら、荷物の整理をした。ところが、一時間過ぎても、彼は姿を見せなかった。やがて、彼女はなにか世話をやくことにかこつけて食堂へ行き、夫がそこへ出て来るのを待ちながら、わざと大きな声で話をした。しかし、彼が事務主任を送って、書斎の戸口まで出て来た気配は、ちゃんとアンナの耳へ達したにもかかわらず、彼はやはり、そこへも出て来なかった。彼女は夫が例のとおり、まもなく出勤することを知っていたので、その前に会って、自分たちの関係をはっきりさせたいと思っていたのである。

彼女は広間をひとまわりしてから、意を決して夫のところへ行った。彼女が書斎へはいったとき、彼はもう明らかに出かけるばかりの制服姿で、小さなテーブルのそばに腰をかけ、その上に両肘をつき、ぼんやりと目の前を見つめていた。アンナは相手が自分を見るよりさきに彼を見た。そしてすぐ、彼が自分のことを考えているのを悟った。

妻の姿を見ると、彼は立ちあがろうとしたが、すぐ思いなおしてやめた。と、彼の顔は、アンナがついぞ今まで見たことがないほど、ぱっと赤くなった。そして今度は素早く立ち上がり、妻の目をまともに見ないで、その額か鬢《まげ》のあたりを見ながら、歩いて来た。そばへ来ると、その手をとって、すわるようにいった。

「帰って来てくれて、とてもうれしいよ」彼は妻のそばに腰をおろしながら、いった。どうやら、まだなにかいおうとして、口ごもったらしかった。何度も口を開こうとしながら、そのたびに思い止《とど》まってしまった。アンナはこの対面にそなえて、夫を軽蔑《けいべつ》し非難しようと、自分にいいきかせていたにもかかわらず、もう相手になんといっていいかわからず、気の毒にさえなってきた。こうして、その沈黙はかなり長くつづいた。「セリョージャは元気かい？」彼はいったが、返事を待たずに、すぐつけ足した。「きょうは家で食事をしないよ。もうすぐ出かけなくちゃならない」

「あたし、モスクワへ行ってしまうつもりでございました」アンナはいった。

「いや、ここへ帰って来たのはいいことです、とてもいいことです」彼はいって、また口をつぐんだ。

　夫が話を切りだす勇気がないのを見てとって、アンナは自分のほうから話しだした。

「ねえ、あなた」彼女は夫の顔を見上げ、自分の髷に注がれているその視線を受け止めて、ひとみを伏せることなく、いった。「あたしは罪ぶかい女です、あたしは悪い女です。でも、あたしはこの前のとおりの、あのとき申しあげたとおりの女でございます。もう今となってはなにひとつ改めることはできません。それを申しあげようと思って、帰って来たのでございます」

「そんなことはたずねませんでした」彼は不意にきっぱりした調子で、憎悪をこめて妻の目をじっと見つめながら、いった。「たぶん、そんなことだろうと思っていました」憤怒《ふんぬ》にかられたために、彼はまた完全に自己の全能力を駆使することができるようになった。「いや、しかし、あのときもいったとおり、また手紙にも書いたとおり」彼は鋭い細い声でしゃべりだした。「いや、今また繰り返しておきますが、私にはそんなことを知る義務はないのです。そんなことは黙殺します。あんな愉快な知らせを、あんなに急いで夫に伝えるほど、世間の奥さんたちは、あなたのようにお人好《ひとよ》しではありませんよ」彼は『愉快な』という言葉に、特別力を入れた。「私は社交界がこの件を知って、私の名声に泥《どろ》が塗られるまでは、黙殺するつもりです。だから、私としてはただ次のことを、あらかじめいっておきましょう。つまり、私たちの関係はこれまでどおりでなければならない。ただ、あなたが自分で自分の顔に泥を塗るようなふるまいをする場合にかぎり、私は自分の名誉を守るために、しかるべき方法を講じなければなりません」

「でも、あたしたちの関係は、もう今までどおりにはまいりませんわ」アンナはおびえたように夫の顔を見ながら、おどおどした声でいった。

アンナは今また、夫の落ち着きはらった態度を見、子供のように甲高《かんだか》い皮肉な声を聞くと、相手に対する嫌悪《けんお》の情を覚え、先ほどまでの憐憫《れんびん》の情も消えてしまった。彼女はただもう恐ろしいと思うばかりであった。しかし、なんとしても自分の立場をはっきりさせたいと願った。

「あたしはもうあなたの妻でいることはできません。だって、あたしは……」アンナはいいかけた。

彼は意地の悪い、冷やかな笑いをもらした。

「いや、あなたの選んだ生活は、あなたのものの考え方にまで影響を与えているようですね。私はそのどちらを尊敬するにしろ、軽蔑するにしろ……私はただ、あなたの過去を尊敬し、現在を軽蔑しています……あなたが私の言葉に対して与えた解釈は、私の気持とは縁遠いものでした」

アンナは溜息《ためいき》をついて、うなだれた。

「いや、それにしても、私に納得いかないのは、あなたのような独立心をもっている婦人が」彼はしだいに興奮しながら、言葉をつづけた。「自分の不貞をあからさまに夫に告白して、しかも、どうやら、それが非難さるべき恥ずかしいこととは感じていないらしいのに、なぜ夫に対して妻の義務を履行するのにはばかるところがあるのですか」

「じゃあ、あなたはあたしにどうしろとおっしゃるのですか？」

「私が要求したいのは、あの男がここで私の目にふれないようにすることと、あなたが社交界からも、召使たちからも、非難されないように行動することと……それから、あなたがあの男に会わないこと。これだけです。これくらいのことなら、たいしたことじゃないでしょう。そうすれば、あなたは妻としての義務を果さないでいても、貞淑な妻としての権利を享受《きょうじゅ》することができるのです。私がいいたいと思っていたのは、これだけです。もう出かける時間です。食事は家でしません」

彼は立ちあがって、ドアのほうへ歩きだした。アンナも立ちあがった。彼は無言のままうなずいて、彼女を先に通してやった。

24

リョーヴィンが干し草の禾堆《やま》の上で過した一夜は、彼にとって無意味には終らなかった。自分のやっている農事経営さえいやになって、すっかり興味のないものとなってしまった。すばらしい収穫だったにもかかわらず、今年ほど多くの失敗をかさね、百姓たちとの関係も敵対的なものになったことはなかった。いや、すくなくとも、彼にはそう思われた。それに、そうした失敗や敵対的な関係の原因も、今では、すっかり納得できるのだった。彼が仕事そのものの中に味わった魅力や、その結果として生れた百姓たちとの交際や、百姓たちやその生活に対して彼のいだいた羨望《せんぼう》や、あの夜、彼にとってもはや空想ではなく、一つの意向となって、その実行の細部まで考慮したほどの、百姓たちの生活に踏みこみたいという願望など、こうしたいっさいのことが、彼の行なっている農事経営に対する見方を一変し、彼はもうその中に、以前のような興味を見いだすこともできなければ、すべての仕事の基礎である労働者との不愉快な関係をも、認めないではいられなくなった。パーヴァのように改良された雌牛《めうし》の一群、よく耕されて肥料を施された土地、生垣《いけがき》をめぐらした平坦《へいたん》な九カ所の畑、深く耕されて肥料も十分な九十ヘクタールの耕地、かずかずの播種機《はしゅき》、その他――これらすべてのものは、ただ彼自身か、あるいは彼に共鳴する友人たちと協同でやる場合には、りっぱなものになったであろう。ところが、彼はいまやはっきりと次のことを悟ったのである（農事経営の主たる要素は労働者でなければならぬ、という趣旨で執筆している、彼の農業に関する著述の仕事は、この点において、大いに彼を啓発した）。彼が行なっている農事経営は、単に彼と労働者のあいだの執念ぶかい残忍な闘争であり、この闘争では、一方の側、つまり、彼の側は、すぐれたものとされている模範に、いっさいのものを改良しようと、不断の緊張した努力をつづけているのに、一方の側には、単に事物の自然な秩序があるばかりであった。そのことを、いまや彼は悟ったのである。しかも、この闘争において、一方はその力を最大限に緊張させるのに反して、他方はなんの努力もはらわず、なんの意向さえもたずに仕事をし、その結果として、得られるものは、仕事がどちらの思うようにもはかどらず、りっぱな農具や、すばらしい家畜や土地がそこなわれるばかりであった。そのことに彼は気づいたのである。しかし、それよりさらに重大なことは、この事業に向けられたエネルギーが、まったく無意味に消耗されるばかりではなく、自分の農事経営の意義がむきだしにされた今となっては、そのエネルギーの目的さえきわめて無価値なものであることを、彼は感じないわけにはいかなかった。では、結局のところ、この闘争の目的はどういう点にあるのだろうか？　彼は収益の面では些細《ささい》な金額を争った（いや、争わずにはいられなかったのである。なぜなら、彼が少しでもエネルギーを加減すると、たちまち、百姓たちに払う金が足りなくなるからであった）。一方、百姓たちは落ち着いて気持よく、つまり、今までの習慣どおりに働くことを、主張するのだった。彼の利害の点からいえば、労働者ひとりびとりができるだけ多く働いて、しかも分別をわきまえ、唐《とう》箕《み》や、耙《まぐわ》や、打穀機などをこわさないように気をつけ、自分の仕事にたえず気を配っていることが必要であった。一方、労働者のほうはできるだけ愉快に、休みながら働きたい、なによりも第一に、のんきにすべてを忘れて、なにひとつ考えることなく働きたいのである。今年の夏、リョーヴィンはどんな場合にもすぐそのことに気づいた。彼はうまごやしを干し草にしようと、雑草や刺草《いらくさ》がまじっていて、種子を取るには不向きな草場へ、人をさしむけたところ、種子用にとっておいた優秀な草場を、どんどん刈ってしまい、支配人がそう命じたのだと弁解しながら、なに、いい干し草ができますよ、などと気休めをいう始末であった。もっとも彼は、その草場のほうが刈るのに楽だったので、そういうことになったのを承知していた。また、干し草をかわかすために、乾燥機を持たせてやったところ、使いはじめてすぐこわしてしまった。というのは、頭の上で翼がまわっている機械の運転台にすわっているのが、その百姓にとってどうにも退屈だったからである。しかも、リョーヴィンに向って、「ご心配にゃおよびませんとも。女どもがちゃんとやってくれますから」という始末だった。犂《すき》も役に立たないことがわかった。上げてある刃をおろすということが、作男には考えもつかなかったので、ただやたらにひきずりまわして、馬をくたびれさせ、畑を台なしにしてしまったからである。しかも、リョーヴィンには、なにも心配しないでくれというのである。小麦畑も馬で荒されてしまった。それは作男がだれもかれも、馬の夜番に出ることをきらって、きつくさし止められていたにもかかわらず、交替で夜番をはじめたので、一日じゅう働いたワニカが、疲れてぐっすり寝こんでしまったからである。ワニカは自分の罪をざんげしながら、「どうとでもしておくんなさい」といった。また、三頭の良種の子牛が、水槽《すいそう》も置いてない、うまごやしの草場へ放されたために、まいってしまった。しかも、百姓たちは、子牛がうまごやしに、中毒したのだとは、どうしても信じようとはしないで、隣村でも三日間に、百十二頭も倒れてしまったと、気休めをいうのだった。こうしたことはすべて、リョーヴィンなり、彼の農事経営なりに対して、だれかが悪意をもってしたのではなかった――いや、それどころか、百姓たちは彼を愛して、さっぱりしただんなだ（これは最大の讃辞《さんじ》である）と見なしていることを、彼は承知していた。ただ、みんなは愉快に、のんきに働きたかったのであり、また、リョーヴィンの利害が彼らに無縁で、理解できなかったばかりか、彼ら自身の正当な利害と、宿命的に相反していたからにすぎなかった。もうだいぶ前からリョーヴィンは、農事経営に対する自分の態度に不満を感じていた。彼は、自分の小舟が浸水しているのを知りながら、その浸水口を見つけもしなければ、捜そうともしなかった。ひょっとすると、わざと自分で自分を欺《あざむ》いていたのかもしれなかった。しかし、今となっては、もうこれ以上自分を欺くわけにはいかなかった。自分の行なってきた農事経営に、ただ興味がなくなったばかりでなく、嫌悪の念さえ感ずるようになったので、もうこれ以上それに従事することができなくなっていたのである。

さらにそのうえ、三十キロ離れたところには、彼が会いたいと思いながらも会うことのできぬキチイがいた。ドリイは、彼がたずねて行ったとき、また来るようにと招いてくれた。これは、妹へもう一度結婚を申し込むためにおわしてくれ、という意味であり、彼女は妹も今度は彼の申し込みを受けいれるだろうとにおわしていた。リョーヴィン自身も、キチイを見たとき、自分が相変らずキチイを恋していることを悟った。しかし、キチイがいるのを承知のうえで、オブロンスキー家へ行くことはできなかった。彼が結婚を申し込み、彼女がそれを拒絶したということは、ふたりのあいだに越えがたい垣を築いてしまっていた。《おれは、あの人が望んでいた人の妻になれないからという理由だけで、ぼくの妻になってくださいと頼むわけにはいかないさ》彼は心の中でつぶやいた。そう考えると、彼はキチイに対して冷やかな、敵意を感ずるのだった。《おれはあの人に対して非難の気持なしに、話をすることはできないし、悪意なしに、あの人を見ることもできない。それに、あの人だって、今までよりもずっとおれを憎むようになるだろう。それが当然のことなのだ。しかも、ドリイがあんな話をしてくれた今となっては、もうとても出かけてなんか行けないさ。あの人が話してくれたことを、知らないようなふりをするなんてことが、このおれにできるだろうか？ それに、行くからには、おれはあの人を許し、あの人に同情する寛大な心をもって出かけて行くわけだ。おれはあの人の前に、罪を許して愛を恵んでやる男の役割で現われるわけだ！……いや、なんだってドリイは、あんなことをこのおれにいったんだろう？ これがもし偶然あの人に会うのだったら、そのときはなにもかも自然に運んだかもしれないのに。しかし、もう今となっては不可能だ、絶対に、不可能だ！》

ドリイは、キチイのために婦人用の鞍《くら》を貸してほしいと手紙で頼んできた。『お宅には鞍があるとうかがいましたので』彼女は書いていた。『あなたさまがご自分でお持ちくだされば、幸甚《こうじん》に存じます』

これにはもう彼も我慢できなかった。なぜあんなに賢い、繊細な神経をもった婦人が、これほどまで妹を侮蔑することができるのだろう！ 彼は手紙を十通も書きなおしたが、みんな破り捨ててしまい、結局、なにも返事を書かずに、鞍だけを送った。伺いますと書くことはできなかった。なぜなら、彼は行くわけにいかないからである。

そうかといって、なにか都合があるとか、旅に出るとかいって、伺えないと書くのは、もっとまずかった。彼は返事もつけずに鞍を送ったが、自分でも、なにか恥ずかしいことをしたような感じになり、翌日はすっかりいや気のさした農場の仕事を、なにもかも支配人にまかせて、遠い郡にいる親友のスヴィヤジュスキーのもとをたずねて行った。その近くには、田鴫《たしぎ》のいるすばらしい沼がいくつもあって、つい先日も、前々からの計画どおり、しばらく遊びに来るようにという手紙をもらったところだったからである。スロフスキー郡の田鴫沼は、以前からリョーヴィンを誘惑していたのであるが、農事に追われて、彼はいつもその旅行を延期していたのである。が、今度という今度は、シチェルバツキー家の姉妹のそばから、いや、なによりも農事からのがれて、彼にとってあらゆる悲しみに対する最善の慰みである狩猟に出かけられることをとても喜んでいた。

25

スロフスキー郡へは、鉄道も駅逓便《えきていびん》もなかったので、リョーヴィンは自分の旅行馬車に乗って出かけて行った。

ちょうど道のりの半分ほど来たところで、彼は馬に飼料をやるために、一軒の裕福な百姓家へ立ち寄った。頰《ほお》のあたりが白くなっている、赤い大きな顎《あご》ひげをはやした、はげ頭の元気な老人が門をあけ、柱に身をよせながら、三頭立て《トロイカ》を通してくれた。きれいに片づいた、新しく作ったらしい、広々とした内庭のひさしの下へ、馬車を入れるようにと御者に教えた。そこにはまわりの焦《こ》げた鋤《すき》などが置いてあった。老人はリョーヴィンに、どうぞ客間へ通ってくれといった。こざっぱりしたなりの、素足に雨《あま》靴《ぐつ》をはいた若い百姓女が、前かがみになって、新しい玄関の床をふいていた。その女はリョーヴィンのうしろから駆けこんで来た犬に驚いて、叫び声をあげたが、犬がなにもしないので、今度は自分が驚いたことに、きゃっきゃっと笑いだした。袖《そで》をまくった片手で、リョーヴィンに客間への入口を教えると、女はまたかがみこんで、その美しい顔を隠し、ふき掃除をつづけた。

「サモワールはいかがです？」彼女はたずねた。

「ああ、お願いします」

客間は、オランダ風の暖炉と間仕切りのある大きな部屋だった。聖像の下には、色模様のテーブルと、長いすと、二つのいすが置いてあった。入口のところには、小さな食器棚《だな》があった。鎧戸《よろいど》がしまっているので、蠅《はえ》もほとんどいなかった。じつに清潔だったので、リョーヴィンは、道々ずっと走って来て、泥水を浴びた犬のラスカが、床の上を泥だらけにしないかと気をもんで、戸口のそばの片すみに、居場所を指定したほどであった。リョーヴィンは部屋の中をひとわたり見まわしてから、裏庭へ出た。オーヴァシューズをはいた、器量よしの若い百姓女は、天秤棒《てんびんぼう》に空《から》の水桶《みずおけ》をぶらぶらさせながら、彼の先に立って、井戸ばたへ水くみに駆けだして行った。

「早いとこするんだよ！」老人はきげんよく大声で彼女にいうと、リョーヴィンのそばへ寄って来た。「それじゃ、だんなはスヴィヤジュスキーさまのところへおいでになるんで？　あのだんなもよくここへお見えになりますよ」老人は入口の階段の手すりに肘《ひじ》をつきながら、話好きらしく、しゃべりだした。

老人が、スヴィヤジュスキーとのつきあいについて話している最中に、門の戸が再びきしんで、野良《のら》がえりの百姓たちが、鋤や耙を引いて内庭へ乗りこんで来た。鋤や耙をつけられた馬はよく肥えていて、大きかった。百姓たちは明らかに家の者らしかった。そのうちのふたりは更紗《さらさ》のルバーシカを着て、大黒帽子をかぶった若者だった。大麻のルバーシカを着た、あとのふたりは作男らしく、ひとりは老人、ひとりは若者だった。老人は入口の階段を離れて、馬のほうへ近づき、鋤や耙を解きにかかった。

「なにを耕してきたんだね？」リョーヴィンはきいた。

「じゃがいも畑を耕してきましたんで。これでも、ちっとばかり土地を持っとりますんでね。フェドート、おめえ、去勢馬《メーリン》は連れ出さねえでな、飼秣槽《かいばおけ》のところへつないどいて、ほかのやつをつけるんだぞ」

「そりゃそうと、父っつぁん、おら、鋤頭《すきさき》を持って来いっていっといたが、持って来たかい?」どうやら、老人のむすこらしい背の高い、頑丈《がんじょう》そうな若者がこうたずねた。

「ほれ……あの橇《そり》の中にあるさ」老人ははずした手綱《たづな》をぐるぐる巻いて、地面へ放りだしながら、答えた。「みんな飯食ってるあいだに、つけちまうんだぞ」

器量よしの若い百姓女が、水のいっぱいはいった桶を肩にめりこませながら、玄関の中へはいって行った。どこからともなく、また女たちが現われた――若くてきれいな娘や、中年の女や、醜い婆《ばあ》さんや、子供連れや、子供を連れないのや、さまざまだった。

サモワールが、煙突からしゅうしゅう音をたてはじめた。作男も家のものも、馬の始末をつけて、食事をしに行った。リョーヴィンも馬車の中から弁当を取りだし、お茶をいっしょに飲まないかと老人を誘った。

「はあ、どうも。じつは、きょうは飲んじまったんですが」老人はどうやら喜んでこの申し出《いで》を受けるらしく、いった。「それじゃ、おつきあいに」

　お茶を飲みながら、リョーヴィンは老人から農事についていろいろときいた。老人は十年前に、ある女地主から百二十ヘクタール借り、去年その土地を買いとって、さらに近所の地主から三百ヘクタール借りうけた。その中の小部分で、いちばん土地の悪いところを貸地にして、四十ヘクタールの畑をふたりの作男といっしょに家族の者たちで作っていた。老人は仕事がうまくいかないとこぼしていた。しかし、リョーヴィンはそんな泣き言はほんのお体裁で、農事はなかなかうまくいっていることを見てとった。もし実際にうまくいってなかったら、老人は百五ルーブルの割で土地を買ったり、三人のむすこや甥《おい》に嫁をとってやったり、二度も火事にあいながら、新築できるはずがなかった。しかも、それはあとになるほどりっぱな普請《ふしん》だった。老人は泣き言をいいながらも、わが家の裕福なことをはじめ、むすこや甥や嫁や、あるいは牛馬のことや、ことに、これだけの大世帯をやりくりしていくことを自慢にしていたが、それももっともな話だった。リョーヴィンは老人との話から、相手が新式の農法をも、一概にしりぞけていないらしいのを知った。老人はじゃがいもも作っていた。しかし、リョーヴィンがそこへ来る途中見たところでは、そのじゃがいもはもう花時を過ぎて、実をつける時季になっていた。リョーヴィンの畑では、ようやく花をつけたばかりだった。老人はじゃがいも畑を、地主のところから借りて来た新式の犂《プルーク》（彼はそれをプルーガと呼んでいた）で耕したといった。老人は小麦もまいていた。老人は裸麦を間引くとき、その間引き麦を馬の飼料にするといったが、そうした細かい点に、リョーヴィンはとりわけびっくりした。リョーヴィンもこれまで、このすばらしい飼料がむだに捨てられるのを見て、何度それを集めようと思ったかわからないが、いつの場合も、結局、それは不可能ということになった。ところが、この百姓のところでは、それが実行されているのであった。老人もその飼料はいくら自慢しても、自慢しきれないふうであった。

「女どもがなにをやるかですと？　束にして道ばたへ運び出しゃ、あとは車が運んで行きますだ」

「いや、どうも、われわれ地主のところでは、作男たちとの折り合いがいつもうまくいかなくてね」リョーヴィンは老人にお茶を勧めながら、いった。

「ありがとうごぜえます」老人は答えて、コップをとったが、砂糖は、残しておいた小さなかじりかけのかたまりを見せて、辞退した。「作男なんか使って仕事ができるもんですかい？」老人はいった。「荒されるのが関の山でごぜえますよ。なに、早い話が、スヴィヤジュスキーさまのところもそうですがね。わしらはよく存じてますが、そりゃ、たいした土地ですがね。まるで芥《け》子《し》粒《つぶ》みてえに黒々してますよ。ところが、やっぱり収穫《とりいれ》はたいして自慢するほどのこたあねえですよ。それもこれも目がよく届かねえからですな！」

「そんなことといっても、おまえさんだって作男を使ってるじゃないか？」

「わしらの仕事はなにぶん百姓仕事だで、なんでも自分でやっとりますだ。役に立たないやつはさっさと追い出しちまって、家のもんでやっとりますだ」

「父っつぁん、フィノゲンがタールを届けてくれっていってたよ」オーヴァシューズをはいた若い女がはいって来て、いった。

「まあ、そういうわけですがな、だんな」老人は立ちながらいって、長いこと十字を切って、リョーヴィンに礼をいうと、部屋を出て行った。

リョーヴィンが御者を呼びに行こうとして、勝手口のほうへはいって行くと、そこでは男どもが食事をしているところだった。女たちは立ったまま、給仕をしていた。頑丈そうなからだつきの若いむすこが、粥《カーシャ》を口いっぱいつめこんで、なにやらこっけいな話をしているらしく、みんな大声で笑っていた。そして、汁を椀《わん》についでいた雨靴をはいた若い百姓女が、特別にぎやかに笑い声をたてていた。

リョーヴィンがこの百姓家から受けた豊かな印象には、このオーヴァシューズをはいた若い百姓女の美しい顔が大いに影響を与えていたかもしれない。しかし、とにかく、その印象はきわめて強烈なものだった。リョーヴィンはいつまでたっても、それを忘れることができなかった。そして、老人の家から、スヴィヤジュスキーのところへ行く途中ずっと、彼はこの農事経営のことを思い浮べていた。それはさながら、この印象の中に、なにか彼の特別な注意を求めるものがひそんでいるかのような感じであった。

26

スヴィヤジュスキーは自分の郡の貴族団長をつとめていた。彼はリョーヴィンより五つ年上で、もうずっと前に結婚していた。彼の屋敷には細君の妹で、リョーヴィンが好意をもっていた若い娘がいた。リョーヴィンも、スヴィヤジュスキー夫妻がこの娘を自分に嫁《とつ》がせたがっているのを承知していた。彼は、世間で花婿《はなむこ》候補者と呼ばれている若い人と同様、そのことを他の人に話すほどの決心はつかないまでも、ちゃんとまちがいなくそれを知っていた。が、それと同時に、彼は、自分でも結婚したいと思っていながら、またあらゆる点から見て魅力のあるこの娘は、きっと、すばらしい妻となるだろうと考えていたにもかかわらず、自分がこの娘と結婚するということは、たとえ自分がキチイに恋していないとしても、空へ飛んで行くのと同様、ほとんど不可能なことも承知していた。そして、こうした意識があるために、スヴィヤジュスキー家をたずねるにあたって彼が期待していた満足感は、そこなわれるのであった。

狩猟に来るようにというスヴィヤジュスキーの手紙を受け取ると、リョーヴィンはすぐこのことを考えた。しかし、それにもかかわらず、スヴィヤジュスキーが自分に対してそういう考えをいだいていると推察するのは、なんの根拠もない憶測にすぎないときめて、とにかく、出かけて行くことにしたのであった。いや、そればかりか、彼の心の奥底では、ひとつ自分をためしてみよう、もう一度この娘のことで自分の気持を計ってみよう、という気持も動いていた。それに、スヴィヤジュスキーの家庭生活は、きわめて好ましい雰囲気《ふんいき》であった。スヴィヤジュスキー自身も、リョーヴィンの知っているかぎり、地方自治体の活動家としては、もっともすぐれたタイプであり、リョーヴィンにとってはいつもひじょうに興味ぶかい人物であったからである。

スヴィヤジュスキーは、リョーヴィンにとってつねに驚異的な人物のひとりであった。こうした人びとのものの考え方は、独創的であったためしはないが、しかし、きわめて順序だっており、ひとりでに進んで行くが、生活はひじょうにはっきりきまっていて、方向もちゃんと固定しており、その思想とはまったく無関係に、いや、ほとんどいつも正反対の方向に向って、ひとりでに進んで行くものである。スヴィヤジュスキーは、きわめて自由主義的な人間であった。彼は貴族階級を軽蔑《けいべつ》しており、貴族の大部分は臆病《おくびょう》なために、口に出してはいわないが、内心は農奴制主義者であると見なしていた。彼はまた、ロシアをトルコ同様の亡国と考え、ロシアの政府に対しては、その施政をまじめに批判することさえいさぎよしとしないほど、ひどいものであるとしていた。しかも、それと同時に、彼は役人であり、模範的な郡貴族団長として、旅に出かけるときには、いつもかならず徽章《きしょう》をつけた、赤い縁の帽子をかぶっていた。彼は人間らしい生活ができるのは、ただ外国ばかりだと考えて、機会あるごとに、外国へ行って暮していた。しかも、それと同時に、ロシアにおいてひじょうに複雑な、完璧《かんぺき》ともいうべき農事経営を行い、ロシアで起ったことはなにごとによらず、ひじょうな興味をもって見守り、したがって、どんなことでも知っていた。彼はロシアの百姓を、その発達から考えて、猿《さる》から人類への過渡期的な段階にあるものと見なしていた。しかも、それと同時に、地方自治会の選挙のときなどには、ほかの人に先だって、百姓たちと握手をかわし、その意見に耳を傾けるのであった。彼は悪魔も死も信じていなかったが、僧侶《そうりょ》階級の生活改善や教区の削減などといった問題には大いに奔走し、教会が自分の村に残るように、わざわざ運動までしたほどであった。

婦人問題においても彼は、婦人の絶対的自由、とくに、婦人の労働権拡張に対する極端な賛成論者の側に立っていた。しかも、妻との間がらは、だれでも見とれるほどむつまじい、子供のない夫婦生活をおくっていた。そして、彼は妻が自分との共通の問題に気を配る以外、ただできるだけ気持よく、楽しく生活するようにと、なにひとつしたり、また、しようと思ってもできないように、その生活を律していた。

もしリョーヴィンが他人をその長所から説明する特質をもっていなかったら、彼にとってスヴィヤジュスキーの性格を説明することは、なんの困難も、なんの問題もありえなかったにちがいない。ただ心の中で「ばか」とか「やくざめ」とかいってしまえば、もうそれでなにもかもはっきりしてしまったはずである。ところが、彼には「ばか」ということができなかった。なぜなら、スヴィヤジュスキーは疑いもなく聡《そう》明《めい》な人物であったばかりでなく、きわめて高い教養を身につけていながら、少しもその教養を鼻にかけない人物だったからである。およそ彼の知らないことはなにひとつなかった。しかも、彼は必要に迫られたときでなければ、その知識を示そうとはしなかった。さらにリョーヴィンが彼のことを「やくざめ」といえなかったのは、スヴィヤジュスキーが疑いもなく誠実で、善良で、聡明な人物で、いつも愉快そうに元気に仕事をし、その仕事はまわりのすべての人びとから高く評価されており、自分で意識して悪いことなど一度もしたことがなかったし、また、することもできなかったからである。

リョーヴィンは彼を理解しようと努力したが、理解することはできず、いつも生きた謎《なぞ》を見るような思いで、彼とその生活をながめていたのであった。

彼はリョーヴィンと親しい仲だったので、リョーヴィンも思いきってスヴィヤジュスキーを問いつめ、その人生観の根底を見きわめようとしたこともあった。しかし、それはいつも徒労に終った。リョーヴィンは、つねに万人に開放されているスヴィヤジュスキーの知性の客間から一歩奥へ踏みこもうとするたびに、スヴィヤジュスキーがちょっと狼狽《ろうばい》の色をみせるのに、気づいた。彼のまなざしには、恐怖のかげがさし、それはリョーヴィンに自分の本心を悟られはしないかと恐れているかのようであり、彼は人のいい陽気な態度で相手を突っぱなすのであった。

今度は農事経営に幻滅を味わったあとだったので、リョーヴィンはスヴィヤジュスキーの屋敷にいるのが、とくに気持よかった。このお互い同士にも、またすべてのものにも満足している、鳩《はと》のように幸福な夫婦や、気持よく整っているその巣の光景が、彼に楽しい印象を与えたのはもちろんのことながら、自分の生活に大きな不満をいだいていた彼は、スヴィヤジュスキーの生活に、これほど明るい、はっきりした楽しさを与えている、彼の秘密はなんとか突きとめたい気持だった。このほか、リョーヴィンはスヴィヤジュスキーのところへ行けば、近隣の地主たちに会えることを知っていた。今の彼は、とくに収穫とか、作男の雇い入れとかいった農事上の話がしたくもあり、ききたくもあった。そうした話は、普通、なにかひどく低俗なものに考えられているのは、リョーヴィンも承知していたが、今の彼にとっては、それだけがきわめて重大なものに思われるのであった。《こりゃ、きっと農奴制の時代には重大なことではなかったかもしれないし、イギリスでも重大なことではないかもしれないさ。どちらの場合も、条件そのものがはっきりしすぎているから。ところが、わがロシアのように、なにもかも混乱していて、今ようやく整理にかかったばかりのところでは、こうした問題にどうけりをつけるかが、唯一《ゆいいつ》の重大な問題なんだ》リョーヴィンは考えた。

狩猟は、リョーヴィンが期待していたほどの成果はなかった。沼はかれてしまっていて、田鴫《たしぎ》はさっぱりいなかったからである。彼は一日じゅう歩きまわって、わずか三羽しか持ち帰らなかった。しかし、そのかわり、いつも狩猟を終えたあとのように、すばらしい食欲と、すばらしい気分と、激しい肉体運動にいつもつきものの高揚した精神状態をもって帰って来た。彼は猟をしていても、自分ではなにひとつ考えていないつもりなのに、ふと、あの老人とその家族のことが、また心に浮んでくるのであった。そして、この印象はまるで彼自身になにか注意を喚起しているばかりでなく、彼に関連したなにものかの解決を求めているかのようであった。

その晩、お茶のときに、なにか後見の用事でやって来たふたりの地主も加わって、リョーヴィンの期待していた、例の興味ある話がはじまった。

リョーヴィンは主婦のそばの茶卓にすわったので、主婦と正面にいるその妹を相手に、話をしなければならなかった。主婦は、丸顔の、あまり背の高くない金髪女で、えくぼと微笑で顔を輝かせていた。リョーヴィンはこの夫人を通じて、その夫が秘めている彼にとって重大な謎の解決をはかろうと努めたが、彼は落ちついて十分考えることができなかった。というのは、苦しいほどばつが悪かったからである。苦しいほどばつが悪かったというのは、正面に主婦の妹が、どうやら、わざわざ彼のために、白い胸のところを四角にあけた服を着て、すわっていたからである。その胸もとが白かったにもかかわらず、いや、そこがあまりにも白かったためかもしれないが、とにかく、この四角い胸あきがリョーヴィンから思考の自由を奪ったのである。たぶん、これは彼の思いすごしだったろうが、彼にはこの胸あきが自分を目当てに作られたような気がしたので、自分にはそれを見る権利がないものと考えて、なるべく見ないように努めていた。ところが、彼にはすでにこのあきが作られたという点だけでも、自分に罪があるように感じられるのだった。リョーヴィンは、自分がだれかをだましているような気がして、なにか説明しなければならないと思ったが、そんなことを説明するのは、とてもできなかった。そのため、彼はたえず赤面しながら、なんとなく落ち着かず、ばつが悪かったのである。この彼のばつの悪さは、かわいらしい妹にも感染した。しかも、主婦はそれに気づかないふうで、わざわざ妹を話の仲間へひきこむ始末だった。

「あなたのお話では」主婦は、さきほどの話をつづけた。「うちの主人はロシアのものにはなにも興味がもてないとおっしゃいますけど、それは逆ですわ。そりゃ、あの人は外国でも楽しそうにしてはいますが、それでもロシアにいるときのようにはまいりませんわ。ロシアにいると、やはり、自分の縄張《なわば》りにいるような気がするのでございましょうね。なにしろ、とてもたくさんの仕事がありますし、それに、あの人にはなんにでも興味をもつ才能がありますので。あら、あなたはまだ、あたくしどもの学校へはおいでになりませんでしたわね？」

「いや、拝見しました……たしか、常春藤《きづた》のからんだ小さな建物でしたね？」

「ええ、あれはナスチャの仕事になってますの」主婦は妹をさしながらいった。

「ご自分で教えていらっしゃるんですか？」リョーヴィンは、胸のあきから努めて目をそらすようにしながら、たずねた。しかし、彼はどこに目をやっても、その胸あきが見えるような気がした。

「ええ、自分で教えてまいりました。今も教えております。でも、あそこには、ひとりとてもいい女の先生がおりますの。それで、体操もはじめることにいたしました」

「いえ、けっこうです。もうお茶はたくさんです」リョーヴィンはいった。そして、それが無作法なことと知りながら、もうそれ以上話をつづける気力がなくなったので、顔を赤らめながら、席を立った。「あそこでとてもおもしろそうな話がはじまったようですので」彼は弁明して、主人がふたりの地主を相手にすわっていた、テーブルの反対の端に近づいて行った。スヴィヤジュスキーは、はすかいにテーブルに向って、肘《ひじ》をついた手で茶碗《ちゃわん》をぐるぐるまわしながら、もう一方の手で顎《あご》ひげを一つにつかんで、まるでそのにおいでもかぐように、鼻のそばへ持っていっては、またぱっと放していた。彼は黒い目を輝かせながら、むきになってしゃべっているごま塩ひげの地主を、まともに見つめ、どうやら、その話をおもしろがっている様子であった。その地主は、百姓たちのことをこぼしていた。スヴィヤジュスキーはこの地主の泣き言に対して、徹底的に反撃を加えうる答えを心得ていながら、自分の立場として、それをすることができないので、多少の興味を感じながら、地主のこっけいな話を聞いているのであった。そのことはリョーヴィンにもはっきりわかった。

ごま塩ひげの地主は、どうやら、骨の髄まで農奴制主義者で、村の古老であると同時に、熱心な農場の主人らしかった。リョーヴィンはそうした証拠を、その旧式な、あまり地主にそぐわないすりきれたフロックコートにも、その賢そうな目をしかめた様子にも、その流暢《りゅうちょう》なロシア風の話しぶりにも、明らかに、長年の経験で身につけたらしい命令的な調子にも、古いエンゲージ・リングを薬指にはめた、りっぱな、日に焼けた、たくましい手を、さっと動かす身ぶりにも、認めたのである。

27

「いや、これまでやってきたことを……さんざ苦労して築いてきたものを……きれいさっぱり捨ててしまうことができたら、私だってさようなら、と手を振って、なにもかも売りとばし、あのニコライ・イワーノヴィチのように、旅に出かけるんですがねえ……『美女ヘレネー』でも聞きにね」地主は、賢そうな年寄りじみた顔を、気持のいい微笑で輝かしながら、そういった。

「ところが、実際は、なかなか捨てる気にならないってわけですな」スヴィヤジュスキーはいった。「つまり、そろばんが合うからですな」

「なに、そろばんが合うといっても、自分の家に暮して、買ったり、借りたりしないで、ただ自分のとこでできたものでやっているだけの話ですよ。それからもう一つ、いつかは百姓どもも、話がわかるようになるだろうと、心頼みをしてるんですな。ところが、今のところは、まったくのんだくれの、ひどい暮しですからなあ！……いや、なにもかも飲み代《しろ》にしちまって、馬も、牛も、一頭だっておらん始末ですからな。今にも飢え死にってとこですがね。そんなやつでも、仕事に雇おうものなら、今度はありったけの迷惑を人にかけて、こっちが治安判事の前へひっぱりだされるのが落ちですよ」

「でも、そのかわり、あなたも治安判事に訴えることはできますよ」スヴィヤジュスキーはいった。

「私が訴えるんですって？　いや、こんりんざい、そんなまねはしませんな！　世間がやかましくって、とても訴訟どころの話じゃありませんよ！　現に、連中はうちの工場でも、手付金だけ取って、逃げてしまいましたがね。治安判事がなにをしたと思います？　無罪放免ですぜ。まあ、村の裁判所と村長とで、どうにか、やってるようなもんですよ。村長は昔ながらに、鞭《むち》でぶんなぐってますからな。いや、これでもなかった日には、なにもかもおっぽりだして、世界のはてへでも逃げて行かなくちゃなりませんとも！」

その地主は、どうやら、スヴィヤジュスキーをからかっているふうだった。しかし、スヴィヤジュスキーは腹を立てないばかりか、それをおもしろがっているように見えた。

「しかし、私どもは現に、そんな処置をとらずに、農場をやっておりますがね」彼は微笑しながらいった。「私にしても、リョーヴィン君にしても、この方にしても」

彼はもうひとりの地主を指さした。

「なるほど、ミハイル・ペトローヴィチのとこは、うまくいってますよ。しかし、どんなやり方をしているのか、おききしたいもんですな。あんなのが合理的な経営といえるんですかね！」地主は明らかに『合理的』という言葉をひけらかしながら、いった。

「なに、私のやり方はごく簡単なもんですよ」ミハイル・ペトローヴィチはいった。「ありがたいことに、私のところでは、ただ秋の年貢《ねんぐ》を払う金がありさえすればいいんでね。百姓どもがやって来て、だんなさま、どうかお頼みしやす！　なんていわれると、百姓だって隣人ですからな、かわいそうになるんで。そこで、まず、三分の一にだけ年貢を課して、なあ、みんな、いいかね、わしはおまえらを助けてやったんだから、こっちが困ったときには頼むよ。燕麦《えんばく》の播《ま》きつけとか、干し草の取入れとか、麦刈りとかいうときには、忘れずに、わしを助けてくれよ、といってやるんでさあ。そこで、年貢からいくらかずつ引いてやるんですよ。そりゃ、あの連中の中にも、不正直なやつがおりますがね、いや、ほんとうですとも」

リョーヴィンは、もうずっと前から、この族長時代のやり方を知っていたので、スヴィヤジュスキーと顔を見合せ、ミハイル・ペトローヴィチをさえぎって、ごま塩ひげの地主に話しかけた。

「それじゃ、あなたのご意見は？」彼はたずねた。「これからは、どんなふうに農場を経営したらいいんでしょうかね？」

「なに、ミハイル・ペトローヴィチと同じやり方をすりゃいいんですよ。収穫《とりいれ》を山分けにするか、それとも、百姓に土地を貸すかですな。それでもいいんですが、ただそうなると、国家全体の富というものは、まったく度外視されてしまいますからね。いや、現に私のところでも、農奴制時代にはやり方さえよければ、九倍の収穫のあった土地も、山分けということになったら、三倍の収穫しかありませんからな。農奴解放がロシアを滅ぼしてしまったわけですよ！」

スヴィヤジュスキーは、微笑をたたえた目でリョーヴィンの顔をながめ、かすかな嘲笑《ちょうしょう》の合図さえしてみせた。しかし、リョーヴィンは、その地主の言葉をこっけいだとは思わなかった。彼には、この地主の言葉のほうが、スヴィヤジュスキーの意見よりも理解できた。地主がさらに話を進めて、なぜロシアは農奴解放によって滅ぼされたかを説明していったとき、その言葉の多くは、たしかに核心をついたものであり、リョーヴィンにとって、耳新しい、否定すべからざるもののように思われた。地主は明らかに、自分自身の思想を語っているのであった。これは、今時珍しいことであり、しかも、それは、暇にまかせてなにかしてみようという動機からひねりだした思想ではなく、彼の生活環境から生れ出たものであり、田園の孤独の中で、あらゆる面から検討した末に生れた思想であった。

「いや、失礼ですが、問題は要するに、進歩的なものはすべて、ただ権力によってのみ実現される、という点にあるのですよ」彼は、どうやら、自分も教養に無縁な人間でないことを示そうとして、こうしゃべりだした。「まあ、ピョートル大帝でも、エカテリーナ二世でも、アレクサンドル一世でも、その改革を例にとってみればわかりますがね。いや、ヨーロッパの歴史でも同じことですよ。まして農事経営の進歩では、それはなおさらのことですよ。たとえば、あのじゃがいもにしても、あれはロシアへは強制的に移植されたものですよ。鋤《すき》にしたところで、いつもあれで耕していたわけじゃありませんからな。あれもたぶん、まだ公侯時代にはいって来たものでしょうが、きっと、強制的に入れられたものにちがいありませんよ。ところが、現代になっても、私ども地主たちは農奴制のもとに、乾燥機だとか、唐箕《とうみ》だとか、肥料運搬機とかいった改良農具を使って、農業を経営してきたわけですが、それもこれもみんな、自分たちの権力でやりだしたことなんです。百姓たちもはじめのうちこそ反対してましたが、そのうちに、こちらを見習うようになりましたよ。ところが、今は、農奴制の廃止とともに、私どもの権力も奪われてしまったので、高い水準に達していた農事経営も、きわめて野蛮な、原始的な状態に転落していかねばならん始末ですよ。いや、私はまあ、そんなふうに考えてるんですがね」

「でも、それはまたどういうわけでしょうな？　もし合理的なものであれば、みなさんは小作制度でもやっていけるはずじゃありませんか」スヴィヤジュスキーはいった。

「それには権力というものがありませんからな。私はいったいだれの力を借りてやっていけばいいんです？　ひとつうかがいたいもんですよ」

《そりゃ、労働力さ。これこそ農事経営の最大の要素さ》リョーヴィンは心の中で考えた。

「労働者の力ですよ」

「ところが、その労働者は、ちゃんと働くことも、いい農具で働くこともきらいなんですからね。わが国の労働者が知っているのは、ただ一つ――まるで豚みたいに酒をくらって、酔っぱらったあげく、こちらのあてがうものを、かたっぱしからこわしてしまうってことですよ。馬には水をやりすぎて病気にするし、上等の馬具はめちゃめちゃにしてしまうし、車の輪まではずして飲んでしまうし、打穀機の中へ車の心棒を突っこんでしまう。いや、あの連中ときたら、自分の流儀でないものは、なんでも、見るのさえ気にくわないんですからな。いや、このために農業の水準が下がったわけなんですよ。土地はほっぽりだされたまま、にがよもぎの茂るのにまかせるか、百姓たちに分けてしまうかで、昔は百万ブッシェル取れたところが、今じゃ何万ブッシェルしかできんという始末ですよ。つまり、国全体の富が減ってしまったわけですよ。いや、同じことをするにしても、もっとよく考えてすりゃ……」

そこで彼は、同じ農奴解放をするにしても、そういう不便を除きうるような私案を述べはじめた。

その話はリョーヴィンの興味をひかなかった。しかし、地主が話し終ったとき、リヨーヴィンはまた自分の最初の話題にかえって、スヴィヤジュスキーにまじめな意見を吐かせようと、彼に話しかけた。

「農業の水準が低下しているということと、現在のような対労働者関係では、有利で合理的な経営をいとなむことは不可能であるということ——これはまったく公正な意見ですね」彼はいった。

「いや、私はそうは思いませんね」今度はもうまじめな調子で、スヴィヤジュスキーは反駁《はんばく》した。「すくなくとも、私の見るところでは、それは単に私どもの経営がへたなだけであって、むしろ、農奴制時代に私どものやっていた経営は、水準が高すぎるどころか、きわめて低いものだったんですよ。私どもは機械もなければ、耕作用のいい家畜もいないし、ちゃんとした管理法も知らないし、いや、計算さえ満足にはできないんですからねえ。まあ、ためしにどこのご主人にでもきいてごらんなさい——なにがもうかって、なにが損かさえ、知っちゃいないんですからね」

「イタリア式の簿記ですからね」地主は皮肉たっぷりにいった。「あれじゃ、いくら計算してみても、てんでものになりゃしませんよ。利潤なんか一文だってありゃしませんとも」

「なぜものにならないんです？　そりゃ、やくざな打穀機や、ロシア製の踏み車などは、こわれるでしょうが、私の持ってる蒸気式のやつは、こわれやしませんよ。ロシア馬なら、ええと、なんといいましたかな、あのしっぽをつかまえて引っぱらなくちゃ動かないような、引っぱり種の馬なら、めちゃめちゃにされてしまうでしょうが、ペルシュロン（訳注　フランス産の優秀な輓馬）種か、せめて改良輓馬《ばんば》をつけてごらんなさい。そんな心配はありませんから。いや、万事がこのとおりなんですよ。私どもは、農業の水準を、今よりぐっと上げなくちゃなりませんよ」

「それも金があればの話ですよ、スヴィヤジュスキーさん！　あんたはそれでいいでしょうが、私のとこなんか、上のむすこは大学だし、下の連中も中学校へ通ってますからな、とても、ペルシュロン種を買う余裕なんてありませんよ」

「いや、そのために、銀行というものがあるんですよ」

「じゃ、なけなしの身上《しんしょう》を競売にかけろとおっしゃるんで？　いや、それだけはご勘弁願いたいですな！」

「農業の水準を今よりもっと引き上げなくちゃならんし、それは可能なことだという説には、賛成できませんね」リョーヴィンはいった、「現に、ぼくはそう努めていますし、資金もあるんですが、結局、今までできませんでしたからね。銀行はだれのためにあるのか、ぼくにもわかりませんよ。すくなくとも、農場関係のものは、なにに投資してみても、みんな欠損ですからね。家畜も欠損なら、機械も欠損です」

「そりゃ、まったくですな」ごま塩ひげの地主は、さも満足そうに笑い声までたてながら、相槌《あいづち》を打った。

「それもぼくひとりだけの話じゃありませんよ」リョーヴィンは言葉をつづけた。「なんなら、合理的な経営をやっているすべての地主を、例にあげることだってできますよ。だれもかれも、ごく少数の例外を除いて、みんな損をしながらやっているんです。じゃ、うかがいますが、あなたの農場は利潤が上がっていますか?」リョーヴィンはたずねた。そのとたん、リョーヴィンはスヴィヤジュスキーのまなざしに、一瞬、おびえたような表情を読みとった。それは、スヴィヤジュスキーの知性の客間から一歩奥へ踏みこもうとするとき、彼がいつも認めるあの表情であった。

それればかりか、この質問は、リョーヴィンにとっても、あまり良心的なものとはいえなかった。主婦がつい先ほどのお茶のときに話してくれたところによると、この家では、夏にモスクワから、ドイツ人の簿記の権威を招き、五百ルーブルのお礼をして農場の会計を調べてもらったところ、三千ルーブルなにがしかの欠損になっていたということだったからである。主婦は、正確な数字を覚えていなかったが、ドイツ人はたしか、四分の一コペイカまで計算したらしかった。

地主は、スヴィヤジュスキーの農事経営における利潤という話が出たので、にやりと笑った。どうやら、彼は隣人であり貴族団長であるこの家の主人に、どんな利潤がありうるかを、ちゃんと心得ているらしかった。

「たぶん、利潤はあがってないでしょうな」スヴィヤジュスキーは答えた。「でも、これは要するに、私がつたない経営者であるか、それとも、地代を上げる意味で資金をつぎこんでいるか、そのいずれかを証明しているわけですよ」

「え、地代ですって！」リョーヴィンはぎょっとしながら叫んだ。「そりゃ、ヨーロッパでは、つまり、投入された労働力のために土地のよくなっているところでは、地代なんてものもあるかもしれませんが、わが国じゃ、投入された労働力のために、かえってどんな土地でも悪くなっているんですから、つまり、耕してかえって土地をやせさせているんですから、とても地代なんて考えられないわけですよ」

「どうして地代がないんです？　これは法則できめられていることじゃありませんか」

「それじゃ、われわれは法則の圏外にいるんでしょうよ。地代なんて、われわれに対して、なんの説明にもなりゃしませんよ。いや、かえって、問題を混乱させるばかりです。いや、そんなことより、ひとつ、地代論はいかに存在しうるか教えてくださいよ……」

「ヨーグルトでもいかがです？ マーシャ、こちらへヨーグルトか、木いちごでも持って来ておくれ」彼は妻に声をかけた。「今年は木いちごが驚くほど長持ちしますな」

そういって、スヴィヤジュスキーはすこぶる上きげんで立ちあがり、席を離れて行った。どうやら、彼は、リョーヴィンにはじまったばかりのように思われた会話が、もう終ったものと思いこんでいるらしかった。

話し相手がなくなったのでリョーヴィンは地主相手に話をつづけながら、厄介《やっかい》な問題はすべて自分たちが労働者の性質や習慣を知ろうとしないことから起っているのだ、と論証しようと試みた。ところが、その地主は、たったひとりでこつこつものを考える人のつねとして、他人の思想を理解することが鈍く、なによりも自分の考えにばかりこだわるのであった。彼は次のような自説を主張してやまなかった。すなわち、ロシアの百姓は豚だから、豚のような生活が好きなのだ、もしこの連中をその豚のような生活から引き出すためには、権力が必要だが、いまやその権力がないから、鞭が必要なのだ。しかも、われわれはすっかり自由主義者になってしまったので、千年からの歴史をもつ鞭を、いきなり、弁護士だとか、禁錮《きんこ》だとかいうものに代えてしまって、やくざな、悪臭ふんぷんたる百姓を上等なスープで養ったり、ひとりあたり必要な空気は何立方フィートだ、なんて計算している始末だ、というのであった。

「なんだって、そんなふうにお考えになるんです？」リョーヴィンは先ほどの問題にもどろうと努めながら、いった。「労働を生産的にするような、労働力に対する関係を見いだすことは不可能だとおっしゃるんですね？」

「ロシアの百姓を相手にしているかぎり、そんなことはとてもできっこありませんよ！　なにしろ、権力がないんですから」地主は答えた。

「じゃ、どうしたら新しい条件を見いだすことができるんです？」スヴィヤジュスキーはヨーグルトを食べ、巻たばこに火をつけ、議論しているふたりのそばへ近づきながら、いった。「労働力に対して考えうるかぎりの関係は、もう研究しつくされ、決定してしまってるんですからね。野蛮時代の遺物である原始的な連帯責任制の村団は、自然に崩壊していますし、農奴制も廃止されましたから、残ってるのはただ自由労働ばかりですからね。いや、もうその形式もできあがっていて、決定ずみですから、それを採用するより仕方ありませんよ。作男、日雇い、農場主――いや、だれだって、この範囲から抜けだすことはできませんよ」

「しかし、ヨーロッパは、その形式に不満なんですよ」

「ええ、それで、新しい形式を捜していますね。きっと、それを発見するでしょうよ」

「ぼくがいいたいのも、ただそのことなんですよ」リョーヴィンは答えた。「なんだって、われわれも、自分たちの立場から、それを捜さないんでしょうね？」

「どっちみち同じだからですよ。つまり、新たに、鉄道敷設《ふせつ》の方法を考えだそうとするのと同じでね。それはもうできあがってしまっていて、考える余地がないんですよ」

「でも、それがわれわれに適さなかったら？　またばかげたものだったら？」リョーヴィンはいった。

と、彼はまたしても、スヴィヤジュスキーのまなざしに、あのおびえたような表情を読みとった。

「ええ、それはですね。あの例の、おれたちはそんなことなんか朝飯前にやってのけるとか、ヨーロッパの求めているものを、ちゃんと発見しちまったとか、いったやつですよ。私もそんなことはなにもかも承知してますよ。しかし、失礼ですが、あなたは労働者組織の問題に関してヨーロッパで行われていることをすっかりご存じですか？」

「いや、よく知りませんね」

「この問題は今でもヨーロッパの識者の頭を悩ましているんですからね。シュルツエ・デーリチュ（訳注　一八〇八―一八八三。ドイツの政治家）の一派とか……それから、もっとも自由主義的なラッサール（訳注　一八二五―一八六四。ドイツの社会主義者）一派の、労働問題に関する厖大《ぼうだい》な文献とか……ミュルハウゼンの制度（訳注　ドイツの都市ミュルハウゼンに月賦による労働者アパートが一八五三年に建てられたが、この進歩的事業も結局は営利的なものになった）とか――これはもうれっきとした事実ですよ、たぶん、ご承知のことと思いますが」

「だいたいのことは知ってますが、それもごく漠然《ばくぜん》たるものですね」

「いや、そんなことをおっしゃるだけで、あなたはきっと、私に劣らず、なにごともご存じのことと思いますよ。私はもちろん、社会学の教授じゃありませんが、ただこれに興味をひかれたものですから。いや、まったくの話、もし興味がおありでしたら、研究なさってごらんなさい」

「それで、どんな結論をえられたんですか？」

「ちょっと失礼……」

　地主たちが席を立ったので、スヴィヤジュスキーは、自分の知性の客間の奥をのぞきこもうとするリョーヴィンの不愉快な癖を、またしてもおし止《とど》めて、客たちを見送りに出かけて行った。

28

リョーヴィンは、その晩、婦人たちといっしょにいるのが、耐えがたいほど退屈であった。彼が今経験している農事経営に対する不満は、彼ひとりの例外的な状態ではなく、ロシアにおける一般的な条件であり、そうした状態を、彼がきょう途中で見受けた老人一家におけるような、労働者との関係に変えることは、もはや単なる空想ではなく、かならず解決しなければならぬ問題であった。彼はそう考えると、今までにないほど激しい興奮を覚えた。そして彼には、この問題は解決することができるし、またぜひともそう試みなければならないように思われた。

婦人たちにあいさつをすませ、あすはみんなといっしょに馬で、官有林の中にあるおもしろい洞穴《ほらあな》を見物に行くため、もう一日滞在することを約束してから、リョーヴィンは眠りにつく前に、スヴィヤジュスキーの勧めた労働問題の本を借りに、彼の書斎を訪れた。スヴィヤジュスキーの書斎は本棚《ほんだな》に囲まれた大きな部屋で、二つのテーブルが置いてあった——一つはどっしりした仕事机で、部屋のまん中に置いてあり、もう一つの丸テーブルには、まん中に置いたランプのまわりに、諸外国の新刊の新聞雑誌が、放射状に並べられてあった。仕事机のそばには書類入れがあって、その引出しには、種目別に金紙のレッテルがはってあった。

スヴィヤジュスキーは本を取りだすと、ロッキングチェアに腰をおろした。

「なにを見ているんです？」彼は、丸テーブルのそばに立って、雑誌を見ていたリョーヴィンに、声をかけた。

「ああ、そこにはなかなかおもしろい論文が出てますよ」スヴィヤジュスキーはリョーヴィンの手にとっていた雑誌についていった。「どうやら、それによると」彼は愉快そうに、活気づいてつけ足した。「ポーランド分割の主たる責任者は、まったくフリードリッヒじゃなくって、それによると……」

それから彼は例の明快な調子で、この新しい、きわめて重大な、興味ある発見を手短かに説明した。今のリョーヴィンはなによりも、農業問題についての考察で頭がいっぱいだったにもかかわらず、思わず彼の話に耳を傾けながら、《この男の心にはなにがひそんでいるんだろう？　いや、それにしてもなんだってこの男には、ポーランド分割のことなんかがおもしろいんだろう？》そう、自問してみるのだった。スヴィヤジュスキーが話し終えたとき、リョーヴィンはつい「それがいったいどうしたというんです？」とたずねてしまった。しかし、べつに、なにもあったわけではなかった。

ただ『こういうことだった』ということがおもしろいだけなのだった。しかも、スヴィヤジュスキーは、なぜそれが自分におもしろいのか、説明もしなければ、また説明する必要も認めていなかった。

「いや、それにしても、ぼくはあのおこりっぽい地主に、ひどく興味をもちましたよ」リョーヴィンは溜息《ためいき》をついて、いった。「あれはなかなか頭の切れる人ですね。ずいぶんうがったことをいいましたよ」

「いや、とんでもない！　あれは隠れたる、骨の髄までの農奴制主義者ですよ。ほかの連中と同じですよ！」スヴィヤジュスキーはいった。

「でも、きみはそうした連中の貴族団長じゃありませんか……」

「そうですよ。ただ、私は反対の方向へ指導していますがね」スヴィヤジュスキーは笑いながらいった。

「ぼくが大いに興味を感じたのはね」リョーヴィンはしゃべりだした。「われわれの事業、すなわち、合理的な農事経営なんてものはうまくいきっこない、ただうまくいってるのは、あのおとなしい地主のやっている高利貸的な農事経営か、それとも、きわめて単純なもののいずれかだ、というあの地主の意見は真実ですよ……こうなると、いったいだれの罪なんでしょうね？」

「もちろん、われわれ自身ですよ。でも、合理的な農事経営がうまくいってないというのは、うそですね。ワシリチコフのところではりっぱにやっていますからね」

「そりゃ、工場は別ですよ」

「いや、それにしても、あなたはなにをそうびっくりしてるのか、とんとわかりませんな。百姓どもは物質的にも精神的にも、じつに発達が遅れているので、どうやら、自分に必要なものには、なんでも反対すりゃいいと思ってるんですよ。ヨーロッパで合理的な農事経営がうまくいくのは、百姓たちに教養があるからですよ。だから、わが国でも百姓たちを教育しなければ――いや、ただそれだけの話ですよ」

「でも、どうやって百姓どもを教育するんです？」

「百姓たちを教育するには、三つのものが必要ですな、つまり、学校、学校、学校、の三つが」

「しかし、今ご自分でも、百姓どもは物質的にも発達が遅れている、といわれたじゃありませんか。それなのに、どうして学校が役に立つんです？」

「いや、あなたの話を聞いていると、あの病人への忠告という小話を思いだしますね。『きみは下剤をかけたらいいでしょう』『やってみたんですが、かえって前より悪くなったんですよ』『それじゃ、蛭《ひる》をつけてごらんなさい』『それもやってみたんですが、もっと悪くなったんです』『じゃ、もうあとは神さまにお祈りするんですな』『それもやってみたんですが、もっと悪くなってしまったんです』今の私とあなたも、まさにこれと同じじゃありませんか。私が経済学をもちだすと、あなたはもっと悪くなるとおっしゃる。私が社会主義をもちだすと、もっと悪くなるとおっしゃる。じゃ、教育だというと――これまた、もっと悪くなるといって」

「それにしても、学校なんてなんの役に立つんです？」

「あの連中に別な要求を感じさせるようになりますからね」

「そいつがぼくにはどうしてもわからないんですがね」リョーヴィンはかっとなって反駁《はんばく》した。「学校はどうすれば百姓たちの物質的状態をよくする助けになるんです？あなたのお話だと学校や教養というやつは、あの連中に新しい要求を感じさせるそうですが、それがかえってよくないんですよ。だって、あの連中にはそれを満足させる力がないんですから。足し算や引き算や、教理問答なんてものが、どうして百姓の物質的状態を改善するのに役立つのか、ぼくは一度だって納得したことはありませんよ。一昨日《おとつい》の晩、赤ん坊を抱いた百姓女に出会ったので、どこへ行くのかときいたんですが、その返事はこうですよ。『まじない婆《ばあ》さんのとこへ行ってきました。子供に虫が起きたので、なおしてもらいに行ったんです』そこでぼくがどうやって婆さんはなおしたかときくと、『この子を鶏小屋のとまり木の上にすわらせて、なにかおまじないを唱えてくれました』という始末ですよ」

「それ、ごらんなさい。あなたはご自分でもそういってらっしゃるじゃありませんか！ 赤ん坊の虫をなおすのに、鶏のとまり木などにすわらせないようにするために、いや、そのために必要なのは、つまり……」スヴィヤジュスキーは愉快そうに、微笑しながらいった。

「いや、違います！」リョーヴィンはいまいましそうに答えた。「そういった療法は、ぼくにいわせれば、百姓たちを学校で治療しようとするのとまったく同じことなんですよ。そりゃ、百姓たちは貧乏で無教育ですよ――それは、あの百姓女が赤ん坊の泣いているのを見て、これは虫だと考えたのと同様、われわれにもちゃんとわかっていますよ。それにしても、この不幸、つまり、貧乏と無教育を、どうやって学校が救ってくれるかってことは、わかりませんね。それはちょうど、なぜとまり木の鶏は赤ん坊の虫をなおしてくれるのか、それがわからないのと同じことですよ。なぜ百姓たちは貧乏なのか、その点をつきとめてから、救わなくちゃいけないんですよ」

「いや、その点に関しては、あなたの意見はすくなくともスペンサー（訳注 一八二〇―一九〇三。イギリスの哲学者）と一致していますね。あなたは彼のことがひどくきらいなようですがね。彼もやはり、教育は生活の大いなる安寧と便宜の結果、彼のいうひんぱんな洗滌《せんじょう》の結果から生れるべきものであって、けっして読書や計算ができるということではない、といってますからね……」

「いや、なるほど。それじゃ、ぼくは自説がスペンサーと一致したと知って、大いに愉快になるか、あるいは、その反対に、大いに不愉快になるか、どっちかですね。ただ、その点については、ぼくもずっと前から知っていたんですがね。いや、学校なんて助けにはなりませんよ。助けになるのは、百姓たちがもっと金持になって、もっと暇ができるような経済組織ですよ――そうなれば、学校だってできますよ」

「しかし、ヨーロッパじゃどこへ行っても、もう現在では学校が義務となっていますよ」

「じゃ、ご自分はどうなんです。この点はスペンサーの意見に賛成なんですか？」リョーヴィンはきいた。ところが、スヴィヤジュスキーの目には、一瞬、おびえたような表情がひらめき、彼は微笑しながらいった。

「いや、それにしても、その虫というたとえ話は傑作ですね！　ほんとうにご自分で聞いたんですか？」

リョーヴィンは、この調子ではとても、この男の生活と思想のつながりを見いだすことは、不可能だと見てとった。どうやら、彼には自分の議論がどんな結論になろうが、まったく気にならないらしかった。彼に必要なのは、ただ議論の過程だけであった。そして、その議論の過程が出口のない袋小路へ追いこまれると、彼は不快になるのだった。彼はただそれがいやなので、なにか気持のいい、愉快な話へ話題を転じて、それを避けるようにしていた。

この日一日の印象は、途中で出会った百姓の印象をはじめとして、どれもこれもリョーヴィンをひどく興奮させた。なによりも例の百姓の印象は、きょう一日のすべての印象と思索の基礎となった感じだった。ただ社交用に役立つ思想のみを用意して、その生活の基礎には、リョーヴィンなどのうかがいしれない、なにか別のものをもっていると同時に、「多数者」と呼ばれる群衆とともに、自分にはなんの縁もない思想を手段として、世論を指導している、この愛すべきスヴィヤジュスキー。実生活の苦しみから生れてきた意見の面ではまったく正しいが、階級全体に対する、つまり、ロシアのもっともすぐれた階級に対する憎悪《ぞうお》の面では正しいといわれない、あの辛辣《しんらつ》な地主。それに、自身の活動に対する彼自身の不満と、これらいっさいのことを改善できそうに思われる漠然たる希望――これらすべてのものが内心の不安と近い将来の解決を期待する気持に溶けあっていくのであった。

リョーヴィンは用意された部屋にひきこもり、ちょっと手足を動かしても、すぐはねあがるスプリングのきいた寝台に、身を横たえてからも、長いこと寝つかれなかった。スヴィヤジュスキーとの話は、なかなか気のきいたせりふがとびだしてきたにもかかわらず、どれ一つとしてリョーヴィンの興味をひかなかった。しかし、あの地主の意見については考えてみる気になった。リョーヴィンはわれともなしに、彼のいった言葉を一つ一つ思い浮べ、彼に対する自分の答えを、心の中で訂正するのだった。

《そうだ、おれはこういうべきだったのだ。われわれの農事経営がうまくいかないのは、百姓たちが改良ならどんなものでもきらっているからであり、だからそうした改良は、権力によって導入しなければならないと、あなたはおっしゃるんですね。ところで、もし農事経営が、そうした改良なしにはまるっきりだめだというなら、あなたの説は正しいことになりますよ。しかし、私が途中で出会ったあの老人のところみたいに、すくなくとも労働者が自分の習慣に従って働いているところでは、うまくいっているんですからね。あなたや私が自分の農事経営に不満だということは、ただその責任がわれわれ自身にあるのか、あるいは、労働者の側にあるのか、そのどちらかであることを意味しているんですよ。われわれはもうずっと前から、労働力の本質にはおかまいなしに、自己流に、ヨーロッパ式に押して来ています。ひとつ、この辺で、この労働力を観念的な労働の力ではなく、本能をもったロシアの百姓と認めて、その点を考慮しながら、経営をやってみたらどうでしょうかね。まあ、かりに、――とおれはいうべきだったのだ――あなたの農場が、あの老人のところと同じように経営されているとして、あなたは、百姓たちが仕事の成功に興味をかきたてられる方法を発見し、あの連中の認める中庸を得た改良法を発見された、と仮定してみましょう。あなたは土地を荒すことなしに、以前の二倍、いや、三倍もの収穫を得られるでしょう。それを二つに分けて、半分を労働力に与えてごらんなさい。すると、あなたの手もとに残る分は前よりも多くなりますし、労働力の受けとる分も多くなるわけです。でも、これをするためには、経営の水準を引き下げて、労働者がその成功に興味をいだくようにしなくちゃだめなんです。どんなふうにこれをするかは、もはや細かい技術的な問題ですが、それが可能だということだけは、疑いをいれる余地もありませんね》

この考えはリョーヴィンをひどく興奮させた。彼はこの考えを実現するための細かい点を熟考しながら、その晩は半分ぐらいしか眠らなかった。翌日はまだ帰宅する予定ではなかったが、今はもう朝はやく、家に帰ることにきめてしまった。なお、そのほか、例の胸に四角いくりをあけた服をきた主婦の妹が、彼の心になにかまったく悪いことをしたあとの羞恥《しゅうち》と悔恨に似た気持を、呼びおこしていた。なによりも肝心なことは、ただちに、一刻の猶予《ゆうよ》もなく、出発しなければならぬということであった。まだ秋蒔《あきま》きのはじまらない前に、この新しい計画を百姓たちに示し、新しい基礎のもとに、播《ま》きつけをしたかったからである。彼は、今までの農事経営を、がらりと変えてしまおうと決心したのである。

29

リョーヴィンの計画を実行するには、多くの困難がともなっていた。しかし、彼は力のおよぶかぎりがんばって、望みどおりとはいかないながらも、その仕事が労力に値するということを、みずから欺《あざむ》くことなしに、信じられるだけにはこぎつけることができた。なによりも困難だったのは、仕事がもはやはじまっていたために、それを全部中止して、新しく初めからやりなおすわけにはいかず、すでに運転している機械を改造しなければならないことだった。

彼がその晩わが家へ帰って、すぐ支配人に自分の計画を話して聞かせたとき、支配人はさも満足そうに、今までやってきたことは、無意味であり、不利であったことを証明する主人の言葉に賛意を表した。支配人は、自分は前々からそういっていたのですが、あなたがいっこうに聞き入れようとなさらなかったのです、といった。ところが、自分も仲間のひとりとして百姓たちといっしょになって、すべての農事経営の計画に参与するというリョーヴィンの提案に対しては、支配人はただ深い落胆の色を浮べるばかりで、なにひとつはっきりした意見を吐かず、すぐにあすは残っている裸麦の山を運んで、二度鋤《す》きに人を出さねばならぬといいだした。そこで、リョーヴィンは今はそれどころの話ではないのだな、と悟った。

百姓たちとその話をして、新しい条件のもとに土地をみんなに分け与える提案をしたとき、彼はここでも例の大きな困難にぶつかった。百姓たちはその日その日の仕事に追われていて、その計画の利害得失を、ゆっくり考えてみる暇がなかったからである。

素朴《そぼく》な百姓の家畜番のイワンは、どうやら、家族とともに家畜場の利益分配にあずかるというリョーヴィンの提案を、ちゃんと、のみこんで、その計画に心から賛成したように思われた。ところが、リョーヴィンが将来の利益について、懇々と説明をはじめると、イワンの顔には不安そうな色が浮び、最後まですっかり聞く暇がないのが残念だ、といった表情が表われた。そして彼は、なにかしらのっぴきならぬ用事を見つけだしては、小屋の中から残った干し草をかきだすためにレーキを手に取ったり、畑に水をかけたり、堆肥をととのえたりするのだった。

もう一つの困難は、百姓たちのどうしようもない猜疑心《さいぎしん》であった。地主というものは、自分たち百姓を徹底的に搾取《さくしゅ》する以外には、なにかほかの目的をもっていようなどとは、どうしても信じられないのであった。地主のほんとうの目的は（本人がなんといおうと）、自分たちにはけっして話さないところにあるのだと、百姓たちはかたく信じきっていた。いや、彼ら自身にしても、ずいぶんいろんな意見をいったが、自分たちのほんとうの目的がどこにあるかは、けっして口に出さなかった。そればかりか（リョーヴィンはあの短気な地主がまちがっていなかったことを痛感した）、たとえどんな種類の協定を結ぶにしても、その第一の条件として、新しい耕作法や、新式の農具の使用を強制しないということを、かならず持ち出すのであった。百姓たちは、犂《すき》のほうが鋤《すき》よりもいいことや、速耕機のほうが仕事にはかがいくことは認めながらも、そのどちらも使うことができないという、たくさんの理由を並べたてた。そのため、リョーヴィンは、経営の水準を下げなければならぬと覚悟しながらも、みすみす有利とわかっている改良法を断念するのが残念でたまらなかった。こうした困難があったにもかかわらず、とにかく、彼は自分の考えを通して、秋にはいくらか仕事がはかどった。いや、すくなくとも、彼にはそう思われた。

初めリョーヴィンは、経営全体を新しい組合組織のもとに、現在のままの形で百姓と日雇いと支配人に引き渡す考えであった。ところが、まもなく、それが不可能であると確信したので、経営はいくつかに分けることにきめた。いくつかに分けられた家畜小屋、果樹園、菜園、草場畑は、それぞれ別個の項目を編成しなければならなかった。リョーヴィンの目には、だれよりもいちばんよく事情をのみこんだように思われた、例の素朴な家畜番のイワンは、主として自分の家族で組合をつくり、家畜場を引き受けることになった。八年間も閑田として放っておかれた遠方の畑は、頭のいい大工のレズノフの協力によって、六世帯の百姓が新しい組合組織のもとに、引き受けることになった。さらに、百姓のシュラーエフは、菜園全部を同じ条件で引き受けた。そのほかすべて昔のままであったが、これら三つの項目は、新しい組織の第一歩として、完全にリョーヴィンの要求を満たしたのであった。

もっとも、家畜小屋のほうは、今までのところ、前と比べて少しも成果があがっていないのも事実である。イワンは牛小屋を暖かくすることと、バターを作ることには、猛烈に反対した。彼はその理由として、牛は寒いところのほうが飼秣《かいば》が少なくてすむし、酸乳のほうがもうかる、と力説した。しかも、昔と同じように、給料を要求し、受け取った金が給料ではなくて、利益分配の前渡しだといわれても、そんなことには少しも興味を示さなかった。

レズノフの組合が期間の短いことを口実に、契約どおり、播種《はしゅ》前の二度鋤きをしなかったのも事実である。この組合の百姓たちは、新しい基盤によって仕事をはじめると契約したにもかかわらず、その土地を共有物と思わず、地主と百姓で山分けしたものと称して、普通の百姓たちばかりか、レズノフ自身までが、一度ならず、リョーヴィンに向って『これで、地代を取ってくだせえましたら、だんなさまもご安心だし、わしらも片がつくんでごぜえますのに』といったものである。そればかりか、これらの百姓たちは、契約に従ってその土地に家畜小屋と穀倉を建てるのを、いろんな口実をつくっては引き延ばし、ついに冬まで遅らせてしまった。

さらに、シュラーエフが、自分の引き受けた菜園を細かく仕切って、百姓たちに分け与えようとしたのも事実である。彼は、どうやら、その土地をまかされた条件をまったく反対に、あるいは、わざと反対に解釈したらしかった。

リョーヴィンはよく百姓たちと話をして、この企業の有利なことについて、長々と説明してやっても、百姓たちのほうは、まるで主人の歌でも聞いているみたいな顔で、腹の中では『だんながなんといったところで、こちらはそんなことにだまされるものか』と思いこんでいるらしいことを、感じたのも事実である。とくに彼がそれを痛感したのは、百姓の中でもいちばん賢いレズノフと話したときであった。レズノフの目の中には、一種のひらめきが認められた。それはリョーヴィンに対する嘲笑《ちょうしょう》と、もしだまされるものがあるとしても、それはけっしてこのレズノフではないぞ、という確信を物語るものであった。

しかし、こうしたいろんなことがあったにもかかわらず、リョーヴィンは事業がはかどっているものと認め、厳密な計算をしながら、どこまでも自説を主張すれば、こうした経営の有利なことがいつかは証明できるだろうし、そのときには仕事のほうも、ひとりでに進展して行くだろうと考えた。

こうした仕事は、彼の手に残されていた農場や、書斎における著述の仕事とともに、夏じゅうずっとリョーヴィンを束縛したので、彼はほとんど猟にも出かける暇もないくらいであった。彼は八月の終りに、オブロンスキー一家がモスクワへ引き揚げたことを、鞍《くら》を返しに来た使いの男から知った。ドリイの手紙に返事も書かず、今思いだしても、恥ずかしさに顔を赤くせずにはいられないような、無作法をして、自分で船を焼いてしまったからには、もう二度とあの家へは行かれない、と感じていた。いや、スヴィヤジュスキー一家に対しても、彼はそれと同じようなふるまいをやっていた。あというのは、彼はちゃんとあいさつもしないで帰って来てしまったからであった。

の家へもけっして二度と行くことはないだろう。もっとも、今となってはもう、そんなことはどうでもよかった。新組織による経営の仕事は、今まで例のないほど、すっかり彼の心をとらえてしまったからである。彼は、スヴィヤジュスキーの貸してくれた本を残らず読んだうえ、手もとにない本は取り寄せ、この問題に関する経済学や社会主義の本も、読みなおした。が、彼が予期したように、自分の企てた事業に関係のあるようなことは、なにひとつ発見できなかった。経済学の本では、たとえば、第一に研究したミルなどでは、自分に関心のある問題の解決が、今にも出てきはしないかと、彼はひじょうな熱意をもって読んでみたが、ただヨーロッパの農業状態から抽出した法則を発見したばかりで、ロシアに適用することのできないこれらの法則が、なにゆえ一般共通の法則でなければならぬのか、彼にはなんとしても納得がいかなかった。彼はそれと同じことを、社会主義の本の中にも見いだした。それは、彼が学生時代に夢中になった、実際に適用できない、美しい空想にすぎないか、あるいは、当時のヨーロッパがおかれていた状態の修正にとどまっており、ロシアの農業とはなんの共通点ももっていないものであった。経済学によれば、ヨーロッパの富がそれによって発達した、いや、現に発達しつつある法則こそ、一般に不変なものであった。ところが、社会主義の教えによると、これらの法則による発達は破滅に通じているということだった。そのいずれにしても、リョーヴィンをはじめ、すべてのロシアの百姓と地主は、どうしたら一般の福祉のために、その数千万の労働力と土地を、もっとも生産的に活用しうるかという問いに対して、答えはおろか、ほんのわずかの暗示さえ与えていないのであった。

もういったんこの仕事に手をつけた以上、彼は自分の研究テーマに関してありとあらゆる文献を読破し、さらに実地について研究し、これまでいろんな問題についてしばしば味わったようなことが、もう二度と生じないように、秋になったら外国へ出かけようと計画した。今までによく彼は話し相手の思想を理解して、いざ自分の意見を述べようとする段になると、不意に相手は、「じゃ、カウフマンは、ジョンズは、デュボアは、ミッチェルは？　あなたはこの連中のものを読んでいないんですね。まあ、ひとつ読んでごらんなさい。彼らはこの問題についてはずいぶん研究していますからね」というのだった。

いまや彼は、カウフマンも、ミッチェルも、なにひとつ自分に語るべきものをもっていないのをはっきりと悟った。彼は自分が求めているものを知っていた。ロシアはすばらしい土地と、すばらしい労働者をもっており、ある場合には、あの途中で見かけた老人のところのように、労働者も土地も豊かに生産しているが、大部分の場合は、ヨーロッパ風に資本を投入することによって、生産率の低下をきたしているが、それもただ労働者が自分たちに固有の方法で働こうとし、現に、そう働いていることに原因があるので、この反作用は偶然なものではなく、国民性そのものに根ざしている恒久的な現象であることを、彼は理解した。広漠《こうばく》たる処女地に植民し、耕作する使命をもったロシアの農民は、すべての土地が耕されるまでは、それに必要な方法を意識的に固執するであろうが、この方法は普通に考えられているほど悪いものではない、と彼は考えた。そして彼は、この点を理論的にはその著述のうえで、実践的には自分の農事経営を通じて証明してみようと思ったのである。

30

九月末に、組合に与えられた土地に家畜小屋や倉を建てるため、木材が運びこまれ、雌牛からとったバターが売られて、その利潤が分配された。農事経営の実際面で、仕事はうまく進んでいた。いや、すくなくとも、リョーヴィンにはそう思われた。ところが、これらいっさいの問題を理論的に解明して、自分の著述を完成させるためには、ただ外国へ行って、この分野でなにがなされているかを実地に視察し、そこで行われているとことがすべて不要のことであるという、確証をつかんで来さえすればよかったのであった。この著述というのは、リョーヴィンの空想によれば、経済学上に一大転機をもたらすばかりでなく、この学問を根底からくつがえし、農民と土地の関係を明らかにする新しい学問の基礎をおくはずであった。リョーヴィンは金を手に入れて、外国への旅にのぼるために、ただ小麦の納入を待つばかりであった。ところが、あいにく、雨が降りはじめて、畑に残った小麦やじゃがいもの取り入れができなくなり、すべての畑仕事はもちろん、小麦の納入まで中止しなければならなくなった。道路は、歩くこともできぬようなぬかるみとなり、水車場は二つも水に流されて、天候はますます悪くなるばかりであった。

九月の三十日には、朝から太陽が顔を出したので、天気になるものと思って、リョーヴィンは思いきって出発の準備にかかった。彼は小麦をはかるように命じ、金を受け取るために支配人を商人のところへやり、自分は出発前の最後の手配をするために、農場の見まわりに出かけて行った。

とにかく、するだけのことをすましてしまったリョーヴィンは、皮外套《かわがいとう》を小川のように伝って流れる水が、首筋や長靴《ながぐつ》の胴にはいって、全身ずぶぬれとなりながらも、すごく元気な興奮した面持《おもも》ちで、夕方近く家路についた。悪天候は夕方になってますますひどくなった。全身ずぶぬれになって、耳と首を震わせている馬を、あられが痛いほどたたきつけたので、馬はからだをななめにして進んだ。しかし、リョーヴィンは頭巾《ずきん》をかぶっていたので、なにごともなかった。彼はさも愉快そうに、自分のまわりを、轍《わだち》の跡を伝って流れる泥水《どろみず》や、葉を落した木々の枝の一本一本にたれさがっているしずくや、橋板の上に溶けずに白く残っているあられの粒や、裸になった木のまわりにうずたかくつもっている、まだ水分のある、肉の厚い楡《にれ》の葉などをながめまわしていた。まわりの自然が陰気くさかったにもかかわらず、彼はひどく興奮している自分を感じていた。遠い村の百姓とかわした会話は、百姓たちが自分たちの新しい関係に慣れてきたことを示すものであった。彼が服をかわかしに立ち寄った家の、年とった門番は、明らかにリョーヴィンの計画に賛意を表して、自分も家畜を買って組合にはいりたいと申し出た。

《ただ自分の目的に向って、たゆまず進んで行けばいいのだ。そうすれば、かならず初志を達することができるだろう》リョーヴィンは考えた。《いや、働くにも、苦労するにも、張り合いが出てきたよ。だって、これはなにもおれひとりの仕事じゃなくて、万人の福祉の問題だからな。農事経営全体が、いや、なによりも農民全部の生活状態が一変されなければならない、貧乏のかわりに、万人の富と満足が、敵視のかわりに、利害の調和と一致が生れなければ。いや、一口にいえば、無血革命が必要なんだ。それこそもっとも偉大な革命で、はじめはこの郡だけの小さな範囲にすぎないが、やがて県にひろがり、ロシア全体となり、全世界の革命となるんだ。だって、正しい思想は、かならず豊かな実りをもたらさずにはいないからだ。そうだ、これこそ努力に値する目的ではないか。それを考えたこのリョーヴィンが、黒のネクタイをしめて舞踏会へ出かけて行き、キチイから肘鉄砲《ひじでっぽう》をくらった、われながらみじめで、意気地《いくじ》のない男だとしても、そんなことはなんの関係もありゃしない。あのフランクリンだって、自分のことをすっかり思い起したら、きっと、おれと同じように、自分をつまらないものに感じ、自分の力を信じられなかったにちがいない。いや、おれはそう確信するよ。こんなことはなんの意味もないことだ。いや、フランクリンにも、きっと、アガーフィヤのような人がいて、自分の秘密を打ち明けていたんだろう》

こんなことを考えながら、もう暗くなってから、リョーヴィンはわが家へ帰った。

商人のところへ行った支配人も、帰って来て、小麦代の一部をもらって来た。宿屋の主人との契約も成立した。また、支配人が途中で見て来たところによると、穀物は野良《のら》のいたるところに、置きっぱなしになっていて、まだ取り入れのすまない自家《うち》の百六十の堆《やま》は、よそのとは比べものにならないほどいいということであった。

食事を終えると、リョーヴィンは、例によって、本を手にして肘掛けいすに腰をおろし、それを読みながら、目前に迫った旅行のことを、その本の内容と関連させて考えていた。その晩はとくにはっきりと、自分の仕事の意義が描きだされて、自分の思想の本質を表現する複雑な文章が、ひとりでに頭の中で組み立てられていくのだった。《こりゃ、書きとめておかなくちゃ》彼は考えた。《これを短い序説にしなくちゃいけないな。前にはそんなものは必要ないと思っていたけれど》彼は立ちあがって、仕事机のほうへ行こうと思った。と、彼の足もとに寝ていた犬のラスカが、伸びをしながら、同じように起きあがり、どこへ行くのかと、たずねでもするように、彼の顔を見上げた。ところが、書きとめている暇はなかった。頭株の百姓たちがさしずを仰ぎにやって来たからである。そこで、リョーヴィンも、百姓たちの待っていた控室へ出て行った。

さしず、つまり、あすの仕事の割当てをして、彼のところへ用事で来た百姓たちの話を聞いてから、リョーヴィンは書斎へ引き返し、仕事にかかった。ラスカはテーブルの下に寝そべった。アガーフィヤは靴下の編物を持って、いつもの自分の場所にすわった。

しばらく書いているうちに、リョーヴィンはふとキチイのことを、彼女に拒絶されたことを、最後に会ったときのことを、ひどくなまなましく思いだした。彼は立ちあがって、部屋の中を歩きはじめた。

「なにも、そうくよくよしなさることはございませんですよ」アガーフィヤはいった。

「ほんとに、なんだって家の中にばかり、こもっていらっしゃるんでございます？ たまには、温泉にでもいらっしゃるといいんですのに。おしたくもできているんですから」

「ああ、いわれなくっても、あさっては出発するよ、アガーフィヤ。その前に仕事を片づけておかなくちゃ」

「まあ、そんなお仕事だなんて！ 百姓たちに、あれだけよくしておやりになってるのに、まだ足りないんでございますか！ いいえ、それでなくっても、だんなさまはきっと皇帝さまから、ごほうびをおもらいになるだろうって、みんなはうわさしてるくらいでございますよ。ほんとに、なんだってそんなに百姓たちのことを、心配なさるんです？」

「あの連中のことを心配しているんじゃないよ、みんな自分のためにやってるのさ」

アガーフィヤは、リョーヴィンの農事経営に関する計画を、なんでも細かい点まで知っていた。リョーヴィンはよく自分の考えを、細かいところまで、老婆《ろうば》に話して聞かせ、相手の解釈に反対しながら、議論することがあった。ところが、今はアガーフイヤも、彼のいったことを、まるっきり別の意味に解釈したのである。

「ご自分の魂のことは、むろん、なによりもまず第一番に考えなくちゃいけませんとも」彼女は溜息《ためいき》をつきながらいった。「ほれ、あの、パルフョンも、読み書きはできませんでしたが、人がうらやむような死に方をいたしましたよ」彼女は最近死んだ召使のことをいった。「聖餐《せいさん》の式も受けましたし、塗油式もいたしました」

「ぼくはそんなことをいってるんじゃないよ」彼はいった。「ただ自分の利益のためにやるんだといってるのさ。百姓がよく働けば、ぼくのほうもそれだけ得になるんだから」

「でも、だんなさまがいくら努めなさったところで、あの連中がなまけ者でしたら、なにもかも骨折り損のくたびれもうけでございますとも。良心があれば働くでしょうが、それのないものは、どうにも仕方ありませんからねえ」

「それでも、おまえは、イワンが前より家畜の世話をよくするようになったと、いったじゃないか」

「いいえ、あたくしがいってるのは、いつも一つことでございますよ」アガーフイヤは、どうやら、ふとした思いつきではなく、とっくりと考えたあげくらしく、こう答えた。「もう身をおかためにならなくちゃいけませんよ。それが第一でございますよ！」

自分がたった今考えていたことを、アガーフィヤにいいあてられたので、彼はしょげるとともに、侮辱をも感じた。リョーヴィンは顔をしかめると、返事もしないで、自分の仕事の意義について考えたことを、心の中でもう一度すっかり考えなおしながら、また仕事にかかった。ただ時おり、静けさの中に響くアガーフィヤの編み針の音に耳を傾けながら、思いだしたくないことを思いだして、再び眉《まゆ》をしかめるのだった。

九時に、鈴の音と、ぬかるみの中を馬車の車体が揺れる鈍い響きが聞えた。

「まあ、お客さまがお見えになりましたよ。これでもう、くよくよなさることはございませんよ」アガーフィヤは立ちあがって、戸口のほうへ向いながら、いった。しかし、リョーヴィンもすぐ老婆を追い越して行った。今はもう仕事がはかどらなかったので、相手がだれでも、客の来たことがうれしかったのである。

31

階段を中途まで駆けおりたところで、彼は控室の中で聞きおぼえのある咳《せき》ばらいがするのを耳にした。しかし、自分の足音にまぎれて、はっきりとは聞えなかったので、それが自分の聞きちがいであってくれと願った。しかし、すぐに、背の高い、骨ばった、なじみぶかい姿全体が見えたので、もうとても自分を欺《あざむ》くことはできないように思われたが、それでもなお、毛皮外套を脱ぎながら、咳ばらいをしている、そののっぽの男が、兄のニコライでなければいいがと願っていた。

リョーヴィンはこの兄を愛してはいたが、兄といっしょにいるのは、いつも彼にとって苦痛であった。ことに今は、自分の心に浮んだ思いと、アガーフィヤにいわれたことに影響されて、リョーヴィンはあいまいな、いらいらした気持になっていたので、今すぐ兄と顔をあわせるのは、とりわけ心苦しく思われた。彼がひそかに期待していた、自分のあいまいな気分をまぎらわしてくれる、にぎやかで健康な他人の客のかわりに、彼という人間をすっかりのみこんでいて、彼の心にあるもっとも大切な思想を呼び起して、なにもかもいわせてしまわずにはおかない兄と、顔をあわせなければならないからだった。それが彼にはやりきれなかったのである。

リョーヴィンは、こんな忌《いま》わしい気持をいだいた自分に、自分で腹を立てながら、控室へ駆けおりて行った。が、兄を見たとたん、この個人的な幻滅感はたちまち消えてしまい、憐憫《れんびん》の情と変った。以前の兄も、やせ細って病的な感じで、とても恐ろしく思われたものだが、今の兄はそれよりもさらにやせて、もっと弱りきっていた。それはまさに、皮をかぶっている骸骨《がいこつ》であった。

彼は控室の中に立って、頭から襟巻《えりま》きを取ろうとして、その長いやせた首をしきりにしゃくりながら、奇妙にみじめな微笑を浮べていた。このおとなしい忍従の微笑を見ると、リョーヴィンは痙攣《けいれん》でのどを締められるような思いであった。

「やあ、とうとうおまえのところへやって来たよ」ニコライは一刻も弟の顔から目を放さないで、かすれた声でいった。「だいぶ前から来たいと思っていながら、どうもからだの調子が悪くてね。今はもうとてもよくなったよ」彼は大きなやせた掌《てのひら》で、自分の顎《あご》ひげをしごきながら、いった。

「そうですか、そうですか！」リョーヴィンは答えた。が、接吻《せっぷん》しながら兄のからだがかさかさしているのを自分の唇《くちびる》に感じ、その妙にぎらぎら光っている大きな目を間近で見たとき、彼はますます身のちぢむ思いがした。

これより二、三週間前に、リョーヴィンは兄に手紙を書いて、まだ分けずにあった家の中のものの一部を売ったから、兄さんには、今約二千ルーブルの取り前がある、と知らせてやったのであった。

ニコライは、自分はその金を受け取るために、いや、なによりも自分の生れた巣にしばらく暮して、昔話の英雄のように、将来の活動に必要な力をたくわえる目的で、大地にふれるためにやって来たのだ、と説明した。彼は前よりいっそう猫背《ねこぜ》になり、その背丈《せたけ》に比べて驚くほどやせていたにもかかわらず、その動作は相変らず敏捷《びんしょう》で、突発的だった。リョーヴィンは兄を書斎へ案内した。

兄は昔と違ってとくに念入りに着替えをし、その薄くなった、くせのない髪の毛をとかして、にこにこしながら、二階へあがった。

兄は、リョーヴィンが少年時代によく見かけたことのある、いたってやさしい、朗らかな気分になっていた。コズヌイシェフのことを話すときも、例の憎悪《ぞうお》に満ちた口調ではなかった。アガーフィヤの顔を見ると、彼は冗談をいい、昔の召使のことなどをたずねた。パルフョンが死んだという話は、彼に不快なショックを与えた。その顔にはおびえたような表情が浮んだが、彼はすぐ気分をとりなおした。

「でも、あれはもうずいぶん年取っていたからなあ」彼はいって、話題を変えた。「いや、こうやっておまえのとこで一、二カ月も暮したら、モスクワへ行くよ。じつはね、ミャーフコフのやつが就職の世話をしてくれると約束してね。おれも勤めることにしたのさ。今度こそ、生活をすっかり新しく建てなおすつもりだよ」彼はつづけた。「じつはね、あの女にも暇をやってしまったのさ」

「え、マーシャを？　どうして、なんだってまた？」

「いや、どうにもしようのないやつでね！　次から次へと、不愉快な思いばかりさせるもんだから」しかし、それがどんな不愉快なことだったかは、彼も話さなかった。マーシャを追い出した理由が、薄いお茶を出したからだとは、さすがの彼もいえなかった。もっともいちばんの原因は、彼女が彼を病人扱いにしたからなのであった。

「とにかく、おれは今度こそ生活を一変したいと思っているよ。もちろん、おれはみんなと同様、ずいぶんくだらないこともやってきたが、しかし、財産なんてことは、末の末だよ。そんなものなんか惜しいとは思わないね。ただ健康でさえあればと思っていたが、その健康もどうやら回復したんでね」

リョーヴィンは兄の話を聞きながら、なんといったものかと考えていたが、結局、うまい返事が思いつかなかった。どうやら、ニコライも同じことを感じていたらしい。彼は弟に仕事のことをいろいろとたずねた。リョーヴィンも自分のことを話すのはうれしかった。それならなにも虚勢をはる必要がなかったからである。彼は自分の計画や行動を、兄に話して聞かせた。

兄はじっと耳をすましてはいたが、どうやら、そんなことには興味がないらしかった。

このふたりは肉親であり、互いにきわめて近しい間がらだったので、ほんのちょっとした動作や、声の調子だけでも、ふたりにとっては、言葉で表現しうる以上のことを語ることができた。

いまや、このふたりには、一つの共通した思いが支配していた。それは、ほかでもなく、ニコライの病気とその死期が切迫しているという思いであり、それは他のいっさいの思いを圧倒していた。しかも、ふたりのうちどちらも、あえてそれを口に出す勇気はなかったので、心にかかっている唯一《ゆいいつ》のことを口にしない以上、もうなにを話しても、そらぞらしいうそになってしまうのであった。リョーヴィンは夜がふけて寝る時刻になったのを、このときほどうれしく思ったことはなかった。彼はどんな赤の他人を相手にしているときでも、どんな公式的な訪問の際にも、今夜のように不自然で、わざとらしくつくろっていたことはなかった。自分が不自然にふるまっているという意識と、それに対する慚愧《ざんき》の念が、なおさら彼を不自然なものにするのだった。彼は死に瀕《ひん》している愛する兄のために、涙を流したかったにもかかわらず、これからの自分の生き方について語る兄の話に耳を傾けながら、それに相槌《あいづち》をうたなければならないのであった。

家の中は湿っていて、暖炉を焚《た》いている部屋は一つしかなかったので、リョーヴィンは自分の寝室に仕切りをして、兄を寝かせることにした。

兄は床についたが、眠ったのか、眠らないのか、ときどき病人らしく、寝返りをうっては咳ばらいをしていた。咳ができないときには、なにかぶつぶつつぶやくのだった。ときには重々しく溜息をついて、「ああ、神さま！」といったり、また痰《たん》で息がつまりそうになると、いまいましそうに、「えい、悪魔め！」と舌うちした。リョーヴィンはそれが耳について、長いこと眠れなかった。彼の頭に浮んだ思いは、種々雑多であったが、どんな思いも帰するところは、ただ一つ――死ということであった。すべてのものにとって避けることのできない終末である死が、今はじめて抗しがたい力をもって、彼の前に現われた。そしてこの死は、彼の前に夢うつつの中でうめきながら、つい習慣から、神と悪魔をかわるがわる無差別に呼んでいる愛する兄の中にひそんでいる死は、けっしてこれまで彼が考えていたように、縁遠いものではなかった。そうした死は彼自身の中にもいるのだった――彼はそれを感じた。それはきょうでなければあす、あすでなければ三十年後のことかもしれなかったが、それでも結局は、同じことではないか！　では、この避けることのできない死とは、いったい、なにものであろうか、彼はそれを知らなかったばかりでなく――かつて一度も考えたことがなかった。いや、それを考えるすべも知らなければ、考えるだけの勇気もなかったのである。

《おれは今働いている。なにかをしでかそうと欲している。しかし、すべてのものには終りがあるということを、死というものがあることを、すっかり忘れていたのだ》

彼は暗闇《くらやみ》の中でベッドの上に起きあがり、上体をかがめて、膝《ひざ》を抱いたまま、はりつめた思いに息さえ殺しながら、じっと考えこんだ。しかし、彼がはりつめた思いになればなるほど、ますます次のことがはっきりしてくるのだった。すなわち、それは疑いもなく、そのとおりなのであり、人生におけるたった一つの小さな事実――死がやってくれば、すべては終りを告げるのだから、なにもはじめる値うちはないし、しかも、それを救うことも不可能なのだ。自分はこの事実を忘れていたのだ。ああ、それは恐ろしいことだが、事実には違いないのだ。

《それにしても、おれはまだ生きてるじゃないか。もうこうなったら、なにをしたらいいのだ。いったいなにをしたらいいんだ?》彼は絶望的な調子で叫んだ。彼はろうそくをともして、用心ぶかく立ちあがり、鏡のところへ行って、自分の顔や髪の毛をながめはじめた。ああ、鬢《びん》には白いものがまじっていた。彼は口をあけてみた。奥歯はだめになりかけていた。彼は筋骨たくましい腕を出してみた。いや、まだ力はたくさんある。しかし、今あすこに横たわって、むしばまれている肺の一部でやっと息をしているニコライだって、かつては健康な肉体をもっていたではないか。ふと、彼は昔のことを思いだした。ふたりは子供の時分いっしょに寝ていたが、フョードル・ボグダーヌイチが戸の外へ出て行くのを待ちかねて、お互いにまくらを投げあい、大きな声できゃっきゃっと止めどなく笑いころげたものである。フョードル・ボグダーヌイチに対する恐怖さえも、この生の杯の縁をあふれて沸きたつ幸福の意識を、おさえることはできなかった。

《それなのに、今ではあのひん曲ったような空洞《くうどう》な胸だけが……いや、このおれも、なんのために、どんなことが自分の身に起るか、それさえ知らないでいるのだ》

「ごほん！　ごほん！　えい、悪魔め！　なにをそこでごそごそやってるんだい、眠れないのかい？」兄が声をかけた。

「ええ、どうしてだか、眠れなくって」

「おれのほうはよく眠ったよ。このごろはもう寝汗もかかないよ。ちょっと、シャツにさわってごらん。汗をかいてないだろう？」

リョーヴィンはシャツにさわってから、仕切り板の向うへもどり、ろうそくを消した。が、それからもまだ長いこと寝つかれなかった。いかに生きるべきかという問題がようやくいくらかはっきりしてきたかと思うと、たちまち、解決のできない新しい問題――死が現われてくるのだった。

《ああ、兄さんは死にかけている。きっと、春まではもたないだろう。じゃ、いったい、どうやって救いの手をさしのべたらいいのか？　兄さんにはなんといったものだろう？　この問題についておれは、なにを知っているというのだ？　いや、これがなにかってことさえ、おれは忘れていたんじゃないか》

32

リョーヴィンは、相手の必要以上の謙遜《けんそん》や従順に、ばつの悪い思いをさせられると、今度は逆に、そのあまりのわがままと意地の悪いからみぶりに、やりきれなくなることがあることに、もうずっと前から気づいていた。彼は、兄の場合にもこれと同じことが起るのではないかと思っていた。そして実際、ニコライのおとなしさは、ほんのわずかしかつづかなかった。彼はもうさっそくあくる日の朝から、いらいらしはじめて、弟にからんできては、そのもっとも痛いところにさわるのであった。

リョーヴィンは、自分が悪いと感じながらも、それを改めることができなかった。彼は、もし自分たちふたりが虚勢をはらずに、いわゆる、胸襟《きょうきん》を開いて語り合うならば、つまり、自分が考えたり、感じたりしていることをありのまま口にしたら、ふたりはただお互いに顔を見合せて、自分はただ、『あなたは死ぬのだ、あなたは死ぬのだ、あなたは死ぬのだ！』というだろうし、兄はただ、『死ぬってことはわかっているさ。でも、こわいんだ、こわいんだ、こわいんだ！』と答えるにちがいないと、感じていた。もしふたりが、胸襟を開いて語り合うならば、それ以外のことはけっしていわないであろう。しかし、とてもこんなふうに暮すことはできなかったから、リョーヴィンはこれまで何度もやってみながら、一度だってうまくいったためしのないことをやろうと試みた。それは、彼の観察によると、多くの人がじつに見事にやっていることであり、それをしなくては生きていけないものであった。つまり、彼は心にもないことをいおうとしたのである。しかし、それはいつもそらぞらしく聞えるような気がしたうえ、兄はそれを悟って、なおいっそういらいらするように思われた。

三日めになると、ニコライは弟を呼んで、またその計画を説明させ、それを非難するばかりでなく、わざとそれを共産主義と混同する始末だった。

「おまえは他人の思想を借りてきたばかりか、それを歪曲《わいきょく》して、適用できないものに適用しようとしてるだけじゃないか」

「ねえ、これはそんなものとはなんの関係もないって、いってるでしょう。あの連中は私有財産や資本や相続権を否定していますが、ぼくはなにもそんな重大な動機《スチムル》を退けやしませんよ（リョーヴィンはこんな言葉を使うのは自分でもいやだったが、著述に没頭して以来、知らずしらずのうちに、こうしたロシア語でない言葉をひんぱんに用いるようになっていた）。ぼくはただ、労働を調整したいと思ってるだけですよ」

「それそれ。だから、おまえは他人の思想を借りているっていうのさ。その思想の力となっているものを全部切りすててしまって、それがなにか新しいもののように思いこませようとしているのさ」ニコライは腹立たしげにネクタイの下で首をしゃくりながら、いった。

「でも、ぼくの思想はそれとはなんの関係もないんで……」

「あれには」意地悪そうに目を輝かし、皮肉なうす笑いを浮べながら、ニコライはしゃべりつづけた。「共産主義には、すくなくとも、幾何学的な美しさといったものがある——明快で、毫《ごう》も疑いを許さぬところに。ひょっとすると、それはユートピアかもしれない。しかし、かりに、過去のいっさいから tabula rasa（訳注 白紙の状態）つまり、私有財産もなければ家族もない、という状態をつくりだせるとしたら、そのときには彼らのいう労働も調整されるだろうよ。しかし、おまえの説にはなんにもありゃしないよ」

「なんだってそうごっちゃにするんです？　ぼくは一度だって共産主義者だったことはありませんよ」

「ところが、おれはそうだった。だから、それは時期尚早《しょうそう》ではあるが、合理的で将来性があると思ってるよ。ちょうど初期のキリスト教のようにね」

「ぼくが考えているのはただ、労働力というものは、自然科学の観点から検討されなければならない、つまり、それを研究して、その特質を認識して……」

「でも、そんなことはまったくむだ骨だよ。労働力というものは発達するにしたがって、自分で一定の活動形態を見いだすものなんだ。どこにだって奴隷《どれい》がいたが、その後 métayers（訳注 小作人）になったのさ。わが国にだって、折半式の労働もあれば、借地もあり、日雇い仕事もある——いったい、おまえはなにを求めているんだい？」

リョーヴィンはこうした言葉を聞くと、急にかっとなった。というのは、彼も心の奥底では、それが真実ではないかと恐れていたからである。彼が共産主義と在来の形式とのあいだに、均衡を計ろうとしたことは事実だが、それはほとんど不可能なことであった。

「ぼくは自分にとっても、労働者にとっても、生産的に働ける方法を求めているんですよ。ぼくが組織したいのは……」リョーヴィンはやっきとなって答えた。「いや、おまえはなんにも組織したくはないのさ。ただ、これまでずっとやってきたように、自分は単に百姓どもを搾取《さくしゅ》しているのではなく、理想をもってやってるってことを、もったいぶって、見せびらかしたいのさ」

「いや、兄さんがそう思ってるのなら、それでもいいですから――ぼくのことを放っといてくださいよ！」リョーヴィンはそう答えて、左の頬《ほお》の筋肉がひどく痙攣《けいれん》するのを感じた。

「おまえは信念なんてものを、もったことがないし、今ももっちゃいない。ただ自尊心を満足させたいのさ」

「いや、けっこうですとも。ぼくのことは放っといてくださいよ！」

「放っといてやるよ！　もうとっくにここを発《た》たなくちゃならなかったんだ。とっとと失《う》せやがれか！　まったく、こんなところへ来たのを後悔してるよ！」

リョーヴィンがどんなに兄の気持を落ち着かせようと努めてみても、ニコライはなにひとつ耳に入れようとせず、自分たちは別れてしまったほうがずっといいのだ、というばかりであった。そこで、リョーヴィンも、兄はもう、ただ生きているということに耐えられなくなってきたのだと悟った。

ニコライがもうすっかり出発の準備を終ったとき、リョーヴィンはまた兄のところへ行って、もしなにか気にさわったことがあったら許してくれと、不自然な調子でわびをいった。

「ほう、寛大だね！」ニコライはいって、にやりと笑った。「もしおまえが自分は正しかったのだと思いたいのなら、おまえにその満足感を味わわせてやってもいいよ。おまえのほうが正しいよ。でも、とにかく、おれは発って行くからな」

いよいよ出発というときになって、はじめてニコライは弟と接吻《せっぷん》をかわし、急に、いやにまじめな目つきで弟の顔を見つめながら、いった。

「なあ、とにかく、おれのことを悪く思わないでくれよ、コスチャ！」彼の声は震えていた。

それが彼の誠心から発せられた唯一の言葉であった。リョーヴィンはこの言葉の陰に、《おまえも見てわかっているとおり、おれはからだがよくないから、ひょっとしたら、もうこれきり会えないかもしれないな》という意味が隠されているのを悟った。リョーヴィンはそれを悟ると、両の目から涙がこぼれた。彼はもう一度兄を接吻したが、なにもいわなかった。いや、いえもしなかったのである。

兄の発った翌々日、リョーヴィンも外国への旅にのぼった。汽車の中で、偶然、キチイの従兄《いとこ》のシチェルバツキーに会ったとき、リョーヴィンの暗い顔は、ひどく相手を驚かせた。

「きみ、どうしたんだい？」シチェルバツキーは彼にたずねた。

「いや、べつに。ただ、この世の中にはおもしろいことってあまりないからな」

「とんでもないよ。それじゃ、そんなミュルハウゼンなんてとこよりも、ぼくといっしょにパリへ行こうじゃないか。この世がどんなにおもしろいか、わかるよ！」

「いや、もうぼくにはなにもかも終ってしまったのさ。そろそろ死ぬ時分だもの」

「いやあ、こいつは驚いた！」シチェルバツキーは、笑いながらいった。「ぼくなんか、これからはじめようとしているのに」

「ああ、ぼくもついこのあいだまでは、そう思っていたけれどね。今はもうじき死ぬってことがわかったのさ」

リョーヴィンは、近ごろずっと真剣に考えていたことを口にしたのである。彼はなにを見ても、ただその中に死か、死への接近だけを見るようになっていた。しかし、いったん計画した仕事は、そのためにかえって、ますます彼の心をとらえていった。しかし、死が訪れるまでは、なんとかしてこの人生を生きぬいていかなければならなかった。暗黒がすべてのものを彼の目からおおいかくしてしまった。しかし、ほかならぬこの暗黒のために、彼はその中の唯一の導きの糸は、自分の仕事であることを感じ、最後の力をふりしぼって、それをつかみ、しっかりとそれにしがみついたのであった。

第四編

1

カレーニン夫妻は、相変らず、同じ家に暮して、毎日顔をあわせていたが、お互いにまったくの他人同士であった。カレーニンは、召使たちに勝手な憶測を許さないために、毎日、妻に会うことを原則としていたが、家で食事をするのは避けるようにしていた。ヴロンスキーはけっしてカレーニン家を訪れることはなかったが、アンナは家の外で彼と会っており、夫もそれを承知していた。

こうした状態は三人のだれにとっても、苦しいものであった。この状態はじき一変して、ほんの一時的な悲しむべき境遇として過ぎ去って行くだろう、という期待がもしなかったら、彼らの中のだれひとりとして、たとえ一日でも、こんな状態を耐え忍ぶことはできなかったにちがいない。カレーニンは、すべてのものが過ぎ去って行くように、この情熱も過ぎ去って行き、世間の人もこんなことは忘れてしまって、自分の名もよごされないですむだろう、と期待していた。アンナはこうした状態をもたらした当人であり、そのためにだれよりもいちばん苦しんでいたが、こうしたことはなにもかもごく近い将来に解決のめどがつき、すっきりするだろうと、単に期待していたばかりでなく、堅くそれを信じて疑わなかったので、じっとその境遇に辛抱していた。もっともアンナは、こうした状態を解決してくれるものがなんであるかは、まるっきり、わかっていなかったが、なにかそうしたものが近い将来にやってくるだろうことだけは堅く信じて疑わなかった。ヴロンスキーも、知らずしらずのうちに、アンナの影響を受けて、自分と直接関係のない、なにごとかが起って、いっさいの困難を解決してくれるものと、同じように期待していた。

冬の半ばに、ヴロンスキーはひどく退屈な一週間を過した。彼はペテルブルグを訪問したある外国の王子の接待役を命ぜられ、ペテルブルグの名所旧跡を案内しなければならぬことになった。当のヴロンスキーは風采《ふうさい》がりっぱだったばかりでなく、上品で慇懃《いんぎん》な態度をとるすべも心得ており、こういう人たちとの応対にも慣れていたので、この王子の接待役を命じられたわけであった。ところが、この任務は彼にとって、ひどくつらいものに思われた。王子は国に帰ってから、ロシアではあれを見たかと人にきかれそうなものは、なにひとつ見落すまいと心がけていた。さらに、王子自身も、できるだけ、ロシア的歓楽を味わおうと希望していた。ヴロンスキーはこの両方とも案内しなければならなかった。午前中は、名所旧跡の見物に出かけ、夜はロシア的歓楽の席につらなった。この王子は、王子たちのあいだでもまれにみる健康の持ち主だった。王子は体操や周到な健康法によって驚くべき精力をたくわえており、ずいぶん過度な歓楽にふけっていたにもかかわらず、まるで青い、大きな、つやつやした、オランダきゅうりのように若々しかった。王子は方々を旅行していたが、彼は最近の交通機関の発達がもたらしたおもな利点の一つは、各国特有の快楽を容易に味わえるようになったことだと考えていた。スペインに行ったときには、そこでセレナードを実演し、マンドリンひきのスペイン女と親しくなった。スイスでは、かもしかを撃った。イギリスでは真紅の燕尾服《えんびふく》を着て、馬を駆って高い柵《さく》を飛び越えたり、賭猟《かけりょう》で二百羽の雉《きじ》を射とめたりした。トルコではハーレムを訪れ、インドでは象を乗りまわした。そして今度は、ロシアであらゆるロシア特有の歓楽を味わいたいと望んでいるのであった。

ヴロンスキーはこの王子に対する式部長官ともいうべき位置にあったので、さまざまな人から王子に提供される、ありとあらゆるロシア的歓楽を割り振りするのが一苦労であった。ロシアには駿馬《しゅんめ》あり、ブリヌイ（訳注　ロシア風クレープ）あり、熊《くま》狩りあり、トロイカあり、ジプシー女あり、食器をたたきこわすロシア式の酒宴ありというありさまだったからである。王子はいともたやすくロシア気質《かたぎ》を身につけてしまい、食器ののった盆をたたき落したり、ジプシー女を膝《ひざ》にのせたりして、さあ、次はなにかね、それともロシア気質ってのはもうこれだけかね？　とでもたずねているふうだった。

結局のところ、あらゆるロシア的歓楽の中で、いちばん王子のお気に召したのは、フランスの女優たちと、バレエの踊り子と、ホワイトラベルのシャンパンであった。ヴロンスキーは皇族たちには慣れていたが、彼自身が最近すっかり変ってしまったせいか、あるいは、この王子とあまり近づきになりすぎたせいか、とにかく、この一週間が彼にとってはおそろしくつらいものに思われた。彼はこの一週間というもの、危険な狂人の付添いをまかされた人が、狂人を恐れるのと同時に、その狂人のそばにいることから、自分の正気までが心配になってくる、といった感じをたえず味わっていた。ヴロンスキーは、この王子から軽蔑《けいべつ》されないために、厳格な儀式ばった態度を一瞬たりともゆるめてはならぬという気持を、たえずいだいていた。ヴロンスキーの驚いたことには、ロシア色豊かな歓楽を提供しようと懸命に努めている人びとに対する王子の態度は、かなり侮蔑的なものであった。王子はロシア女性を研究したがっていたが、それに対する彼の批評は、ヴロンスキーが一度ならず憤激に顔を赤らめずにはいられないほどのものであった。しかし、この王子がヴロンスキーにとってとくにやりきれなく思われた最大の原因は、彼がこの人物の中に、いやでも自分自身の姿を見いださずにはいられなかったからである。しかも、この鏡の中に見た自分は、彼の自尊心を喜ばすようなものではなかった。それはきわめて愚劣な、きわめてうぬぼれの強い、きわめて健康で、きわめて身ぎれいな男であり、それ以上のなにものでもなかった。彼は紳士であった。たしかに、そのとおりである。ヴロンスキーもそれを否定するわけにはいかなかった。彼は、目上の者に対しても落ち着いた態度で、けっしておもねることはなく、対等の者に対しては自由でざっくばらんであり、目下の者に対しては、自己の優位を意識した愛想《あいそ》のよさを見せるのだった。ヴロンスキー自身もまさにそのとおりで、しかも、そうした態度を以前はすぐれた美徳と考えていた。ところが、王子に対しては、彼のほうが目下であったので、そうした自己の優位を意識した愛想のよさを示されると、ひどく腹が立ってくるのだった。

《愚劣な牛肉野郎め！　おれもほんとにあんなふうなんだろうか？》彼はそう考えた。

なにはともあれ、七日めになって、モスクワに発つ王子と別れのあいさつをかわし、相手からお礼の言葉をいわれたときには、彼もこの居心地《いごこち》の悪い立場や、不愉快きわまる鏡からのがれられたことを、心からうれしく思った。彼は、夜を徹してロシア式の勇猛さが披露《ひろう》された熊狩りからの帰途、停車場でこの王子と別れたのであった。

2

ヴロンスキーが家へ帰ってみると、アンナから手紙がきていた。アンナはこう書いていた。『あたくしは病気で、つらい思いをしております。外出するわけにはまいりませんが、でも、もうこれ以上あなたにお目にかからずにはいられません。今晩いらしてくださいまし。主人は七時に会議へ出かけ、十時まではもどって来ないはずでございます』夫から家に入れてはならぬときつくいわれているにもかかわらず、アンナが自分を直接自宅へ招くのは変だと、一瞬、考えたものの、彼は行くことにきめた。

ヴロンスキーはその冬、大佐に昇進したので、連隊を出て、ひとり暮しをしていた。軽い食事をとると、彼はすぐソファの上にごろりと横になった。と、五分あまりのあいだ、この数日間に見たあの数々の醜悪な場面の思い出が、アンナの姿や、熊狩りで重要な役割を演じていた勢子《せこ》の百姓たちの姿ともつれあい、からみあっていたが、やがていつのまにか、ヴロンスキーは眠りにおちた。彼はふと恐ろしさに身を震わせながら、暗闇《くらやみ》の中で目をさまし、急いでろうそくに火をつけた。《なんだろう？　なんだったっけ？　夢に見たあの恐ろしいものはなんだろう？　そうだ、そうだ。顎《あご》ひげをぼうぼうはやした、むさくるしい、どうやら、あの小がらな勢子の百姓らしかったが、そいつが、かがみこんでなにかやっていたんだ。するといきなり、フランス語でなにか妙なことをしゃべりだしたんだ。そうだ、夢といってもただそれだけだったな》彼はひとり言をいった。《でも、それがなんだって、あんなに恐ろしかったんだろう？》百姓と、その百姓が口にしたわけのわからないフランス語を、なまなましくまた思い浮べると、彼は背筋に冷水を浴びたようにぞっとした。

《ちぇっ、くだらん！》ヴロンスキーはそう考えて、時計をちらっと見た。

もう八時半になっていた。彼はベルを鳴らして下男を呼び、急いで着替えをすると、夢のことなどすっかり忘れて、ただ遅れたことばかり気にしながら、表階段へ出て行った。カレーニン家の車寄せに近づいたとき、時計を見ると、九時十分前であった。二頭の葦毛《あしげ》馬《うま》をつけた、細っそりとした車体の高い馬車が車寄せで待っていた。彼はそれをアンナの馬車と見た。《アンナはおれのところに来るつもりなんだな》ヴロンスキーは思った。《そのほうがいいな。この家にはいるのは不愉快だし。でも、どっちみち同じことさ。いまさら、逃げ隠れするわけにもいかないよ》彼はそうつぶやき、子供のころから身につけていた、なにも恥じることはないんだといった、落ち着きはらった態度で、橇《そり》をおりると、戸口に近づいた。と、中からドアが開き、膝掛けを手にした玄関番が、馬車を呼んだ。いつもは細かいことに気のつかないヴロンスキーも、このときばかりは、自分を見たときの玄関番のひどくびっくりした表情に気づいた。戸口のところでヴロンスキーは、あやうくカレーニンとぶつかるところだった。ガス燈《とう》の光は、黒い帽子の下からのぞいている、血の気のない、げっそりこけた顔と外套《がいとう》の海獺《ラッコ》の襟《えり》の陰に光って見える白いネクタイを、まともに照らしていた。どんよりして、じっと動かぬカレーニンの目が、ヴロンスキーの顔に注がれた。ヴロンスキーは頭を下げた。と、カレーニンはちょっと唇《くちびる》を動かし、片手を帽子にかけ、そのまま、通り過ぎた。ヴロンスキーが見ていると、彼はあとを振り返りもせず、馬車に乗りこむと、窓から膝掛けとオペラ・グラスを受け取り、姿を消してしまった。ヴロンスキーは控室に通った。彼の眉《まゆ》は八の字に寄り、その目は怒りに燃えた誇らしげな光に輝いていた。

《まずいじゃないか……》彼は思った。《もしあの男に戦う気があって、断固として自分の名誉を守ろうというのだったら、このおれもしかるべき行動をとって、自分の感情を表わすこともできるんだが。それにしても、あの臆病《おくびょう》さ、あの卑劣さはどうだ

……あの男はこのおれをペテン師にしたてようとしているのだ。おれはそんなやつになるのは昔からいやだったし、今もごめんだ》

ヴレーデの庭でアンナと話し合って以来、ヴロンスキーの考えはずいぶん変ってしまっていた。アンナが彼に身も心もまかせて、この先どんなことになろうと、あくまで彼に従う覚悟で、自分の運命をきめてくれとすがってきた、そのいじらしい気持を思うと、ヴロンスキーも、あのとき考えたように、もうふたりの関係がいつかは終りを告げるだろうなどとは、とうに考えなくなっていた。彼の野望に満ちた計画は再び陰に隠れて、彼は万事がきちんと規定されている活動圏の外へ出たことを感じながら、自分の感情に、一身をゆだねてしまった。すると、この感情は、ますます強く彼をアンナに結びつけるのであった。

まだ控室にいるうちに、彼は遠ざかって行く彼女の足音を聞きつけた。アンナは耳をすまして、彼の来るのを待っていたが、ついに、あきらめ、今客間へもどって行くところなのだと彼は悟った。

「もういやです！」彼の姿を見るや、アンナは叫び声をあげた。そう叫ぶとほとんど同時に、その目には涙があふれた。「いやです、こんなふうにつづいていったら、ずっとずっと早くあのことが起ってしまいますわ！」

「ねえ、どうしたんです？」

「どうした、ですって？　お待ちしていたんですわ、苦しい思いをしながら、一時間、二時間と……。いえ、よしましょう！……あなたといい争ったりするなんていやですわ。きっと、来られないわけがあったんですのね。いいえ、もうよしましょう！」

アンナは両手を彼の肩にかけ、喜びに燃えた、と同時に、さぐるような、深いまなざしで、長いことじっと彼を見つめていた。アンナは彼と会わずにいたあいだに、彼の顔をあれこれ心に描いていたのである。アンナは、いつもあいびきのたびにするように、頭に思い描いていた彼の姿（それは、現実にはありえない、とても比べものにならないほどりっぱなものだった）を、現実の彼と一つに溶けあわせようと努めていた。

3

「ねえ、あの人にお会いになりまして？」ふたりがランプの下のテーブルのそばにすわったとき、アンナはたずねた。「それ、ごらんなさい、遅れていらした罰よ」

「ええ。でも、どうしたんです？　あの人は会議に出ているはずだったのに？」

「一度出かけたんですけど、もどって来て、またどこかへ出かけて行ったんですわ。でも、そんなことかまいませんわ。もうその話はしないで。それより、あなたはどこにいらしたの？　ずっとあの王子さまとごいっしょ？」

アンナはヴロンスキーの生活をすみずみまで知っていた。彼はゆうべはひと晩じゅう眠らなかったので、つい寝すごしてしまったのだといおうとしたが、相手の上気した、幸福そうな顔を見ると、とてもそんなことをいうのは気恥ずかしくなってきた。それで、王子の出発を報告に行かなければならなかったので、といった。

「でも、もうすっかりおすみになったんでしょう？　王子さまもお発《た》ちになったんでしょう？」

「おかげさまで、やっとすみましたよ。あの役目がどんなにつらかったか、ちょっとご想像もつかないでしょうね」

「まあ、なぜですの？　だって、それはあなた方のようにお若い殿方なら、だれでもいつもなさっている生活じゃありませんか」アンナは眉をひそめていった。そして、テーブルの上にあった編み物を取りあげて、ヴロンスキーのほうは見ずに、その中から編み棒を抜きだしにかかった。

「ぼくはとうの昔に、あんな生活とは縁を切りましたからね」彼はアンナの顔の表情の変化に驚いて、その意味を読みとろうと努めながら、いった。「それに、正直のところ」彼は微笑に口もとをほころばせて、きれいにそろった白い歯を見せながら、いった。「ぼくはこの一週間というもの、ああいう生活をながめているうちに、まるで鏡でものぞいているような気がしてきましてね、じつに不愉快でしたよ」

アンナは編み物を手にしていたが、編もうとはせず、なにかよそよそしい、きらきら光る、奇妙なまなざしで彼をじっと見つめていた。

「けさ、リーザが寄ってくれましたわ――あの人は、リジヤ伯爵《はくしゃく》夫人などかまわずに、今でもあたくしのところへ来てくれますのよ」アンナは言葉をはさんだ。「そうしてね、あなた方のご乱行のことを話して行きましたよ。ほんとにいやらしいわ！」

「ぼくも今ちょうどそのことをいおうとしていたところなんですが……」

アンナは彼をさえぎった。

「お相手は、昔なじみのテレーズだったんですって？」

「いや、ぼくがいおうと思ったのは……」

「男の方って、ほんとにいやらしいのね！　女にはそういうことが忘れられないってことが、どうしてあなた方には察しがつかないんでしょうね」アンナはますます激しい口調になっていったが、そうなることによって、自分がいらだっているわけをはっきりさせるのだった。「ことに、あなたの生活を知ることのできない女にとっては、なおさらのことですわ。あたくしがなにを知っているでしょう？　なにを知っていたでしょう？」アンナはいった。「あなたのおっしゃることだけですわ。でも、あなたのおっしゃることがほんとうかどうか、あたくしにはわかりようもないんですものね……」

「アンナ！　きみはぼくを侮辱しようというの。ぼくのことが信じられないのかい？　前にもいったじゃないか――ぼくの胸の中には、きみに打ち明けられないような考えはひとつもないって！」

「ええ、そうでしたわね」アンナはどうやら、嫉妬《しっと》の思いをはらいのけようと努めながらいった。「でもね、あたくしがどんなに苦しい思いをしているか、わかってくださったらねえ！　あなたを信じますわ、ええ、信じますわ……それで、あなたはなにをおっしゃろうとしていらしたの？」

ところが、彼には、自分のいおうとしていたことが、すぐには思いだせなかった。彼は、最近ますますひんぱんにアンナをおそうようになったこの嫉妬の発作に戦慄《せんりつ》を覚え、嫉妬の原因が自分に対する愛だとわかっていても、彼女に対して冷めていく自分の気持を隠そうにも隠しおおせなかった。彼女の愛は幸福だ、と彼は幾度自分にいいきかせたことだろう。そして実際、アンナは、愛を人生のあらゆる幸福の上においている女だけが愛しうる仕方で彼を愛してくれているのだが、彼はアンナのあとを追ってモスクワを発ったときよりも、幸福からはるかに遠ざかっているのだった。あのとき、彼は自分を不幸だと感じたが、しかし、幸福は未来にあった。ところがいまや、最高の幸福はすでに過去のものになってしまったことを感じていた。アンナは、はじめて会ったときの彼女とはまるで別人のようになっていた。精神的にも、肉体的にも、悪くなっていた。からだ全体が横に広くなって、あの女優のことを話したときなど、意地の悪い表情が浮んで、その顔だちをゆがめていた。彼は、花の美しさにひかれて、ついそれを摘みとって台なしにしてしまった人が、いまやかつての美しさを見いだしかねて、しぼんでしまった花を茫然《ぼうぜん》とながめているような思いで、彼女をながめていた。それにもかかわらず、彼は、自分の愛情がもっと激しかったころでさえ、もし強《し》いてその気にさえなれば、自分の胸からその恋心をもぎり取ることもできたであろうが、彼女に愛を感じられないように思われる今、かえって、彼女との関係は断ち切ろうにも断ち切れなくなってしまっていることを感じていた。

「ねえ、それで王子さまのことで、どんなお話をなさろうとしたの？　もう悪魔は追いはらってしまいましたわ、ほんとに、追いはらってしまいましたわ」アンナはつけ加えた。ふたりのあいだでは、嫉妬のことを悪魔と呼ぶことにしていたのである。

「ほんとよ、それで、王子さまのどんなお話をなさりたかったの？　なぜそんなにつらかったんですの？」

「ああ、じつに、やりきれなかった！」彼は、とぎれた思考の糸口をつかまえようと努めながら、いった。「あの王子は、親しく知れば知るほどいやなところが目についてくるといったタイプなんですよ。まあ、一口にいうと、品評会に出せば一等賞をもらえるような、それは見事に肥えふとった動物、いや、ただそれだけなんですね」彼はいまいましそうにいったが、その口ぶりがアンナの興味をひいたらしかった。

「まあ、それはまたどうしてですの？」アンナはききかえした。「なんといっても、あの方は、見聞も広く、教養もおありなんでしょう」

「いや、それがまったく別の教養なんですよ――ああいう連中の教養というのは。あの連中は、動物的な快楽以外はすべて軽蔑《けいべつ》しているんですが、あの男も、どうやら、教養を軽蔑する権利をうるためにだけ、教養を身につけたらしいですね」

「でも、あなた方はみんな、その動物的な快楽とやらが、お好きなんじゃありませんか」アンナはいった。そのときまたもや、彼は自分の視線を避けようとする相手の暗いまなざしに気づいた。

「なんだってそうあの男を弁護するんです？」彼は微笑しながら、いった。

「べつに弁護するわけじゃありませんけど。だって、あたしにはどっちだってかまわないことですもの。ただ、ご自身がそういう快楽をお好きでなかったら、お断わりになってもよかったんじゃないかしら。でも、あなたは、イヴの衣装をつけたテレーズを見るのがおもしろいので……」

「そら、また悪魔がでた！」ヴロンスキーはアンナがテーブルの上に置いた手をとって、それに接吻《せっぷん》しながらいった。

「ええ、でも、あたくし、いわずにはいられないんですの！　あたくしがどんなにつらい思いをして、あなたのおいでをお待ち申しあげていたか、ご存じないんですもの！　あたくし、自分じゃけっして嫉妬ぶかい女だとは思っていませんわ。嫉妬ぶかい女じゃありませんわ。あなたがこうしてここに、あたくしといっしょにいてくださると、あなたが信じられますの。でも、あなたがどこかひとりで、あたくしにはわからないご自分だけの生活をなさっていらっしゃると……」

アンナは彼から身を放して、やっと、編み物から編み棒を抜きだすと、人差指の助けをかりながら、器用な手つきで、ランプの光に輝いている白い毛糸の目をひと目ひと目ひろってゆき、刺繍《ししゅう》のある袖口《そでぐち》から出ているきゃしゃな手首を、すばやく、神経質に動かすのだった。

「それで、どうでしたの？　どこで主人にお会いになりまして？」彼女の声はいきなり不自然に響いた。

「戸口のところでばったり」

「じゃ、あの人は、あなたにこんなおじぎをしまして？」

アンナはぐっと顔を突き出し、目を半ば閉じて、素早く顔の表情を変え、両手を組みあわせた。と、ヴロンスキーはその美しい顔の中に、思いがけなく、カレーニンが自分に会釈《えしゃく》したときとまったく同じ顔の表情を読みとった。彼が微笑を浮べると、アンナはその魅力の一つとなっている、あの愛らしい、胸から出るような笑い声をたて、さもおもしろそうに笑いだした。

「ぼくにはあの人の気持がさっぱりわからないな」ヴロンスキーはいった。「別荘できみからぼくとの関係を打ち明けられたあと、あの人がきっぱりときみと別れるなり、ぼくに決闘を申し込むなりしたのなら、わかるんだけど……。しかし、どうしてもぼくにはわからないな、あの人はなんだってこんな状態に耐えていられるのか？　そりゃ、あの人が苦しんでいるのは、わかるけれど」

「あの人が？」アンナはさげすむような笑いを浮べていった。「あの人はすっかり満足しているんですわ」

「なんだってぼくたちはみんな苦しんでいるんでしょう、丸くおさめようと思えば万事うまくいくはずなのに？」

「でも、あの人だけは別ですわ。まあ、あの人がすっかりうそで凝りかたまっているということを、あたくしが知らないとでもおっしゃるの？……いいえ、人間らしい気持が少しでもあったら、あの人が今あたくしとつづけているような生活なんか、とってもできるものではありませんわ。あの人にはなんにもわからないんです、なんにも感じないんです。多少ともまともな感情をもってる人だったら、自分を裏切った妻と、一つの家に住めるでしょうか？　どうしてそういう妻と口がきけるでしょうか？　そんな妻に向って、『おまえ』なんて親しい口がきけるでしょうか？」

そこでまたしても、アンナは思わず夫の口まねをして、『おまえ、ma chère おまえ、アンナ！』といった。

「あれは男じゃありませんわ。人間じゃありませんわ、あれは人形ですよ、だれも知らなくっても、あたくしにはわかってます。ああ、もし、あたくしがあの人みたいな立場に立ったら、そんな女は、あたしのような女は、とっくに、殺していたでしょうに。八つ裂きにしたでしょうに。おまえ、ma chère アンナ、なんていうもんですか。

あれは人間じゃありませんわ。あれは長官の仕事をする機械ですわ。あの人には、あたしがあなたの妻だってことが、自分は赤の他人で、余計者だってことがわからないんですわ……もうよしましょう、よしましょう、こんな話は……」

「それはきみ、違うよ。まちがっているよ、アンナ」ヴロンスキーは相手の気持をしずめようとしていった。「でも、そんなことはもうどうだってかまわないさ。あの人の話はやめにしよう。それより、きみがなにをしていたか、それを話してください。え、どうしたの？　病気って、どんな病気なの？　医者はなんといってるの？」

アンナは皮肉な喜びの色を浮べて、彼をじっとながめていた。どうやら、彼女はまた夫の中にこっけいで醜悪な面をいくつか見つけて、それを口に出す機会を待っているらしかった。

しかし、ヴロンスキーは話をつづけた。

「ぼくの感じじゃ、これは病気じゃなくて、きみのからだのせいだと思うな。で、あれはいつになるの？」

と、皮肉な輝きは彼女の目から消えた。しかし、すぐ別の微笑が――なにか相手にはわからないものを自覚し、それと同時に、静かな悲しみを覚えて生れた微笑が、それにとって代った。

「じきよ。じきですわ。あなたは、こんな境遇はたまらない、なんとか結末をつけなくちゃ、っておっしゃいましたわね。でも、こんな境遇があたくしにとってどんなにつらいかってことは、おわかりにはなってないのよ！　自由に、だれはばかることなくあなたを愛するためなら、あたくしはどんな犠牲だってはらいますわ。そうなれば、嫉妬で、自分を苦しめたり、あなたにまで苦しい思いをさせることなんかなくなりますわ……そうなるのも、もうじきでしょうけど……でも、あたくしたちが考えているふうにはなりませんわ」

そこで、それがどんなふうにやって来るかを考えると、アンナはわれながら自分が哀れになってきて、思わず涙が目にあふれて、話をつづけることができなかった。アンナは、ランプの光に輝く指輪をはめた白い手を、彼の袖の上においた。

「それは、あたくしたちが考えているふうにはいかないでしょうね。こんなことはお話ししたくなかったんですけど、あなたがいわせておしまいになったんですわ。もうじき、ほんとに、もうじき、なにもかもけりがついて、あたしたちはみんな落ち着いて、もうこれ以上苦しむことはなくなるんですわ」

「ぼくにはわからないな」ヴロンスキーはその意味がわかっているくせに、わざとそういった。

「さっき、おたずねになりましたわね、いつ、って？　もうじきですわ。それに無事にすみっこありませんわ。いえ、どうか、すっかりいわせてちょうだい！」アンナは急いで言葉をつづけた。「あたくしにはそれがわかっているんです。ええ、ちゃんと、わかっているんですわ。あたくしは死ぬんですわ。でもあたくし、とってもうれしいんです、あたくしが死んだら、自分とあなたを救えるんですもの」

アンナの両の目からは涙があふれ落ちた。ヴロンスキーは自分の不安を隠そうと努めながら、アンナの手にかがみこんで、接吻しはじめた。この不安にはなんの根拠もなかった。彼はそれを自分でも承知しながら、それに打ち勝つことはできなかった。

「ええ、そうなるんですわ。でも、そのほうがいいんですわ」アンナは、激しい動作で彼の手を握りしめながら、いった。「それだけが、それだけが、あたくしたちに残されているたった一つの道なんですわ」

ヴロンスキーはわれに返って、頭を上げた。

「なんてばかげたことを！　なんてつまらないたわ言をいうんです！」

「いいえ、これはほんとうのことですわ」

「なにが、なにがほんとうのことなんです？」

「あたくしが死ぬってこと。あたくし、夢を見ましたの」

「夢ですって？」ヴロンスキーは鸚鵡《おうむ》返《がえ》しにいって、一瞬、自分が夢の中で見たあの百姓のことを思いだした。

「ええ、夢ですわ」アンナはいった。「その夢を見たのはもうずっと前のことですけど。こんな夢でしたの――あたくし、自分の部屋に駆けこんで行ったんですの、なにか取りに行くか、捜し物があって。ねえ、夢ではよくそんなことがありますでしょう」アンナは恐怖に目を大きく見ひらきながらいった。「そうしたら、寝室のすみっこに、なにかが立っているじゃありませんか」

「いや、ばかばかしい！　なぜそんなことを信ずるんです？」

しかし、アンナは彼に口をはさませなかった。アンナが今話していることは彼女にとってあまりにも重大なことだったからである。

「すると、そのなにかがくるっとこちらを向いたんですの。見ると、それはひげぼうぼうの小がらな、恐ろしいお百姓なんですの。あたくし、逃げようとしたんですが、そのお百姓は袋の上にかがみこんで、両手でもってしきりになにかごそごそやっているんですの……」

アンナは、その百姓が袋の中をかきまわしているしぐさをして見せた。その顔には恐怖の色が浮んでいた。ヴロンスキーも自分の夢を思い浮べて、同じような恐怖が、心の中いっぱいにひろがっていくのを感じた。「そのお百姓はごそごそやりながら、それはそれは早口のフランス語で、それもね、Rの音をのどにひっかけるようにして、《Il faut le battre le fer, le broyer, le pétrir……》（訳注『この鉄をたたいて、砕いて、練りあげなくちゃいかん……』）ってしゃべるじゃありませんか。あたくしはもう恐ろしくて恐ろしくて、早く目をさましたいと思ったとたん、やっと目がさめましたの……でも、目がさめたのもやっぱり夢の中なんですの。それで、これはいったいどういうことなのかしら、って自分で自分にたずねましたの。すると、コルネイがあたしに、『お産で、お産でお亡《な》くなりになりますよ、奥さま、お産で……』っていうじゃありませんか。そこでやっと目がさめましたの……」

「そんなばかな。いや、まったくばかげてますよ！」ヴロンスキーはいった。しかし、自分でもその声に一片の説得力もないことを感じないわけにはいかなかった。

「でも、もうこんなお話はやめましょう。ベルを鳴らしてちょうだい、お茶を持ってこさせますから。あ、ちょっと待って。あたくし、今すぐに……」

といったまま、アンナは不意に言葉を切った。その顔つきは、一瞬のあいだに変化した。恐怖と興奮にかわって、とつぜん、静かな、きまじめな、さも幸福そうなはりつめた表情が表われた。ヴロンスキーにはその変化の意味が理解できなかった。アンナは自分の体内に、新しい生命の胎動をききつけたのであった。

4

カレーニンは、わが家の表階段でヴロンスキーに会ってから、予定どおり、イタリア歌劇へ出かけて行った。彼は二幕めがすむまでそこにいて、用事のあった人にも全部会った。家へもどると、注意ぶかく外套掛《がいとう》けに目をやり、軍人外套がないのをたしかめて、例によって自分の書斎へ通った。もっとも、いつもと違って、彼はすぐ床へつこうとはせず、夜中の三時まで、書斎の中を歩きまわっていた。自分の体面を保とうともせず、情夫をわが家へ呼びいれてはならぬという唯一《ゆいいつ》の条件さえ履行しない妻に対する怒りで、彼は落ち着くことができなかった。妻は彼の要求を履行しなかったのだ。もうこうなったからには、妻を罰し、離婚を請求して、むすこを取りあげるという、かねての威嚇《いかく》を実行に移さねばならなかった。彼も、そうするためにはさまざまな困難があることを承知していたが、そうするといった以上、今の彼としては、その威嚇を実行しなければならなかった。リジヤ伯爵《はくしゃく》夫人は、それこそ現在の苦境を脱する最善の方法である、と幾度もほのめかしたし、また最近は、離婚が多く、その手続きもほとんど完全といっていいものになっていたので、カレーニンも形式上の困難を克服するのは、そうむずかしいことではないと見てとった。いや、そればかりか、不幸はひとりでやって来るものではないというたとえのとおり、異民族統治の問題でも、ザライスキー県の灌漑《かんがい》問題でも、勤務上ひじょうに不快な目にあっていたので、彼はこのところずっと、極度にいらだたしい気分になっていたのである。

彼はひと晩じゅう眠らなかったため、その憤激は急に増大していき、夜の明けるころには、その極限にまで達した。彼は急いで着替えをすますと、まるで憤激をいっぱいに満たした杯を手にして、それを少しでもこぼさないように気づかい、また同時に、その憤激とともに妻との話合いに必要なエネルギーを失うのを恐れながら、妻が起きたと聞くやいなや、すぐ妻の居間へはいって行った。

アンナは、日ごろ夫のことならなにもかも知りぬいていると思っていたが、自分の部屋にはいって来たときの彼の様子には、思わずぎょっとした。その額にはしわがより、その目は妻の視線を避けて、陰鬱《いんうつ》に自分の前方を見つめ、口はさげすむように堅く閉ざされていた。その歩きぶりにも、動作にも、声の響きにも、アンナがついぞ見たことのない決意を秘めた、毅然《きぜん》とした態度が感じられた。彼は部屋に通ると、妻にあいさつもしないで、まっすぐに妻の文机《ふづくえ》に近づき、鍵《かぎ》をとって、引き出しをあけた。

「なにがお入り用ですの？」アンナは叫んだ。

「あなたの情夫の手紙です」彼はいった。

「そんなものはここにありませんわ」アンナは引き出しをしめながらいった。が、妻のその動作から、彼は自分の推察が正しかったことを悟った。そして、乱暴に妻の手をおしのけて、素早く折りかばんをつかんだ。その中には妻のいちばん大切な書類がしまってあるのを、彼は知っていたからである。アンナは、折りかばんを取り返そうとしたが、彼は相手をつきのけた。

「すわりなさい！　あなたに話さなければならないことがあるのです」彼はいって、折りかばんを小わきにかかえたが、あまり強くそれを肘《ひじ》で締めつけたので、片方の肩がもちあがったほどであった。

アンナはびっくりして、無言のまま、おずおずと夫の顔を仰いだ。

「情夫は家へ呼び入れてはならんと、いっておいたはずですね」

「あの人に会わなければならない用事ができたので、それで……」

アンナはなんにも考えつくことができぬまま、そこで言葉を切った。

「女が情夫に会わねばならん必要など、詳しくきこうとは思いません」

「あたくしは、あたくしはただ……」アンナはかっとなっていった。夫の乱暴な態度が彼女をいらだたせ、かえって勇気を与えたのであった。「あたくしを侮辱することなんか、あなたにはなんでもないことだと思っていらっしゃるんでしょう」アンナはいった。

「相手が潔白な男や女なら侮辱することもできます。しかし、泥棒《どろぼう》に向って、泥棒といってやるのは、ただ la constatation d'un fait（訳注 事実の確証）にすぎんからね」

「まあ、あなたにそんな残酷な性格があろうとは、あたくしもまだ存じませんでしたわ」

「夫が妻に対してただ体面さえ守ればいいという条件で、妻の名誉を保護してやったうえ、自由まで与えているのを、あなたは残酷というんですね。これが残酷というものですかね？」

「それは残酷よりもっと悪いものですわ、お望みなら申しますが、それは卑劣というものですわ！」アンナは憤激を爆発させて、そう叫ぶと、立ちあがって、出て行こうとした。

「いかん！」彼は持ち前の金切り声を、ふだんよりもう一音だけ高くはりあげて叫ぶと、その大きな指で、腕輪の跡が赤く残るほど強く妻の手をつかんで、むりやりに、もとの席にすわらせた。「卑劣だと？　いや、もしそんな言葉を使いたいなら、教えてあげるが、卑劣というのは、情夫のために夫やむすこを捨てながら、平気で夫のパンを食ってることをいうのですよ」

アンナは頭をたれた。その瞬間、彼女は前の晩情夫に向っていったあの言葉、あなたこそあたしの夫で、あんな夫は余計者ですわ、という言葉を、口にしなかったばかりでなく、そんなことを考えつきもしなかった。アンナは、夫の言葉の正しさを身にしみて感じながら、やっと、低い声でこういった。

「いくらあたくしの境遇を、悪《あ》しざまにおっしゃっても、あたくしが自分で感じている以上には、悪くおっしゃれないでしょうね。でも、なんだってそんなことをおっしゃいますの？」

「なんだってそんなことをいうかだと？ なんのためだと？」彼は相変らず憤激にもえて、つづけた。「世間体だけでも守ってくれという私の意志を、あなたが履行しない以上、こうした状態にけりをつけるために、私はしかるべき方法をとることにしたと、あなたに知ってもらうためです」

「そんなことをなさらなくっても、もうすぐ、けりがつきますのに」アンナは口走った。と、もう今ではかえって望ましいものとなった死の間近いことを考えて、またしても涙が目にあふれるのであった。

「いや、こちらのけりは、あなたが情夫とふたりで考えついたことより、もっと早くなるでしょう！　あなた方に必要なのは、ただ動物的欲望の満足だけなんですから……」

「そりゃ、あたくしも、それが寛大でないなんて申しませんが、でも、あんまりごりっぱなことではありませんわね――倒れているものを打つなんて」

「なるほど、あなたは自分のことばかり考えていて、あなたの夫であった人間の苦しみなんかには興味がないんですね。その人間の、一生がめちゃめちゃになったって、その人間がどんなにくり……くり……、くりしんでも、平気なんでしょう」

カレーニンは、あまり早口でいったので、舌がもつれて、どうしても『苦しむ』という言葉が発音できず、やっとのことで『くりしむ』といったのである。アンナはおかしくなったが、それと同時に、こんな場合に、たとえそれがなんであろうと、おかしく思ったことを、恥ずかしく感じた。その瞬間、アンナははじめて相手の身になってものを感じ、相手の立場になって考えた。と、夫が気の毒になってきた。それにしても、彼女としてはなにをしゃべり、なにをすることができただろう？　アンナはうなだれて、黙っていた。相手もしばらく黙っていたが、やがてあまりきいきい響かない、冷やかな声で、でまかせの、べつにたいして意味もない言葉にわざと力を入れながら、しゃべりだした。

「あなたに話しておくことがあって来たのです……」彼はいった。

アンナはちらと彼の顔を見た。《いいえ、あれはただあたしの思い違いだったんだわ》夫が『くりしむ』という言葉で、舌がもつれたときの表情を思いだしながら、彼女は心の中で考えた。《いいえ、こんなどんよりした目をして、自己満足に落ち着きはらっている人間に、なにを感ずることができるもんですか》

「あたくし、なにひとつ変えるわけにはまいりません」アンナはつぶやいた。

「私はあすモスクワへ発《た》って、もうこの家へは帰って来ません。あなたは弁護士を通じて私の通告を受け取るようになるでしょう。私は離婚の手続きを弁護士に一任しますから。それから、私のむすこは姉のところへあずけます。これだけをいいに来たのです」カレーニンはむすこについていおうと思ったことを、やっと思い起しながら、こういった。

「あなたにはあたくしを苦しめるために、セリョージャが必要なんでしょう」アンナは上目づかいに夫を見ながら、いった。「あなたはあの子を愛してはいらっしゃいません……セリョージャは残して行ってください！」

「ああ、私はむすこに対する愛情さえなくしてしまった。それも、あれがあなたに対する嫌悪《けんお》の情と結びついているからです。しかし、やはり、私はあの子を連れて行きます。では失礼！」そういって、彼は出て行こうとした。が、今度はアンナがそれを引き止めた。

「ねえ、あなた、セリョージャは残していってくださいまし！」アンナはもう一度ささやくようにいった。「もうこのうえ、なにも申しあげることはありません。ただセリョージャは残していってください、あたくしのあれまで……もうじき、あたくし、お産をしますから。あの子は残していってくださいまし！」

カレーニンはかっとなって、妻の手を振りはらうと、黙って部屋を出て行った。

5

ペテルブルグの有名な弁護士の応接室は、カレーニンがはいって行ったとき、人でいっぱいだった。三人の婦人——老婆《ろうば》と若い婦人と商人の妻——と三人の紳士——指輪をはめたドイツ人の銀行家と、顎《あご》ひげをはやした商人と、首に十字章をかけた、いかにもおこったような顔つきの制服の官吏——は、どうやら、もうだいぶ前から、待たされているらしかった。ふたりの助手が、ペンをきしませながら、テーブルに向って書きものをしていた。カレーニンは日頃《ひごろ》から文房具に趣味をもっていたが、そこにおいてあったものは、ずばぬけていいものだった。彼はすぐそれに気がつかずにはいられなかった。助手のひとりは、立ちあがりもしないで、目を細めながら、カレーニンのほうへおこったような顔を向けた。

「なにかご用ですか?」

「ご主人にお目にかかりたいのですが」

「主人は今忙しいんです」その助手は待っている人びとをペンでさしながら、きっぱりとした調子で答えると、また、書きものをつづけた。

「ちょっと時間をさいてもらうわけにはいきませんか?」カレーニンはいった。

「暇な時間がないんです。いつでも忙しいんですから。まあ、しばらくお待ちください」

「では、ひとつ、この名刺を渡してくださいませんか」カレーニンはもう人目をしのぶわけにはいかなくなったのを知って、もったいぶって、こういった。

助手は名刺を受け取ったが、どうやら、その内容には賛成しかねるという態度で、戸の中へはいって行った。

カレーニンは、原則として、裁判の公開制には賛成であったが、ロシアにおけるその適用という点になると、自分が高官であるという関係から、その細部の点に関しては若干同意しかねるところがあった。そして、勅令によって制定されたものを非難しうる程度には、彼もそれに対して不満をもらしていた。彼はこれまでずっと官吏生活を送ってきたので、たとえなにかに賛成できない場合でも、不賛成な気持は、なにごとにも誤りはありうるものであり、それは匡正《きょうせい》しうるものだという認識によって、和らげられるのであった。新しい裁判制度においては、弁護士のおかれている条件に不賛成だった。もっとも、彼は、これまで弁護士と交渉をもつことがなかったので、それもただ理論上のことだったのである。ところが今は、弁護士の応接室で受けた不快な印象のために、その不賛成な気持がさらに強まった。

「今おいでになります」助手はいった。そして実際、二分ばかりすると、戸口のところに、弁護士と相談していた背の高い、年配の法律家と、当の弁護士が現われた。

弁護士は突き出た額の下に、薄く長い眉《まゆ》をみせ、茶色っぽい顎ひげをはやした、小がらで、ずんぐりした、はげ頭の男だった。そのネクタイや時計の二重鎖をはじめとして、エナメルの短靴《たんぐつ》にいたるまで、まるで花婿《はなむこ》のように、めかしこんでいた。その顔は小利口そうな、百姓面《づら》だったが、身なりばかりしゃれていて、しかも趣味が悪かった。

「どうぞ」弁護士はカレーニンのほうに向きなおって、いった。そして、顔をくもらせてカレーニンを先に通すと、戸をしめた。

「さあ、どうぞ」書類がいっぱい置いてある仕事机のそばの肘掛けいすをさし、自分は議長席のようなところへ腰をおろして、短い指に白いうぶ毛のはえた小さな手をこすりながら、首を横にかしげた。ところが、そういう姿勢に落ち着いたとたん、テーブルの上を小さな蛾《が》が一匹飛びすぎた。と、弁護士は、思いがけない敏速さで、さっさと両手をひろげて、その蛾を捕えると、また前の姿勢にもどった。

「私の用件についてお話しする前に」カレーニンは、驚いて弁護士の動作を目で追ってから、話を切りだした。「ぜひお断わりしておかねばならんのは、これからお話しする要件は、かならず秘密にしていただきたいということです」

かすかな微笑が、弁護士の赤っぽい口ひげを動かした。

「依頼された事件の秘密が守れないようでしたら、弁護士ではいられませんよ。しかし、強《し》いてなにか保証でもお望みでしたら……」

カレーニンはその顔をちらと見て、その灰色の利口そうな目が笑いをふくみ、なにもかも心得ているらしいのに気がついた。

「私の名前はご存じでしょうな？」カレーニンは言葉をつづけた。

「存じあげております。お名前ばかりかその有益な」彼はまた蛾を捕えた。「ご活躍も存じあげております。すべてのロシア人と同様に」弁護士はちょっと頭を下げて答えた。

カレーニンは気力をふるいおこしながら、ほっと溜息《ためいき》をついた。しかし、もういったん決意をかためたからには、彼も臆《おく》せず、口ごもりもせず、ある言葉には力さえこめながら、例の金切り声でつづけた。

「じつは、不幸にして」カレーニンは切りだした。「私は裏切られた夫なのです。そこで、法律的に妻との関係を断ちたい、つまり、離婚したい、と思うのですが、ただその場合、むすこを母親のほうへやりたくないのです」

弁護士の灰色の目は、笑うまいと努めていたが、おさえきれぬ喜びに輝いていた。カレーニンもそこにひそんでいるものが、有利な注文を受けた人間の喜びばかりではないことを、見てとった。そこには勝ち誇ったような、歓喜の色が見えた。彼がかつて妻の目に認めたあの不吉な輝きを思わすような、一種の光輝があった。

「あなたは離婚されるために、私の助力をお望みなんですね?」

「ええ、そのとおりです。ただ、前もってお断わりしておきますが、私はあなたのお骨折りをむだにするようなことになるかもしれないのです。じつは、きょう伺いましたのは、あらかじめご相談したいと思いましたので。むろん、離婚は望んでおりますが、ただ、私には、それを遂行する形式が重大なんでして。もしその形式が私の考えに合わない場合には、法律に訴えることを断念するつもりです」

「いや、それはいつの場合でもそうしたものです」弁護士はいった。「それに、それはいつの場合でも、あなたのご一存にかかっていることなんですから」

弁護士はカレーニンの足もとへ目をふせたが、それは自分のおさえきれない喜びの色が依頼者の気持を悪くするかもしれないと感づいたからであった。彼はまたつい鼻の先を飛んでいる蛾を見つけて、片手を出そうとしたが、カレーニンの位置に敬意を表して、捕えるのをやめた。

「もっとも、この問題に関するわが国の法律は、だいたいのところ、承知しておるつもりですが」カレーニンはつづけた。「ただ、一般的に、この種の事件が実際に処理される形式を伺いたいのです」

「つまり、お望みというのは」弁護士はまんざらいやでもない様子で、依頼者の話の調子にあわせながら、目も上げないで答えた。「あなたのご希望を実現しうる方法を、ご説明すればよろしいのですな」

そして、カレーニンがうなずいたのを見て、彼は言葉をつづけた。ただときどき、赤いしみが点々と浮んでいるカレーニンの顔を、ちらと見るばかりであった。

「わが国の法律による離婚は」わが国の法律に対する軽い非難の調子を声に響かせながら、彼はいった。「ご承知のとおり、次の場合に限られておりまして……ちょっと、待ってくれ！」彼は戸口へ顔を出した助手にそういったが、それでも立ちあがって行き、二言《ふたこと》三言《みこと》話してから、また席にもどった。「つまり、次の場合というのは、夫婦に肉体的欠陥がある場合、それから五年間消息不明の場合」彼はうぶ毛のはえた短い指を折った。「それから姦通《かんつう》（この言葉を彼はさもうれしそうに発音した）。これをさらに細別すると次のとおりです（彼はそういいながら、その太い指を折りつづけたが、場合と細別をいっしょに分類することができないのは、明らかなことであった）。夫あるいは妻の肉体的欠陥、それから夫あるいは妻の姦通」そこで指は全部折りまげられてしまったので、今度はそれをのばしながら、話をつづけた。「これは理論的な観点ですが、しかし、わざわざおいでいただいたのは、実際には、どんなふうに適用されているか、それをお知りになりたいためと存じますから、私は判決例を参照して、こう申しあげねばなりません。つまりですな、離婚の場合はすべて次の点に限られるのでして。では、肉体的欠陥はございませんな？　同様に、消息不明ということもございませんな？」

カレーニンは同意するように、頭を下げた。

「で、つまり、次の点に限られます――夫婦いずれかの姦通と、双方の合意による罪証の提出、それから、そうした合意なしに、不本意に罪証の発覚する場合。お断わりしておきますが、最後の場合は、実際問題として、ほとんど例がありませんな」そういって、弁護士はちらとカレーニンの顔をのぞくと、口をつぐんだ。その様子はまるでピストルを売る商人があれこれとその武器の長所を並べたてて、買い手の選択を待ちうけるといった調子であった。しかし、カレーニンが黙っていたので、弁護士は先をつづけた。「もっともありふれていて、手っとり早く、かつ合理的なのは私の考えでは、双方合意による姦通証明の場合ですな。私も教養のない人と話しているのでしたら、こんなぶしつけないい方はしないのですが」弁護士はいった。「しかし、あなたにはおわかりいただけると思いますので」

ところが、カレーニンはひどく頭が混乱していたので、双方の合意による姦通の証明が合理的なことが、すぐにはのみこめなかったらしく、その不審を目の色に表わした。と、弁護士はすかさず説明を補足した。

「そうなってはだれもいっしょに暮せないということは――これはもう一つの事実ですな。もしふたりともその点に異議がなければ、細かい点や、形式などはどうでもいいのです。それと同時に、これがもっとも確実な方法でもあるのです」

カレーニンも今度ははっきりわかった。ところが、彼は宗教的な要求をもっていたので、それがこの方法の容認を妨げた。

「それはこの場合、問題外です」彼はいった。「そうなると、可能なのはただ一つの場合しかなくなるわけですな。つまり、私の手もとにある手紙で証明される、不本意な罪証の発覚という」

手紙という言葉が出たとき、弁護士は唇《くちびる》をぐっとひきしめて、同情するような、ばかにしたような、かぼそい声を出した。

「よろしゅうございますか」彼はいいだした。「この種の事件は、ご承知のとおり、宗務省で決定されるものです。ところが、坊さんや司祭長たちは、この種の事件となると、きわめて細かい点まで知りたがりましてね」彼は司祭長たちの趣味に対する同感を微笑に表わしていった。

「手紙というものは、もちろん、ある程度まで事実をたしかめることができます。しかし、証拠は直接の方法によって、つまり、証人から得られたものでなければならないのです。要するに、もしご信頼いただけるならば、どんな方法をとるかは、私に一任していただきたいのですが。結果を望むものは、手段をも容認するわけですから」

「そのことでしたら……」カレーニンは、とつぜん、まっ青になって、しゃべりだした。しかし、そのとき弁護士は立ちあがって、また戸口から顔を出して、話の腰を折った助手のほうへ立って行った。

「あの婦人にいってくれ、こちらでは安物の事件は扱いませんて！」彼はいって、カレーニンのほうへもどって来た。

席へもどりながら、彼はそっと目につかぬように、蛾をもう一匹つかまえた。《この分じゃ、おれの絹壁掛けも夏までには台なしになっちまうな！》彼は顔をしかめながら考えた。

「それで、あなたのおっしゃいますのは……」彼はいった。

「いや、私は自分の決定を手紙でお知らせすることにします」カレーニンは、立ちあがりながらいって、テーブルの端をおさえた。ちょっと無言のまま立っていたが、また話をつづけた。「では、あなたのお話から、私は離婚は可能だと結論していいわけですな。それから、あなたのほうの条件もついでにお知らせ願えると幸いです」

「私に全面的な行動の自由を許していただければ、なんだってできます」弁護士は相手の問いには答えず、そういった。「ご通知はいつごろいただけますでしょうな？」

弁護士は戸口のほうへ近づいて行きながら、目とエナメル靴を光らせてきいた。

「一週間後に。では、この件についてご尽力いただけるかどうか、またその条件はどうかというあなたのご返事も、恐縮ですが、どうかお知らせ願います」

「承知いたしました」

弁護士は会釈《えしゃく》して、依頼人を戸口から送りだした。そして、ひとりきりになると、自分の喜ばしい感情に身をまかせた。彼はすっかり、ごきげんになったので、つい、日頃の原則に反して、手数料を負けてくれという婦人の願いをきいてしまった。そして、この冬までにはシゴーニンのところのように、家具をビロードで張りかえようときめて、もう蛾をとることもやめてしまった。

6

カレーニンは八月十七日の委員会で、輝かしい勝利をおさめた。ところが、その勝利の結果が彼を裏切ってしまったのである。異民族の生活状態をあらゆる点から研究する新しい委員会は、カレーニンの督促によって、めざましい早さと意気ごみで編成され、現地へ派遣された。その三カ月後に、報告がもたらされた。異民族の生活状態は、歴史的、行政的、経済的、人種的、物質的、宗教的な方面から研究された。あらゆる問題に対して、りっぱに解答や報告が作成された。それらは一点の疑いをはさむ余地もなかった。なぜなら、それらはつねに誤謬《ごびゅう》におちいりやすい人間の思想の産物ではなくて、公務上の活動の所産だったからである。それらの解答はすべて、公《おおやけ》の資料、つまり、郡長や教区管長の報告に基づいた、知事や大主教の報告であったし、郡長や教区管長の報告もまた、村役場や区教会の僧侶《そうりょ》の報告を基礎としたものであった。したがって、それらの解答は疑う余地のないものであった。たとえば、なぜときどき凶作が起るか、なぜ住民は自分たちの宗教に固執するか、といった、公共機関という便利なものがなくてはとても解決されない、いや、幾世紀かかっても解決されえない疑問までが、疑うべからざる明瞭《めいりょう》な解決をえられたのであった。しかも、そうした解決はすべてカレーニンの意見にとって有利であった。ところが、ストリョーモフはさきの会議で、痛いところをつかれたので、委員会の報告を受け取ると、カレーニンの思いもかけぬ術策をめぐらしたのである。ストリョーモフは他の数人の委員を抱きこんで、いきなり、カレーニンの味方に変じて、カレーニンによって提唱された政策の実行を、熱心に支持しただけでなく、さらに同じ趣旨の、極端な政策まで提唱した。これらの政策は、カレーニンの根本思想をゆがめるほど極端なものであったから、それが実施されたときはじめて、ストリョーモフの術策は表面に現われてきたのである。

そのあまりに極端な政策は、とつぜん、その愚劣さを露呈したので、当局も、世論も、聡明《そうめい》な婦人たちも、新聞も、すべてがいっせいにこの政策そのものに対して、またその政策の生みの親であるカレーニンに対して、憤激を表明しながら、総攻撃を開始したのである。ストリョーモフは、自分はただ盲目的にカレーニンの政策に従ったばかりで、今ではこうした事態にわれながら驚きあきれている、といった顔をしながら、さっと身をひいてしまった。これはカレーニンにとって、ひじょうな打撃であった。しかも、カレーニンは健康も衰え、家庭的な悩みがあったにもかかわらず、なかなか屈服しなかった。委員会の内部に分裂が生じた。ストリョーモフを頭にいただく一部の委員たちは、自分たちの誤りを弁護するために、カレーニンの指導する調査委員会の提出した報告を信用したからだといって、あんな報告はまったくでたらめで、ただ書きつぶした紙きれにすぎないと主張した。公の書類に対するこのような革命的態度の危険を見てとった、カレーニンとその一党は、調査委員会の提出した資料を支持しつづけた。この結果、政界の上層部をはじめ、一般社会にいたるまで混乱が生じた。だれもがこの事件に異常な興味をいだいていたにもかかわらず、だれひとりとして、異民族ははたして破滅に瀕《ひん》するほど困窮しているのか、それとも、繁栄しているのか、理解することはできなかった。カレーニンの立場は、この一件と、一部には妻の不貞のために、侮辱的な目で見られるようになったので、ひどく不安定なものになってきた。そして、こうした立場に立ったカレーニンは、ある重大な決意をかためた。彼は事件を実地に調査したいから、自分自身を派遣してくれと申し出て、委員会の人びとを驚かしたのである。やがて、許可をえると、カレーニンは遠隔の諸県へ出かけて行った。

カレーニンの出発は、大いに世間を騒がした。ことに出発のまぎわに、目的地までの旅費として支給された駅馬十二頭の代金を、正式な書面をもって返納したので、うわさはますます大きくなった。

「あれはとってもきれいなやり方でしたわね」ベッチイは、この件について、ミャフキー公爵《こうしゃく》夫人にいった。「それにしても、今はどこにだって鉄道があるのは、周知の事実ですのに、なんだって駅馬の代金なんか支給するんでしょうね？」

ところが、ミャフキー公爵夫人はそれに賛意を示さなかった。トヴェルスコイ公爵夫人の意見は、夫人の癇《かん》にさわったほどであった。

「そりゃ奥さまはそんなのんきなお話ができになりますけど」夫人はいった。「だって、何百万か存じませんけど、たいした財産家でいらっしゃいますもの。でも、あたしなんか、主人が夏の視察旅行に出かけるのは、大歓迎でございますよ。主人のからだのためにもなりますし、第一、旅をするのは楽しみですし、こちらはまたそのお金を馬車の修理代や、御者の手当てにあてることに、ちゃんときめてあるんですもの」

遠隔の諸県へ向う途中、カレーニンは三日間、モスクワに滞在した。着いた翌日、彼は総督を訪問しに出かけた。いつも自家用馬車や辻馬車《つじばしゃ》が群がっている新聞横丁の四つ角《かど》で、カレーニンは、ふと、自分の名を呼んでいる愉快そうな甲高《かんだか》い声を耳にして、思わず、振り返らずにはいられなかった。と、歩道の角に、流行の短い外套《がいとう》を着て、流行の鍔《つば》の狭い帽子を横っちょにかぶったオブロンスキーが、赤い唇のあいだからまっ白い歯を見せて、笑いながら、陽気な、若々しい、元気いっぱいの姿で立ちはだかり、やけに強い調子で声をはりあげ、執拗《しつよう》に、馬車を止めようとしているのであった。彼は角に待たしてあった馬車の窓に、片手をかけていた。窓の中からはビロードの帽子をかぶった婦人の頭と、ふたりの子供の頭がのぞいていた。するとと、彼はにこにこ笑いながら、片手で義弟をさし招くのであった。婦人も人のよさそうな微笑を浮べて、これまたカレーニンに手を振っていた。それはドリイと子供たちであった。

カレーニンは、モスクワではだれにも会いたくなかったが、だれよりも妻の兄には会いたくなかった。彼はちょっと帽子を持ちあげて、通りすぎようとした。しかし、オブロンスキーは御者に停車を命じ、雪を踏んで、カレーニンのほうへ駆けよって来た。

「やあ、知らせてくれないなんてけしからんじゃないか！　もうずっと前から？　きのうホテル『デュソー』へ行ったら、記名板に『カレーニン』と書いてあったが、まさかそれがきみだとは夢にも思わなかったよ！」オブロンスキーは、馬車の窓へ首を突っこみながら、いった。「そうと知っていたら、部屋へたずねて行ったのに。でも、会えてじつにうれしいよ！」彼は雪を落すために、足と足をぶっつけながら、いった。「知らせないとは、ほんとにけしからんよ！」彼は繰り返した。

「暇がなくってね。とにかく忙しいんでね」カレーニンはそっけない調子でいった。

「さあ、家内のところへ行こう。あれはとてもきみに会いたがっているんだよ」

カレーニンは、冷え性の足をくるんでいた膝掛《ひざか》けを取って、馬車から出て来ると、雪を踏んで、ドリイのところへ歩いて行った。

「まあ、どうしたんですの、カレーニンさん。なんだってそうあたしどもを避けていらっしゃいますの？」ドリイは微笑を浮べながら、いった。

「とても忙しかったものですから。でも、お目にかかれてうれしいですよ」彼はこうした出会いを、さもまずいといわんばかりの調子でいった。「お元気ですか？」

「それよりか、あたしの大好きなアンナはどうしていますの？」

カレーニンはなにかうめくようにいって、そのまま立ち去ろうとした。しかし、オブロンスキーはそれを引き止めた。

「それじゃ、あすはこういうことにしよう。ドリイ、この人を食事にお招きして、コズヌイシェフとペスツォフを呼ぼうじゃないか！　この人にモスクワのインテリゲンチャをごちそうするんだ」

「では、どうぞ、いらしてくださいまし」ドリイはいった。「五時にお待ち申しあげておりますから。でも、ご都合によっては、六時でもけっこうでございます。ねえ、あたしの大好きなアンナはどうしておりまして？　もうずいぶん長いこと……」

「達者ですよ」カレーニンは顔をしかめながら、うめくようにいった。「いや、じつに愉快でしたよ！」彼は自分の馬車のほうへ歩きだした。

「いらしてくださいますね？」ドリイは大きな声でいった。

カレーニンはなんとかいったようだったが、ドリイは馬車の響きに妨げられて、よく聞きとれなかった。

「あす、寄るからね！」オブロンスキーは相手に叫んだ。

カレーニンは馬車に乗ると、その中に深く腰をおろして、自分でも見えなければ、人にも見られないようにした。

「変った男だな！」オブロンスキーは妻にいった。それから時計を見ると、顔の前で、妻と子供たちに愛情を示すしぐさを片手でやって、さっそうと歩道を歩きだした。

「スチーヴァ！　スチーヴァ！」ドリイは顔を赤くして叫んだ。

彼は振り返った。

「ねえ、あたし、グリーシャとターニャに、外套を買ってやらなくちゃなりませんの。お金をくださいな」

「なに、かまやしないよ、勘定は私がするといっときなさい！」そういうと、彼はおりから通りかかった知人のほうへ頭を振って、そのまま見えなくなってしまった。

7

翌日は日曜日だった。オブロンスキーは劇場のバレエの稽古《けいこ》に立ち寄り、新しく彼の世話で入座したマーシャ・チビーソヴァというかわいい踊り子に、前の晩約束した珊瑚《さんご》珠《じゅ》を渡した。そして、劇場の昼の暗さにまぎれて、楽屋で、そのかわいらしい顔に接吻《せっぷん》した。この珊瑚珠の贈り物のほか、彼にはバレエがはねたあと、この踊り子と会う約束をする必要があったのである。彼は開幕には間にあわぬわけを説明し、最後の幕までにはきっと来て、あとで食事に連れて行ってあげようと約束した。オブロンスキーは劇場からまっすぐに、オホートヌイ街へ立ち寄って、みずから晩餐《ばんさん》用の魚とアスパラガスを選び、十二時にはもうホテル・デュソーへ着いた。そこで彼は、幸いにも同じホテルに泊っていた、三人の知人をたずねることにしていたのである。ひとりは、最近外国の旅から帰って、ここに滞在しているリョーヴィン、もうひとりは今度栄転して、モスクワへ視察にやって来た彼の属する局の新長官、もうひとりはどうしても晩餐に連れて来なければならない、義弟のカレーニンであった。

オブロンスキーは宴会が好きであったが、とりわけ自宅で宴会を催すのは大好きであった。それも、そうおおげさなものではなくても、料理にしても、飲み物にしても、客の選び方にしても、よく吟味するのが好きであった。今夜のプログラムは、自分でも大いに気に入っていた。つまり生きた鱸《すずき》、アスパラガス、それからla pièce de résistance（訳注　おもなごちそう）としては、すばらしい味だが、さっぱりしたローストビーフと、それにふさわしい数々の酒。これらは料理と飲み物の話であるが、客としては、キチイとリョーヴィンが来るのだが、ただその組み合せを目だたないようにするために、従妹《いとこ》と若いシチェルバツキーを呼んであった。さらに、客の la pièce de résistance としては、コズヌイシェフとカレーニンというわけである。コズヌイシェフはモスクワっ子の哲学者、カレーニンはペテルブルグっ子の実務家である。このほかもうひとり、有名な変り者で、感激家で、自由主義者で、おしゃべりで、音楽家で、歴史家である、このうえもなく愛すべき五十歳の青年、ペスツォフを呼んであった。これは、コズヌイシェフとカレーニンのためにソースともなり、つまともなるべき人物であった。この男なら、きっと、ふたりをけしかけて、うまくかみあわせてくれるにちがいなかった。

森の代金の二回めの払いは、例の商人から受け取って、まだそっくり残っていたし、ドリイは近ごろとても優しく、愛想《あいそ》がよかったので、こうした宴会の企ては、あらゆる点からみて、オブロンスキーを喜ばせた。彼はこのうえもなく上きげんであった。もっとも、いささかおもしろくない事情が二つあったけれども、それは二つとも、オブロンスキーの胸で、人のいい、ごきげんの海の中に沈んでしまっていた。この二つの事情というのは、こうであった。第一は、きのうカレーニンに往来で会ったとき、相手が自分に対していかにもそっけなく、つんとしていたのに気づいたことである。カレーニンの顔に表われたこの表情と、モスクワへ来ていながらたずねて来るどころか、知らせてもよこさなかったことを、かねてアンナとヴロンスキーについて耳にはさんだうわさと思いあわせて、オブロンスキーは、あの夫婦のあいだがなにかうまくいってないことを、察したのであった。

　これが第一の不快事であった。もう一ついささかおもしろくないのは新しい長官が、すべての新任長官の例にもれず、朝は六時に起きて馬車馬のごとく働き、部下にもそれと同じ働きを要求するという、恐ろしい人間だとの評判をはやくもたてられたことである。この新長官は熊《くま》のように粗野な態度で人に接し、うわさによれば、前長官が属していたばかりでなく、今日までオブロンスキー自身も属している傾向とはまったく反対の人だということであった。きのうオブロンスキーは制服を着て出勤したところ、新長官はひじょうに愛想がよく、まるで旧知のごとく、オブロンスキーと話しこんだ。そこで、オブロンスキーはきょうはフロック姿で彼を訪問することを、自分の義務と心得たのであった。新長官は、ひょっとして、自分をあまり歓迎しないかもしれぬという思いが、第二の不快な事情であった。もっとも、オブロンスキーは本能的に、なにもかも丸くおさまるだろうと直感した。《だれだってみんな、われわれと同じように、罪の深い人間なんだ。なんでおこったり、けんかしたりするわけがあろう》彼はホテルへはいりながら、考えた。

「やあ、ワシーリイ」彼は帽子を横っちょにかぶって、廊下を通りながら、顔なじみのボーイに声をかけた。「頬《ほお》ひげをはやしたな？　リョーヴィンは――七号室だったね、え？　ひとつ、案内してくれ、それから、アニーチキン伯爵が（これが新長官だった）会ってくれるかどうか、うかがってみてくれ」

「かしこまりました！」ワシーリイはにこにこしながら答えた。「ずいぶん長いことこちらへお見えになりませんでしたね」

「きのうも来たよ。ただ別の口からはいったからね。ここが七号室かい？」

リョーヴィンがトヴェーリの百姓を相手に、部屋のまん中に立って、まだなまなましい熊の毛皮をものさしで計っているところへ、オブロンスキーははいって行った。

「ほう、射とめたのかい？」オブロンスキーは叫んだ。「すばらしいものだなあ！　雌かい？　やあ、アルヒープ！」

彼は百姓の手を握ると、外套も帽子もとらずに、そのまま腰をおろした。

「まあ、帽子でもとって、ゆっくりしろよ！」リョーヴィンは相手の頭から帽子をとってやりながら、いった。

「いや、そんな暇はないんだ。ほんの一分間だけ寄ったんだから」オブロンスキーは答えた。彼は外套の前をぱっとひろげたが、やがてそれも脱いでしまって、リョーヴインを相手に、猟のことや、親密な打ち明け話をしながら、まる一時間もすわりこんでしまった。

「まあ、ひとつ、聞かせてくれよ。きみは外国でなにをしてたんだい？　どこに行ったの？」オブロンスキーは百姓が出て行くと、そうたずねた。

「いや、ぼくはドイツにも、プロシャにも、フランスにも、イギリスにも行ったよ。でもその首都にいたんじゃなくて、工業都市にいたんだ。ずいぶん新しいものを見て来たよ。行ってよかったと思っている」

「なるほど、きみが労働者の組織問題を考えてるってことは知ってるよ」

「いや、それはまるで見当違いだよ。ロシアにはまだ労働者の問題なんかありえないよ。ロシアにあるのは土地と百姓たちとの関係という問題さ。そりゃ、この問題は向うにもあるさ。ただ向うじゃ、ただこわれたものをつくろうぐらいのところだが、こちらじゃ……」

　オブロンスキーは注意ぶかく、リョーヴィンの話を聞いていた。

「うん、なるほど！」彼はいった。「きみの説はたしかにほんとかもしれないね」彼はつづけた。「いや、きみが元気でぼくもうれしいよ。熊狩りをしたり、仕事をしたり、なんにでも熱中できるんだから。じつは、シチェルバッキーの話だと――やっこさん、きみに会ったんだろう――きみはえらくしょげていて、死ぬってことばかりいってたそうじゃないか……」

「それがどうだっていうんだい？　今でも、ずっと死について考えているよ」リョーヴィンはいった。「もうそろそろ死ぬ時分だってのはほんとのことだよ。いや、こんなことはみんなくだらんことだよ。ほんとのことをいえば、ぼくは自分の思想も仕事も高く評価しているけれど、実際、考えてみると、このおれたちの世界なんて、ちっぽけな惑星の上にはえた小さなかびじゃないか。それなのに、おれたちは、この上になにか偉大なものが、偉大な思想とか事業とかが、生れるような気がしているんだからね。そんなものはみんな砂粒みたいなもんさ」

「なに、そんな考えは、この世界同様、古い言いぐさだよ！」

「古くさいかもしれんよ。でも、いったんそうはっきり理解すると、いっさいのものがなにかつまらなくなるんだね。きょうあすにも死んじまって、なんにも残らないと思うと、なにもかもつまらなくなってくるのさ。そりゃ、ぼくだって、自分の思想は大いに重大なものと思っているけれど、たとえそれが実現されたところで、この雌熊を射とめるのと同様、つまらなくなってしまうんだよ。けっきょく、人はただ死ということを考えたくないばかりに、猟や仕事で気をまぎらしながら、この一生を送っているわけなんだね」

オブロンスキーはリョーヴィンの話を聞きながら、かすかに優しい微笑を浮べていた。

「そりゃ、もちろんさ！　でも、きみはこの前ぼくのところへやって来て、なんていったっけ？　え、覚えてるだろう、ぼくがこの人生にあまり快楽ばかり求めてるといって、攻撃したじゃないか！　いや、『モラリストのきみよ、そうかたくなりたもうな』だよ」

「いや、そりゃ、やっぱり、この人生にもいいことはあるさ……」リョーヴィンは口ごもった。「ぼくにもわからないがね。ただわかっているのは、人間なんてもうじき死んでしまうってことさ」

「なぜもうじきなんだい？」

「しかしね、死ということを考えると、人生の魅力は減るかもしれないけれど、そのかわり、気持はずっと落ち着いてくるね」

「そりゃ、反対だよ。いや、終りに近づくほど、よけいに楽しくなるものさ。ところで、ぼくはそろそろ、行かなくちゃ」オブロンスキーは十度めにやっと腰を上げながら、いった。

「まあ、いいじゃないか。もうちょっと、話して行けよ！」リョーヴィンは相手を引き止めながらいった。「じゃ、今度はいつ会えるね？　ぼくはあす発《た》つんだが」

「おれもやきがまわったな！　やって来た用事を忘れるなんて……今晩はぜひ家へ食事に来てくれ。きみの兄貴も来るし、ぼくの義弟のカレーニンも来るんだ」

「へえ、あの人がここにいるのかい？」リョーヴィンはいって、キチイのことをききたいと思った。彼は、キチイが冬の初めにペテルブルグへ行って、外交官夫人になっている姉のところに滞在していると聞いたが、もうもどって来たのかどうかは知らなかった。しかし、思いなおして、きくのをやめた。《来ようと来まいと同じことじゃないか》

「じゃ、来てくれるね？」

「ああ、もちろんさ」

「じゃ、五時に、フロックでね」

そういってオブロンスキーは立ちあがると、階下の新長官のところへおもむいた。オブロンスキーの直感はまちがっていなかった。恐ろしいという評判の新長官は、会ってみると、きわめて温厚な人で、オブロンスキーは彼といっしょに、昼食をとり、つい長居をしてしまって、カレーニンのところへ行ったときには、もう三時をまわっていた。

8

カレーニンは祈禱式《きとうしき》からもどって来ると、午前中ずっとホテルで過した。その朝、彼には二つの用件があった。第一は、目下モスクワに滞在中で、これからペテルブルグへ発つ異民族の代表団に会い、適切な指導を行うことであり、第二は、例の弁護士あてに約束の手紙を書くことであった。代表団のほうは、カレーニンが音頭《おんど》をとって呼んだのではあるが、いろんな困難や危険の恐れさえあったので、カレーニンはモスクワで彼らに会えたことを、とても喜んだ。代表団の人びとは、自分の役割や任務についても、まるっきり理解をもっていなかった。彼らは自分たちの仕事は、ただ窮状を訴え、実情を述べて、政府の援助を請願することであると単純に信じきっており、ある種の陳述や要求は、かえって敵側を利することを、まるっきり理解していなかった。彼は長いこと代表団の人たちのために時間をつぶし、この枠《わく》からはみ出てはいけないと、一定の行動プランをこしらえてやり、彼らを帰してから、代表団の指導を依頼する手紙を、ペテルブルグへ書いた。この件については、リジヤ伯爵《はくしゃく》夫人が主として力をかしてくれることになっていた。夫人は代表団のことに関してはひとかどの専門家で、夫人ほど代表団のために気をくばって、適切な方向へ指導できるものは、ほかにいなかった。この件を片づけると、カレーニンは弁護士あての手紙をも認《したた》めた。彼は少しもためらうことなく、相手に、独断で行動してよいという許可を与えた。その手紙の中に、彼は例のむりやりに取りあげた折りかばんの中にあった、ヴロンスキーがアンナにあてた三通の手紙を同封した。

カレーニンがもう二度と帰らぬ決心で、家を出てから、弁護士を訪問して、たとえ彼ひとりだけでも自分の意図を打ち明け、そうした人生上の問題を、書類上の事件にすりかえて以来、彼はしだいに自分の意向に慣れてゆき、もう今では、その実行の可能性を、はっきりと認めるようになっていた。

彼が弁護士あての手紙に、封をしていたとき、オブロンスキーの声高《こわだか》な話し声が耳にはいった。オブロンスキーは、カレーニンの召使といい争って、すぐ主人に取次げといい張っていた。

《どっちみち同じことさ》カレーニンは考えた。《いや、かえって好都合なくらいだ。今すぐ、あの男の妹に対するおれの立場を打ち明け、おれがあの男の家で食事をするわけにはいかない理由を、説明してやろう》

「お通ししろ！」彼は書類を集めて紙ばさみにしまいながら、大きな声でいった。「それみろ、きさまはうそをついたな。ちゃんとおいでになるじゃないか！」通してくれなかった召使に向って、オブロンスキーのそう答える声が聞えた。やがて当のオブロンスキーが、外套《がいとう》を脱ぎながら、部屋の中へはいって来た。「やあ、きみに会えて、じつにうれしいよ。じゃ、待ってるからね……」オブロンスキーは愉快そうにしゃべりだした。

「私は伺うわけにはまいりません」カレーニンは立ったまま、客をすわらせもしないで、冷やかにいった。

カレーニンは、離婚の訴訟を起そうとしている妻の兄に対して、当然とるべき態度を、今すぐにでもとれるものと考えていた。ところが、彼もオブロンスキーの心の中からあふれ出る、海のような善意だけは、計算に入れていなかったのである。

オブロンスキーは、その輝かしい明るい目を、大きく見ひらいた。

「なぜ来られないんだい？　それはどういう意味だね？」彼はけげんそうにフランス語でいった。「いや、もう、いったん約束したことじゃないか。みんなはきみのことを心待ちしてるんだからね」

「お宅へ伺えないわけは、これまで私たちのあいだにあった親戚《しんせき》関係が、近く断たれなければならないので、それで行くわけにいかないのです」

「えっ？　そりゃまたどうして？　なぜだい？」オブロンスキーは、微笑しながらたずねた。

「なぜなら、私はあなたの妹さんと、つまり、私の妻と、離婚の訴訟を起そうとしているからです。私としてはやむをえず……」

ところが、カレーニンが話し終えぬうちに、もうオブロンスキーは、彼にとってまったく予想外の態度に出た。オブロンスキーは「あっ」と叫んで、肘掛《ひじか》けいすに腰をおろしてしまったからである。

「いや、きみはなにをいってるんだ！」オブロンスキーは叫んで、その顔に苦痛の色が表われた。

「これは事実です」

「失礼だが、とてもそんなこと信ずることはできない、できないよ……」

カレーニンは腰をおろしたが、心の中では自分の言葉が予期していた効果を奏さなかったからには、なんとしても、くわしい説明をしなければならぬが、どんなに説明したところで、この妻の兄と自分との関係は依然として変らないだろう、と感じていた。

「いや、とにかく、私は離婚を要求しなければならない苦しい立場に追いこまれたのです」彼はいった。

「それじゃ、ぼくにもひと言だけいわせてくれ。そりゃ、きみがりっぱな、公明正大な人物だってことは知ってるが、ぼくはアンナのことも知っているからね。いや、失礼だが、今でも妹についての自分の意見を変えるわけにはいかないね。あれはとても美しい、りっぱな婦人だよ。だからぼくにはとてもそんなことを信じるわけにはいかないね」

「そう、ほんとにこれが単なる誤解だったら」

「失敬、いや、きみの気持もわかるよ」オブロンスキーはさえぎった。「しかし、これはいうまでもないことだけど……ただひと言いっとくと、けっしてあわてちゃいけない。絶対に、あわててはいけない！」

「私はあわてませんでしたよ」カレーニンは冷やかにいった。「でも、こうした問題では、だれとも相談できませんからな、私はかたく決心したんです」

「いや、こりゃ、たいへんなことだ！」オブロンスキーは、重苦しく溜息《ためいき》をついていった。「ひとつだけ、ぼくに言わせてくれよ、カレーニン君。頼むから、そうやってくれたまえ！」彼はいった。「ぼくの見たところ、手続きはまだはじめられてはいないようだね。ねえ、手続きをはじめる前に、うちの女房と会って、話をしてくれたまえ。あれはアンナを妹のように愛しているし、きみのことも愛しているんだ。とにかく、驚くべき女なんだ。後生だから、あれと話をしてみてくれたまえ！　それくらいの友情は示してくれてもいいじゃないか、こうやって頼んでいるんだから！」

カレーニンはじっと考えこんだ。オブロンスキーもその沈黙を妨げずに、同情の目で相手を見つめていた。

「うちへ来てくれるね？」

「さあ、どうしたものかな。そういうわけだから、お宅へも寄らなかったのさ。われわれの関係も当然変るべきものだと思うけれどね」

「それはまたなぜだい？　ぼくはそう思わないね。いや、ぼくとしては、失礼だが、こう思っているよ。われわれの親戚関係を別にしても、ぼくがいつもきみに対していだいている友情と、……心からの尊敬の、せめて何分の一かでもきみがぼくに対してもっていてくれたら、とね」オブロンスキーは、相手の手を握りしめながらいった。「たとえきみの最悪な想像が、万一、ほんとだった場合にも、ぼくはきみたちのどちらがいいとか、悪いとかそんな批判はしないつもりだし、将来ともしやしないよ。だから、ぼくとしては、われわれの関係を一変しなくちゃならない理由なんて認められないね。しかし、それはともかく、今は、この一つだけ頼むよ。うちの女房のところへ来てくれたまえ」

「いや、この問題については、われわれは見方が違うんですよ」カレーニンは、冷やかにいった。「しかし、もうこの話はしないことにしましょう」

「いや、それにしても、なぜうちへ来られないんだね？　今晩、飯を食べるだけでも？　女房は待ちこがれていたよ。どうか、来てくれたまえ。とにかく、あれと話し合ってもらいたいんだ。あれは驚くべき女なんだから。後生だから、膝《ひざ》をついて頼むよ！」

「それほどまでいわれるなら、行きましょう」カレーニンは、ほっと溜息をついて、いった。

そして話題を変えるために、彼はふたりに興味のある問題について、質問をはじめた。それはまだそう年配でもないのに、とつぜん、あのような高い地位に任命された、オブロンスキーの新しい長官のことであった。

カレーニンは以前からアニーチキン伯爵がきらいだったし、いつも意見を異にしていたので、いまや、勤務に失敗した人間が、出世した同僚に対していだく、勤め人なら容易に理解できる、あの憎悪《ぞうお》の念を、禁ずることができないのであった。

「それで、どうしたね、もうあの男に会ったのかね？」カレーニンは、毒を含んだ微笑を浮べながら、きいた。

「もちろんさ。きのう役所へやって来たからね。でも、あの人は、どうやら、仕事もよくわかってる、なかなかの活動家らしいね」

「そうだろうね。それにしても、その活動は、どういう傾向のものかね？」カレーニンはいった。「ほんとに仕事をするためか、それとも、人のやったことをやりなおすためかね？　わが国の不幸は、書類上の行政ということだが、あの男はその方面でのりっぱな代表者だからね」

「じつのところ、ぼくには、あの人のどこを非難すべきか、よくわからないね。そりゃ、あの人がどんな傾向の人物かは知らないけれど、ただ一つわかってるのは――あの人がなかなか話せる男だってことさ」オブロンスキーはいった。「今、あの人のとこへ寄って来たんだが、いや、まったく話せる人でね。いっしょに昼飯を食ってね、きみはあの飲み物を知ってるかい？　オレンジ入りのぶどう酒を？　いや、あいつを伝授して来たところなんだ。なにしろ、あれはじつにさっぱりした飲み物だからね。いや、ほんとに、あの人は話せるよ」

オブロンスキーはちらと時計を見た。

「や、これはいかん、もう四時をまわってる。これからまだドルゴヴーシンのところへ寄らなくちゃならないんだよ！　じゃ、まちがいなく、食事にやって来てくれよ。もし来なかったら、ぼくも女房もどんなにがっかりするか、きみにはちょっと、想像もつかないだろうよ」

カレーニンは義兄を送りだしたが、その態度は迎えたときと、すっかり変っていた。

「約束したからには、きっと行くよ」彼は力のない声で答えた。

「いや、まったく、恩に着るよ。きみだって後悔しないだろうと思うがね」オブロンスキーは、にこにこしながらいった。

それから、彼は歩きながら外套を着ようとして、片手がボーイの頭にさわると、笑い声をたてて、出て行った。

「五時に、フロックでね。頼んだよ！」彼は戸口まで引き返して、もう一度こう叫んだ。

9

もう五時をまわっていたので、当の本人が帰宅したときには、すでに二、三人の客が来ていた。彼は車寄せのところで落ち合ったコズヌイシェフとペスツォフといっしょにはいって来た。このふたりは、オブロンスキーの言葉によれば、モスクワ知識人の主要な代表者であった。ふたりとも、その性格からいっても、頭脳からいっても、尊敬に値する人物であった。もっとも、ふたりは互いに尊敬しあってはいたものの、ほとんどあらゆる点で、まったくどうにもならぬほど、意見を異にしていた。それは、ふたりが互いに相反する党派に属していたからではなく、かえって、同じ陣営に属していながら（敵はふたりを一つに混同していた）、その陣営の中にあって、それぞれ自分のニュアンスをもっていたからである。しかも、この、半ば抽象的な問題に関する意見の相違ほど、一致させにくいものはないので、ふたりはいまだかつて、意見の一致を見たことがないばかりか、もうずっと前から、互いに相手の手もつけられぬ頑《がん》迷《めい》さを、腹も立てないで、笑いとばす習慣になっていた。

ふたりが天気の話をしながら、戸口へはいろうとしたときに、オブロンスキーは彼らに追い着いた。客間にはもう、ドリイの父親たるシチェルバツキー老公爵、若いシチェルバツキー、トゥロフツィン、キチイ、それにカレーニンが席についていた。

オブロンスキーはすぐに、自分がいないために、客間の空気がなんとなく気づまりなのを、見てとった。ドリイは、ねずみ色の絹の晴着を着ていたが、子供部屋で別に食事をさせなければならぬ子供たちのことや、夫がいつまでも帰って来ないことに、気をもんでいたらしく、夫の助けなしには、この一座の空気を和やかにすることができないでいた。来客たちは、まるでお客に呼ばれた坊さんの娘のように（これは老公爵の言いぐさであった）、なぜこんなところへやって来たのかしらという顔つきをしながら、ただ黙っているわけにもいかないので、なにかしら言葉をひねりだしていた。好人物のトゥロフツィンは、明らかに、とんでもない場違いの世界へ舞いこんだものだと感じているらしく、オブロンスキーを迎えたとき、厚い唇《くちびる》に浮べた微笑は、まるで『やあ、きみ、えらい人たちのあいだにすわらしたもんだなあ！　これがChâteau des fleurs（訳注　花の城）で一杯やるのなら、おれも調子が出るんだが』と、言葉でいっているみたいであった。老公爵は無言のまま、ぎらぎら光る小さな目で、カレーニンをわきからながめていた。そこでオブロンスキーは、老公爵がはやくも、このまるで鱘魚《ちょうざめ》かなんかのように客たちのごちそうにされている天下の名士を、形容するにふさわしい言葉を思いついたらしいのを、見てとった。キチイは、リョーヴィンがはいって来ても、顔を赤らめないように、緊張した面持《おもも》ちで戸口のほうをながめていた。だれもカレーニンに紹介してくれなかった若いシチェルバツキーは、そんなことは少しも気にしていないというそぶりを、見せようと努めていた。当のカレーニンは、婦人同席の晩餐《ばんさん》におけるペテルブルグの習慣どおり、燕尾服《えんびふく》に白ネクタイを締めていた。オブロンスキーはその顔つきを見て、彼はただ約束を守るために来たのであって、こういう席にいるのはつらい義務を果しているのだと悟った。彼こそは、オブロンスキーが帰って来るまで、来客一同の気持を冷やかなものにしていた張本人なのであった。

客間へはいると、オブロンスキーはまず平あやまりにあやまってから、ある公爵に引き止められていたのでと弁解した。もっとも、その公爵というのは彼が遅刻したり、不参したりするとき、いつもだしに使われる身代りの山羊《やぎ》なのであった。つづいて、彼はあっという間に、一同を紹介して、カレーニンとコズヌイシェフを組み合せて、ポーランドのロシア化という話題をあてがうと、ふたりはさっそく、ペスツォフとども、それにとびついていった。さらに彼は、トゥロフツィンの肩をたたいて、なにかこっけいなことをささやいてから、妻と公爵のそばへすわらせた。それから、キチイに向って、きょうは特別きれいだねといって、若いシチェルバツキーをカレーニンに紹介した。実際、彼は、またたく間に、一座の人びとの気持をほぐしたので、客間はどこへ出しても恥ずかしくないものになり、人びとの声も生きいきと響きはじめた。ただひとり、リョーヴィンだけが見えなかった。もっとも、それはかえって幸いであった。というのは、オブロンスキーが食堂へ出てみると、驚いたことに、ポートワインとシェリー酒はレヴェーの店のものでなく、デプレの店のものであった。そこで、彼は一刻も早く、御者をレヴェーの店へやるように手配して、また客間へ引き返した。と、食堂でリョーヴィンにばったり出会った。

「遅れたかい？」

「きみが遅れないってことがあるかよ」オブロンスキーは、彼の腕をとっていった。

「大勢来ているのかい？　だれとだれ？」リョーヴィンは手袋と帽子の雪をはらいながら、思わず、顔を赤らめて、きいた。

「なに、みんな内輪の人ばかりさ。キチイも来ているよ。さあ行こう、カレーニンに紹介するから」

オブロンスキーは、自由主義的な傾向にもかかわらず、カレーニンと近づきになるのは、だれにとってもうれしいはずだと思っていたので、親しい友人たちにはいつもそれをごちそうと心得ていた。ところが、この瞬間のリョーヴィンは、そうした知己の喜びを感じる余裕はなかった。もしあの街道で見かけたときのことを計算に入れなければ、彼はヴロンスキーに会った、あの記憶すべき夜会以来、キチイには一度も会っていないのであった。彼は心の奥底では、ひそかにきょうここで会えるだろうと感じていたものの、自分はそんなことは知らないのだと、むりに自分にいいきかせていた。ところが今、キチイがここにいると聞くと、リョーヴィンはとつぜん、なんともいえぬ喜びと、それと同時に、同じくらいの恐怖を感じ、思わず息がつまって、いおうと思うことも口から出ないのであった。

《あの人はどんなだろう、どんなふうになっているだろう？　前と同じだろうか、それとも、あの馬車で見かけたときのようだろうか？　ドリイのいったことがもしほんとだったら？　でも、ほんとでないってわけもないけれど》彼は考えた。

「ああ、どうか、カレーニンに紹介してくれたまえ」彼はやっとのことでいうと、やけに決然たる足どりで、客間へはいって行き、すぐ彼女の姿を認めた。

キチイは前のようでもなければ、馬車の中で見かけたときのようでもなく、まったく別人のようであった。

彼女はなにかおびえたような、おずおずした、はにかんだような風情《ふぜい》だったが、そのためにさらにいっそう美しかった。彼女も、リョーヴィンが部屋へはいって来た瞬間に、すぐ彼を認めた。彼を待ちうけていたからである。キチイはとてもうれしかったが、そのうれしさにわれながらとまどって、リョーヴィンがドリイのそばへ寄って行きながら、自分のほうをもう一度振り返ったときには、キチイ自身も、リョーヴィンも、いっさいの様子を見ていたドリイも、彼女がこらえきれなくなって泣きだすのではないかと、心配したくらいであった。キチイは、ぱっと頰《ほお》をそめたかと思うと、今度はまっ青になり、また頰をそめて、かすかに唇を震わせながら、彼の来るのを、そのまま、じっと待ちうけていた。リョーヴィンは彼女のそばへ行って、会釈《えしゃく》すると、黙って手をさしのべた。もし唇が軽く震えて、目がうるんで輝きを増していなかったら、彼女が次のように話しかけたとき、その微笑はほとんど平静そのものだったといえたであろう。

「ずいぶんお久しぶりでございましたわね！」そういってキチイは、やけに決然たる態度で、リョーヴィンの手を自分の冷たい手で握りしめた。

「あなたはごらんにならなかったかもしれませんが、ぼくはあなたをお見かけしましたよ」リョーヴィンは幸福の微笑に顔を輝かせながらいった。「あなたが停車場から馬車でエルグショーヴォへいらっしゃるときに、お見かけしたんです」

「まあ、いつですの？」キチイはびっくりしてたずねた。

「あなたが、エルグショーヴォへ馬車でいらっしゃったときですよ」リョーヴィンは胸にあふれる幸福感にむせかえるような気がしながら、いった。《なぜこのおれはこんなしおらしい少女に、なにか無垢《むく》でないような考えを、結びつけることができたんだろう？　そうだ、ドリイのいったことは、きっと、ほんとうだろう》彼は考えた。

オブロンスキーはリョーヴィンの手をとって、カレーニンのところへ連れて行った。

「さあ、ご紹介しよう」彼は双方の名前をいった。

「かさねてお目にかかれて、とても愉快です」カレーニンはリョーヴィンの手を握りながら、冷やかにいった。

「え、きみたちはもう知合いだったの？」オブロンスキーはびっくりして、たずねた。

「汽車の中で、三時間もいっしょに過したんだよ」リョーヴィンは微笑しながらいった。「ところが、まるで仮面舞踏会にまきこまれたようなことになってしまってね——いや、すくなくとも、ぼくのほうだけは」

「へえ、なるほど！　では、みなさん、どうぞこちらへ」オブロンスキーは、食堂のほうを指さしながら、いった。

男の連中は、食堂へはいると、前菜《ザクースカ》の置いてあるテーブルへ近づいた。そこには六種類のウォツカと、同じく六種類のチーズ——それには大きな銀のサーバーのついているのも、ついていないのもあった——イクラ、鰊《にしん》、各種の缶詰《かんづめ》類、それに薄切りのフランスパンを盛った皿などが並べられていた。

男の連中は、かおりの高いウォツカと前菜のまわりを、立ったまま、とりかこんだ。

そこで、コズヌイシェフと、カレーニンと、ペスツォフのあいだでかわされていた、ポーランドのロシア化という論議は、食事を待つあいだに、しだいにしずまっていった。

コズヌイシェフは、きわめて抽象的で、まじめな議論にひとまずけりをつけるために、いきなり、アテネの塩（訳注　気のきいたしゃれ）をふりかけ、話し手の気分を一変させてしまうことにかけては、だれもその右に出るもののない名手であったので、今も、さっそく、その手を用いた。

カレーニンは、ポーランドのロシア化はただロシア政府によって導入されるべき高遠な主義主張の結果としてのみ達成されうるものであると論証した。

一方ペスツォフは、一つの国民が他国民を自国に同化させることができるのは、その国が他国より人口密度が稠密《ちゅうみつ》な場合に限る、と主張して譲らなかった。

コズヌイシェフはその両方とも認めたが、しかし条件つきであった。彼らが客間を出て行くとき、コズヌイシェフは話にけりをつけるために、微笑を浮べながら、こういった。

「したがって、異民族をロシア化するためには、たった一つの方法しかないんです。つまり、できるだけたくさん子供をつくることですね。いや、この点では私や弟なんかは、だれよりも働きがないわけですよ。ところで、みなさんのように結婚された方々は、ことにオブロンスキー君などは、完全に愛国的な働きをしておられることになりますな。お宅は何人でしたっけ？」愛想《あいそ》よく主人にほほえみかけて、小さな杯をさしだしながら、たずねた。

一同は声をたてて笑いだしたが、とりわけオブロンスキーは楽しそうに笑った。

「うむ、それがいちばんいい方法ですなあ！」彼はいって、チーズをかじりながら、なにか特別の種類のウォツカを、さしだされた杯に注《つ》いだ。議論は例によってしゃれでおしまいになったのである。

「このチーズは悪くないでしょう、どうです？」主人はいった。「きみはまた体操をやりだしたのかい？」彼はリョーヴィンのほうへ向いて、左手で彼の筋肉をさわってみた。リョーヴィンはにっこり笑って、その腕に力を入れた。と、オブロンスキーの指の下には、フロックの薄地のラシャ地の下から、鋼鉄のような肉のかたまりが、まるでチーズ玉のように、盛りあがった。

「や、こりゃ、たいした二頭筋だね！　サムソンばりだね！」

「熊《くま》狩りには、ずいぶん体力がいるんでしょうな」猟についてはほとんどなにも知らないカレーニンは、蜘《く》蛛《も》の巣のように薄いパンの柔らかいところにチーズを塗って、それに穴をあけながら、たずねた。

リョーヴィンはにっこり笑った。

「いや、その反対で、子供にだって熊ぐらいは殺せますよ」彼はいって、主婦といっしょに前菜のテーブルへ近づいて来た婦人たちに、軽く会釈をしながら、わきへよけた。

「熊をお撃ちになったそうでございますわね」キチイは、すべっていうことをきかぬ茸《きのこ》を何度もフォークで刺そうと努めながら、白い腕が透いて見えるレースの袖《そで》を震わせて、たずねた。「お宅の近くにはほんとに熊がおりますの？」彼女は美しい顔を少し彼のほうへ向けて、にこやかにつけ加えた。

キチイの口にしたことには、なにも特別変ったところはなさそうであった。しかし、彼女がそういったとき、その言葉の一つ一つの響きにも、唇やひとみや手などの一つ一つの動きにも、なにか言葉ではいい表わせぬ意味があるように、リョーヴィンには思われた。そこには許しを願う思いも、彼に対する信頼も、親しみのこもった、優しい、おずおずした親愛の情も、約束も、希望も、彼に対する愛もあった。いや、彼はその愛を信じないわけにはいかなかった。彼はその愛のために幸福感で息がつまりそうであった。

「いや、ぼくたちはトヴェーリ県へ行ったんです。その帰りに、汽車の中であなたの義兄《ボー・フレール》に、いや、あなたの義兄《ボー・フレール》の義弟にお会いしたわけですよ」彼は微笑を浮べながらいった。「そりゃ、こっけいな出会いでしたよ」

それから、彼は愉快そうに、おもしろおかしく、ひと晩じゅう眠らなかったうえ、半外套《はんがいとう》のまま、カレーニンの車室へ闖入《ちんにゅう》した模様を話しだした。

「車掌のやつは、ことわざとは反対に、ぼくの身なりを見て、追い出そうとしたので、こちらも、ことさら高尚《こうしょう》な言葉をつかって、まくしたてたんですよ。それに……あなたもやはり」彼は相手の名前を忘れて、カレーニンに話しかけた。「はじめは半外套なんかを着ていたために、ぼくを追い出そうとされましたが、しまいにはぼくの味方になってくださいましたね。その点大いに感謝しております」

「一般的にいって、乗客が座席を選ぶ権利なんて、まったく、漠然《ばくぜん》としたものですからな」カレーニンは、ハンカチで指の先をふきながら、いった。

「どうやら、ぼくのことは、なんともきめかねていらっしゃいましたね」リョーヴィンは、人のよさそうな微笑を浮べながら、いった。「だから、ぼくは半外套の名誉を挽回《ばんかい》するために、あわてて利口そうな話をはじめたんですよ」

コズヌイシェフは主婦と話をつづけながら、同時に、片方の耳で弟の話に注意をはらい、横目で彼をにらんでいた。《あいつ、きょうはどうしたんだろう？　あんなに勝ち誇ったような態度をして》彼は考えた。彼は、リョーヴィンが心に翼がはえたような気持でいることを、知らなかったのである。ところが、リョーヴィンは、キチイが自分の話を聞いていることも、また聞くのが楽しいことも、ちゃんと知っていたので、ただそのことだけしか考えていなかった。いや、単にこの部屋ばかりでなく、全世界において彼のために存在しているものは、彼にとってにわかに大きな意義と重大性をおびてきた彼自身と、彼女だけであった。彼は、自分が目もくらむばかりの高みに立っており、どこかはるか下のほうに、あの善良な愛すべきカレーニンや、オブロンスキーや、その他もろもろの世界が存在しているような気がしていた。

オブロンスキーはそっと気づかれぬように、ふたりのほうには目もくれず、もうどこもすわれるところがないようなふうをして、リョーヴィンとキチイを並べてすわらせた。

「まあ、ここにでもかけろよ」彼はリョーヴィンにいった。

料理は、オブロンスキーが趣味をもっている食器類と同様、なかなかけっこうなものであった。マリー・ルイズ式のスープもすばらしかったし、口の中ですぐ溶けるような小さなピロシキも、申し分なかった。白ネクタイを締めたふたりの召使とマトヴェイは、そっと、目だたぬように、静かに、しかも手っとり早く、料理と酒の世話をやいていた。この晩餐は物質的な面では大成功だったが、精神的な面でも、それに劣らず成功だった。座談は、時には全部が加わり、時には個人的にはずんで、いっときも休むことなくつづき、食事の終りごろには、すっかり活気づいて、男の連中はしゃべりつづけたまま、テーブルから立ちあがり、カレーニンさえも生きいきとしてきたほどであった。

10

ペスツォフは、とことんまで議論することが好きだったので、コズヌイシェフの言葉には満足しなかった。ことに、彼は自分の意見の正しくないことを感じていたので、なおさら不満であった。

「私はけっして」彼はスープのときに、カレーニンに話しかけた。「単に人口の稠密ということばかりを申しあげたのではありませんよ。それは主義主張ではなく、もっと根本的なものと結びついての話ですから」

「私の思うには」カレーニンは少しもあわてず、張りのない声で答えた。「それは要するに、同じことですよ。私の意見では、他国民を同化させうるのは、ただ一段と高い発達を遂げている国民だけでして、そうした国民は……」

「いや、その点が問題なんですよ」ペスツォフは、持ち前のバスで相手をさえぎった。彼の話しぶりはいつも急《せ》きこんでおり、自分の話している事がらに、全精神を傾けているといった調子だった。「その一段と高い発達というものは、どういう点をいうんでしょうね？　たとえば、イギリス人と、フランス人と、ドイツ人とでは、いったい、だれが一段と高い発達を遂げているんです？　この中で、他国民を同化させるのはだれでしょう？　ラインがフランス化されたのは、現に、われわれの知ってるところですが、しかし、それだからといって、ドイツ人が劣っているとはいえませんからね」彼は叫んだ。「そこには別の法則があるんですよ！」

「私の思うには、感化力というものはつねに真の教育を身につけた側にあるということですな」カレーニンは、かすかに眉《まゆ》を上げながら、いった。

「それでは、そうした真の教育のしるしを、どういう点に求めればいいんでしょう？」ペスツォフは反論した。

「いや、それは周知の事実だと思いますがね」カレーニンはいった。

「でも、それがまったく周知の事実とはいえるでしょうかね？」コズヌイシェフは皮肉な微笑を浮べて、話に口を入れた。「最近では、真の教育とは純古典教育（訳注　ギリシャ語やラテン語を主要な課目とする教育をいう）でなければならぬ、と認められていますが、しかし、二つの陣営で激烈な論争がかわされているのは、ご承知のとおりですからな。しかも、反対側も自説を擁護するにたる有力な論拠があることは、否定することができませんからね」

「あなたは古典教育派ですな、コズヌイシェフさん。ときに、赤ぶどう酒はいかがです？」オブロンスキーはいった。

「私は古典、実科のいずれの教育についても、自分の意見を述べるわけにはいきません」コズヌイシェフはコップをさしだしながら、まるで子供に対するような、寛容の微笑を浮べて、いった。「私にいえるのはただ、双方とも有力な論拠をもっている、ということだけですね」カレーニンのほうへ向きながら、言葉をつづけた。「私は、自分の受けた教育からいえば、古典派ですが、しかし、私個人としては、この論争に自分の立場を見いだすことはできませんね。なぜ古典的な学科が、実科的なものに比べて優越を認められているか、私にはその明確な論拠がわかりかねますから」

「自然科学もそれに劣らず、啓蒙《けいもう》的な面では影響力をもっておりますよ」ペスツォフがひきとった。「たとえば、天文学にしても、植物学にしても、一般法則のシステムをもった動物学にしても、そうじゃありませんか！」

「私はその見解にまったく賛成しかねますな」カレーニンは答えた。「私の思うには、言語形態を研究する過程そのものが、すでに精神的発達にきわめて好影響を与えていることを認めざるをえませんからな。いや、そればかりか、古典作家の影響は高度に道徳的であるのに対して、自然科学の教育には、現代の病毒を形づくっている有害な、偽りの教義が結びついている事実も、否定することができませんよ」

コズヌイシェフはなにかいおうとした。しかし、ペスツォフは持ち前の太いバスでそれをさえぎった。彼はすっかり興奮しながら、カレーニンの見解のあやまりを論証しはじめた。コズヌイシェフは悠然《ゆうぜん》として、その言葉が終るのを待っていた。どうやら、彼は相手の説を徹底的に粉砕できる反論を用意しているらしかった。

「しかしですね」コズヌイシェフは、かすかに笑いを浮べて、カレーニンのほうへ向きながらいった。「古典と実科の両教育の利害得失を完全に評価するのは困難であるということには同意せざるをえませんし、まして、そのいずれをとるべきかという問題は、そうあわてて最後的な解決をつけることはできないわけです。とくに、古典教育の側にも、ただいまあなたのおっしゃった道徳的な優越性 disons le mot（訳注　まあ、はっきりいえば）反虚無主義《アンチ・ニヒリズム》的な感化力がなければの話ですがね」

「もちろんですとも」

「もし古典教育の側に、この反虚無主義的な感化力という優越性がなかったら、私どもは両方の論拠をはかりにかけて、もっとよく考えたうえで」コズヌイシェフは微笑を浮べながら、いった。「両方の主張にもっと耳を傾けるでしょうな。ところが、現在、私どもはこの古典教育という錠剤には、反虚無主義の特効があることを承知しているので、思いきって、それを患者たちにあてがっているんですよ……ところで、もしその特効がなかったら？」彼は例のアテネの塩をふりまきながら、こう結論した。

コズヌイシェフが錠剤を持ち出したときには、みんながどっと一時に笑いだした。とりわけ、トゥロフツィンは大声で、愉快そうに笑った。それはみんなの話に耳を傾けながら、なにかこっけいな言葉が出るのを、今かいまかと待ちうけていた矢先だったからである。

オブロンスキーがペスツォフを招待したのは、やはり、まちがってはいなかった。ペスツォフが一座にいるために、知的な会話はいっときもやむ間がなかった。コズヌイシェフが例のしゃれで話に結論をつけるやいなや、ペスツォフはさっそく新しい話題を持ち出した。

「いや、政府がそうした目的をもっていたということにも、賛成するわけにはいきませんな」彼はいった。「政府は明らかに一般的な判断に基づいて行動しているのであって、自分の採用している政策がどんな影響をおよぼすかということには、いっこうに無関心なんですから。たとえば、女子教育の問題などは、当然、有害であると認めるべきであるのに、政府は婦人のために各種の専門学校や、大学まで開放しているのですから」

そこで、会話はすぐに、女子教育という問題へ移っていった。

カレーニンは、女子教育は普通、婦人の自由の問題と混同されているので、ただそのために有害視されているのだと、自分の意見を述べた。

「いや、私はその反対に、この二つの問題は、切っても切れぬ関係にあると思いますな」ペスツォフはいった。「これは一つの悪循環ですな。つまり、婦人は教育の不足のために権利を奪われている。ところが、教育の不足は権利の欠如からきているんですから。婦人が隷属《れいぞく》してきた歴史は、あまりに古くかつその根が深いので、私どもは自分たちと婦人を隔てている深淵《しんえん》を、理解しようとしないことがしばしばあるってことも忘れてはなりませんな」彼はいった。

「あなたは権利といわれましたが」コズヌイシェフはペスツォフが口をつぐむのを待って、いった。「それは、つまり、陪審員の地位につく権利とか、市町村の議会の議長になる権利とか、官公吏に就職する権利とか、国会議員に選出される権利とかいったものですな……」

「もちろんですとも」

「ところが、もし婦人が、少数の例外として、たとえ、そうした地位につくことができたとしても、あなたは『権利』という言葉をまちがって使われているようですな。もしそれなら、『義務』といったほうが正確でしょうな。いや、これにはだれもご異存はないと思いますが、私どもはなにかの職務、たとえば、陪審員とか、町会議員とか、電信局員とかの職務を履行するときには、自分が義務を果しているという感じがするものですよ。ですから、もっと正確には、婦人は義務を求めているのだと、いうべきなのであって、しかも、それはまったく法にかなったものなのです。いや、私どもとしては、一般男子の労働を援助したいという婦人たちのこの希望には、ただ同感するよりほかありませんな」

「まったく、お説のとおりです」カレーニンは相槌《あいづち》をうった。「問題はただ、婦人たちがはたしてこの義務を遂行する能力があるか、どうかにかかっているようですね」

「おそらく、その点は大丈夫でしょうな」オブロンスキーが口をはさんだ。「婦人のあいだに、教育が普及したあかつきには。いや、現に、われわれはそれを見ていますからな」

「それでは、あのことわざはどうなりますかな？」もうだいぶ前からみんなの話に耳を傾けていた公爵《こうしゃく》は、その小さな、皮肉そうな目を輝かせながら、いった。「なあに、娘たちの前だからかまやしませんとも。髪は長いが（訳注　髪は長いが、知恵は短い、というロシアのことわざがある）……」

「いや、黒人についても、解放前はそう考えられていたものですよ！」ペスツォフはおこったようにいった。

「私はただ婦人が新しい義務を求めているのが、腑《ふ》におちないといっているだけですよ」コズヌイシェフはいった。「なにしろ、われわれ男性は、遺憾ながら、いつもそうしたものから逃げようとしている始末ですからね」

「義務は権利と結びついていますからね。権力、金銭、名誉――これを婦人は求めているんですよ」ペスツォフはいった。

「それじゃ、たとえわしが乳母になる権利を手に入れても、女どもには給金をやっているのに、わしにはくれんといって、腹を立てるようなものですな」老公爵はいった。

トゥロフツィンは、わっと、大声をたてて、笑いくずれた。そして、コズヌイシェフは、それをいったのが自分でないのを残念がった。カレーニンまでがにっこりと微笑を浮べた。

「そうですな。ただ男性は乳を飲ませることはできませんがね」ペスツォフはいった。

「ところが、婦人は……」

「いや、あるイギリス人は汽船の中で、自分の赤ん坊をミルクでりっぱに育てていましたよ」老公爵は娘たちの前で、わざとこんな話を持ち出して、いった。

「そういうイギリス人の数だけ、婦人も官吏になれるわけですよ」今度はコズヌイシェフがいった。

「なるほど。でも、家庭をもたぬ娘は、どうしたものでしょうな」オブロンスキーは、いつも念頭にあるチビーソヴァのことを思いだして、ペスツォフの説に同感し、それを支持しながら、いった。

「そういう娘の身の上をよく調べてみれば、きっと、その娘は自分の家か姉の家を捨てて、出て行ったことがわかるでしょうよ。家にいれば、女らしい仕事もできたでしょうにね」思いがけなくドリイが話に口をはさみながら、いらいらした調子でいった。どうやら、夫のオブロンスキーが、どんな娘を念頭においていったかを、察していたらしかった。

「しかし、なんといっても、われわれは主義、理想を擁護していますからね！」ペスツォフは、よくとおるバスで反駁《はんばく》した。「婦人は教育のある独立した人間になる権利を、得たいと望んでいるのです。しかし、それが不可能だという意識のために、かえって、圧倒され、屈服させられているんですよ」

「でも、わしは、産院に乳母として採用してもらえんので、かえって、圧倒され、屈服させられておるんですよ」また老公爵はそういって、トゥロフツィンをすっかり喜ばせた。彼は笑ったひょうしに、一本のアスパラガスの先を、ソースの中へ落してしまった。

11

一座のものは、みんなこの話に加わっていたが、キチイとリョーヴィンだけは別だった。はじめに、ある国民が他国民におよぼす影響力という問題が話題になったとき、リョーヴィンはその問題について意見をもっていたので、ついそのことが頭に浮んできた。ところが、以前にはひどく重大なものに思われていたこれらの思想も、今ではただ夢の中のようにぼんやり頭をかすめただけで、いささかの興味も呼び起さなかった。いや、それどころか、なぜみんなは、だれにも用のないことを、ああやっきになって、しゃべっているのか、ふしぎに思われてくるのだった。キチイにしてもそれとまったく同じ気持で、みんなが論じている婦人の権利や教育の話には、興味を感じなければならないはずであった。彼女も以前には、外国で友だちになったワーレンカのことを思いだして、その苦しい隷属の生活について幾度も考えてみたし、もし自分が結婚しなかったらどうなるだろうかと、自分自身のことについても、よく考えてみたものだが、いや、この件については姉と何度いい争いをしたかしれなかった。ところが、今はそんなことも少しも興味をひかないのであった。キチイはリョーヴィンとふたりだけで、自分たちの話をしていた。いや、それは話といったものではなく、なにかしら神秘的な魂の交流であった。それは刻一刻とふたりを近く結びあわせ、ふたりがいまにもはいって行こうとする未知の世界に対する喜ばしい恐怖の思いを、お互いの胸に呼び起すのであった。

はじめにリョーヴィンは、どうして去年、自分が馬車で行くところを見かけたのか？　というキチイの問いに答えて、草刈りの帰りに街道を歩いていて、ふと、彼女を見かけたときの様子を物語った。

「いや、それはまだほんの明け方でしたよ。あなたもきっと、まだ目をさましたばかりだったでしょうね。お母さまはすみのほうで、眠っていらっしゃいましたから。それにしても、すばらしい朝でしたよ。ぼくは歩いて行きながら、あの四頭立てでやって来るのは、だれだろう？　と、ふと考えました。なにしろ、鈴をつけた、りっぱな四頭立ての馬車でしたからね。その瞬間、あなたの姿がちらっと目の前にひらめいたのです。窓をのぞくと、あなたはちょうどこんなふうにすわって、両手で帽子のリボンを持ったまま、なにやらすっかり考えこんでいらっしゃいましたよ」彼は微笑しながらいった。「あのとき、なにを考えていらしたか、知りたいものですねえ。なにか重大なことでしたか？」

《あたし、とり乱してはいなかったかしら？》キチイは一瞬考えた。しかし、こうしたくわしい思い出につれて、彼の顔に浮んだ歓喜の微笑を見て、自分の与えた印象はむしろすばらしかったのだ、と直感した。キチイはぱっと頬《ほお》をそめると、うれしそうに笑い声をたてた。

「ほんとに、覚えておりませんのよ」

「トゥロフツィンはよく笑いますねえ！」リョーヴィンはトゥロフツィンのうるみをおびた目と、大きく揺れ動くからだに見とれながら、いった。

「もう前からあの方をご存じですの？」キチイはたずねた。

「あの人を知らないものはありませんよ！」

「それに、あなたは、どうやら、あの方のことを、悪い人だと思っていらっしゃるんでしょう？」

「悪い人じゃないけれども、つまらない人ですね」

「まあ、それは違いますわ！　もうそんなお考えは一刻も早く変えてくださいね！」キチイはいった。「あたしもあの人のことについては、とてもいけない考えをしていましたの。でも、あの方はとても優しい、びっくりするほど親切な方ですのよ。まるで玉のような美しい心をもった方ですわ」

「どうしてあの人の心までご存じなんですか？」

「あの方とは大の仲よしなんですもの。あの方のことなら、よく存じあげておりますわ。去年の冬、あれからまもなく……あなたがうちへいらしたあとで」キチイはなにかわびるような、と同時に、信頼しきったような微笑を浮べながら、いった。「ドリイの子供たちが猩紅熱《しょうこうねつ》にかかりましたの。ちょうど、あの方が偶然たずねていらっしゃいましてね。それで、どうなったかおわかりになって？」キチイはささやくような声でいった。「あの方は、すっかり姉に同情して、そのままずっと、子供たちの看病の手伝いをしてくださいましたの。ええ、まる三週間も、姉のところに寝泊りなすって、まるで保母のように、子供たちの面倒をみてくださいましたの」

「あたし、今ね、リョーヴィンさんに、猩紅熱のときトゥロフツィンさんのしてくだすったことを、お話ししているところなの」キチイは姉のほうへ身をかがめていった。

「ええ、そりゃ、よくしてくださいましたわ、ほんとにごりっぱでしたわ！」ドリイは、自分の話をしているなと感じていたトゥロフツィンの顔をながめて、つつましやかにほほえみかけながら、いった。リョーヴィンはもう一度トゥロフツィンのほうを振り返った。そして、自分はなぜこの男のすばらしさを理解できなかったのかと、われながら怪しむのだった。

「失敬、失敬、もうこれからはけっして、他人のことは悪く思いませんよ！」彼は愉快そうにいったが、それは彼が今心に感じていることを、素直に告白したまでであった。

12

婦人の権利に関してはじめられた会話には、結婚生活における男女の権利の不平等という、女性の前ではちょっといいにくい問題が含まれていた。ペスツォフは食事のとき、何度もこの問題に飛びつこうとしたが、コズヌイシェフとオブロンスキーは、用心ぶかくその話を避けるようにしていた。

一同が食卓から立って、婦人たちが出て行ったとき、ペスツォフはそのあとへついて行かずに、カレーニンに向って、その不平等のおもな原因について意見を述べはじめた。夫婦間の不平等は、彼の意見によれば、同じ不貞でも夫と妻の場合では、法律上からいっても、社会の世論からいっても、不平等に罰せられる点にあるというのだった。

オブロンスキーはあわてて、カレーニンのそばへ行って、たばこをすすめた。

「いや、たばこはやりません」カレーニンは落ちつきはらっていって、そんな話など平気だということを、わざわざ誇示するかのように、冷やかな微笑まで浮べて、ペスツォフのほうを向いた。

「私の考えでは、そういう見方の基となるものは、物事の本質それ自体の中に含まれていると思いますね」彼はいって、客間へ立って行こうとした。ところが、そのとき、トゥロフツィンがだしぬけに、カレーニンに向って、こんなことをしゃべりだした。

「あなたは、プリャーチニコフのことをお聞きになりましたか？」シャンパンを飲んで活気づいたトゥロフツィンは、先ほどから苦にしていた沈黙を破るいい機会がきたとばかりに、こういった。「ワーシャ・プリャーチニコフですよ」彼はおもに正客のカレーニンに顔を向けながら、うるみをおびた赤い唇《くちびる》に、人の良さそうな微笑を浮べて、いった。「きょう聞いた話では、トヴェーリでクヴィツキーと決闘をして、相手を殺したそうですよ」

人はよく、わざと痛いところばかりをつつかれるような気がするものだが、今もそのとおりで、オブロンスキーは、今晩はまずいことに、話がいつも、カレーニンの痛いところばかりに進展していくような気がした。彼はまた、義弟をほかへ引っぱって行こうとしたが、当のカレーニンは好奇心にかられて、こうたずねた。

「なんだってプリャーチニコフは決闘したんです？」

「細君のことからですよ。男らしくやりましたよ！　決闘を申し込んで、相手をやっつけたんですから！」

「ほう！」カレーニンは気のない調子でいうと、眉《まゆ》をつりあげて、客間へはいって行った。

「まあ、ほんとによくいらしてくださいました」ドリイは通路になっている客間で、彼に出会って、おびえたような微笑を浮べながら、いった。「ちょっと、お話がございますの。さあ、どうぞ、ここへおすわりになって」

カレーニンは、つりあげた眉によって相変らず無関心な表情を浮べて、ドリイのそばに腰をおろし、わざとらしくにっこりと笑った。

「や、これは好都合です」彼はいった。「私も失礼して、お暇《いとま》しようと思ってたところですから。じつは、あすは発《た》たなくちゃなりませんので」

ドリイはアンナの潔白をかたく信じていたので、こんなに平然として罪もない親友を破滅させようとしているこの冷酷な、思いやりのない男に対する怒りのために、自分の顔が青ざめて唇が震えているのを感じていた。

「カレーニンさん」彼女はやけにきっとなって、相手の目を見つめながら、こう切りだした。「きのう、アンナのことをおたずねしましたけれど、ご返事をなさいませんでしたわね。アンナはどうしておりますの？」

「あれは、どうやら、達者らしいですよ、奥さん」カレーニンは、ドリイの顔を見ないで、答えた。

「失礼ですけど、ほんとにこんな権利はないのでございますけれど……でも、あたしはアンナを、実の妹のように愛してもいれば、尊敬もしているものですから。どうか、お願いですから、おふたりのあいだには、いったい、どんなことがあったのか、お聞かせねがえませんか。あなたさまはなんでまた、アンナを責めていらっしゃいますの？」

カレーニンは眉をひそめ、ほとんど目を閉じて、頭をたれた。

「なぜ私がアンナに対する関係を変えなければならないと考えたかは、たぶん、ご主人からお聞きになったことと思いますが」彼は相手の目を見ないようにして、そのとき客間を通りぬけようとしたシチェルバツキーを、思わず、じろっとながめながら、いった。

「信じられませんわ、信じられませんわ。とても、そんなことがほんとうだなんて！」ドリイは骨ばった両手をぎゅっと握りしめながら、力のこもった身ぶりをして、いった。彼女は素早く立ちあがると、片手をカレーニンの袖《そで》へかけた。「ここではじゃまがはいりますから、どうぞ、あちらへまいりましょう」

ドリイの興奮は、カレーニンの気持にも感染した。彼は席を立つとおとなしくドリイのあとから子供の勉強部屋へ通った。ふたりは、ペンナイフで傷だらけになっているオイル・クロース張りのテーブルに、腰をおろした。

「あたし信じられません。とてもそんなこと信じられませんわ！」ドリイは自分を避けている相手の視線を捕えようと努めながら、そう口をきった。

「事実は信じないわけにはまいりませんよ、奥さん」彼は事実という言葉に力を入れながら、いった。

「でも、あの人はいったい、なにをしたというんですの？」ドリイはいった。「ほんとに、なにをしたというんですの？」

「あれは自分の務めをないがしろにして、夫を裏切ったのです。そういうことをあれはしたのです」彼は答えた。

「いいえ、いいえ、そんなことってあるはずがございませんわ！　いいえ、どうぞそんなことをおっしゃらないで。それはたしかに、あなたさまの思い違いでございますわ」ドリイは両手でちょっとこめかみにさわって、両の目を閉じて、いった。

カレーニンは唇に冷やかな笑いをもらした。彼はそうすることによって、相手にも自分自身にも、自分の確信が揺るがぬものであることを示そうと思ったのである。ところがこうした熱烈な弁護は、彼の気持を動揺こそさせなかったが、かえって彼の傷口をかきたててしまった。彼はますます興奮してしゃべりだした。

「妻が自分からそのことを夫に申し立てているんですから、思い違いをしようにもできませんな。なにしろ、八年間の夫婦生活も、むすこも、みんな誤りだった、自分ははじめから生活をやりなおしたいと、申し立てているんですから」彼は鼻を鳴らしながら、腹立たしそうにいった。

「アンナと不品行――あたしにはどうしても、この二つを結びつけて考えることはできませんわ」

「奥さん！」彼はもうまともに、ドリイの興奮した善良そうな顔を見つめながら、しゃべりだした。彼は自分の舌がひとりでにほぐれていくのを感じた。「まだ疑いをいだく余地があったら、私としてもどんなにうれしいかしれませんよ。疑っていたときは、そりゃ苦しくはありましたが、でも、今よりは楽でしたからね。疑っていたときには、ひょっとしたら、という希望がありましたから。しかし、今はもうその希望さえありません。でも、そのくせ、なんでもかんでも疑うようになりましたよ。いや、なにもかも疑わずにいられなくなったものですから、むすこのことさえ憎らしくなりましてね。どうかすると、これははたして自分の子だろうかとさえ疑うようになりましたからね。じつに不幸なことです」

彼には、こんなことをいう必要はなかった。ドリイは相手が自分の顔を見た瞬間、それを察したからである。彼女は相手が気の毒になってきて、親友の潔白を信ずる気持が動揺しはじめてきた。

「ああ、これはほんとになんてことでしょう、なんてことでしょう！　でも、あなたさまが離婚を決心なすったというのは、ほんとなんでございますの？」

「私は最後の手段をとることにしました。ほかにどうしようもないのです」

「どうしようもないんですって、どうしようもないんですって……」ドリイは目に涙を浮べて繰り返した。「いいえ、しようがなくはありませんわ！」彼女はいった。

「いや、まったくその点がやりきれないんでして。この種の悲しみというものは、ほかの、たとえば失敗とか死とかという場合のように、ただ十字架を負って行けばいいというわけにはいかなくて、どうしてもなんらかの行動に出なければならないんでして。いや、その点がまったくやりきれないのですよ」彼は相手の気持を察したかのように、こういった。「自分のおかれている屈辱的な立場から、出て行かなければならないのですよ。三人いっしょに暮していくわけにはいきませんから」

「わかりますわ、そのことはあたしにもよくわかりますわ」ドリイはいって、うなだれた。彼女は自分のことを、自分の家庭の悩みのことを考えながら、しばらく黙っていた。と、不意に、さっと顔を上げて、祈るようなしぐさで、両手を組み合せた。

「でも、お待ちになってくださいまし！　あなたさまはキリスト教徒なんですもの。あの人のことを考えてあげてくださいまし！　あなたさまに捨てられたら、あの人はどうなりますでしょう？」

「いや、私も考えたんですよ、奥さん。ずいぶん考えてみたんですよ」カレーニンはいった。その顔にはところどころ赤いしみが現われ、どんよりした目は、まともに彼女を見すえていた。ドリイはもう心の底から相手がかわいそうになった。「私もあれの口から、自分の恥辱を告げられたあとで、今おっしゃったとおりのことをしたんですよ。つまり、なにもかも元どおりということにしたのです。悔い改める機会を与えてやったのです、あれを救おうと努めました。それが、どうでしょう？　あれは世間体をつくろうといういちばん楽な条件さえ、実行してはくれなかったんですからねえ」彼はかっとなりながら、いった。「そりゃ、破滅したくないと思ってる人間なら、救うこともできますよ。しかし、すっかり性根が腐ってしまって、もう破滅そのものを救いだと思っているような堕落しきった人間は、どうにも手がつけられませんよ」

「なんでもようございますが、ただ離婚だけはどうか思いとどまってくださいまし！」ドリイは答えた。

「しかし、なんでもとおっしゃっても、いったい、なにができましょう？」

「でも、それじゃ、あんまりですわ。あの人はもうだれの妻でもなくなって、身を滅ぼしてしまいますわ！」

「私になにができるとおっしゃるんです？」カレーニンは肩と眉をつりあげて、きき返した。妻の最後の仕打ちを思いだすと、彼はまた気持がいらいらしてきて、話しはじめたときと同じように、冷やかな態度になった。「ご同情には感謝いたしますが、もうそろそろお暇しなくてはなりません」彼は立ちあがりながら、いった。

「いいえ、お待ちになってくださいまし！　あの人の身を滅ぼすようなことはなすってはいけませんわ。まあ、お待ちになって。あたし、自分のことを申しあげますから。あたしは結婚いたしましてから、夫に裏切られました。もう腹が立つのと嫉妬《しっと》のために、なにもかも投げ捨てて、出て行く気になりましたの、自分だけで……ところが、はっと、正気にもどりましたの。それはだれのおかげだとお思いになりまして？　アンナが救ってくれたのでございますよ。ですから、今、あたしは、このとおり、生きていられるんですわ。子供たちも大きくなりましたし、主人も家庭へもどり、自分の悪かったことに気づいて、今では、前に比べれば、それは潔白な、いい人になってくれました。それで、あたしも生きがいがあるんですの……あたしも許してきたのですから、あなたさまも許してやってくださらなければいけませんわ！」

カレーニンは、じっと聞いていたが、ドリイの言葉はもう彼の気持に、なんの作用もおよぼさなかった。彼の胸の中には、離婚を決意したあの日と同じ敵意に満ちた気持がまたわき起ってきた。彼はちょっと身震いすると、よく透る、甲高《かんだか》い声でしゃべりだした。

「許してやることはできません。いや、そうしたくもありません。それは正しくないことだと思いますね。あの女のためにはなにもかもしてやったのですが、あの女はそれをすっかり、泥《どろ》まみれにしてしまったのですから。いや、泥まみれになるのはあれの性に合っているのですよ。私は意地の悪い男ではありませんから、今まで一度も人を憎んだことはありません。しかし、あの女だけは心の底から憎んでいます。許してやることはできません。あれが私に投げつけた敵意に対しては、もう憎んでも憎みきれない思いです！」彼はその声に憤激の涙までこめて、そういいきった。

「なんじを憎むものを愛せよ、と申しますのに……」ドリイは恥じ入るような声で、ささやくようにいった。

カレーニンはさげすむように、にやりと冷笑をもらした。そんなことは、彼もとうに承知していたが、とても彼の場合にはあてはまらないものであった。

「なんじを憎むものを愛せよ、ならわかりますが、自分の憎んでいるものを愛することはできません。お騒がせをしてすみません。だれでも自分の不幸だけでも、たいへんなことですからな！」カレーニンはそれだけいうと、気をとりなおし、静かに別れを告げて立ち去った。

13

一同が食卓から立ちあがったとき、リョーヴィンはキチイのあとを追って客間へ行こうと思った。しかし、彼は自分があまり露骨にキチイのあとを追いまわして、相手に不快な感じを与えはしないかと心配した。そこで、彼は男の連中の中に残って、みんなの話に仲間入りした。が、キチイのほうは見ないでいても、その動作も、まなざしも、客間の中の彼女の席も、ひとりでにわかるのだった。

今の彼はもういささかの努力をはらわないでも、キチイとかわした約束、つまり、つねにすべての人をよく思い、つねにすべての人を愛することができた。一座の話題は農村共同体におよんだ。ペスツォフはそれにある特殊な根源を認めて、『合唱的根源』と名づけた。リョーヴィンはペスツォフにも、またロシアの共同体の意義を認めているような、いないような態度をとっていた兄にも、賛意を表さなかった。ただリョーヴィンはこのふたりと話し合いながら、ふたりを調停させ、その反駁《はんばく》を柔らげようとだけ努めた。彼は自分でいっていることにも、まして、ふたりのいっていることには、少しの興味も感じていなかった。ただこのふたりをはじめとして、みんなが和気あいあいと気持よくなるようにと、そればかりを念じていた。いまや彼は自分にとってただ一つのものだけが重大であると知っていた。そして、そのただ一つのものは、はじめ向うの客間にいたが、だんだん近づいて来て、戸口のところに立ち止った。彼はそちらへ顔を向けてはいなかったが、自分に注がれている視線と微笑を感じて、思わず、振り向かずにはいられなかった。キチイはシチェルバツキーといっしょに、戸口のところにたたずんで、彼のほうをじっと見つめていた。

「ピアノのほうへいらっしゃるのかと思ってましたよ」リョーヴィンは彼女のそばへ近よりながら、話しかけた。「田舎の生活に欠けているのは、なによりも音楽でしてね」

「まあ、あたしたちはただ、あなたをお呼びしにまいりましたのよ」キチイは、まるで感謝の意をこめた贈り物でもするように、彼へ微笑を投げかけるのだった。「ほんとに、よくいらしてくださいました。議論するなんて、物好きなことですのね。どっちみち、相手をいい負かすことなんかできないでしょうに」

「ええ、まったくそのとおりですとも」リョーヴィンはいった。「いや、たいていの場合、相手がなにを論証したがっているのか、わからないものですから、そのために、むきになって議論することになるんですよ」

リョーヴィンはよく、こんなことに気づいた。つまり、きわめて聡明《そうめい》な人たちが議論するときでさえ、さんざん骨を折ったり、精巧な論理やおびただしい言葉をつかいはたしたあげく、論者はやっとのことで、自分たちが互いに長いこと論証しあっていた事がらは、とうの昔に、論争のはじめからわかりきっていたのだが、どちらも、その好みが異なっているために、相手から弱点をつかまれまいとして、自分の好みを口にしないのである。いや、どうかすると、もう論争の途中で、互いに相手の好みを悟って、急に、自分でもそれと同じものが好きになり、ただちに、論敵に同意してしまうことがある。そうなると、もう今までの論証はすべて無用なものとなってしまうとも、彼はよく経験していた。ときには、それと反対の経験もあった。つまり、やっとのことで自分の好みを口に出し、なにかうまい論証を思いつき、しかも、それをまたまじょうずに真実味にあふれて表現すると、急に、論敵がそれに賛意を表して、議論をやめてしまうのである。いや、彼のいいたかったのは、ほかならぬこのことであった。

キチイは彼のいうことを理解しようとして、額にしわをよせていた。しかし、彼が説明しかけるや、すぐ悟ってしまった。

「ええ、わかりますわ――まず相手がなんのために議論しているのか、なにを愛しているのか、それを知らなくちゃいけないんですわね。そうすればもう……」

キチイは、リョーヴィンがへたくそに表現した思想を、完全に推察して、それをはっきりと表現した。リョーヴィンはうれしそうにほほえんだ。彼はペスツォフと兄を相手にひどくこみいった、口数ばかり多い論争のあとで、いきなり、こうしたいとも簡単明瞭《めいりょう》な、ほとんど言葉も用いず、しかもきわめて複雑な思想を表現しうる心と心の交流へ移ったことに、われながらびっくりするのであった。

シチェルバツキーは、ふたりのそばを離れて行った。すると、キチイはそこに用意されてあったトランプ台へ近づいて、そのわきにすわった。そして、チョークを手にとって、新しい緑色のテーブル・クロスの上に、いろんな円をいくつも描きはじめた。

ふたりは食事のときに出た話、つまり、婦人の自由と職業という話題をまたはじめた。リョーヴィンは、年ごろの娘は結婚しなくても、女らしい仕事を家庭の中に見いだすことができるというドリイの意見に賛成した。彼はその意見を支持するために、どんな家庭でも、手伝いをする女なしではやっていけない、貧乏な家庭でも、金持の家庭でも、雇い人なり、身内のものなりの違いはあっても、とにかく、婆《ばあ》やがいるし、またいなければならない、といった。

「違いますわ」キチイは頰《ほお》をそめながらも、かえってそのために勇敢に、心のこもったまなざしで、彼を見つめながらいった。「年ごろの娘ってものは、自分を卑下しなければ、家庭にはいって行けないようにできているのかもしれませんわ。自分だけでは……」

リョーヴィンは、この暗示だけで、キチイの心を読みとった。

「ああ、そうですね！」彼はいった。「ええ、そうですとも、そうですとも。おっしゃるとおりです、それにまちがいありません！」

そして、彼はキチイの胸に処女の恐怖と卑下を認めたことによって、ペスツォフが食事のときに論証しようとした婦人の自由に関する意見を、はじめてすっかり理解することができた。リョーヴィンは彼女を愛する気持から、この恐怖と卑下を感じとり、たちまち、自分の論拠を撤回したのであった。

沈黙が訪れた。キチイはなおもテーブルの上にチョークで線を書いていた。そのひとみは静かな輝きにきらきらしていた。リョーヴィンも彼女の気分にひきこまれて、わが身のすみずみまで、たかまっていく張りつめた幸福感を、ひしひしと感じていた。

「あら、すっかりテーブルにいたずら書きをしてしまいましたわ！」キチイはいって、チョークを置くと、立ちあがりそうなそぶりを見せた。

《この人に行かれて、自分ひとりとり残されたらどうしよう？》彼はおびえて、すぐチョークを取った。「あ、待ってください」彼はテーブルの前に腰をおろしながら、いった。「ずっと前から一つだけおたずねしたいことがあったのです」

彼は、キチイの優しげな、でもなにかにおびえたようなひとみを、まっすぐに、じっと見つめた。

「どうぞ、おっしゃってくださいまし」

「こういうことなんです」彼はいって、次のような頭文字を書いた。い、あ、ぼ、そ、で、お、あ、け、い、そ、あ、？　これらの文字は、こういう意味であった。『いつかあなたはぼくに、そんなことはできないとおっしゃいましたが、あれはけっしてというい みですか、それとも、あのときだけのことですか？』彼女がこんな複雑な文句を解くことができるとは、まったく思いもよらぬことであった。しかし、彼はキチイがそれを解いてくれるかどうかに、自分の生命がかかっているような面持《おもも》ちで、じっと彼女を見つめていた。

　キチイは真剣な様子で彼をながめたが、やがてしかめた額を片手でささえて、読みはじめた。ときどき、《あたしの考えていることはあたってるかしら？》とでもたずねるようなまなざしで、彼の顔を仰ぎ見た。

「わかりましたわ」キチイは頬をそめていった。

「じゃ、これはなんという言葉？」彼は『けっして』を意味する『け』の字をさしながら、たずねた。

「これはけっしてって字ですわ」キチイはいった。「でも、それは違いますわ！」

彼はすばやく自分の書いた字を消すと、相手にチョークを渡して、立ちあがった。

彼女は、あ、ご、し、な、と書いた。

ドリイはこのふたりの姿を見かけたとき、カレーニンとの話し合いで生れた悲しみを、すっかり慰められてしまった。キチイはチョークを手にして、おずおずした幸福そうな微笑を浮べ、リョーヴィンを仰ぎ見ていたし、テーブルの上に美しい姿勢でかがみこんだリョーヴィンは、テーブルとキチイをかわるがわるそのもえるような目でながめていた。と、不意に、リョーヴィンの顔がさっと輝いた。彼にはわかったのだ。それは『あのときはあれよりほかにご返事のしようがなかったのです』という意味であった。

リョーヴィンはおずおずともの問いたげなまなざしを、彼女の顔に走らせた。

「じゃ、ただあのときだけですか？」

「ええ」キチイの微笑が答えた。

「じゃ、い……いまは？」彼はたずねた。

「それじゃ、ほら、これを読んでくださいまし。あたくし、自分の望んでいることを申しあげますから。心の底から望んでいることですのよ！」キチイはまた頭文字を書いた。『も、あ、わ、お、く、で』それはこういう意味であった。『もしあなたがあのときのことをわすれて、お許しくださることができましたら』

彼は、緊張のあまり震える指でチョークを取ると、それを折って、次のような意味の頭文字を書いた。『ぼくは忘れることも、許すこともなにひとつありません。ぼくはずっとあなたを愛しつづけていたのです』

その瞬間、キチイはさっと微笑を浮べ、その微笑をくずさずに、彼の顔を見た。

「わかりましたわ」ささやくような声がもれた。

リョーヴィンは腰をおろして、長い文句を書いた。キチイにはなにもかもわかった。そして、こうかしら？　ともたずねないで、チョークを取ると、返事を書いた。

リョーヴィンは、キチイの書いたことが長いことわからなかったので、幾度も相手の目をのぞきこんだ。彼は幸福のためにぼうっとなっていたのだった。そして、どうしても、彼女の書いた文字に言葉をあてはめることができなかった。しかし、彼女の美しい、幸福に輝くひとみの中に、自分の悟るべきことをなにもかもすっかり読みとった。そこで、彼は三つの文字を書いた。ところが、彼がまだ書き終らないうちに、キチイはもうその手の動きから自分でその先を読みとって、『ええ』という返事を書いた。

「secrétaire（訳注 秘書）のまねごとでもやっているのかね？」老公爵《ろうこうしゃく》はそばへ寄って来ていった。「でも、芝居に行きたかったら、そろそろ出かけなくちゃならんよ」

リョーヴィンは立ちあがって、戸口までキチイを見送った。

このふたりの会話で、なにもかもすっかりいいつくされた。キチイが彼を愛していることも、彼があすの朝、あらためて訪問することを、両親に伝えておくということも、なにもかも、語りつくされたのであった。

14

キチイが出かけてしまって、自分ひとりになったとき、リョーヴィンは彼女のいない不安を激しく感じ、再び彼女に会って、永久に彼女と結びつくことのできるあすの朝が、一刻も早くやってくればいいという、矢もたてもたまらない焦燥を覚えた。そして、彼女なしに過さねばならぬこれからの十四時間が、まるで死かなにかのように、恐ろしく思われるのだった。彼はひとりぼっちにならないために、時間をまぎらすために、だれかといっしょに話をしていなければならなかった。オブロンスキーは、そのためにはまたとない話し相手であったが、彼はその言によれば夜会へ、その実、例のバレエへ出かけてしまった。リョーヴィンは彼に向ってただ、ぼくは幸福だ、ぼくはきみを愛している、きみがぼくのためにしてくれたことは、けっして、けっして忘れないよ、としかいう暇がなかった。リョーヴィンはオブロンスキーのまなざしと微笑を見て、相手が自分の気持をまちがいなく理解していることを悟った。

「どうだい、まだ死ぬときじゃないだろう?」オブロンスキーは感動をこめてリョーヴィンの手を握りしめながら、いった。

「も、もちろんだとも!」リョーヴィンは答えた。

ドリイも彼に別れのあいさつをしながら、まるでお祝いでも述べるように、こんなことをいった。

「あなたがまたキチイと会ってくだすって、ほんとにうれしゅうございますわ。お互いに古い友情は大切にしなくちゃいけませんわね」

しかし、リョーヴィンは、ドリイのこうした言葉は不愉快であった。この晩のことは彼にとってじつに厳粛な、ドリイなどにはとても理解できぬものなのだから、かりそめにも、そんなことは口に出してはいけないのだった。

リョーヴィンは一同に別れを告げた。しかし、ひとりぼっちになるのがいやだったので、兄にすがりつこうとした。

「兄さんは、これからどちらへ?」

「会議だよ」

「じゃ、ぼくもいっしょに行くよ。いいでしょう？」

「そりゃ、いいよ。いっしょに行こう」コズヌイシェフは微笑を浮べながらいった。

「今夜はどうかしているね？」

「ぼくが？　ぼくは幸福なんですよ！」リョーヴィンは乗りこんだ馬車の窓をあけながら、いった。「あけてかまいませんか？　でないと、息苦しくって。とにかく幸福なんですよ。なぜ兄さんはずっと結婚しなかったんです？」

コズヌイシェフはにっこり笑った。

「いや、おれも大いにうれしいよ。あの人はどうやらとてもいいむす……」コズヌイシェフはいいかけた。

「いわないで、いわないで、いわないでくださいよ！」リョーヴィンは両手で兄の外《がい》套《とう》の襟《えり》をつかみ、それをばたばたさせながら、叫んだ。『あれはとてもいいむすめさんだね』などというせりふは、今の彼の気持にまったくふさわしくない、あまりに平凡で低級な言葉だったからである。

コズヌイシェフは、珍しいことに、声をたてて愉快そうに笑いだした。

「いや、それにしても、おれも大いにうれしいよ、ぐらいはいったってかまわないだろう」

「それもあす、あすのことですよ。もうなんにもいわないで！　なんにも、なんにも、いわないで」リョーヴィンはいって、もう一度兄の毛皮外套の襟をかきあわせると、こうつけ加えた。「ぼくは兄さんが大好きですよ！　ねえ、会議に行ってもかまいませんか？」

「もちろん、いいさ」

「きょうはどんな話があるんです？」リョーヴィンは相変らず微笑しながらたずねた。

　ふたりは会議の場所へ着いた。リョーヴィンは、秘書がどうやら自分でも内容がわかっていないらしい記録を、どもりどもり読みあげるのを聞いていた。しかし、リョーヴィンはその顔つきから、その秘書がじつに愛すべき、りっぱな若者であることを見てとった。そのことは、記録を読みながら、まごついて、もじもじしている様子でも明らかであった。それから演説がはじまった。人びとはある金額の支出と、なにか鉄管の敷設《ふせつ》のことで議論していたが、コズヌイシェフはふたりの委員を徹底的に攻撃して、勝ち誇ったように、長々としゃべった。すると、もうひとりの委員がなにか紙きれに書いてから、はじめはおじけづいたが、やがてひどく毒を含んだ答弁を、慇懃《いんぎん》な調子でやった。そのあとでスヴィヤジュスキーが（彼もそこにいたのである）、やはりなにかしら、とても美しい上品な言葉で述べた。リョーヴィンはみんなの話に耳を傾けていたが、彼には、金額の支出も、鉄管の敷設も、そんなものはいっさい問題ではなく、みんなはけっして腹も立てず、だれもかれも善良な愛すべき人びとであって、したがって、なにもかもこれらの人びととのあいだでは円満に、和気あいあいのうちに進行しているのだ、とはっきり見てとった。みんなはだれのじゃまもせず、愉快な気分でいるのだった。とりわけリョーヴィンの気づいたことは、今夜に限って、これらすべての人びとの気持が腹の底まで手にとるようにわかり、以前は気のつかなかったささやかな徴候から、ひとりびとりの魂を知ることができ、みんなが善良な人びとであることを、はっきりと理解したことであった。今夜みんなは、だれよりも彼リョーヴィンを、並みはずれて愛してくれた。そのことは、彼に対するみんなの口ぶりからも、いや、未知の人びとまで優しく愛情のこもったまなざしで彼をながめていることからも、明らかであった。

「どうだい、おもしろかったかい？」コズヌイシェフは彼にたずねた。

「とっても。こんなにおもしろいとは、夢にも思いませんでしたよ。だんぜん、すてきですね」

スヴィヤジュスキーがリョーヴィンのところへやって来て、お茶に招いた。リョーヴィンは自分がなぜスヴィヤジュスキーに不満を感じていたのか、なにを彼に求めていたのか、われながら理解することも、思いだすこともできなかった。彼は聡明《そうめい》な、驚くほど善良な人物であった。

「喜んで伺います」リョーヴィンはいって、夫人やその妹のことをたずねた。と、奇妙な連想作用の働きで、彼の頭の中ではスヴィヤジュスキーの義妹についての考えが、結婚という問題に結びつき、今の自分の幸福を語る相手として、スヴィヤジュスキーの妻と義妹より以上に適当な人はいないような気がしてきた。彼は喜んで、招かれて行った。

スヴィヤジュスキーは農事経営について彼にたずねたが、それは例によって、ヨーロッパで発見できなかったものを、ロシアで発見できるはずがない、といった調子であった。しかし、今夜はそんな調子もリョーヴィンには、少しも不愉快ではなかった。いや、それどころか、彼は心の中で、スヴィヤジュスキーの意見はほんとうだ、そんなことはみんなつまらぬことだ、と感じていた。また、スヴィヤジュスキーが驚くほど繊細な心づかいと優しさをもって、自分の正しさを誇示するのを避けようとしているのに気がついた。スヴィヤジュスキー家の婦人たちは、とくに愛すべき人たちであった。リョーヴィンには夫人もその妹も、もうすべてを知っていて同感しているくせに、ただ婦人のつつましさから、それを口に出さないように思われた。彼はいろんなことを話しながら、一時間、二時間、三時間と長居をしてしまったが、自分では心の中にあふれているただ一つの思いだけを、暗に語っているつもりであった。そのため、みんなが自分の話にすっかりあきあきしてしまっていることも、とうに寝る時間がきていることにも、気がつかなかった。スヴィヤジュスキーは、あくびをしながら、玄関まで送りだしたが、友人のおちいっている奇妙な心理状態に、内心、びっくりしていた。もう一時をまわっていた。リョーヴィンはホテルへ帰って来た。が、今からたったひとりきりで、まだ残っている十時間を、耐えがたい待ちどおしさで、過さなければならないと気づいて、愕然《がくぜん》とした。当直のボーイが、ろうそくに火をつけて、出て行こうとしたが、リョーヴィンはそれを呼びとめた。エゴールというそのボーイは、リョーヴィンも前には気づかなかったが、今見ると、とても利口そうな、感じのいい、それになによりも人の良さそうな男であった。

「どうだね、エゴール、寝ずにいるのはたいへんだろう？」

「しかたありませんよ。勤めなんですから。そりゃ、お屋敷だと、ずっと楽ですが、そのかわり、こちらのほうが収入が多うございまして」

話を聞くと、エゴールは家族もちで、三人の男の子と、縫い物をしている娘があって、彼はその娘をある馬具屋の番頭のところへ嫁にやりたい、ということだった。

リョーヴィンはそれをきっかけにして、結婚に対する自分の考えをエゴールに話して聞かせ、結婚で何より大切なのは愛情であり、愛情さえあれば、いつでも幸福でいられるが、それは幸福というものはただ自分自身の中にあるものだから、と説明した。エゴールは熱心に聞いていた。そして、どうやら、リョーヴィンの考えがはっきりのみこめたようだった。ところが、彼はその意見の正しさを実証するために、リョーヴィンには思いがけない話をはじめた。彼は以前、りっぱなお屋敷に奉公していた時分には、そこのだんな方に満足していたが、ここの主人はフランス人であるが、やはり心から満足しているというのであった。

《驚くほど善良な男だ！》リョーヴィンは思った。

「それじゃ、エゴール、おまえは女房をもらったとき、女房を愛していたのかい！」

「もちろんですとも」エゴールは答えた。

するとリョーヴィンは、エゴールもまた歓喜にあふれた心持ちになって、胸に秘めている感情を、すっかり吐き出してしまいたい気分になっているのを見てとった。

「わたしの身の上も、これでなかなか変ったものでして。いや、小さい餓鬼《がき》の時分から……」彼はまるであくびが他人に伝染するように、どうやら、リョーヴィンの歓喜に感染した様子で、こうしゃべりだした。

　しかし、ちょうど、そのとき、ベルの音が聞えた。エゴールは行ってしまい、リョーヴィンひとりになった。彼は晩餐《ばんさん》のとき、ほとんど何も食べなかったし、スヴィヤジュスキーのところでも、お茶も夜食も辞退した。それでもなお、夜食のことなどとても考えることはできなかった。前の晩もまんじりともしなかったのに、今もって眠るどころの騒ぎではなかった。部屋の中はすがすがしかったのに、彼はむし暑さで、息がつまりそうな気がした。彼は通風口を二つともあけて、その正面のテーブルに腰をおろした。雪におおわれた屋根の陰から、鎖をつけた、模様のある十字架が見え、さらにその上には、黄色っぽい光輝を放つカペラ星を擁する三角形の御者座がしだいに高くのぼって行くのがながめられた。彼はその十字架と星とを、かわるがわるながめながら、規則正しく室内に流れこむ、すがすがしい凍《い》てついた空気を吸いこんでいた。そして夢見心地《ゆめみごこち》で、頭の中へわきあがってくる映像や思い出を追っていた。三時を過ぎたころ、廊下に足音が聞えたので、彼は戸口からのぞいてみた。それは顔なじみのトランプ師のミャースキンが、今クラブから帰って来たところだった。彼は暗い顔をしかめ、咳《せき》ばらいをしながら、歩いていた。《気の毒な、ふしあわせな男だ！》リョーヴィンは思った。と、その男に対する愛と憐憫《れんびん》のため、目頭《めがしら》に涙があふれてきた。リョーヴィンは彼と言葉をかわして、慰めてやりたくなった。しかし、自分が肌《はだ》着《ぎ》一枚でいるのに気づくと、思いなおして、また通風口の前に腰をおろし、冷たい空気を浴びながら、あのおし黙ってはいるが、自分にとって深い意味を秘めた、絶妙な形をしている十字架や、しだいに高くのぼって行く黄色っぽい光輝を放つ星をながめはじめた。六時過ぎになると、掃除人夫たちがごそごそとざわめきはじめ、どこかの礼拝を知らせる鐘が鳴りはじめた。と、リョーヴィンはからだが冷えてきたのに気づいた。彼は通風口を閉じて、顔を洗い、着替えをすると、町へ出て行った。

15

町はまだ人通りがなかった。リョーヴィンは、シチェルバッキー家へ出かけて行った。表玄関のドアはしまっていて、なにもかもしんと寝静まっていた。彼は引き返して、またホテルの部屋へはいり、コーヒーを注文した。もうエゴールと交替した当番のボーイが運んで来た。リョーヴィンは、そのボーイと話がしたかったが、ベルが鳴ったので、ボーイは行ってしまった。リョーヴィンはコーヒーを飲もうとして、丸パンを口へ入れたが、そのパンをもてあまして、どうにもならぬ始末であった。リョーヴィンは丸パンを吐き出すと、外套を着こんで、また外へぶらつきに出かけた。彼が二度めに、シチェルバツキー家の表階段のところへ着いたのは、九時すぎであった。家の中は、たったいま起きだしたばかりで、料理人が食料品を買い出しに出かけるところだった。まだすくなくとも、二時間は我慢しなければならなかった。

前の晩から朝にかけて、リョーヴィンはまったく無意識のうちに過してしまったので、自分が物質生活の諸条件からすっかり解放されたような気がしていた。彼はまる一日なにも食べず、ふた晩もまんじりともせず、上着を脱いだまま幾時間も寒気の中で過したにもかかわらず、彼はかつて知らぬほど、生きいきとした、健康な気分を味わっていた。いや、そればかりでなく、自分がまったく肉体から超越してしまったように感じていた。彼は筋肉の力をかりずに動きまわり、どんなことでもできるような気がした。もし必要とあれば、空高く飛ぶことも、家の一角ぐらい動かすこともできるにちがいないと信じて疑わなかった。彼は残された時間を、たえず時計をのぞいたり、あたりを見まわしたりしながら、往来を歩きまわっていた。

そして、そのとき彼が見たものは、その後もう二度と再び見ることのできぬものであった。とりわけ、学校に行く子供たちや、屋根から歩道へ舞いおりた鳩《はと》や、姿の見えない人の手がショー・ウィンドウに並べていた粉まみれの白パンなどは、彼に深い感動を与えた。その白パンも、鳩も、ふたりの男の子も、みなこの世のものとは思えないような存在であった。しかも、そうしたことがみんなほとんど同時に起った。ひとりの男の子が鳩のほうへ走って行き、にこにこしながら、リョーヴィンの顔を見た。と、鳩はばたばたと羽ばたきして、宙に震えている粉雪のあいだを、日の光に翼を輝かせながら、ぱっと飛びたった。すると窓の中から、焼きたてのパンのにおいがぷんとにおってきて、白パンが陳列された。こうしたことがそろいもそろって、つねになくすばらしかったので、リョーヴィンはあまりのうれしさに、思わず明るい感動の涙を浮べたくらいだった。新聞通りからキスローフカへとたいへんなまわり道をして、彼はまたホテルへ帰って来た。そして目の前に時計を置いて、十二時がくるのを待ちかねながら、じっと、すわっていた。隣の部屋では、なにか機械のことや詐欺《さぎ》についての話をしながら、朝の咳をやっていた。こうした連中は、時計の針がもう十二時に近づいているのを知らないでいるのだ。針はついに十二時をさした。リョーヴィンは表玄関へ出た。御者たちは、どうやら、なにもかも承知しているらしく、幸福そうな顔つきで、先を争って自分の馬車をすすめながら、リョーヴィンをとりまいた。リョーヴィンは、ほかの御者たちをおこらせないように、またこの次に頼むからと約束して、その中のひとりを選んで、シチェルバツキー家へやってくれと命じた。その御者は、血色のいい、頑丈《がんじょう》そうな首を、白いシャツで包み、その襟が長外套《カフタン》の下からのぞいているところがとてもしゃれていた。この御者の橇《そり》は腰が高く軽快で、その後リョーヴィンが二度と乗りあわせたことのないようなものであった。馬もすばらしく、ずいぶん駆けたくせに、まるで動いているとは思えないほどであった。御者はシチェルバッキー家を知っていた。そして、乗っている客に対して敬意を表するために、とくにうやうやしく両腕をまるくして、「どうどう」といいながら、車寄せのところで橇を止めた。シチェルバッキー家の玄関番はどうやら、なにもかものみこんでいたらしい。それは彼の目に浮んだ微笑からも、口にした次のような言葉からも、明らかであった。

「これは、これは、リョーヴィンさま、お久しぶりでございますな！」

彼はなにもかも知っていただけでなく、明らかに、小躍《こおど》りせんばかりに喜んでいたにもかかわらず、わざと、その喜びをおし隠そうと努めているようだった。リョーヴィンは相手のその年寄りじみた目を見ると、自分の幸福の中に、またなにか新しいものを、見いだしたようにさえ思われるのであった。

「みなさん、お起きになったかね？」

「どうぞ！　それはこちらへお置きあそばして」彼はリョーヴィンが帽子を取りに引き返そうとしたとき、にこにこしながら、そういった。これもなにか意味があるのだった。

「どなたにお取次ぎいたしましょう？」召使はたずねた。

その召使は、まだ新顔の若い伊達男《だておとこ》であったが、見るからに善良そうな、感じのいい男で、やはり、なにもかも心得ていた。

「奥さんに……いや、ご主人に……あのう、お嬢さんに……」リョーヴィンはいった。

彼が会った最初の人は、マドモアゼル・リノンであった。彼女は広間を通りぬけて来たが、その巻髪も顔も、晴ればれと輝いていた。彼がひと言ふた言話しかけると、不意に、戸の向うで、衣《きぬ》ずれの音が聞えた。と、マドモアゼル・リノンはリョーヴィンの目の前から消えて、彼は近づいて来る幸福に、思わず喜ばしい恐怖の戦慄《せんりつ》を覚えた。マドモアゼル・リノンは急にそわそわして、彼をおいたまま、別の戸口へ歩み去った。彼女が出て行くとほとんど同時に、せかせかと小刻みに嵌木床《はめきゆか》を歩む軽快な足音が響きはじめた。そして、彼の幸福が、彼の生命が、彼自身が、いや彼自身よりもすぐれている、彼があれほど長いあいだ願い求めていたものが、彼を目ざして、刻一刻と近づいて来るのであった。彼女は歩いているのではなく、なにか目に見えぬ力によって、彼のほうへ運ばれて来るのであった。

リョーヴィンはただ、彼女の澄みきった、真心のこもったひとみを見たばかりであった。そのひとみには、彼の心を満たしている同じ愛の喜びに、おびえたような輝きを見せていた。その二つのひとみは、もえるような愛の光で彼の目をくらませながら、いよいよ間近に輝いて来た。彼女はすぐそばへ、彼のからだにふれんばかりのところへ来て、立ち止った。彼女の両手があがったかと思うと、彼の肩におろされた。

キチイは、自分にできるかぎりのことは、なにもかもやってしまった。彼のそばへ駆けよって、おどおどしながら、しかし歓喜にもえながら、身も心も彼にゆだねた。彼はキチイを抱きしめ、接吻《せっぷん》を求めているその口に、自分の唇《くちびる》をおしあてた。

キチイも同じくひと晩じゅうまんじりともしないで、朝からずっと彼を待っていたのであった。父と母も、一も二もなく同意し、娘の幸福を自分たちの幸福と感じていた。彼女は彼を待ちわびていた。彼女はだれよりもさきに、自分たちふたりの幸福を、自分の口から、彼に告げたかったのである。彼女はひとりで彼を迎える用意をし、その思いつきに胸をおどらせながらも、なにか気おくれがして、恥ずかしかった。そして、自分でもどうしたらよいのかわからなかった。彼の足音と声を聞きつけると、戸の外に立って、マドモアゼル・リノンが出て行くのを待っていた。マドモアゼル・リノンは出て行った。と、彼女はもうなにをどんなふうに、などとは考えもしなければ、自分にたずねてもみないで、いきなり、彼のそばへ駆けよって、今したとおりのことを、やったのである。

「ママのところへまいりましょう！」キチイは彼の手を取って、いった。彼は長いこと、なにひとつ、いうことができなかった。それは自分の感情の気高さを、言葉によってそこなわれるのを恐れたからというよりも、むしろ、なにか口にしようとするたびに、言葉のかわりに、幸福の涙があふれ落ちそうになるのを感じたからであった。彼はキチイの手をとって、接吻した。

「ああ、これがほんとのことだろうか？」彼はやっと、低い声でいった。「きみがぼくを愛してくれるなんて、とても信じられない！」

キチイはこの『きみ』という親しい呼びかけと、自分をながめたときのおずおずした相手の様子に、思わず、にっこりと、ほほえんだ。

「そうですのよ！」彼女は意味ありげに、ゆっくりと答えた。「あたくし、とっても、幸福ですわ！」

キチイは彼の手を放さないで、客間へはいって行った。公爵《こうしゃく》夫人はふたりの姿を見ると、急に息づかいが激しくなって、いきなり、感きわまってわっと泣きくずれたが、すぐまた笑いだして、リョーヴィンの思いもかけぬ力づよい足どりで、ふたりのほうへ駆けよって来た。そして、リョーヴィンの頭を抱くと、彼に接吻し、その頬《ほお》をあふれる涙でぬらしてしまった。

「これでなにもかもすみましたわ！　まあ、うれしいこと！　この娘《こ》をかわいがってやってくださいね。まあうれしいこと！……キチイ！」

「こりゃ、ばかに手まわしがいいじゃないか！」老公爵はわざと平静を装いながら、そういった。しかし、リョーヴィンは相手が自分のほうへ顔を向けたとき、その目がうるんでいるのに気づいた。

「わしはもうずっと前から、いつもこうなってほしいと願っていたのだ」老公爵はリョーヴィンの手をとって、自分のほうへ引き寄せながら、いった。「わしはもうあのときから、このおてんばさんがあんな考えを起して……」

「パパ！」キチイは叫んで、父の口を両手でおさえた。

「なに、もういわんよ！」老公爵はいった。「いや、わしは、じつに、じつに……うれし……ああ、わしはなんてばかな……」

老公爵はキチイを抱きしめ、その顔に、手に、さらにまた顔に接吻してから、十字を切ってやった。

こうして、キチイが父親の肉づきのいい手に長いこと優しく接吻しているのを見たとき、リョーヴィンは今まで赤の他人であったこの老公爵に、心の底から新しい愛情を覚えたのであった。

16

公爵夫人は無言のまま肘掛《ひじか》けいすに腰かけて、ほほえんでいた。公爵はそのそばへ腰をおろした。キチイはなおも父の手を放さないで、そのいすのかたわらに立っていた。みんなが黙っていた。

やがて公爵夫人がまっ先に、ふだんと変りない話しぶりで、みんなのいだいていた考えや思いを実生活の問題として話題にした。と、最初のうちは、だれにとってもそうしたことが奇妙な、なにか心の痛みを覚えることのようにさえ思われた。

「それで、いつにしたらいいでしょうね？　婚約の式や、その披露《ひろう》もしなくちゃなりませんし。で、結婚式はいったいいつがよろしいでしょうね？　どうお思いになって、アレクサンドル？」

「この人がいるじゃないか」老公爵はリョーヴィンを指さしながら、いった。「この問題では、この人が主人公だからな」

「いつですって？」リョーヴィンは赤くなりながら、いった。「あすですね、ぼくの意見をおききになるのでしたら、ぼくの考えは、きょう婚約の式をして、結婚式はあすということですね」

「まあ、あなた、たくさんですよ、そんなご冗談は」

「それじゃ、一週間後」

「まあ、気でも違ったんですの」

「いや、なぜです？」

「ねえ、考えてもくださいまし！」母親は相手のこの性急さに、喜びの微笑を浮べながら、いった。「じゃ、おしたくはどうするんですの」

《したくだの、なんだのって、そんなものがいるんだろうか？》リョーヴィンは、ぞっとしながら考えた。《いや、それにしても、したくだとか、婚約の式だとか、そういったさまざまのことが、まさか、おれの幸福を傷つけるわけでもあるまい？　いや、どんなことだって、それを傷つけるわけにはいかないさ！》彼はキチイの顔をちらとのぞいて、したくなどという考えも、彼女の誇りを少しも傷つけていないのを見てとった。《すると、やっぱり、これも必要なんだな》彼は考えた。

「いや、ぼくにはなんにもわからないんですよ。ただ、自分の希望をいってみたまでなんですから」彼はわびるようにいった。

「それじゃ、みんなでよくご相談しましょう。そりゃ、婚約の式や披露は、今すぐにでもできますよ。それはそのとおりでございますよ」

公爵夫人は夫に近づいて、接吻すると、そのまま、出て行こうとした。しかし、老公爵は夫人を引き止めると、まるで恋する若者のように、優しく抱きかかえて、微笑を浮べながら、幾度も接吻した。老夫婦は、どうやら、一瞬、頭が混乱して、再び恋におちたのが自分たちなのか、それとも、娘だけなのか、よくわからないふうであった。公爵夫妻が出て行ってしまうと、リョーヴィンは自分の許婚《いいなずけ》のそばへ近づいて、その手を取った。彼も今は正気に返ったので、話をすることもできたし、話すべきこともたくさんあった。ところが、彼の口にしたことは、いわねばならぬこととはまったく違ったことであった。

「こうなるだろうってことは、ぼくにはちゃんとわかっていましたよ！　そりゃ、一度も期待はしていませんでしたが、心の底ではいつも確信していたんです」彼はいった。「こういう宿命だったんだと信じますよ」

「でも、あたしは」キチイはいった。「あのときでさえ……」彼女はここでちょっと言葉を切ったが、例の誠実さのこもった目で、じっと彼を見つめながら、またつづけた。「あたしが自分の幸福を自分から突き放したあのときでさえ、あたしはいつも、ただあなただけを愛していましたの。でも、あのときは魔がさしたんですわ。お話ししてしまわなくちゃなりませんわ……あのときのことをお忘れになることができまして？」

「いや、ひょっとすると、あれがかえってよかったのかもしれませんね。ぼくにはあなたに許していただかなくちゃならんことがたくさんあるんです。どうしてもあなたにお話ししておかなければならないのは……」

それは、彼がキチイに打ち明けようと決心したことの一つであった。彼はいちばん最初の日から、二つのことを打ち明けようと決心していた。一つは、自分が彼女ほど純潔でないということであり、もう一つは、自分が信仰をもたない人間だということであった。これはつらいことであったが、彼はそのどちらも話さなければならないと考えていた。

「いや、今でなく、あとにしよう！」彼はいった。

「けっこうですわ、あとでも。でも、きっと、話してくださいね。どんなことでも驚きませんから。あたし、なんでもみんな知っておかなくちゃなりませんもの。もうこれで、なにもかもきまってしまったんですもの」

彼は最後までいってしまった。

「じゃ、ぼくを受けいれてくださるってことがきまったわけですね。たとえぼくがどんな人間であっても、もう拒んだりはしないってことが？　そうですね？」

「ええ、ええ」

ふたりの会話は、マドモアゼル・リノンが来たので中断された。彼女は、つくり笑いではあったが、優しい微笑を浮べながら、愛する教え子を、祝福するためにやって来たのだった。まだ彼女が出て行かないうちに、もう召使たちがお祝いにやって来た。それから、親戚《しんせき》の人たちも乗りつけて来て、おきまりのうれしいてんやわんやの騒ぎがはじまった。リョーヴィンは結婚の翌日まで、この騒ぎから抜けだすことができなかった。リョーヴィンはたえずばつの悪い思いをして、退屈だった。しかし、はりつめた幸福感は、ますますつのっていくばかりであった。彼はいつも、自分の知らないことを、むやみに要求されているような気がした。そこで、彼は人にいわれるままに動いていたが、彼はそうすることによって、かえって幸福感を味わうのだった。彼は心の中で、自分の結婚はほかの人びとの結婚とはなんの共通点もないのだから、世間並みの結婚の条件は、自分の特別な幸福をそこなうものになる、と考えていた。しかし、結局のところ、彼もほかの人びとと同じことをすることになってしまったが、彼の幸福は、そのためにかえって増大するばかりで、ますますほかに類のない、いや、かつて例を見なかったような、特別なものになっていくのであった。

「さあ、今度は、みんなでお菓子をいただきましょう」マドモアゼル・リノンはいった。そこで、すぐリョーヴィンはお菓子を買いに出かけた。

「いや、じつにうれしいね」スヴィヤジュスキーはいった。「とにかく、フォミンの店から花束を買って来なくちゃ」

「ああ、いるかね？」そういって、彼はフォミンの店へ出かけて行った。

兄はまた、これから贈り物やなにやらで、莫大《ばくだい》な費用がかかるから、お金を借りておかねばならない、といった。

「ああ、贈り物がいるの？」そういって、彼はフルデ（訳注　モスクワにあった有名な貴金属店）のところへとんで行った。

菓子屋でも、フォミンの店でも、フルデのところでも、彼は自分が歓迎され、自分の来訪が喜ばれ、自分の幸福が祝福されているのをまざまざと見てとった。これは彼がこの数日間に交渉をもったすべての人びとと同様であった。また、とてもふしぎなことには、すべての人が彼を愛してくれたばかりでなく、以前には少しも同情してくれなかった、冷淡で無関心な人たちまでが、彼のことで有頂天になり、どんなことでも彼のいうままになって、優しく細かいことにまで気のつく態度で、彼の感情をいたわり、自分の許婚《いいなずけ》は完全無欠の人格以上の存在であるから、自分こそは世界一の幸福者であるという、彼の信念に共感を示してくれたのであった。キチイもそれと同じことを感じていた。一度ノルドストン伯爵夫人が、あたしはもっとりっぱな方を期待していたと大胆にもほのめかしたときには、キチイもかっとなって、リョーヴィンよりりっぱな人はこの世にいるはずがないと、憤然として反駁《はんばく》したので、ノルドストン伯爵夫人も、それを認めないわけにいかなくなり、それからはキチイのいるところでリョーヴィンに会うと、かならず感嘆の微笑を浮べるようになった。

彼の約束した告白は、その時期における一つの重苦しい出来事であった。彼は老公爵と相談して、その許可を受けてから、自分を悩ましたことの書かれてある日記を、キチイに渡した。彼は当時この日記を、未来の妻のためにもと思って書いていたのであった。彼を悩ました二つの事がらとは、自分が童貞でないことと、信仰をもたぬ人間であるということであった。信仰をもっていないという告白は、たいして気にもとめられずにすんだ。キチイは信心ぶかく、かつて一度も宗教の真理を疑ったことはなかったが、彼が表面的に信仰をもっていないということは、いささかも彼女の心を動揺させなかった。彼女はその愛情によって、彼の心をすっかり知りつくしていたので、彼の心の中に、自分の求めていたものを見てとっていたし、また、そうした精神状態が、無信仰といわれるべきものであっても、彼女にとっては、いっこうに平気であった。しかし、もう一つの告白に、彼女は苦い涙を流した。

リョーヴィンは、内心の戦いをいくらか感じながらも、キチイに自分の日記を渡したのである。彼は自分と彼女のあいだには、秘密などありえないし、またあるべきでないと考えていたので、そうすべきだときめたわけであった。しかし、それが彼女にどんな作用をおよぼすかということは、考えてみなかった。つまり、相手の身になって考えることを、しなかったのである。その晩、芝居へ行く前に、キチイの家を訪れ、その部屋へはいって行き、そこに、彼の与えた取り返しのつかぬ悲しみのために、目を泣きはらし、さも不幸そうな、痛々しい、しかもいじらしいキチイの顔を見たとき、彼ははじめて自分の恥ずべき過去と、彼女の鳩《はと》のような純潔さとを隔てている深淵《しんえん》を悟って、自分のした行いに愕然《がくぜん》としたのであった。

「持ってってくださいまし、こんな恐ろしい本は、みんな持ってってくださいまし！」キチイは自分の前のテーブルの上にのっていたノートをおしやりながら、いった。「なぜこんなものをあたしにお見せになりましたの！……でも、やっぱり、そのほうがよかったんですわね」彼女は相手の絶望したような顔つきに、同情を覚えて、こうつけ加えた。「でも、恐ろしいことですわ、恐ろしいことですわ！」

彼は頭をたれて、黙っていた。彼はなにひとついうことができなかった。

「ぼくを許してはくださいませんか」彼はささやくようにいった。

「いいえ、もう許しましたわ。でも、これはやはり恐ろしいことですわ！」

そうはいうものの、彼の幸福はあまりに大きかったので、この告白も彼のそうした気持にひびを入れるどころか、かえって新しいニュアンスを加えたばかりであった。キチイは彼を許した。しかし、そのとき以来、彼は前にもまして自分を妻に値しないものと感じ、道徳的に彼女の前にますます頭をたれ、自分の分不相応な幸福を、さらに高く評価するようになった。

17

晩餐《ばんさん》のあいだや、そのあとでかわされた座談の印象を、われともなく心の中で思い返しながら、カレーニンは、寂しいホテルの一室へ帰って来た。許してやってくれというドリイの言葉は、ただいまいましさを彼に感じさせたばかりであった。キリスト教の掟《おきて》を、自分の場合に適用するかしないかということは、軽々しく口にするにはあまりに重大な問題であったし、しかも、この問題はとうの昔に、カレーニンによって否定的解決をみていたからである。その晩いろいろ話された言葉の中で、彼の心をもっとも強く刺激したのは、あの愚かなお人よしのトゥロフツィンが『男らしくやりましたよ。決闘を申し込んでやっつけたんですから』といった言葉であった。みなは礼儀上から口にこそ出さなかったが、明らかに、それに同感しているようだった。

《もっとも、この事件はもう解決してしまったのだから、いまさらなにも考えることはないわけだ》カレーニンは自分にそういいきかせた。そこで、彼は目前に迫った出発と、調査の仕事のことばかり考えながら、部屋へはいると、そこまで送って来た玄関番に、召使はどこにいるか、とたずねた。玄関番は、召使ならたったいま出て行ったばかりです、と答えた。カレーニンは、お茶を持って来るように命じ、テーブルに向って腰をおろすと、フルームの案内記を取りだして、旅行のコースをあれこれ考えはじめた。

「電報が二通まいっております」帰って来た召使は、部屋へはいりながらいった。「閣下、お許しください、たった今、ちょっと表へ出ておりまして」

カレーニンは電報を受け取って、封を開いた。第一の電報は、カレーニンが前々から望んでいた地位に、ストリョーモフが任命されたという知らせであった。カレーニンはその電報をほうりだし、顔を紅潮させながら、立ちあがると、部屋の中を歩きはじめた。《Quos vult perdere dementat》（訳注　神は滅ぼさんと欲するものの理性をば奪うものなり）彼はそうつぶやいたが、そのquosという言葉は、この任命に助力した連中を意味するものであった。彼は、自分がその地位を手に入れることができなかったことに、つまり、あきらかに、自分が除《の》け者《もの》にされたことに、腹を立てたわけではなかった。いや、彼にはただあのおしゃべりでほら吹きのストリョーモフが、ほかのだれよりもこの地位に不適任であることを、当局が見過していることが、なんとしても合点《がてん》がいかず、ふしぎでならなかったのである。このような任命をしたら、それこそ自分たちの威信を落すことにほかならないのに、なぜそれがわからないのであろうか？

「これもまた、なにか似たようなことだろう」彼はもう一通の電報を開きながら、にがにがしくつぶやいた。それは妻からの電報であった。青い鉛筆で書かれた『アンナ』という署名が、まず第一に彼の目に映った。『シニカケテイマス　ナニトゾ　オカエリクダサイ　オユルシクダサレバ　ラクニシネマス』と彼は読んだ。彼はにやっと笑うと、電報をほうりだした。これはなんといううそであり、奸計《かんけい》であることか。いや、もうそれにちがいない。最初の瞬間、彼にはそう思われた。

《あれはどんなうそでも平然といってのけるからな。もっとも、お産を控えていたから、ひょっとすると、お産からきた病気かもしれんな。いや、それにしても、いったいどんな目的があるんだろう？　赤ん坊の籍を入れて、おれの顔に泥《どろ》を塗って、離婚を妨げようという気かな》彼は考えた。《だが、なんとか書いてあったな——死にかけています、か……》彼はまた電報を読みなおした。と、そこに書かれている言葉の直接的な意味が、いきなり、彼の心をうった。「もしこれがほんとうだったら？」彼はつぶやいた。《もしあれが瀕死《ひんし》の苦痛の中で、ほんとうに心から悔い改めているのに、おれがそれをうそだとして、帰るのを断わったら？　それは残忍な行為として、みんなから非難されるばかりでなく、おれの立場からいっても、愚かなことじゃないか》

「ピョートル、馬車を止めといてくれ、おれはペテルブルグへ帰るから」彼は召使にいった。

カレーニンはペテルブルグへ行って、妻に会おうと決心した。もし妻の病気が仮病だったら、なんにもいわずに、発《た》ってしまおう。もしほんとうに瀕死の病人であり、死ぬ前にひと目自分に会いたいと願っているのだったら、息のあるうちに会えれば許してやろうし、万一、間にあわなかった場合には、最後の義務を尽してやろう。

道中ずっと、彼は自分のすべきことについては、それ以上なにも考えなかった。

車中で一夜を過したために、疲労と不潔な感じをいだきながら、カレーニンはペテルブルグの朝霧の中を、人気のないネフスキー通りに馬車を走らせながら、自分を待ちうけていることについてはなにも考えずに、じっと前方をながめていた。彼にはそのことが考えられなかったのである。というのは、これから先のことを心の中でいろいろ考えるたびに、妻の死は自分のおかれている困難な状態を、一挙に取り除いてくれるという想像を、なんとしてもはらいのけることができなかったからである。パン売りや、まだしまっている店や、徹夜の辻《つじ》待ち御者や、歩道を掃いている庭番などが、彼の目にちらついた。そして彼は、自分を待ちうけていること、自分としてはあえて望んではならぬことだが、やはりひそかに望まずにいられないことについての考えを打ち消そうと努めながら、目にふれるそれらのものを観察していた。やがて彼はわが家の表玄関に乗りつけた。一台の辻馬車と、居眠りしている御者を乗せた箱馬車が車寄せのそばに止まっていた。玄関へはいりながら、カレーニンはまるで脳の奥ふかくから、例の決心を引っぱり出すようにして、もう一度それをたしかめてみた。それは《もしそうだったら、平然と軽蔑《けいべつ》して立ち去ること。もしほんとうだったら、しかるべく体面をつくろうこと》というのであった。

カレーニンがまだベルを鳴らさないうちに、玄関番は戸をあけた。玄関番のペトロフは、一名カピトーヌイチと呼ばれていたが、古びたフロックコートにネクタイもつけず、スリッパをはいた奇妙な格好をしていた。

「家内はどうかね?」

「きのう、ご安産なさいました」

カレーニンは立ち止って、さっと青ざめた。彼は、自分が妻の死をどんなに期待していたかを、今こそはっきりと悟ったからである。

「で、からだのぐあいは?」

コルネイが朝の前だれかけ姿で階段を駆けおりて来た。

「たいへんお悪うございます」彼はいった。「きのうはお医者さま方がお集まりになって、診察なさいました。今もおひとり見えていらっしゃいます」

「荷物を取って来てくれ」カレーニンはいって、とにかくまだ死ぬ望みがあるという知らせに、いくらかほっとした気持になりながら、控室へはいって行った。

帽子掛けには、軍人の外套《がいとう》がかかっていた。カレーニンはそれに気づいて、たずねた。

「だれが来ているのかね?」

「お医者さまと、産婆《さんば》と、ヴロンスキー伯爵《はくしゃく》でございます」

カレーニンは奥の間へはいった。

客間にはだれもいなかった。アンナの居間から、彼の足音を聞きつけて、紫のリボンのついた室内帽をかぶった産婆が出て来た。

　産婆はカレーニンのそばへ来ると、一刻を争う病人のためか、いきなり、なれなれしく彼の手をとって、寝室へ引っぱって行った。

「まあ、お着きになって、ほんとうにようございました！　ただもうあなたさまのことばかり、あなたさまのことばかりおっしゃいますので」産婆はいった。

「さあ、早く氷をください！」寝室の中から医者の命ずる声が聞えた。

　カレーニンは妻の居間へはいった。妻のテーブルのそばの、低いいすに、ヴロンスキーが横向きに腰をかけて、両手で顔をおおったまま、泣いていた。彼は医者の声に飛びあがって、顔から両手を放したとたん、カレーニンの姿を見た。彼は夫を見ると、すっかりどぎまぎしてしまい、まるでどこかへ消え入りたい風情《ふぜい》で、両肩のあいだへ首をひっこめて、また腰をおろした。しかし、やっと勇気を出して、立ちあがると、こういった。

「あの人は死にかかっています。医者たちも絶望だといいました。私はすべてをあなたにゆだねますが、ただここにいることだけはお許しください……もっとも、それもあなたのお心しだいですが、私は……」

カレーニンはヴロンスキーの涙を見ると、いつも他人の苦しみを見るときに起る精神的混乱が、いきなりわき起るのを覚えた。そこで、彼は顔をそむけ、相手の言葉を終りまで聞かずに、急いで戸口のほうへ歩きだした。寝室の中から、なにかしゃべっているアンナの声が聞えた。その声は楽しげで、生きいきとしており、おそろしくはっきりした調子だった。カレーニンは寝室へ通って、寝台へ近づいた。アンナは、彼のほうへ顔を向けて寝ていた。その頰《ほお》は紅《くれない》にもえ、目はきらきらと輝き、小さな白い手は、寝間着の袖口《そでぐち》から飛びだして、毛布の端をまるめながら、いじくりまわしていた。見たところ、アンナは元気潑剌《はつらつ》としているばかりでなく、このうえもなく上きげんでいるように思われた。彼女は早口の甲高《かんだか》い調子で、並みはずれて正確な、感情のこもった抑揚をつけながら、しゃべっていた。

「なぜって、アレクセイは――あたしアレクセイ・カレーニンのことをいってるんですのよ（ふたりともアレクセイだなんて、まあ、なんてふしぎな恐ろしい運命でしょうね。そうじゃありません？）アレクセイなら、あたしの頼みを拒んだりなんかしませんわ。あたしも忘れてしまうでしょうし、あの人も許してくれるでしょうよ……でも、あの人はなぜ帰って来てくれないんでしょう？　あの人はいい人ですわ、自分がどんなにいい人かってことを、あの人は自分で知らないんですのよ。ああ、ほんとに、気が滅入《めい》ってしまうわ！　早くお水をちょうだい！　あら、そんなことしたら、あの子に毒ですわね。でも、いいわ。じゃ、乳母をつけてやってね。ええ、あたしは賛成よ、そのほうがかえっていいくらいですわ。あの人が帰って来たら、赤ちゃんを見るのが、つらいでしょうね。さ、赤ちゃんをかして」

「アンナさま、だんなさまがお帰りになりましたよ。ほら、こちらに」産婆はアンナの注意をカレーニンに向けようと努めながら、いった。

「まあ、うそばっかり！」アンナは、夫のほうを見ないで、こうつづけた。「さあ、赤ちゃんをかして、赤ちゃんをあたしにかしてちょうだいったら！　あの人はまだ帰って来ないのね。あの人は許してはくれないってあなたはいうけど、それはあの人を知らないからですよ。だれも知らないんだわ。知ってるものはあたしだけなの。それでよけいに苦しくなってしまったの。だって、あの人は、セリョージャとまったく同じ目をしているのよ。それだから、あたし、あの人の目を見ていられないの。セリョージャにご飯を食べさせたかしら？　だって、みんなは忘れてしまうんですもの。でも、あの人だったら、忘れないわ。セリョージャを角《かど》の部屋へ移して、マリエットにいっしょに寝てもらってね」

　不意に、アンナは身をちぢめて、黙ってしまった。そして、おびえながら、なにか打撃を待ちうけて、その打撃から身をかばうように、両手を顔のほうへ持ちあげた。夫の姿を認めたのである。

「いいえ、いいえ！」アンナはまたしゃべりだした。「あたし、あの人を恐れたりしませんわ。あたしは死ぬのが恐ろしいの。アレクセイ、もっとこっちへいらして。あたしがこんなに急いでるのは、もうあまり時間がないからなの。もういくらも生きていられませんもの。今に熱が出て来たら、もうなんにもわからなくなるんですもの。でも、今ならわかりますわ、なにもかもわかりますわ、なにもかも見えますわ」

カレーニンのしわのよった顔は、受難者のような表情になった。彼は妻の手をとって、なにかいおうとしたが、どうしても口がきけなかった。下唇《したくちびる》がぶるぶる震えていた。しかし、彼はなおも自分の興奮と戦いながら、ただときどき妻をのぞきこんでいた。そして、そちらへ目をやるたびに、彼は今までついぞ見たことがないほどかわいらしい感動的な優しさをたたえて自分をながめている妻のひとみを見いだすのだった。

「お待ちになって、あなたはご存じないんですわ……ね、お待ちになって、どうか、お待ちになって……」アンナは考えをまとめようとするように、ちょっと言葉をきった。「そう、そう、そうでしたわ。あたし、こういうことがいいたかったんですわ。どうか、びっくりなさらないでね。あたしは相変らず前と同じ女なんですの……でも、あたしの中には、もうひとりの女がいるんですの。あたしにはその女《ひと》が恐ろしいんですの。その女《ひと》があの人を好きになったんですの。それで、あたし、あなたを憎もうとしたんですけど、昔の自分が忘れられなかったんです。その女はあたしじゃありませんわ。今のあたしは、ほんとうのあたしですわ。なにからなにまですっかり。あたしはいま死にかかっています、もう死ぬんだってこと、自分でもわかりますわ。あの人に聞いてごらんなさいまし。今でも、もうなにやら大きな錘《おもり》が、手の上にも、足の上にも、指の上にものってるような気がするんですの。ほら、この指なんて――こんなに大きいでしょう！　でも、こんなことはもうすぐおしまいになってしまうんですわ……ただ一つお願いしたいのは、あたしを許してくださること、なにもかもすっかり許してくださることなの！　あたしは恐ろしい女ですけど、いつか婆《ばあ》やがいったように、神聖な受難者なんですの――あれはなんて名前だったかしら？　いいえ、あの女《ひと》のほうが、もっと悪い女だったんですわ。あたしもローマへまいりますわ。あそこは砂漠《さばく》ですから、あたしもうだれのじゃまにもならなくなりますわ、ただセリョージャと赤ちゃんを連れて行くわ……やっぱり、あなたは許してはくださらないのね！　わかりますわ。そんなこととても許すわけにいかないってこと！　いや、いや、出て行ってくださいまし、あなたはあんまりいい方なんですもの！」アンナは熱っぽい片手で彼の手をおさえ、もう一方の手で彼を追いやろうとするのだった。

カレーニンの精神的混乱は、ますます激しくなってきて、今はもうそれと戦う気力もないほどになってしまった。そのとき、彼は急に、今まで精神的混乱とばかり思っていたものは、その逆に、かつて味わったことのない新しい幸福感を不意にもたらしてくれた法悦的な心境であることに気づいた。彼は自分が生涯《しょうがい》従って行こうとしたキリスト教の掟が、自分に敵を許し、かつ愛するように命じたのだとは思わなかったが、敵に対する愛と許しの喜ばしい感情が、彼の心を満たした。彼はひざまずいて、妻の腕の肘《ひじ》のところに頭をのせた。その腕は寝間着ごしに、彼の顔を火のように焼き、彼は子供のようにすすり泣いた。アンナは相手のはげかけた頭を抱いて、身をすりよせ、いどむような誇らしさで、目を上へ向けた。

「ほら、このとおり、この人は帰って来たんだわ、あたしにはちゃんとわかっていたのよ！　じゃ、みなさん、さようなら、どうもお世話さまでした！……まあ、またあの連中がやって来たわ、なぜ行ってしまわないのかしら？　さあ、早くこんな毛皮外套はみんなどけてくださいな！」

医者はアンナの両手をはずして、そっとまくらの上にのせ、肩まで毛布をかけてやった。彼女はおとなしく仰向きになって、輝かしいまなざしでじっと前を見つめていた。

「ねえ、あたしがお願いしているのは、あなたのお許しだけだってこと、それだけはお忘れにならないでね。そのほかのことは、なんにも望みませんわ……なぜあの人は来ないのかしら？」アンナは戸の外のヴロンスキーのほうを向いて、いった。「さあ、こっちにいらして、こっちにいらしてくださいな！　この人に手をさしのべてくださいな」

ヴロンスキーは寝台のはしに近づいたが、アンナを見ると、また両手で顔をおおった。

「顔から手を放して、この人をごらんになって、この人は聖者ですのよ」アンナはいった。「さあ、顔から手を放して、手を放してくださいな！」アンナは腹立たしげにいった。「あなた、この人の顔から手をとってくださいな。この人の顔を見たいんですの」

カレーニンはヴロンスキーの手をつかんで、恐ろしい苦悩と恥辱の表情をたたえた彼の顔から取りのけた。

「この人にお手をさしのべてくださいな。この人を許してやってくださいな」

カレーニンは、両の目からあふれ落ちる涙をおさえようともせず、ヴロンスキーに手をさしのべた。

「ああ、ありがたいことですわ、ありがたいことですわ」アンナはしゃべりだした。「もうこれでなにもかもすみましたわ。ただもうちょっと足をのばさしてくださいな。ええ、それでけっこうですわ。まあ、この花はなんて不細工にできてるんでしょう。ちっともすみれらしくないわね」アンナは壁紙をさしながらいった。「ああ、神さま、これはいつになったらけりがつくんでしょう？　モルヒネをくださいな。ねえ、お医者さま！　モルヒネをくださいな。ああ、神さま、ああ、苦しい！」

そういって、アンナは寝台の上で身をもがきはじめた。

主治医もほかの医者たちも、これは産褥熱《さんじょくねつ》だから、百のうち九十九までは助からない、といっていた。その日はずっと、熱と、うわ言と、意識不明の状態がつづいた。真夜中近くなると、病人はもう感覚を失ったまま、脈搏《みゃくはく》さえほとんど絶えてしまっていた。

一同は臨終の時を今かいまかと待っていた。

ヴロンスキーは、いったん、わが家へ帰ったが、翌朝再び、様子をききにやって来た。カレーニンは控室で彼を迎えると、いった。

「こちらにいてください。ひょっとすると、あなたに会いたいというかもしれませんから」そして、自分から彼を妻の居間へ案内した。

朝になると、アンナは、また興奮して、活気づき、思想と言葉が敏捷《びんしょう》になったが、再び人事不省になってしまった。翌々日もそれと同じ状態だったが、医者たちは望みが出て来たと言った。その日、カレーニンは、ヴロンスキーの控えている居間へはいって来ると、ドアに鍵《かぎ》をかけて、その真向いに腰をおろした。

「カレーニンさん」ヴロンスキーは、話合いのときがきたのを感じて、こう切りだした。「私は今お話しすることも、理解することもできません。どうか、お許しください！　もちろん、あなたもどんなにかお苦しいでしょうが、しかし、私のほうがもっとずっと恐ろしい立場にいることを信じてください」彼は立ちあがろうとした。しかし、カレーニンはその手を取って、いった。

「どうか、私の話も聞いてください。それはぜひとも必要なことです。あなたが私のことについて誤解をなさらんためにも、今まで私を支配してきた、いや、将来とも支配するであろう感情を、あなたに説明しておかなくてはなりませんから。ご存じのとおり、私は離婚を決意して、その手続きさえはじめかけています。なにもかも申しあげますが、私は手続きをはじめるにあたって、決断がつきかねました。それは苦しみました。白状しますがあなたと妻に復讐《ふくしゅう》しようという願いが、頭を離れなかったのです。電報を手にしたときも、私は依然として同じ気持で、ここへ帰って来たのです、いや、もっとあからさまにいえば、私は妻の死を願っていたのです。ところが……」彼は自分の感情を打ち明けようか、打ち明けまいかと、思いまどいながら、口をつぐんだ。「ところが、私は妻の顔を見て、すべてを許してやりました。すると、許すことの幸福感が、私の義務をはっきりさせてくれたのです。私はすっかり許してやりました。私はもう一方の頰をさしだしたい気持です。いや、上着を剝《は》ごうとするものには、下着までくれてやりたい気持です。ただ神に向って、許すことの幸福を自分から奪わないでほしいと、ただそれだけを祈っているのです！」その目に涙があふれ、明るい、落ち着いたまなざしが、ヴロンスキーの心を打った。「これが私の立場です。あなたは私を泥《どろ》の中に踏みにじることも、世間の笑いぐさにすることもできます。でも、私は妻を見捨てませんし、あなたにも、けっしてひと言たりとも非難の言葉は吐かぬつもりです」彼はつづけた。「私のなすべき義務は、はっきりわかっています。私はあれといっしょにいなければなりませんし、自分でもそうしようと思います。あれがあなたに会いたいといえば、お知らせいたします。しかし今のところは、少し遠ざかっておられたほうがあなたのためにもよいと思います」

彼は立ちあがった。が、わっと泣きくずれて、言葉をとぎらせた。ヴロンスキーも立ちあがろうとしたが、前かがみの姿勢のまま、上目づかいに相手の顔を見ていた。彼にはカレーニンの気持が理解できなかった。しかし、彼はそれがなにかしら崇高な、自分の世界観などではとてもうかがいしれぬ境地であるかのように感じたのであった。

18

カレーニンと話し合ったあとで、ヴロンスキーはカレーニン家の表玄関へ出たが、いったい自分はどこにいるのか、これからどこへ行かなければならないのか、それも歩いてか、車に乗ってか、それを一心に思いだそうと努めながら、ちょっと足を止めた。彼は自分がはずかしめられ、卑下させられながら、しかもその屈辱をそそぐ可能性さえ奪われた罪ぶかい人間であるように感じた。彼はまた、自分が今まであれほど誇らしく、軽々と歩んでいた軌道から、はじきだされたように感じた。あれほど強固なものに思われていた自己の生活の習慣や規則が、いきなり虚偽の、通用しないものに思われてきた。いや、今までは自分の幸福を妨げる偶然の、いささかこっけいな、みじめな存在だと思われていた裏切られた夫が、とつぜん、ほかならぬ彼女自身の手によって、敬虔《けいけん》の念を感じさせるほどの高みに持ちあげられてしまったのである。しかも、その夫は高みにのぼってしまうと、もはや腹黒い人間でも、偽善的な人間でも、こっけいな人間でもなくなって、善良で、素直な、神々《こうごう》しいくらいの人間になってしまったのである。そのことはヴロンスキーも、感じないわけにはいかなかった。ふたりの役割が急に変ってしまったのである。ヴロンスキーは相手の高潔さと自分の卑劣さを、相手の正しさと自分の不正とを痛感した。彼は、夫が苦悩の中にありながらも寛容なのに比べて、自分はこうした虚偽の中にあっても卑劣で、くだらないことを痛感した。しかも、彼が今まで不当にも軽蔑《けいべつ》していた相手に比べて、自分が卑小であるという意識も、彼の悲哀のごく一部分を占めているにすぎなかった。彼が今自分を言葉につくせぬほど不幸に感じていたのは、最近冷めてきたように思われていたアンナへの情熱が、永久に彼女を失ってしまったと知った今になって、かつてないほど激しくもえてきたからであった。彼は病気のあいだずっとアンナを見守ってきて、彼女の魂を知るにおよんで、これまで自分は彼女をほんとうに愛していたのではない、と思うようになった。しかも、彼が彼女のほんとうの姿を知り、真実の愛情で愛しはじめた今となって、彼は彼女の前ではずかしめを受け、ただ自分についての恥ずべき記憶を彼女の心にとどめて、永久に彼女を失ってしまったのである。なによりもたまらないのは、カレーニンが、恥じ入っている自分の顔から両手を引き放した、あの、こっけいな恥さらしな場面であった。彼はカレーニン家の表玄関に、途方にくれたように突っ立ったまま、なにをしていいかわからなかった。

「辻馬車《つじばしゃ》をお呼びいたしましょうか？」玄関番がたずねた。

「ああ、呼んでくれ」

三晩も眠らずに夜を過して、わが家へ帰ったヴロンスキーは、着換えもせずに、両手を組み合せて、その上に頭をのせ、長いすにうつ伏せになった。頭が重かった。まったく奇怪な想像や追憶や想念が、異常な速度と鮮明さで、入れかわり立ちかわり浮んできた。すなわち、自分が病人に与えようとした薬を思わずスプーンからこぼしたかと思うと、それが産婆《さんば》の白い腕に変ったり、また寝台の前にひざまずいているカレーニンの、奇妙な格好が浮んだりするのだった。

「眠ることだ！　忘れることだ！」彼は、疲れて眠くなれば、すぐにでも寝つける健康な人間の落ち着いた自信をもって、こうつぶやいた。そして事実、その瞬間に頭が混乱してきて、彼は忘却の深淵《しんえん》の中へ落ちて行った。意識されない生命の波が、彼の頭の上に集まったかと思うまもなく、とつぜん、まるでもっとも強力な電流が彼の身内に流れたかのようであった。彼はばねのきいたソファの上でからだごととび上がったほど、びくっと激しく身ぶるいし、両手をつっぱり、おびえたように、膝《ひざ》をついてとび起きた。その目は、まるで一睡もしなかったように、大きく見ひらかれていた。一分前まで感じていた頭の重さも、手足のだるさも、たちまち、消えてしまった。

《あなたは、私を泥の中へ踏みにじることもできるのです》彼はカレーニンのそういう言葉を聞き、その姿を目の前に見た。さらに、熱病患者のように頰《ほお》を紅潮させ、目をぎらぎら輝かして、優しく愛情をこめて、自分ではなくカレーニンを見つめているアンナの顔を見た。いや、彼はまた、カレーニンが彼の顔から手を取りのけたときの、想像してみても愚かしくこっけいな自分の姿を見た。彼は再び両足を伸ばし、前と同じ姿勢でソファの上に身を投げだすと、目を閉じた。

《眠ることだ！　眠ることだ！》彼は心に繰り返した。しかし、いくら目を閉じてみても、あの記憶すべき競馬の夕べに見たアンナの顔が、なおいっそうはっきりと目の前に浮んでくるのだった。

「こんなことはもうなくなってしまったし、将来ともないんだ。あの人はこんなことを、思い出からぬぐい去ろうとしているんだ。でも、おれはこれがなくちゃ生きていけないんだ。どうしたら和解ができるだろう、ああ、いったい、どうしたら和解ができるだろう！」彼は声に出していうと、無意識にその同じ言葉を繰り返しはじめた。

そう同じ言葉を繰り返すことは、頭の中に群がっているような気がした新しい影像や思い出がわき出てくるのを、おさえる力となった。しかし、同じ言葉の繰り返しが新しい影像の誕生をおさえていたのは、ほんの束《つか》の間《ま》であった。またしても、かつての幸福だった瞬間と、同時につい先ほどの屈辱が、目まぐるしいほどの早さで、次々と頭に浮んできた。《手を放して》アンナの声がそう話しかける。と、彼は手を放し、自分の顔の屈辱的な愚かしい表情をまざまざと感じるのだった。

彼はなおも身を横たえたまま、ひとかけらの望みもないのを感じながら、しかしなおも眠りにつこうと努めた。そして、なにか考え事をして偶然生れた言葉を、ささやき声でたえず繰り返しながら、それによって新しい影像が浮ぶのを、おさえようと願った。彼は耳を澄ました。と、奇妙な、気のふれたようなささやき声で繰り返している自分の言葉が、耳にはいった。《値うちを知らなかったんだ、利用することができなかったんだ。値うちを知らなかったんだ、利用することができなかったんだ》《これはどうしたことだ？　それとも、おれは気が狂っているのだろうか？》彼は心につぶやいた。《そうかもしれんな。人はなんだって気が狂ったり、ピストル自殺をするんだろう？》そう自問自答して、目をあけると、兄嫁のワーリヤの刺繡《ししゅう》したクッションが、頭のそばにあるのを見て、はっとした。彼はクッションの房《ふさ》にちょっとさわってみて、ワーリヤのことや、最後に彼女と会ったときのことを、思いだそうと努めた。しかし、なにかほかのことを考えるのは苦しかった。《いや、とにかく、眠ることだ！》彼はクッションをぐっと引き寄せて、頭をそれにおしつけた。しかし、強《し》いて努力をしなければ、目をつぶっていられなかった。彼はとび起きて、すわりなおした。「これはおれにとって、もうけりがついてしまったのだ」彼はつぶやいた。《これからどうしたらいいか、とっくり考えなくちゃならない。今はなにが残っているんだろう？》彼はアンナに対する愛情を除いた自分の生活について、素早く心の中で考えてみた。《名誉心か？　セルプホフスコイか？　社交界か？　宮廷か？》彼はそのどれ一つにも心をひかれなかった。それらはすべて、以前はなんらかの意味をもっていたが、もう今となっては、そんなものはなにひとつ意味をもたなくなってしまった。彼はソファから立ちあがって、フロックコートを脱ぎ、ベルトをはずして、もっと楽に息をするために、毛ぶかい胸をひろげて、部屋の中を歩きはじめた。《人はこうやって、気が狂うんだな》彼は繰り返した。《いや、こんなふうにして、ピストル自殺をやるんだな……屈辱を感じないために》彼はゆっくりつけ足した。

彼は戸口に近づいて、ドアをしめた。それから、目をすえたまま、歯を食いしばって、テーブルのそばへ行くと、ピストルを手にとり、ちらっとながめて、装塡《そうてん》してある銃の安全装置をはずし、じっと考えこんだ。二分ばかり、張りつめた思いを顔に表わしながら、頭をたれ、ピストルを握りしめたまま、じっと棒立ちになって、考えていた。「もちろんだ」彼はさながら、論理的に筋道のたった慎重な思考が、一点の疑いもない結果を導いたように、こうつぶやいた。もっとも、実際のところ、彼にとって確信に満ちたこの『もちろんだ』も、一時間ばかりのあいだに、もう数十回も繰り返した思い出や想像の堂々めぐりを、さらにもう一度繰り返した結果にすぎなかった。それは相変らず、永遠に失われた幸福の思い出であり、将来の生活がすべて無意味だという想像であり、やはり自分の屈辱を意識する気持であった。これらの想念や感情の順序もまた同じであった。

《もちろんだ》彼は自分の考えが、例の思い出と思考の魔法の輪を、三度めにたどりはじめたとき、こう繰り返した。そして、ピストルを左の胸にあて、こぶしの中でそれを握りつぶそうとでもするように、ぐっと手いっぱいの力をこめて、引き金を引いた。彼は発射の音を耳にしなかったが、胸に強い衝撃を受けて、足をすくわれた格好であった。彼はテーブルの端につかまろうとして、ピストルを落し、ちょっとよろめいたかと思うと、床に尻餅《しりもち》をつき、驚いてあたりを見まわした。彼は下のほうからテーブルの曲った足や、紙くず籠《かご》や、虎《とら》の皮の敷き物などを見たので、われながら自分の部屋を見まちがえる思いだった。靴《くつ》をきしませながら急ぎ足で客間を歩いて来る召使の足音に、彼はわれに返った。彼は懸命になって考え、自分が床の上にすわっているることを納得し、虎の皮の敷き物や自分の手についている血を見て、自分がピストル自殺をはかったことを悟った。

「みっともない！　しくじったのだ」彼は片手でピストルを捜しながら、こう口走った。ピストルはすぐ目の前にあったのに、彼はもっと先のほうを捜していた。彼はなおも捜しながら、反対の方向へ身を伸ばそうとしたが、からだの平均を失い、血を流しながら、その場にばったりと倒れてしまった。

頰ひげをはやしたおしゃれな召使は、いつも自分の気の弱さを、知合いのものにこぼしていたが、床の上に倒れている主人の姿を見ると、すっかり度胆《どぎも》をぬかれてしまい、出血の手当てもしないで、助けを求めに飛びだして行った。一時間後に、兄嫁のワーリヤが駆けつけて来た。ワーリヤは八方へ使いを出したので、一度に三人も駆けつけて来た医者の助けをかりて、病人を寝台に寝かしつけ、彼女はそのまま看護のために居残った。

19

カレーニンの犯した誤りは、彼が妻に会う心がまえをしたとき、妻の悔悟が真実なものであり、自分がその罪を許し、しかも妻が死なずにすむ、という偶然の場合を予想しておかなかったことにあった。この誤りは、彼がモスクワから帰ってから二カ月もたつと、あますところなく明らかになった。しかも、彼の犯した誤りは、この偶然を予想しなかったためばかりでなく、彼は瀕死《ひんし》の妻と会うその日まで、自分の本心を知らなかった、ということにも起因していた。彼は妻の病床で、生れてはじめて、優しい思いやりの感情に身をまかせてしまった。この感情は彼がいつも、他人の苦痛を見るたびに、呼びさまされたものであり、以前は有害な弱点として恥じていたものであるが、妻に対する哀れみと、自分が妻の死を願ったという後悔の思いと、それになによりも、許すということの喜びのために、彼は急に、おのれの苦悩が癒《いや》されるのを覚えたばかりでなく、以前には一度も味わったことのない心の安らぎすら感じたのであった。彼は思いがけなく、自分の苦悩の原因そのものが、精神的な喜びのみなもとに変ったのを感じた。いや、彼が非難したり、責めたり、憎んだりしていたときには、とても解決することができないように思われたものが、許しかつ愛しはじめるや、たちまち、単純明白なものになってくるのを感じた。

彼は妻を許し、その苦悩と悔悟のために、妻を哀れんだ。彼はヴロンスキーを許し、彼が絶望的な行為をしたといううわさを耳にしてからは、いっそう彼を哀れんだ。彼はまたむすこをも、以前にまして哀れんだ。そして、今まではほとんど子供をかまってやらなかったことを、自分に責めるありさまであった。しかし、新たに生れた女の子に対しては、ただ哀れみばかりでなく、優しさのいりまじった、なにか特殊な感情をいだいていた。はじめのうち彼は単なる同情の念から、実の娘でもない、母親の病気で放りだされて、もし彼が心配しなかったら、死んでしまったかもしれない、生れたばかりの弱々しい女の子の世話をやきはじめた。彼はこの女の子を愛しはじめたのを、自分では気づかなかった。彼は一日に何度も、子供部屋へ行き、長いことそこにすわりこんでいたので、はじめはご主人の前でおどおどしていた乳母や婆《ばあ》やも、じきに慣れっこになったくらいであった。彼はときには、三十分あまりも、産毛《うぶげ》におおわれて、しわだらけなサフラン色がかった赤ん坊のかわいい寝顔を、黙ったままのぞきこんで、妙にしかめた額の動きや、指を握りしめた、ふっくらした小さな手の甲で、目や鼻筋をこすっている様子を、じっと観察することがあった。そんなとき、カレーニンは自分の心がまったく落ち着いていて、自分自身にぴったり調和しているのを感じ、自分の境遇になにひとつ異常なところも、またなにひとつ変更しなければならないところも認めなかった。

ところが、時がたつにつれて、彼には、こうした境遇が今の自分にとってどんなに自然であろうとも、世間は自分をここに長くは止《とど》めてくれないだろう、ということがしだいにはっきりとわかってきた。彼は自分の魂を導いている幸福な精神力のほかに、彼の生活を導いている、もう一つの荒々しい力があり、それは前者と同程度に、いや、それ以上に支配的な力であり、この力は、自分の望んでいる和やかな安らぎを与えてはくれまいと感じた。彼は、みんながけげんそうな、びっくりした顔つきで自分をながめ、自分を理解してはくれないで、なにものかを自分に期待しているのを感じた。とりわけ、彼は、妻に対する自分の関係のもろさや不自然さを痛感した。

死を間近にして、アンナの内部に生れた心のやわらぎが去ってしまうと、カレーニンはアンナが自分を恐れ、自分をはばかり、自分の顔をまともに見つめることができないでいるのに気づいた。アンナはなにか彼にいいたいのに、それをいいだしかねているようで、やはりふたりの関係がこのままつづくわけにいかないのを予感して、なにやら彼に期待しているようであった。

二月の末に、やはりアンナと名づけられた赤ん坊が、たまたま病気になった。カレーニンは朝のうちに子供部屋へ行って、医者を呼ぶようにさしずをし、役所へ出かけて行った。彼は仕事をおえて、三時すぎに家へもどった。控室へ通ると、金モールに熊《くま》の皮の飾り襟《えり》をつけた美男の召使が、スピッツの毛皮で仕立てた白い婦人外套《がいとう》を手にして立っているのが目に映った。

「だれが見えているのかね?」カレーニンはたずねた。

「トヴェルスコイ公爵《こうしゃく》夫人でございます」召使は答えたが、カレーニンには、相手がにやっと笑ったような気がした。

この耐えがたい数カ月のあいだずっと、彼は社交界の知人、とりわけ、婦人たちが、自分たち夫婦のことに特殊な関心を示すようになったことに気づいていた。彼は、これらすべての知人が、なにかうれしいことがあるのに、それをやっとの思いでこらえているように思われた。彼はそれと同じ喜びの色をかつてあの弁護士の目にも見たし、今またこの召使の目にも認めたのであった。まるでみんなは、だれかを嫁にでもやるように、有頂天になっているみたいであった。そして彼に出会うと、やっとのことでその喜びの色を隠して、アンナの健康をたずねるのであった。

トヴェルスコイ公爵夫人の訪問は、この夫人と結びついた思い出からも、また、もともとこの夫人がきらいだというせいもあって、カレーニンには不愉快だった。そこで、彼はまっすぐに子供部屋へ通った。最初の子供部屋ではセリョージャが、テーブルにもたれかかって、両足をいすにのせ、なにかおもしろそうに、ひとり言をいいながら、絵を描いていた。アンナの病気中に、フランス婦人と替ったイギリス婦人は、肩掛けを編みながら、少年のそばにすわっていたが、あわてて立ちあがると、軽く会《え》釈《しゃく》して、セリョージャを引っぱった。

カレーニンは片手で少年の髪の毛をなでて、妻の健康をたずねる家庭教師の問いに答えてから、医者はベビイのことをなんといったか、ときいた。

「お医者さまはなにも心配なことはないから、お湯をつかわせるように、とおっしゃいました」

「それにしては、いつもむずかってるじゃないか」カレーニンは隣の部屋から聞える赤ん坊の泣き声に耳を傾けながら、いった。

「あたくしは、乳母がよくないのではないかと思いますが、だんなさま」イギリス婦人はきっぱりといった。

「なぜそう思うんだね？」彼は歩みを止めながらきいた。

「ポール伯爵夫人のところでも、これと同じことでございましたので、だんなさま。

いろいろと治療をしてみたのでございますが、ただ、赤ちゃんのお腹《なか》がすいていただけでございましたよ。乳母のお乳が足りませんで」

カレーニンはじっと考えこんで、その場にしばらくたたずんでいたが、次のドアへはいって行った。赤ん坊は乳母の手の中で身をちぢめ、頭をそらせながら、さしだされたふっくらした乳房をくわえようともしなければ、その上にかがみこんでいる乳母と婆やがふたりがかりで、いくら口であやしてみても、いっこうに泣きやもうとはしなかった。

「相変らずよくならないかね？」カレーニンはたずねた。

「とてもおむずかりなんでございますよ」婆やはささやくような声で答えた。

「ミス・エドワードの話によると、ひょっとしたら、乳母のお乳が足りないのじゃないか、というんだがね」彼はいった。

「あたくしもそう思いますよ、だんなさま」

「それじゃ、なぜそういわないんだね？」

「でも、どなたに申しあげればよろしいんでございますか？　奥さまはずっと、お加減がすぐれませんし」婆やは不服そうにいった。

婆やは家に古くからいる召使であった。しかも、カレーニンはこの単純な言葉のうちにさえ、自分の立場に対するあてこすりがあるような気がした。

赤ん坊はからだをゆすり、声をからしながら、前よりいっそう激しく泣きだした。婆やは、さも困ったといわんばかりに片手を振ると、そのそばへかけ寄り、乳母の手から抱きとって、歩きながらあやしはじめた。

「とにかく乳母を医者に診てもらう必要があるな」カレーニンはいった。

見た目は健康そうな、めかしこんだ乳母は、暇を出されはしないかと驚いて、なにやら口の中でぶつぶついうと、大きな乳房を隠しながら、あたしの乳の出を疑うなんてといわんばかりに、にやっとさげすむような笑いをもらした。カレーニンはこの薄笑いの中にも、自分の境遇に対する嘲笑《ちょうしょう》を見てとった。

「おかわいそうな赤ちゃんですこと！」婆やは泣きやませようとして口であやしながら、そういって、また歩きつづけた。

カレーニンはいすに腰をおろし、苦しそうな、しょげた顔つきで、あちこち歩きまわる婆やをながめていた。

ようやく泣きやんだ赤ん坊を、縁の高い小さな寝台に寝かしつけ、まくらをなおしてから、婆やがそばを離れたとき、カレーニンは腰をあげ、そっと爪先《つまさき》立ちで赤ん坊のほうへ近づいた。しばらくのあいだ彼は黙ったまま、相変らずしょげた顔つきで赤ん坊をながめていた。しかし、不意に、微笑が額の髪の毛や皮膚を震わせて、その顔に浮んできた。彼は相変らず静かな足どりで子供部屋を出て行った。

食堂で彼はベルを鳴らし、はいって来た召使に、もう一度医者を呼ぶように命じた。彼にはあんなにすばらしい赤ん坊に少しも心を配らなかった妻が、いまいましく思われた。こんないまいましい気持で、妻のところへ行く気はしなかったし、それに公爵夫人ベッチイにも会いたくなかった。しかし、アンナがなぜいつものしきたりと違って、彼が自分の部屋へ来ないのかと、ふしぎに思うといけないと考え、わざと自分の気持をはげましながら、寝室へ向った。柔らかいじゅうたんを踏んで戸口に近づいたとき、彼はふと、耳にしたくなかった話を聞いてしまった。

「そりゃ、あの人が行ってしまうのでさえなかったら、あたしだってあなたがお断わりするのも、あの人が遠慮なさるのも、わかりますけれどもね。でも、ご主人は、そんなことは超越していらっしゃるはずじゃありませんか」ベッチイはいった。

「あたくし、主人のためじゃなくて、自分のためにいやなんですの。その話はもうしないでくださいな！」アンナの興奮した声が答えていた。

「そうですか。でも、あなたのためにピストル自殺までしようとした人に、お別れのあいさつがしたくないなんてことはないでしょうに……」

「だから、かえっていやなんですの」

カレーニンはぎょっとした、すまなさそうな表情をして歩みを止め、そのままそっと引き返そうとした。しかし、それは卑《いや》しむべき行為だと考えなおして、またまわれ右をし、咳《せき》ばらいをひとつして、寝室へ足を向けた。話し声がぴたりとやんだところへ、彼ははいって行った。

灰色のガウンを着たアンナは、短く切った黒い髪を太いブラシのように、丸い頭の上にそろえて、寝いすに腰かけていた。夫の姿を見たときのいつもの例にもれず、その顔からは急に生気が消えた。アンナは頭をたれて、不安そうにベッチイを振り返った。ベッチイは、流行の最先端をいく服装で、まるでランプの笠《かさ》のような帽子は、頭の上にふんわりとのっかっていたし、鳩羽《はとば》色《いろ》の服にはくっきりした斜めの縞《しま》が、胴の部分では一方から、スカートの部分では別のほうに向って走っていた。夫人はやせた上半身をまっすぐにそらして、アンナと並んですわっていたが、首を横にかしげて、あざけるような薄笑いを浮べて、カレーニンを迎えた。

「まあ！」夫人は、びっくりしたように、いった。「お家にいらっしゃるなんて、ほんとうにうれしゅうございますわ。あなたはどこへもおいでになりませんから、あたし、アンナさんのご病気以来、ぜんぜんお目にかかりませんでしたもの。でも、すっかりお聞きしましたの――あなたの優しいお心づかいを、ええ、ほんとに、すばらしいだんなさまでいらっしゃいますわ！」夫人はまるで妻に対する彼の態度に対して、寛容の勲章でも授けるかのように、意味ありげな、優しい顔つきでいった。

カレーニンは冷やかに会釈した。そして、妻の手に接吻《せっぷん》すると、ぐあいはどうかとたずねた。

「いくらかいいようでございますわ」アンナは夫の視線を避けながら、答えた。

「それにしても、どうも、熱病患者のような顔色をしているね」彼は『熱病』という言葉に力を入れながら、いった。

「あまりおしゃべりしすぎたせいでしょうね」ベッチイは口をはさんだ。「どうやら、あたしのほうが身勝手なような気がいたしますわ。もうお暇《いとま》しますわ」

夫人は立ちあがった。しかし、アンナは急に頰《ほお》をそめて、急いで相手の袖《そで》をつかんだ。

「いえ、もう少しいてくださいな、お願いですから。あなたにお話があるんですの……いえ、あなたにですの」アンナはカレーニンのほうを振り向いたが、その首筋から額まで、さっと紅にそまった。「あたし、なにひとつ、あなたに隠し事をしたくありませんし、そうもできませんから」アンナはいった。

カレーニンは指をぽきぽき鳴らして、頭をたれた。

「ベッチイのお話ですと、ヴロンスキー伯爵は今度タシケントへお発《た》ちになる前に、うちへお別れに来たいといってらっしゃるんですって」アンナは夫のほうを見なかった。そして、これがどんなにつらいことであっても、一気にいってしまおうと、明らかに急いでいるふうであった。「あたしはお会いできませんっていいましたの」

「まあ、さっきはだんなさまのお心しだいだ、とおっしゃったじゃありませんか」ベッチイが訂正した。

「いいえ、違いますわ。あたしはあの人にお会いできません。そんなことをしてもなんにもならないことですもの……」アンナは不意に言葉をきって、たずねるような目つきで、夫をちらっとながめた（彼は妻のほうを見ていなかった）。「一口にいって、あたし、いやなんですの……」

カレーニンは身を乗りだして、妻の手を取ろうとした。

アンナはとっさに、自分の手を求めている、太い血管のふくれあがった、しっとりした夫の手から、さっと自分の手をひっこめた。しかし、どうやら、むりに自分をおさえつけた様子で夫の手を握った。

「そんなに信頼してくれるとはじつにありがたいことだが、しかし……」彼は困惑といまいましさを覚えながら、いった。自分ひとりの場合なら、簡単明瞭《めいりょう》に解決できることが、トヴェルスコイ公爵夫人がいるので、はっきり判断がつきかねるのを、自分でも感じていたからである。この夫人は、社交界の注視の中で彼の生活を導き、彼が愛と許しの感情に身をゆだねることを妨げている、あの粗暴な力の権化《ごんげ》のように思われた。彼はトヴェルスコイ公爵夫人のほうをながめながら、言葉をきった。

「それじゃ、さよなら、お大事に」ベッチイは席を立ちながら、いった。夫人はアンナに接吻すると、出て行った。

「カレーニンさん！　あなたはほんとにお心の広い方でいらっしゃいますのね」ベッチイは小さな客間に立ち止って、もう一度、とくにきつく彼の手を握りしめながら、いった。「あたしは第三者にすぎませんけれど、奥さんが好きなだけでなくあなたも尊敬しておりますので、どうか、ひとついわせていただきとうございます。あの人を来させてくださいまし、ヴロンスキーさんは名誉の権化ともいうべき方で、今度タシケントへ行っておしまいになるんですもの」

「いろいろお心づかいやご忠告には感謝しております。しかし、あれがだれかに会う会わないの問題は、あれが自分できめるでしょう」

彼は例によって眉《まゆ》をつり上げて、威厳をつけながら、そういった。しかし、すぐに、彼はどんな言葉を吐いたところで、自分のような境遇では威厳などありえない、ということを悟った。そのことはまた、ベッチイが彼の言葉を聞き終るや、ちらっと彼を見たときの、あのおさえつけたような、毒のある、あざけるような薄笑いによっても、それと知ることができた。

20

カレーニンは広間でベッチイに別れのあいさつをして、妻のところへ引き返して来た。アンナは横になっていたが、彼の足音を聞きつけると、急いでもとの姿勢に身を起し、おびえたように彼をながめた。彼はアンナが泣いているのを見てとった。

「おまえに信用されて、じつにありがたい」彼はベッチイのいる前でフランス語でいったせりふを、もう一度やさしくロシア語で繰り返して、妻のそばに腰をおろした。彼がロシア語で話をはじめ、妻に対して『おまえ』と親しく呼びかけたとき、その『おまえ』という呼び方が、たまらなくアンナをいらいらさせた。「また、おまえの決心もありがたく思っている。私もヴロンスキー伯爵は任地に向うのだから、ここへやって来る必要は少しもないと考えている。ただ……」

「ええ、もうそう申しあげてしまったんですから、いまさらなにもそんなことを繰り返していうことはないじゃありませんか？」アンナはいらだたしさをおさえることができずに、いきなり、そうさえぎった。

《そんな必要は、少しもないですって》アンナは考えた。《自分の愛している女のところへ、別れのあいさつに来る必要は少しもないんですって。その女のために自殺までしようとして、一生を台なしにしてしまったのに。それに女のほうでも、その人なしでは生きていかれないというのに。そんな必要は少しもないんですって！》アンナは唇《くちびる》を食いしばり、血管の浮き出ている夫の手に、そのぎらぎら輝く目を落した。夫はその手をゆっくりとこすりあわせていた。

「こんなお話はもう二度としないようにいたしましょう」アンナはいくらか落ち着いて、つけ足した。

「この問題の解決はおまえにまかせたのだが、私としてはひじょうにうれしいよ、だって……」カレーニンはいいかけた。

「あたしの望みが、あなたのお望みと同じだってことをおっしゃるんでしょう」アンナは早口に終りまでいってのけた。夫の話すことはすっかり自分にわかっているのに、相手がいかにものろのろとしゃべるのにいらいらしてしまったのである。

「そうだとも」彼は相槌《あいづち》を打った。「それにしても、トヴェルスコイ公爵夫人は、ずいぶん厄介《やっかい》な家庭内の問題にまで、よけいな口だしをする人だね。なにしろ、あの人は……」

「あたしはあの人が世間でなんといわれていようと、ほんとうにしませんわ」アンナは素早くいった。「あの人が心からあたしを愛してくださっていることは、よくわかりますもの」

カレーニンは溜息《ためいき》をついて、口をつぐんだ。アンナは、夫に対する肉体的な嫌悪《けんお》の情に悩まされながら、じっとその顔をながめ、いらいらしてガウンの房をいじっていた。アンナは夫に対してそんな嫌悪の情をいだく自分を責めてはみたが、どうしてもそれをおさえることができなかった。いまや彼女が望んでいるのはただ一つ——いやな夫から一刻も早くのがれたいということであった。

「今医者を呼びにやったよ」カレーニンはいった。

「あたし、もう元気ですのに。なぜお医者さまなんかお呼びしたの？」

「いや、赤ん坊があまり泣くんでね。乳母のお乳が足りないからというので」

「それじゃ、なぜあたしがお乳をやるのを、許してくださいませんでしたの、あんなにお願いしましたのに。もう、どうでもけっこうですけど（カレーニンは、この『もう、どうでもけっこうですけど』が、なにを意味するかを悟った）。あれはまだほんの赤ん坊ですから、それじゃ干ぼしになってしまいますわ」アンナはベルを鳴らして、赤ん坊を連れて来るようにいいつけた。「あたしがお乳をやりたいとお願いしたのに、それを許してくださらないで、今になってあたしをお責めになるんですのね」

「なにも責めてはおらんよ……」

「いいえ、責めていらっしゃいますわ！　ああ、なんだってあたしは死ななかったんでしょう！」そういって、アンナは泣きくずれた。「許してくださいまし、あたし、気がいらいらしてるもんですから。あたしがいけなかったんですわ」アンナはわれに返っていった。「でも、もう出て行ってください……」

「いや、もうこのままではとてもやっていけぬわい」カレーニンは妻の部屋を出ると、きっぱりとこうつぶやいた。

社交界の手前、彼の立場がもうのっぴきならぬものであることや、彼に対する妻の憎悪《ぞうお》や、つまり、一般的にいって、彼の気持とは正反対に彼をひきずりまわして、おのれの意思の実行と妻に対する彼の態度の変更を求めている、あの荒々しい神秘的な力の偉大さが、きょうほどはっきりと彼の前に姿を現わしたことはなかった。彼は世の中のすべての人びとと妻とが、自分に対してなにものかを要求しているのを、はっきりと見てとったけれども、それがいったいなんであるかは、どうしても理解することができなかった。そのために、彼の心には邪念が生れて、その落ち着きをも寛容な態度をも破壊してしまうのを感じた。彼は、アンナにとってヴロンスキーとの関係を絶つことが最善の道であると思ったが、もし世間のすべての人びとがそれを不可能とするなら、自分としてはもう一度ふたりの関係を許してやってもいいと思っていた。ただその場合は、子供たちをはずかしめたり、子供たちを失ったり、現在の状態を変えたりさえしなければよいと考えていた。たとえそれがどんなによくないことであろうとも、離婚よりはまだましであった。離婚ともなれば、妻は救いのない恥さらしな境遇におちいることになるし、彼自身としても自分が愛していたいっさいを失ってしまうわけであった。それにしても、彼はつくづく自分の無力を感じた。彼は、みんなが自分の敵にまわり、今の彼の目にはきわめて自然で、良いと思われていることの実行を妨げ、ほんとうは悪いことでありながら、みんなの目には当然と思われることを、彼に強制させるであろうことを、予感したのである。

21

ベッチイがまだ広間を出るか出ないうちに、新しい牡蠣《かき》の入荷したエリセーエフの店からたった今やって来たオブロンスキーは、戸口のところで彼女に出会った。

「やあ！　公爵《こうしゃく》夫人！　これはちょうどいいところでお目にかかれましたな！」彼は話しかけた。「いまお宅へうかがったところですよ」

「せっかくお目にかかれても、もう時間がありませんの。だって、もうお暇いたすところですから」ベッチイは微笑を浮べて、手袋をはめながら答えた。

「いや、公爵夫人、まあ、手袋をおはめになるのはお待ちください。とにかく、お手に接吻させてくださいよ。ご婦人の手に接吻するという古い習慣の復活ほど、ありがたいことはありませんからね」彼はベッチイの手に接吻した。「じゃ、いつお目にかかれるでしょうか？」

「そんなことをおっしゃる資格はありませんわ」ベッチイはほほえみながら答えた。

「いや、大いにありますとも。だって、私はすっかりまじめな人間になったのですから。なにしろ、自分の家庭ばかりでなく、他人《ひと》の家庭までも丸くおさめようとしているんですからね」彼は意味ありげな面持《おもも》ちでいった。

「まあ、それはほんとにけっこうでございますわ！」ベッチイはすぐにそれがアンナのことだと悟って、そう答えた。それから、ふたりは広間へ引き返して、その片すみにたたずんだ。

「あの人はアンナをだめにしてしまいますわ」ベッチイは意味ありげなささやき声でいった。「とてもたまりませんわ、とてもたまりませんわ……」

「あなたがそう思ってくださるとは、じつにうれしいですな」オブロンスキーはまじめな受難者らしい同情の色を浮べて、首をひねりながらいった。「私もそのために、ペテルブルグへやって来たようなわけですからな」

「町じゅうもそのうわさでもちきりなんですからね」ベッチイはいった。「あんな境遇って、たまりませんわ。アンナさんは、毎日目に見えてやせていくばかりですもの。あの人は、アンナさんが自分の感情をおもちゃにすることのできない女のひとりだってことを、まるっきりわかっちゃいないんですもの。もうこうなったら、二つに一つの方法しかありませんよ。アンナさんを連れだして、きっぱりした態度をとるか、さもなければ、離婚してしまうか。しかし、あれではアンナさんの首を締めるようなもんですわ」

「ええ、ええ……まったくそのとおりですな……」オブロンスキーは、溜息をつきながらいった。「私もそのためにやって来たんですから。いや、その、わざわざそのためばかりってわけじゃありませんが……侍従に任命されましたので、まあ、そのお礼をかねてですがね。しかし、肝心なことは、これを丸くおさめることですよ」

「では、神さまがあなたをお助けくださいますように！」ベッチイはいった。

公爵夫人ベッチイを玄関まで見送り、もう一度手袋をはめた手の、少し上の脈の見えるあたりに接吻して、夫人がおこったものか、笑ったものか見当のつかないような、いかがわしい冗談をいってから、オブロンスキーは妹の部屋へはいって行った。見ると、アンナは涙にくれていた。

オブロンスキーは今にも踊りださんばかりの上きげんであったにもかかわらず、すぐさま、妹の気分にふさわしい、なにか詩的な興奮した、同情あふれる態度に早変りした。彼は容体《ようだい》をたずねてから、朝のうちはどんなふうに過したかときいた。

「とっても、とっても悪いんですの。昼も、朝も、今までずっと、これからもずっと、いつまでも」アンナは答えた。

「どうやら、気が滅入《めい》りすぎてるようだね。もっと気をたしかにもって、生活をまともに見なくちゃいけないね。そりゃ、つらいだろうが、しかし……」

「女の人って相手の欠点のためにさえ、男を愛するものだって、いつか聞いたことがありますけど」不意に、アンナはしゃべりだした。「でも、あたし、あの人のことはその善行のためにかえって憎みますの。もうあの人といっしょに暮してはいけませんわ。ねえ、わかってくださいます？　あたし、あの人を見ただけで、生理的にやりきれなくなって、前後の見境を忘れてしまいますの。もうどうしてもあの人といっしょに暮すことはできませんわ。できませんわ。ねえ、いったい、どうしたらいいんでしょう？　あたしは不幸な女で、もうこれ以上不幸にはなれないと思っていましたけれど、今のように恐ろしい境遇を、想像することもできませんでしたわ。兄さんには信じられないでしょうけど、あの人が親切な、りっぱな人で、あたしなんかあの人の爪《つめ》の垢《あか》ほどの値うちもないってことはちゃんと知っていながら、それでも、あたしはあの人を憎んでいるんですの。あの人があまり寛大だから、憎らしいんですの。ですから、もうあたしに残されているものといったら、ただ……」

アンナは『死』といいたかったが、オブロンスキーは相手に最後までいわせなかった。

「おまえは病気だから、気分がいらいらしているんだよ」彼はいった。「ねえ、おまえは少し物事を誇張しすぎているんだよ。なにもそんなに恐ろしいことはないじゃないか」

そういって、オブロンスキーはにっこり笑った。だれでもオブロンスキーの立場にあって、そんな絶望的な様子を見たら、とても微笑などもらすことはできなかったにちがいない（そんな微笑は礼を失したものに思われたであろう）。ところが、彼の微笑には、あふれるばかりの善良さと、ほとんど女性的とさえいえる優しさがこもっていたので、それは相手を侮辱しないどころか、かえってその心を和らげ、落ち着かせるのだった。彼のおだやかな、落ち着かせるような話しぶりと微笑は、扁桃油《へんとうゆ》のように、相手の心を和らげ、しずめる働きをした。アンナもじきにそうした感じを味わった。

「いいえ、スチーヴァ」アンナはいった。「あたしはもう身を滅ぼしてしまったんだわ、ええ、滅ぼしてしまったんだわ！　いいえ、それより、もっといけないのよ。あたしはまだ滅びちゃいないわ。なにもかも終ってしまったとはいえませんわ。いいえ、その反対に、まだ終ってはいないってことを感じますわ。あたしは張りつめた絃《いと》みたいに、いつかは切れなくちゃならないんですわ。でも、まだ切れちゃいないんですわ……切れるときは、さぞ恐ろしいでしょうね」

「なあに、たいしたことはないさ、その絃を少しずつゆるめればいいんだから。救いのない境遇なんてものはありゃしないよ」

「あたしもさんざん考えに考えたんですけど、やっぱり救いはただ一つ……」

彼は再びこの唯一《ゆいいつ》の救いが、妹の考えによれば、死であることを、そのおびえたような目つきで、見てとったので、今度も相手に最後までいわせなかった。

「なにも心配ないさ」彼はいった。「いいかね、おまえはぼくのようには、自分の境遇をはっきりながめることはできないんだからね。ざっくばらんにぼくの意見をいうとだね」彼はまた例の扁桃油のような微笑を浮べた。「まあ、一番のはじめからいうとだね、おまえは二十も年上の男と結婚した。愛情もなく、というよりか愛情というものを知らないで結婚したわけだ。まあ、かりにこれがまちがいだった、としておこう」

「とんでもないまちがいだったんですわ！」アンナはいった。

「しかし、もう一度いうが、それはもうすんでしまった事実だからね。それから、おまえは、まあ、いってみれば、夫以外の男に愛情を感ずる不幸に見舞われたわけだ。それはたしかに不幸なことだが、やはりもうすんでしまった事実だ、おまえの夫もそれを認めて、許してくれた」彼は一句ごとに相手の反駁《はんばく》を待って言葉をとめたが、アンナはひと言も答えなかった。「つまり、こういうわけなんだ。で、今の問題はただ、おまえが夫といっしょに暮すことができるかどうか、ということにかかっている。おまえがそれを望むか、それとも、あの人がそれを望むか、ということなんだ」

「あたし、なんにも、なんにも、わかりませんわ」

「だって今おまえは、もうあの人のことを我慢できないって、自分でいったじゃないか」

「いいえ、そんなことはいいませんわ。じゃ、取り消しますわ。あたし、なんにも知りません、なんにもわかりませんわ」

「いや、わかった。しかし、ちょっと待ってくれ……」

「兄さんにはあたしのことなんかわからないのよ。あたし、自分がまっさかさまに、底なしの深みへ落ちて行くような気がするんですもの。でも、もうそれから助かるわけにはいかないんですわ。そうすることもできないんですわ」

「なあに、大丈夫だよ。みんなで下に網を張って、おまえを受け止めてやるからね。おまえの気持はわかってるよ、おまえが思いきって、自分が望んだり感じたりしていることを打ち明けられないのは、ちゃんとわかってるんだから」

「あたし、なんにも、なんにも望んじゃいませんわ……ただ一刻も早くけりがついてしまえばいいと思ってるだけ」

「しかしね、あの人も自分でそれを見て、知っているんだよ。おまえには、あの人がおまえに劣らずこの問題で苦しんでいるのがわからないのかい？　おまえも苦しんでいるが、あの人も苦しんでいるのさ。それじゃ、どうしたらいいのかね？　離婚が、なにもかも解決してくれるだろうよ」オブロンスキーは、ひるむ心をいくらかはげましながら、このいちばん肝心な考えを述べると、意味ありげにじっと妹の顔を見つめた。

アンナはなんとも答えなかった。ただ、否定するように、髪を短く切った頭を横に振った。しかし、不意に昔と同じような美しさに輝きわたった妹の顔の表情から、彼は、妹がそれを望まないのは、それがとても実現できない幸福のように思われたからにほかならないことを悟った。

「ぼくにはおまえたちがとっても気の毒でたまらないんだよ！　もしこれを丸くおさめることができたら、ぼくはどんなに幸福かしれないよ！」オブロンスキーは、前よりもおおっぴらに微笑を浮べながら、いった。「いや、もういわなくってもいい、なんにもいわなくってもいいよ！　ただなんとかして、今ぼくの感じていることを伝えたいものだなあ。じゃ、あの人のところへ行ってくるよ」

アンナは思いに沈んだきらきらしたひとみで兄の顔を見たが、なんともいわなかった。

22

オブロンスキーは、ふだん役所で長官の席につくときのような、いくぶんもったいぶった顔つきをしながら、カレーニンの書斎へはいって行った。カレーニンは両手をうしろに組んで、部屋の中を歩きまわりながら、たった今オブロンスキーが妹と話し合ったのと、同じことを考えていた。

「おじゃまじゃありませんか？」オブロンスキーは義弟の顔を見ると、彼としては珍しい当惑を感じながら、いった。彼はその当惑を隠すために、今買ってきたばかりの、新式のあけ方のシガレットケースを取りだし、ちょっと皮のにおいをかいでから、たばこを一本抜きとった。

「いや、なにかご用ですか？」カレーニンは気のすすまぬ様子で答えた。

「いや、じつは、その……ぼくはその……お話があって来たんですが」オブロンスキーはあまり味わったことのない、こうした気おくれをわれながらびっくりしながら、いった。

その感じは、あまりにも思いがけなく奇妙なものだったので、オブロンスキーは、それがこれから自分のしようとしていることは悪いことだ、とささやいている良心の声であるとは、とても信ずることができなかった。オブロンスキーは勇気をふるって、急におそいかかった臆病風《おくびょうかぜ》を追いはらった。

「ぼくが妹を愛していると同時に、きみに対して心から親愛と尊敬の気持をいだいていることは信じてくれるだろうね」彼は顔を赤らめながらいった。

カレーニンは足を止めたが、なんとも答えなかった。しかし、その顔に浮んでいた、従順な犠牲者のような表情は、オブロンスキーを思わずはっとさせた。

「ぼくが話そうと思ったのは、いや、話したかったのは、妹ときみとの相互の立場のことなんだ」オブロンスキーはなおも不慣れな気おくれと戦いながら、いった。

カレーニンはさびしげな微笑を浮べて、義兄の顔をちらっとながめ、テーブルに近づくと、その上から書きかけの手紙を取りあげて、義兄に渡した。

「私もこのところ、それと同じことをずっと考えているんです。で、こういう手紙を書きかけていたところです。手紙で書いたほうが話しやすいし、私がそばにいると、あれがいらいらしますのでね」彼は手紙を渡しながらいった。

オブロンスキーは手紙を受け取ると、じっと自分に注がれているどんよりした目を、けげんそうにながめ返してから、読みはじめた。

『私がそばにいると、どうやら、あなたは苦しい思いをするようです。そう信ずるのは、私としてもたいへんつらいことですが、それはまさにそのとおりであって、それ以外ではないのです。私はあなたをとがめようとは思いません。神かけていいますが、あなたが病床にいたとき、私はわれわれふたりのあいだにあったことをすっかり忘れて、もう一度新しい生活をはじめようと決心しました。私は自分のしたことを後悔などしていませんし、今後ともけっして後悔しないつもりです。しかし、私が望んでいたのはただ一つ——あなたの幸福、あなたの魂の幸福でした。でも、今になってみれば、私はその目的を達しえなかったわけです。あなたに真の幸福と魂の平安を与えるのはいったいなんであるか、自分でいってみてください。私はすべてをあなたの意思と正義感にゆだねたいと思います』

オブロンスキーは手紙を返すと、なんといっていいやらわからぬまま、相変らず、けげんそうな面持ちで、ずっと義弟をながめていた。この沈黙はふたりにとって、とてもばつが悪かった。オブロンスキーは、カレーニンの顔から目を放さず黙りこくっているあいだに、その唇《くちびる》には病的な痙攣《けいれん》が起ったほどであった。

「いや、ざっと、こんなふうに、あれにいおうと思っていたのです」カレーニンは顔をそむけながらいった。

「ああ、そうですか……」オブロンスキーは涙がのどもとへこみ上げてきたので、返事をすることもできず、ただこういった。「いや、なるほど。きみの気持はわかりますよ」彼はやっとのことで、こうつけ足した。

「私はあれがなにを望んでいるのか知りたいのです」カレーニンはいった。

「ぼくはあれが自分でも自分の立場がわからないんではないかと心配しているんです。あれは裁判官じゃありませんからね」オブロンスキーは、気をとりなおしていった。

「あれはきみの寛大な心にすっかり圧倒されているんですよ。まったく、圧倒されているんですよ。あれがこの手紙を読んだら、もうなんにもいう力はなくなるでしょうよ。ただもう、前にもまして頭を低く下げるばかりでしょう」

「ええ、しかしその場合、いったいどうすればいいんです？……なんと説明してやったら……どうしたらあれの希望を聞くことができるんでしょうね？」

「もしぼくに意見を述べることを許してくださるならば、こうした状態を終らせるために必要な手段を断固としてとるかとらないかは、一に、きみの決断にかかっていると思いますがね」

「それじゃ、あなたはこうした状態を終らせる必要があると思っているんですね？」カレーニンは相手をさえぎった。「それにしても、どんなふうに？」彼はいつになく目の前で両手を振りながら、こうつけ足した。「実際に可能な解決法はまったくないように思われますがね」

「いや、どんな状態にだって、解決の道はあるものですよ」オブロンスキーは活気づき、腰を浮かしながら、いった。「きみも離婚したいと思われたこともあったのですし……きみが今、お互いに幸福になることはできないと確信されているとすれば……」

「幸福というものは、いろいろに解釈することができますからね。かりに、私がどんなことにも同意し、なにごとも要求しないとしたら、こうした状態にいったいどんな解決の道が残っているんでしょうかね？」

「ぼくの意見をききたいというのなら」オブロンスキーはアンナと話したときのような、相手の心をやわらげる、例の扁桃油のように優しい微笑を浮べながら、いった。その人のよさそうな微笑は、あまりに説得力をもっていたので、カレーニンは思わず気が弱くなって、その微笑に圧倒されながら、オブロンスキーのいうことをなんでも信ずる気になった。「あれはけっして自分からはいわないでしょうが、あれもきっとそれを望んでいる、ただ一つの解決法があるのです」オブロンスキーはつづけた。

「それはふたりの関係を絶ってしまって、それにまつわるいっさいの記憶をなくしてしまうことです。ぼくの考えでは、きみたちの状態に新しい相互関係をはっきりさせることですよ。そうした関係は双方の自由によってのみはじめて確定されるものですがね」

「離婚ですね」カレーニンは嫌悪《けんお》の情を浮べてさえぎった。

「ええ、ぼくの考えでは離婚ですね。いや、離婚ですとも」オブロンスキーは顔を紅潮させながら、繰り返した。「これはきみたちのような状態にいる夫婦にとっては、もっとも合理的な解決法ですよ。夫婦たるものがいっしょに暮すことができないと認めた場合には、もうどうにもならないじゃありませんか？　これはよく起りうることですしね」カレーニンは重々しく吐息をついて、目を閉じた。

「その場合、ただ一つ考えなければならないことがあるんです。つまり、夫婦のうちひとりが、別の結婚を望んでいるかどうかということです。もしそうでなければ、これはまったく簡単なことですからね」オブロンスキーは、しだいに遠慮がなくなって、こういった。

カレーニンは興奮のあまり顔をしかめて、なにかひとり言をいったが、なんとも返事はしなかった。オブロンスキーにとっては、いともたやすいと思われたことを、カレーニンはもう何千回となく考えてみたのであった。そして、彼の目には、それがけっしてたやすいことどころか、まったく不可能なことに思われた。いまや細かい点まで知り尽している離婚が、彼にとって不可能に思われたのは、自尊心と宗教に対する敬意とが、身に覚えのない姦通罪《かんつうざい》を負うことを許さなかったからであり、さらにそれにもまして、自分が許してやった愛する妻が、その罪をあばかれ、恥をさらすことが耐えられなかったからである。離婚はそのほかまた別な、もっと重大な理由によっても、不可能であった。

離婚ということになったら、いったい、むすこはどうなるだろう？　母親といっしょにさせておくことはできない。離婚された母親は、すぐ内縁関係を結ぶだろうが、そうした環境における継子《ままこ》の位置と教育は、どの点からみても、悪いにきまっている。それでは、自分の手もとへ残しておくか？　それは自分の側からいえば一種の復讐《ふくしゅう》になることは、彼も承知していたが、彼はそうはしたくなかった。しかし、このほかに、カレーニンにとって離婚が不可能に思われた最大の原因は、離婚の承諾は、とりもなおさず、アンナを滅ぼすことを意味するからであった。カレーニンの胸には、モスクワでドリイが彼に向って、もしあなたが離婚を決意されたとすれば、あなたはご自分のことばかり考えていらして、離婚によってアンナを永久に破滅させるということを考えておられないのだ、といったあのひと言が、深く刻まれていた。そして、彼はこの言葉を自分の赦罪と、子供たちに対する愛情に結びつけて、今では自分なりに解釈していた。離婚を承諾して、アンナに自由を与えることは、彼の解釈によると、自分にとっては愛する子供たちの生活との最後の絆《きずな》を失うことであり、またアンナにとっては、善の道を歩むための最後の支柱が奪われ、破滅におちいることを意味していた。アンナが離婚された妻となれば、ヴロンスキーといっしょになることはわかりきっていたが、その結びつきは非合法の、罪ぶかいものになるわけだ。なぜなら、教会の掟《おきて》によれば、妻は夫が生きているかぎり、結婚することができないからであった。《あれはあの男といっしょになるだろう。そして、一、二年もすれば、男に捨てられるか、あるいは、また自分でだれかと新しい関係を結ぶかするだろう》カレーニンは考えた。《そうなればおれも、非合法の離婚を承諾したことによって、あれの破滅に責任があるわけだ》彼はこうしたことを、何百回となく考えたあげく、離婚ということは、義兄のいうほどたやすいものでないばかりか、まったく不可能であると確信した。彼はオブロンスキーの言葉を、一つとして信じなかった。そのひと言ひと言に、何千という反駁を試みることができた。しかし、義兄の言葉に耳を傾けながら、彼はそこに自分の生活を導いている力、いや、自分として服従しなければならぬ、あの強力な、荒々しい力が表現されているのを感じて、黙っていた。

「問題はただ、きみがどんなふうに、どんな条件で、離婚を承諾するかにあるのさ。あれはなにも望んでいない、あれのほうからむりしてきみに頼むわけにはいかないんだから。あれはすべてをきみの寛大な心に任しているんだよ」

《ああ、神さま！　ああ、たまらん、いったい、なんのために？》カレーニンは、夫がその罪を引き受けなければならぬ離婚手続きの細かい点を思い起しながら、心の中で考えた。そして、ヴロンスキーがやったと同じような身ぶりで、羞恥《しゅうち》のあまり両手で顔を隠した。

「きみが興奮しているのは、ぼくにもよくわかるよ。しかしだね、よく考えてみれば……」

《右の頰《ほお》を打たれたら、左の頰もさしだし、上着を奪われたら下着も渡せ、ということか》カレーニンは考えた。

「ああ、いいとも」彼は甲高い声で叫んだ。「私は恥辱を引き受けるよ、むすこも渡してやろう。ただ、しかし……このままにしておいたほうがいいんじゃないかな？　もっとも、きみの好きなようにしてくれたまえ……」

　そういうと、彼は義兄に顔を見られないように、くるりと背を向けて、窓ぎわのいすに腰をおろした。彼は胸を締めつけられるような思いで、恥ずかしかった。しかし、その胸の痛みと羞恥とともに、彼は自分の柔和な心の気高さに対する喜びと感激を味わっていた。

オブロンスキーは相手の態度に感動して、ちょっと口をつぐんだ。

「ねえ、きみ、ぼくを信じてくれたまえ。あれはきっときみの寛大な心を、ありがたく思うだろうよ」彼はいった。「しかし、これはどうやら、神さまのみ心らしいね」そうつけ加えた。もっとも、そういってしまってから、彼はわれながらそれがばかげていると感じて、自分の愚かさに苦笑するのを、やっとのことでこらえていた。

カレーニンはなにか答えようとしたが、涙のためにできなかった。

「これは宿命的な不幸というやつだから、それを認めないわけにはいかないよ。ぼくもこの不幸はもうできてしまった事実と認めて、妹にもきみにも、力をかそうと思って努めているんだから」オブロンスキーはいった。

オブロンスキーは義弟の部屋を出たとき、かなり感動していたが、もはやカレーニンが自分のいったことを取り消すことはないと確信していたので、われながらうまくこの仕事を片づけたという自然な満足感をいだいた。この満足感に加えて、もう一つこんな考えが浮んだ。もしこれがうまくいったら、ひとつ、女房や親しい人びとにこんな謎《なぞ》をかけてやろう。《おれと陛下ではどんな違いがあるか？　陛下が軍隊の配置転換《ラズヴォード》をしても、そのためにだれひとりしあわせにならない。ところが、おれが離婚《ラズヴォード》をさせたら、三人ともしあわせになった……いや、それとも、おれと陛下では、どんな共通点があるか、とするか？　そのときには……いや、これはもっとよく考えてみよう》彼は微笑を浮べながら、そうつぶやいた。

23

ヴロンスキーの負傷は、心臓こそそれていたが、危険なものであった。そして数日間、彼は生死の境をさまよっていた。彼が初めて口がきけるようになったとき、病室に居あわせたのは、兄嫁のワーリヤひとりだった。「ワーリヤ！」彼はきびしく兄嫁の顔を見つめながらいった。

「ぼくは思わずかっとなって撃ったんだから、どうか、けっしてこの話はだれにもしないように。みんなにもそういってくださいよ。でないと、あんまりばかばかしいから」

その言葉には答えないで、ワーリヤは彼の上へかがみこむと、うれしそうな微笑を浮べて、その顔をのぞきこんだ。彼の目は明るく輝いて、熱もないみたいだったが、その表情はきびしかった。

「まあ、よかったわねえ！」彼女はいった。「もう痛くありません？」

「ここがちょっと」彼は胸をさした。

「それじゃ、包帯をかえてあげましょう」

　彼は兄嫁が包帯をかえてくれているあいだ、広い頬骨をひきしめて、無言のまま、相手の顔を見つめていた。それがすむと、彼はいった。

「これは、うわ言じゃありませんよ。お願いですから、ぼくがピストル自殺をしようとしたなんてうわさが、ひろがらないようにしてくださいよ」

「だれもそんなことはいってませんよ。でも、もう二度と、ついかっとなって引き金を引くなんてことはしないでしょうね」彼女は問いかけるような微笑を浮べて、いった。

「たぶん、もうしないでしょうよ。でも、いっそのこと……」

　そういって、彼はふと暗い微笑をもらした。

　こうした言葉や微笑は、ワーリヤをひどく驚かしたが、それにもかかわらず、炎症がなおって、しだいに健康が回復してくると、彼は自分の悲しみの一部から、完全に解放されたような気がした。それはまるで、彼があのような行為によって、それまで感じていた羞恥と屈辱とを、すっかり洗い落したみたいであった。彼も今では落ち着いた気持で、カレーニンのことを考えることができた。相手の寛大さを十分に認めながらも、彼はもう自分を卑下されたものとは感じなかった。いや、それればかりか、彼はまたもとの生活の軌道にもどり、羞恥の念なしに人びとの顔をながめたり、昔ながらの習慣に従って、暮すことができるようになった。ただ一つ、彼はいまもなおその愛情と闘っていたにもかかわらず、なんとしても自分の胸の中から取り除くことのできなかったのは――永遠にアンナを失ってしまったという、ほとんど絶望的ともいえる哀惜の情であった。いまや彼は夫に対する罪を償った以上、アンナのことは思いきって、今後は、悔い改めた彼女と夫のあいだにけっして立たぬ、と堅く心に誓った。しかし、彼はアンナの愛を失ったという哀惜の気持を、自分の胸から取り除くこともできなければ、アンナとともに過した幸福のおりおりを、記憶の中からぬぐい去ることもできなかった。その幸福も、当時はそれほどとも思わなかったのに、今ではその魅力の限りを尽して、たえず彼の心に迫ってくるのだった。

セルプホフスコイが彼のために、タシケントへの赴任を考えだしてくれたとき、ヴロンスキーはいささかの躊躇《ちゅうちょ》もなく、すぐその申し出を受けいれた。ところが、出発のときが近づくにつれて、彼が義務と信じてささげた犠牲が、ますます苦しいものに感じられてきた。

　彼は負傷が癒《い》えたので、もうタシケント行きの準備のために外出するようになった。

《たった一度だけ彼女に会えれば、あとはもうすっかり身を隠すなり、死ぬなりしてもかまわないな》彼はそう考え、暇乞《いとまご》いのあいさつに行ったとき、この考えをベッチイに打ち明けた。ベッチイはこの要件で、アンナをたずね、拒絶の返事をもたらしたわけである。

《いや、そのほうがいいんだ》ヴロンスキーはこの知らせを受けとって、考えた。

《あれは弱気だったんだ。もう少しで、最後の力まで台なしにするところだった》

　その翌朝、ベッチイは自分からヴロンスキーをたずね、カレーニンは離婚に同意したから、ヴロンスキーはアンナに会うことができる、という承諾の返事をオブロンスキーを通じて受け取ったと説明した。

　と、ヴロンスキーは今までの決心をすっかり忘れて、いつならいいのか、夫はどこにいるのか、そんなこともきかずに、ベッチイを見送ることさえしないで、いきなりカレーニン家へ車を飛ばした。彼は階段を駆けあがると、なにひとつ、だれひとり目にはいらぬまま、やっと駆けだすのを我慢しながら、足速にアンナの部屋へはいって行った。そして、部屋の中にだれかいるのかどうかも、まるっきり考えもしなければ気もつかずに、彼はいきなりアンナを抱きしめると、その顔に、両の手に、首に接吻《せっぷん》の雨を降らせた。

アンナは前々からこの対面の心がまえをして、話すことなどもちゃんと考えていたのだが、なにひとつそれを口に出す暇もなかった。彼の情熱が、すっかりアンナをとりこにしてしまったからである。アンナは彼の気持を、さらに、自分の気持をおししずめようとした。しかし、それはもう手遅れだった。彼の感情がもう移ってしまったからである。唇《くちびる》は激しく震えて、アンナはもう長いこと、なにひとつものをいうことができなかった。

「ああ、あなたはあたしをとりこにしておしまいになりましたわ。あたしはもうあなたのものですわ」アンナは自分の胸へ彼の両手をおしあてながら、やっとのことで、いった。

「やっぱり、こうならなければならなかったんですよ！」彼はいった。「ぼくたちが生きているかぎり、これがあたりまえなんです。今やっとそのことがわかりましたよ」

「ほんとにそうね」アンナはしだいに青ざめながらも、相手の顔を両手にいだいて、いった。「でも、あんなことがあったあとだから、これにはなにか恐ろしいことがあるような気がしますわ」

「いえ、なにもかもすんでしまいますよ、すんでしまいますよ。ぼくたちはきっと幸福になれますよ！　ぼくたちの愛がもっと強くなるとしたら、それはそこになにか恐ろしいことがあるからこそ、強くなるんですよ」彼は頭を上げ、微笑を浮べて、大きな歯を見せながらいった。

アンナも、彼の言葉に対してではなく、その恋するまなざしに対して、微笑で答えないわけにはいかなかった。アンナは彼の手をとって、それで自分の冷たくなった頬や、短く刈った髪をなでるのであった。

「こんなに髪を短く刈って、ぼくはすっかり見違えてしまいましたよ。前よりきれいになりましたね。男の子みたいだな。でも、すごく青い顔をしていますね！」

「ええ、とても弱ってるのよ」アンナはほほえみながらいった。と、その唇は再び震えだした。

「イタリアへ行きましょう。そしたら、あなたのからだもよくなりますよ」

「まあ、そんなことができまして、あたしたちが夫婦みたいにふたりだけで、家庭をもつなんてことが？」アンナは彼の目をちかぢかとのぞきこみながら、いった。

「いや、ぼくには今までそうでなかったことが、むしろふしぎに思われるくらいですよ」

「スチーヴァは、あの人がなにもかも承知したっていってますけど、あたし、あの人の寛大な心にすがることはいやなんですの」アンナは考えこむようにヴロンスキーの顔から視線をそらしながら、いった。「離婚なんてしてもらいたくありませんわ、今となったらもう同じことですもの。ただ気がかりなのは、あの人がセリョージャのことをどうきめるか、それがわからないんですの」

彼にはこんなあいびきのときにまで、なぜアンナが子供のことや、離婚のことを考えたり、思いだしたりできるのか、なんとしても理解できなかった。そんなことは、もうどうでもいいことではないだろうか。

「そんな話はしてないで、いや、そんなことは考えないで」彼は自分の手の中にあるアンナの手をひねって、彼女の注意を自分のほうへひきつけながら、いった。しかし、アンナはなおも彼のほうを見なかった。

「ああ、なんだってあたしは死ななかったんでしょう、そのほうがよかったのに」アンナはいった。と、泣き声のない涙がその両の頰をつたって流れた。しかし、アンナは彼をがっかりさせまいとして、むりに笑おうと努めた。

魅力があると同時に危険なタシケント行きを断わるのは、ヴロンスキーの従来の解釈によれば、恥ずかしい、また不可能なことであった。しかしいまや、彼はただの一分も思案することなく、すぐ断わってしまった。そして上官たちが、この行為を不満に思っているのに気づくと、さっさと退官してしまった。

一カ月後、カレーニンは自分の家に男の子とふたりでとり残された。一方アンナは離婚せず、それをはっきり拒絶したまま、ヴロンスキーとともに、外国への旅に出かけて行った。

第五編

1

　シチェルバツキー公爵《こうしゃく》夫人は、もう五週間後に迫った大斎期までに、結婚式をあげることはとてもできないと考えた。というのは、花嫁の持参する調度の半分もそれまでには、間にあいそうもなかったからである。ところが、夫人は大斎期のあとではあまりに遅すぎるという、リョーヴィンの意見にも賛成しないわけにはいかなかった。なぜなら、シチェルバツキー公爵の年老いた実の伯母が重態で、いまにも死ぬ恐れがあったので、もしそんなことにでもなれば、喪のために挙式がいっそう遅れるからであった。こうしたわけで、花嫁の持参する品々を大小二つに分けることにきめて、公爵夫人は、大斎期の前に式をあげることに同意した。夫人は小に属する分は、今すぐ全部整え、大のほうはあとから送ることにきめた。そして、リョーヴィンがそのことに賛成かどうか少しもまじめな返事をしないといって、夫人はひどく腹を立てた。この思いつきは、若いふたりが式のすみしだい、大のほうの品々を必要としない田舎へ行くことになっていたので、とりわけ好都合であった。

リョーヴィンは相変らず、まだ無我夢中の状態にいた。彼には、自分と自分の幸福こそが、この世に存在するいっさいのもののもっともたいせつな唯一《ゆいいつ》の目的であるかのように思われ、今はもうなにひとつ考えたり、心配したりする必要はないような気がするのだった。そんなことはみんな、ほかのものが自分の代りにしてくれているし、今後もしてくれるだろうとたかをくくっていた。いや、それどころか、彼の将来の生活に対しても、なんの計画も、目的ももっていなかった。彼はなにもかもうまくいくことを信じていたので、そうした決定はすべて他人まかせにしていた。兄のコズヌイシェフをはじめ、オブロンスキーや公爵夫人が、なすべきことをちゃんと指導してくれた。彼は人から勧められることはなんでも、ただ賛成するばかりであった。兄は彼の代りに金を借りてくれたし、公爵夫人は式がすんだらすぐモスクワを発《た》つように勧めてくれた。オブロンスキーは外国旅行に出かけるようにと勧めた。彼はそのすべてに賛成した。《もしきみたちがそれをいいと思ったら、なんでもしたいようにしてくれたまえ。ぼくは幸福なんだから、きみたちがなにをしようと、そのために、ぼくの幸福が増えたり減ったりすることはないからね》彼は考えた。彼はキチイに、外国旅行へ行けというオブロンスキーの勧めを伝えたとき、キチイがそれに反対し、将来の生活について、なにかしらはっきりした考えをもっているのに、びっくりした。キチイは、リョーヴィンが田舎に愛する仕事をもっているのを承知していた。リョーヴィンの見るところでは、キチイはその仕事を理解していなかったばかりでなく、それを理解しようとさえ思っていないらしかった。しかしながら、そうしたことはキチイにとって、この仕事がきわめて重大なものであると考えることのじゃまにはならなかった。こうしたわけで、キチイは自分たちの住む家が田舎にあることを知っていたから、長く住みもしない外国などではなく、わが家のあるところへ行きたがったのである。このはっきりと表明された意向は、リョーヴィンを驚かした。しかし、彼としてはどちらでもよかったので、オブロンスキーに向って、それが義兄の義務ででもあるかのように、ポクローフスコエ村へ行ったうえ、持ち前の豊富な趣味を生かして、いっさいを思いどおりに整えてきてくれと頼んだ。

「ところでね、ひとつきいとくがね」オブロンスキーは、若いふたりの帰宅のため、いっさいの準備を整えて、田舎から帰って来ると、リョーヴィンにいった。「きみは痛悔礼儀（訳注　懺悔式）に行ったという証拠《しるし》を持っているかね」

「持ってないよ。それがどうかしたのかい？」

「それがなければ、結婚式があげられないんだよ」

「おい、そりゃ、たいへんだ！」リョーヴィンは叫んだ。「なにしろ、ぼくはもう九年も精進したことがないらしいからね。そんなことは考えもつかなかったよ」

「おめでたいよ！」オブロンスキーは、笑いながらいった。「それでよく、ぼくのことをニヒリストだなんていえるね！　それにしても、そんなことじゃだめだよ。精進しなくちゃ」

「いったい、いつ？　もうあと四日しかないぜ」

オブロンスキーは、この点もうまくはからってくれた。そこで、リョーヴィンも精進をはじめた。リョーヴィンは信者でなかったが、それと同時に、他人の信仰を尊敬する人間として、教会の儀式に出席などするのは、ひじょうに苦痛であった。とくに今は、すべてのことに対して感じやすい、やわらいだ気持になっていたので、自分の本心を偽らなくてはならぬということが、リョーヴィンにとっては単に心苦しいどころか、まったく不可能なことのように思われた。いまや彼ははなばなしい栄光の中にあって、うそをついたり、神聖冒瀆《ぼうとく》をしなければならないのであった。彼はそのいずれをも、できそうにないと感じた。しかし、彼は精進せずに証明をもらう方法はないかと、いくらオブロンスキーにきいてみても、それはとても不可能だと、申しわたされるのであった。

「ねえ、それぐらいのことが、我慢できないのかい、たった二日じゃないか？　それに、坊さんもじつに優しくて、頭の切れる年寄りだよ。なあに、きみが気づかないうちに、その痛い歯を引き抜いてくれるさ」

最初の聖体礼儀（訳注 祈禱式）に列したとき、リョーヴィンは十六、七の青年時代に経験したあの強烈な宗教的感情の追憶を、新たにしようと試みた。しかし、それは絶対に不可能だと、すぐ確信してしまった。そこで今度は、そうした儀式を他人の家をたずねる習慣などのように、なんの意味もない、空虚な習慣と見なすように努めた。しかし、それさえなんとしてもできないことのように感じた。リョーヴィンは現代の大多数の人びとと同様、宗教に対して、あいまいな態度をとっていた。彼は信ずることはできなかったが、そうかといって、それはすべてまちがっていると強く確信することもできなかった。したがって、彼は自分のしていることの有意義を信ずることもできなければ、それを空虚な形式として無関心に見すごすこともできずに、この精進のあいだずっと、自分でも理解できないことをしながら、居心地《いごこち》の悪い、恥ずかしい思いを味わっていた。それはまるで、内なる声が、これはなにかしら偽りのよからぬ行為であると、彼にささやいているみたいであった。

公祈禱《きとう》（訳注 礼拝）のあいだも、彼は祈禱に耳を傾けながら、自分の見解にそむかないような意味を見つけようと努めたり、自分にはそれを理解する力がないのだから、非難するのが当然だと感じて、努めて祈禱を耳に入れないようにして、自分の想念や、観察や、追憶に没頭したりした。そうしたものは、教会の中にぼんやり立っている自分の顔に、きわめて生きいきとあざやかに浮んでくるのであった。

彼は聖体礼儀、徹夜禱（訳注 夜の祈り）、晩課（訳注 夕べの戒律）を全部守って、翌日はいつもより早く起き、お茶も飲まずに、早課（訳注 朝の戒律）を聞いて痛悔をするために、八時に教会へ出かけた。

教会には、兵隊あがりの乞食《こじき》と、ふたりの老婆《ろうば》と、堂役者たちのほか、だれもいなかった。

薄い祭袍《さいほう》下着（訳注 法衣）の下から、長い背筋の右左がくっきりと透いて見えている若い補祭が、彼を迎えると、すぐ壁ぎわの小さなテーブルのそばへ行き、時課（訳注 戒律）を読みはじめた。それを読み進むにしたがって、とくに《ポミーロス、ポミーロス》と聞える『主よ、哀れみたまえ《ゴースポジ・ポミールイ》』という同じ言葉を、何度も何度も早口に繰り返すところになると、リョーヴィンは自分の思索が閉ざされ、封じられてしまって、今はもうそれにふれたり、揺すぶったりもできず、もしそんなことをすれば、混乱が生れるような気がするのだった。したがって、彼は補祭のうしろに立ったまま、相変らず祈りには耳もかさず、注意もはらわずに、自分のことばかり考えていた。《彼女の手は驚くほど表情に富んでいるな》彼はきのうふたりでテーブルにすわっていたときのことを思いだして、こんなことを考えた。このところはほとんどいつもそうであるが、ふたりにとってはもうなにも話すことがなかった。そこでキチイはテーブルの上に片手をのせて、それを開いたり、閉じたりしながら、自分でもその動きを見て笑いだした。彼は、その手に接吻してから、あとでばら色の掌《てのひら》についている筋を調べたことなどを思いだした。《また、ポミーロスだな》リョーヴィンは十字を切り、礼拝をし、これまた礼拝をする補祭の背の、しなやかな動きを見つめながら、こんなことを考えた。《彼女はそれからおれの手をとって、手筋を見ると、まあ、りっぱなお手ですこと、といったっけ》それから彼は自分の手と、補祭の短い手とを見た。《さあ、もうじきだぞ》彼は考えた。《いや、どうやら、またはじめからやりなおしらしい》彼は祈りの言葉に聞き入りながら、こう考えた。《いや、やっぱりおしまいだ。ほら、もう床に額をつけて、礼拝しているじゃないか。終りの前にはいつもああするんだから》

目立たぬように片手で三ルーブル札を受け取って、綿ビロードの袖《そで》の折り返しの中に隠すと、補祭は記帳しておきますといって、がらんとした会堂の石畳に新しい靴《くつ》の音を響かせながら、元気よく至聖所（訳注 祭壇）の中へはいって行った。と、じきそこから顔を見せて、リョーヴィンを手招きした。そのときまで閉じこめられていた想念が、リョーヴィンの頭の中で、動きはじめたが、彼はすぐそれを追いはらった。《なんとかなるさ》彼はそう考えて、升壇《しょうだん》（訳注 説教台）のほうへ進んだ。階段をのぼって右へ曲ると、司祭の姿が目についた。老司祭はうすい半白の顎《あご》ひげをはやし、疲れたような、人のよさそうな目つきをして、経案（訳注 聖書台）のそばに立ち、祈禱書のページをめくっていた。司祭はリョーヴィンに軽く会釈《えしゃく》すると、すぐ慣れた声で祈りを唱えはじめた。それがすむと、額が床につくほどうやうやしく礼拝し、それからリョーヴィンのほうへまともに向きなおった。

「ここには目に見えぬキリストが、あなたの痛悔をお受けになろうとして、立っておられます」司祭はやはりつけの像を指さしながらいった。「あなたは、聖使徒によって建てられた教会の教えを、すべて信じておられますか？」司祭はリョーヴィンの顔から目をそむけて、両手を襟飾《えりかざ》りの下で組み合せながら言葉をつづけた。

「私はすべてを疑っておりましたし、今でも疑っています」リョーヴィンはわれながら不愉快な声でいって、口を閉じた。

司祭は、相手がまだなにかいうかと、数秒間じっと待っていたが、やがて目を閉じると、O《オー》をはっきり発音するウラジーミルなまり（訳注　モスクワあたりの標準音ではアクセントのないO（オー）はA（アー）に近く発音されるが、ウラジーミル地方では、その場合もO（オー）と発音する）で、早口にしゃべりだした。

「疑うということは人間の弱点として避けられぬものですな。しかし、私どもは慈悲ぶかい主に力づけていただくために、お祈りをしなければなりません。あなたはなにかこれという罪をおもちですかな？」司祭は努めて一刻もむだにしまいとしているかのように、間をおかずにこうつけ加えた。

「私の一番の罪は疑いです。私はなにもかも疑っています。多くの場合、私は疑いの中に暮しています」

「疑うということは人間の弱点として避けられぬものですな」司祭は前と同じ言葉を繰り返した。「しかし、おもにどんなことを疑われますかな？」

「私はなにもかも疑っております。時には、神の存在さえ疑うことがございます」リョーヴィンは思わずそういったが、すぐ自分が口をすべらしたことの無作法さにはっとした。ところが――

「神の存在に、なんの疑いがありえましょう？」司祭はかすかな微笑を浮べて、急いでそう答えた。

リョーヴィンは黙っていた。

「あなたは神の創造を自分の目で見ていながら、その創造主についてどんな疑いをいだくことができるのです？」司祭はもの慣れた早口でつづけた。「天なる穹窿《きゅうりゅう》をもろもろの星で飾ったのは、いったい、どなたでしょう？　大地をこうした美しさでおおったのは、どなたでしょう？　いや、創造主でなくて、どなたにできましょう？」司祭は問いかけるようにリョーヴィンを見ながら、いった。

リョーヴィンは司祭と哲学的な議論をするのは、礼を失すると感じたので、ただその質問に直接関係のあることだけを答えた。

「存じません」彼はいった。

「ご存じない？　では、あなたはなぜ、神が万物を創造したことを疑われるのです？」司祭は愉快そうに納得のいかぬ面持《おもも》ちでたずねた。

「私にはなにもわかりません」リョーヴィンは自分の言葉がばかげていることを、いや、こうした立場にあっては、ばかげた答えしかできないことを感じて、顔を赤らめながらいった。

「神に祈って、頼まれるがよい。聖者と呼ばれる神父たちでさえ、つねに疑いをいだいて、おのれの信仰をたしかめようと、神に祈られたくらいですから。悪魔は大きな力をもっていますが、私どもはそれに負けてはなりません。神に祈って、頼まれるがよい。神に祈りなさい」司祭は早口に繰り返した。

司祭はなにか考えこむように、しばらくのあいだ黙っていた。

「お聞きしたところでは、あなたはうちの教区の神の子であるシチェルバツキー公爵のお嬢さんと、結婚なさるそうですな？」司祭は微笑を浮べながら、つけ加えた。「すばらしい女子《おなご》じゃ」

「ええ」リョーヴィンは司祭の前に顔を赤らめながら、答えた。《なんだって痛悔のときに、こんなことをきく必要があるんだろう？》彼は考えた。

と、まるでその疑問に答えるかのように、司祭は彼にいった。

「あなたは、今結婚されようとしておられる。やがて神はあなたにきっと、子孫を恵まれるでしょう。違いますかな？　もしあなたが自分を不信心にみちびく悪魔の誘惑に打ち勝てなければ、あなたはいったいお子さんに、どんな教育を授けるおつもりですか？」司祭はかすかな非難をこめていった。「もしあなたがお子さんを愛しておられるなら、善良な父親として、あなたはお子さんのために単に富や、ぜいたくや、名誉だけを、希望されるようなことはないでしょう。あなたはお子さんが救われることを、真理の光で魂が照らされることを望まれるでしょう。違いますかな？　もしその無垢《むく》な幼児《おさなご》があなたに向って『お父さん、この世で私たちを喜ばしてくれる大地や、水や、花や、草などはみんな、だれがつくったの？』ときいたとき、あなたはなんと答えますか？　まさか『知らないよ』とは答えないでしょう。あなたは主の神が、偉大なるみ恵みによって、あなたに啓示されたこれらすべてのことを、知らずにいられるわけはないのですから。また、お子さんから『死んだらどうなるの？』ときかれたとき、あなたはなにも知らなかったら、いったい、なんというつもりですか？　いったい、なんと答えるのですか？　お子さんをこの世の快楽や、悪魔の誘惑にまかせてしまうのですか？　それはよくありませんな！」司祭はいって、口をつぐむと、頭を傾けて、善良そうなつつましいまなざしでリョーヴィンをながめた。

リョーヴィンも今度はなんとも答えなかった。それは、僧侶《そうりょ》と議論がしたくなかったからではなく、だれも彼にそんな質問をするものがいなかったからである。それに、自分の子供たちがこんな質問をするまでには、まだまだ時間があるから、なんと答えたものかゆっくり考えることもできると思ったからである。

「あなたは今、人生の盛りにはいろうとしているのです」司祭はつづけた。「今こそ、自分の進むべき道を選んで、それをしっかり守っていかねばなりません。神がその大いなるみ恵みによって、あなたを助け、哀れみをたれてくださるよう、お祈りなさい」司祭は結んだ。『われらが主なる神イエス・キリストは、その豊かなる慈悲と愛とによりて、子なるなんじらを許したまわん……』こうして、司祭は許しの祈りを唱え終ると、リョーヴィンを祝福して、放免した。

この日、宿へ帰ると、リョーヴィンはすっかりうれしくなった。それは、なんとなくばつの悪い状態が終り、しかもうそをつかないですんだからである。しかもそのうえ、彼の心の中には、あの善良で優しい老司祭のいったことは、彼がはじめ感じたほどばかげたものではなく、そこにはなにかはっきりさせなければならぬことがあるような漠然《ばくぜん》とした思いが残ったからである。

《そりゃ、今すぐというわけじゃない》リョーヴィンは考えた。《いつかそのうちに》リョーヴィンはいまや自分の心の中が、なにかしらはっきりせず、不純なものがあり、宗教に対する態度においても、自分が他人の中にはっきりと見て不快に感じ、そのために友人のスヴィヤジュスキーを非難したのと同じものがあるのをいつにもまして自覚したのであった。

その晩、リョーヴィンはドリイのもとで、許婚《いいなずけ》といっしょに過しながら、とりわけ快活であった。そして、彼は自分の興奮している状態を、オブロンスキーに説明しながら、ぼくは輪を飛び越すことを教えられた犬が、ようやく納得がいって、求められたことをちゃんとやってのけ、もううれしさのあまり、きゃんきゃん鳴いたり、しっぽを振ったり、テーブルや窓の上へとびあがったりするのと同じような気持だ、と語る始末だった。

2

結婚式の当日、リョーヴィンは慣習に従って（公爵《こうしゃく》夫人とドリイは、すべての慣習を厳重に守るよう主張した）許婚には会わずに、宿へ偶然やって来た三人の独身者、コズヌイシェフと、往来で会ってむりに連れて来た、大学時代の友だちで今は自然科学の教授をしているカタワーソフと、モスクワの治安判事で、リョーヴィンの熊《くま》狩り仲間である介添人のチリコフといっしょに食事をした。この会食は、ひじょうに愉快であった。コズヌイシェフはすこぶる上きげんで、カタワーソフの風変りな話しぶりをおもしろがっていた。カタワーソフも、自分の風変りなところがみんなに買われて、理解されているのを感じて、やたらにそれをひけらかした。チリコフは、愉快そうに愛想《あいそ》よく、どんな話にも調子をあわせていた。

「では、いいですか」カタワーソフは講義で身につけた癖で言葉を長く引っぱりながら、いった。「われらの友リョーヴィン君は、このように才能ある青年でした。私は、この席におらぬ人のことをいっているのです。なぜなら、その彼はもういないからであります。彼も当時は学問を愛し、大学卒業後も、人間的な興味をもっておりました。ところが、いまやその才能の半分は、おのれを欺《あざむ》くことに向けられ、残りの半分は、その虚偽を弁護することに向けられているのであります」

「いや、あなたのように徹底した結婚反対論者は、ついぞ見たことがありませんよ」コズヌイシェフはいった。

「いや、私は結婚反対論者じゃありませんよ。分業の味方なんですから。なんにもすることのできない人間は、せめて人間でもこしらえなければいけませんよ。その他の連中は、そうしてできた人間の教化と、幸福に協力すべきですね。いや、これが私の意見ですよ。この二つの仕事を混同する連中は、数えきれないほどいますが、私はそんな連中の仲間じゃありませんからね」

「そういうきみが恋をしたと知ったら、ぼくはさぞうれしがるだろうね」リョーヴィンはいった。「どうかぼくを結婚式に呼んでくれよ」

「ぼくはもう恋をしているよ」

「ああ、烏賊《いか》にね」リョーヴィンは兄に話しかけた。「ねえ、このカタワーソフ君は、今栄養に関する著述をやってるんですが……」

「おい、そうまぜかえしちゃいけないね！　そりゃなんの著述だってかまわないけれどね。肝心なことは、ぼくがほんとうに烏賊を愛してるってことですよ」

「でも、烏賊はきみが細君を愛するじゃまをしないかね」

「いや、烏賊のほうはしないが、女房がじゃまをするってわけさ」

「なぜだい」

「まあ、今にわかるよ。今のきみは農場や猟を愛しているけれど、まあ、そのうちにわかるさ！」

「きょうアルヒープがやって来てね、プルードノエには大鹿《おおじか》がうんといる。熊も二頭いるといってたぜ」チリコフがいった。

「じゃ、きみたちはそれをぼく抜きでとるわけだね」

「いや、まったくそのとおりだね」コズヌイシェフはいった。「つまりこれからはもう、熊狩りにもおさらばをしなくちゃならないってわけさ、女房が出してくれないんだから！」

リョーヴィンはにっこり笑った。女房が出してくれない、と考えただけで、リョーヴィンはすっかりうれしくなって、もう熊の姿を見るという喜びを永久に断念してもいいと思った。

「いや、それにしても、その二頭の熊を、きみ抜きでとるのはなんとも残念だね。このまえのハピーロヴォでのことを覚えているかい？　きっと、すばらしい猟になるんだがなあ」チリコフはいった。

リョーヴィンは、猟をしなくても、なにかもっといいことがどこかにころがっているかもしれない、などといって、相手をがっかりさせたくなかったので、なんともいわなかった。

「こうやって独身生活に別れを告げるならわしがあるのも、無意味なことじゃないね」コズヌイシェフがいった。「どんなにしあわせになるといっても、やっぱり自由を失うのはつらいことだからねえ」

「おい、正直に白状しろよ、やっぱり、あのゴーゴリの書いてる花婿《はなむこ》（訳注　ゴーゴリの喜劇『結婚』の主人公ポドコレーシンは結婚式の前に窓から逃げだす）みたいに、窓からとびだしたくなるような気持があるんじゃないか」

「きっと、あるだろうね、ただ白状しないだけだよ！」カタワーソフはいって、大声でからからと笑いだした。

「おい、どうだね、窓はあいてるぜ……今からトヴェーリへ行こうじゃないか！　雌熊一頭だけだから、穴まで行けるんですよ。ねえ、行こうじゃないか、五時の汽車で！　あとは、どうぞお好きなように」チリコフは微笑しながらいった。

「でも、ほんとのところ」リョーヴィンも微笑しながらいった。「ぼくは自分の心の中に、自由を惜しむ気持なんか見いだすことはできないんだよ！」

「いや、今のきみの心の中は混沌《こんとん》としているので、なにひとつ見つけることができないのさ」カタワーソフはいった。「まあ、しばらく待ちたまえ、そのうち気持が落ち着いたら、見つかるだろうから」

「いや、そんならぼくは自分の幸福感（彼は友だちの前で愛という言葉を口にしたくなかった）以外に、たとえ少しでも自由を失う悲しみを感じそうなものだけれど……かえってその反対に、自由の喪失を喜んでいるくらいだからねえ」

「ひどいもんだね！　まったく手に負えないしろものだね！」カタワーソフはいった。「じゃ、ひとつ彼の健全なる回復のために、いや、彼の空想がせめて百分の一でも実現するように、乾杯しよう。もしそうなったら、それこそこの世にまたとない幸福というものだからね」

食事がすむとまもなく、客たちは結婚式に出るための着替えに、帰って行った。

ひとりきりになると、独身者たちのこうした会話を思い起しながら、リョーヴィンはもう一度、自分自身にたずねてみた——あの連中の話していた自由を惜しむ気持が、自分の心の中にあるだろうか？　が、彼はこの質問に微笑をもらした。《自由だって？　なんのための自由なんだ？　幸福というものはただ、彼女を愛して、彼女の望むことを望み、彼女の考えることを考えることなのだ。つまり、そこにはなんの自由もないのだ——いや、これこそ幸福じゃないか！》

《それにしても、このおれは彼女の考えや望みや気持を知ってるだろうか？》不意にある声が彼に、こうささやいた。微笑はその顔から消えて、彼は考えこんでしまった。そして、とつぜん、彼は奇妙な感情におそわれた。彼は恐怖と疑惑に——すべてのものに対する疑惑におそわれたのであった。

《もしキチイが、おれを愛していなかったらどうだろうか？　もしただ結婚したいためにだけ、おれと結婚するんだったら、どうしよう？　もし彼女が、自分のしていることが、よくわからないとしたら、どうしよう？》彼は自分にただした。《ひょっとしたら、彼女はふとわれに返って、結婚してはじめて、おれを愛していないことを悟るかもしれない、いや、愛するわけのなかったことを、悟るかもしれない》こうして、キチイについての奇怪な、きわめて不愉快な考えが、彼の頭に浮んできた。彼は、一年前にヴロンスキーといっしょのキチイを見たあの晩が、ついきのうのことのように思われ、ヴロンスキーと結びつけてキチイを嫉妬《しっと》した。いや、キチイは本心を全部打ち明けていないのかもしれない、と疑ったりした。

彼はぱっととび起きた。《いや、このままじゃいけない！》彼は絶望的につぶやいた。《すぐ出かけて行って、きいてみよう。最後にもう一度だけ、ぼくたちは自由なんだから、結婚は思いとどまったほうがよくはないかと、いってみよう。どんなにつらくても、一生不幸になって、恥をさらし、不貞に耐えるよりはまだましだもの!!》彼は絶望的な気持で、すべての人に対して、自分にも、また彼女にも、憎悪《ぞうお》を覚えながら、宿を出て、キチイの家へ出かけて行った。

キチイは奥のほうの部屋にいた。彼女はトランクに腰かけて、いすの背や床の上にひろげた、色とりどりの服を選《よ》り分けながら、なにやら小間使にさしずをしていた。

「まあ！」キチイはリョーヴィンに気づくと、喜びに顔を輝かせながら、叫び声をあげた。「あんたどうなさったの、あなたどうなさったの？（この最後の日まで、キチイはリョーヴィンを『あんた《トゥイ》』と親しく呼んだり、『あなた《ヴィ》』と改まったりしていた）。まあ、思いがけなかったわ！ 今、娘時代の服を選り分けてますの、どれをだれにあげるかって……」

「ほう！　それはいいですね！」彼は暗い顔つきで小間使を見ながら、いった。

「あっちへ行っておいで、ドゥニャーシャ、またあとで呼ぶから」キチイはいった。

「あんたどうかなさったの？」キチイは小間使が立ち去るが早いか、思いきって『あんた』と親しく呼びかけながら、たずねた。キチイは相手が妙に興奮して暗い顔をしているのに気づいて、思わずはっとしたのであった。

「キチイ！　ぼくは苦しいんです。ひとりで苦しんでいるのが、我慢できなくなって」彼は彼女の前に立って、祈るようにその目をのぞきこみながら、絶望的な声でいった。彼はその愛情あふれる誠実な顔を見ただけで、自分のいおうとしていることが、無意味なことを、すぐ見てとったものの、やはり彼女自身の口から、その疑いをといてもらいたかったのである。「ぼくがやって来たのは、まだ手遅れではないってことを、いうためなんです。つまり、なにもかもすっかりご破算にして、はじめからやりなおすこともできますからね」

「まあ、なんですって？　さっぱりわかりませんわ。あんた、どうかしたの？」

「いや、ぼくがこれまで千べんも口にして、今なお考えずにはいられないこと……つまり、ぼくはきみにふさわしくないってことですよ。きみはぼくとの結婚を承諾するはずがなかったんですよ。よく考えてごらんなさい。きみはまちがっていたんですよ。

ねえ、よく考えてごらんなさい。きみにはぼくを愛することなんてできませんよ……もしも……そうだったら……正直にいってくれたほうがいいんです」彼はキチイを見ないでいった。「でなければ、ぼくは不幸になりますからね。とやかくいいたい人にはいわせておけばいいんですよ。そんな不幸にあうよりはまだましですからね……まだ手おくれにならない今のうちなら、そのほうがいいんです……」

「わかりませんわ」キチイはおびえたように答えた。「つまり、お断わりしたいとおっしゃるの……結婚する必要はないって？」

「ええ、もしぼくを愛していないんだったら」

「頭が変になってしまったのね！」キチイはいまいましそうに、顔をまっ赤にして叫んだ。

しかし、彼の顔があまりにもみじめだったので、彼女はいまいましい気持をおさえて、肘掛《ひじか》けいすにかかっていた服を投げ捨てると、彼のそばに腰をおろした。「なにを考えていらっしゃるの？　ねえ、なにもかもいってちょうだい」

「きみがぼくを愛するはずがないと、思っているんですよ。なんのためにぼくを愛することができるんです？」

「まあ、ほんとに、なんといったらいいの……」キチイはいって、泣きだした。

「ああ、ぼくはなんてことをしたんだろう！」彼は叫んで、キチイの前にひざまずいて、その両手に接吻《せっぷん》した。

五分ほどして、公爵夫人が部屋へはいって来たときには、ふたりはもうすっかり仲直りしていた。キチイは、自分が彼を愛していることを、納得させたばかりでなく、なんのために愛するのかという質問にも答えて、それをちゃんと説明した。自分があなたを愛するのは、あなたという人をすっかり理解しているからだし、あなたが愛してくださるにちがいないことも知っており、しかも、あなたの愛するものは、なにもかもみんないいことばかりだから、といった。このことは彼にとってこのうえなく明《めい》瞭《りょう》なことに思われた。公爵夫人がはいって行ったとき、ふたりはトランクの上に並んですわり、服を選り分けていた。そして、リョーヴィンは自分が結婚の申し込みをしたときキチイの着ていた茶色の服を、キチイがドゥニャーシャにやろうというのに、リョーヴィンはこの服はだれにもやってはいけない、ドゥニャーシャには空色のをやりなさい、といい争っている最中であった。

「どうしてわからないんでしょうね！　あの子はブリュネットだから、そんなものは似合わないのよ……あたしはもうちゃんと考えていたんですもの」

公爵夫人は、彼のやって来たわけを知ると、冗談ともまじめともつかぬ調子で腹を立てて、さあ、宿へ帰って着替えをなさい、もうすぐシャルルが来るはずだから、キチイが髪を結うじゃまをしないでください、といった。

「この娘《こ》はそうでなくても、この、二、三日なんにも食べないので、器量がおちたのに、あなたはそんなばかげたことをいって、この娘《こ》の気持を乱すなんてとんでもない」夫人は彼にいった。「さあ、とっとと帰ってちょうだい、とっとと帰ってちょうだい、お利口だから」

リョーヴィンは悪いことをしたような、恐縮した気持で、それでもすっかり安心して宿へ帰った。兄も、ドリイも、オブロンスキーも、みんな盛装して、もう聖像で祝福するばかりにして待ちうけていた。もう一刻の猶予《ゆうよ》もなかった。ドリイはもう一度わが家へ帰って、花嫁に付き添って聖像を運ぶことになっていた、髪にポマードをつけカールさせた長男を、連れて来なければならなかった。さらに、介添人を迎えに、馬車を一台出さなければならなかったし、コズヌイシェフを送って行くもう一台の馬車も、ここへ帰してよこさなければならなかった……つまり、ひじょうにこみいった手配が、とてもたくさんあったのである。ただ一つ疑いのないことは、もう六時半になるから、まごまごしていられない、ということであった。

聖像での祝福の式は、なにごともなくすんだ。オブロンスキーはこっけいな気どったポーズで妻と並んで、聖像を持ち、リョーヴィンに床に額《ぬか》ずいて礼拝するように命じてから、人のよさそうな、しかし皮肉な微笑を浮べて、祝福を与え、三度彼に接吻した。ドリイもそれと同じことをやって、すぐ急いで出かけようとしたが、またもや馬車のやりくりで、こんがらかってしまった。

「それじゃ、こうしよう。おまえはうちの馬車に乗って、あの子を迎えに行きなさい。コズヌイシェフさんには、ご面倒でも家へ寄っていただいて、そのあとでおまわしすることにしよう」

「もちろん、それでけっこうですとも」

「じゃ、私はいまごいっしょに行くことにしよう。荷物は出したかね？」オブロンスキーはいった。

「ああ、出したよ」リョーヴィンは答えて、クジマーに着替えのしたくを命じた。

3

大勢の人びとが、とりわけ女たちが、結婚式のために明るく照らされている教会を、とりまいていた。中へもぐりこむことのできなかった人びとは、押しあったり、口論したり、格子《こうし》越しにのぞきこんだりしながら、窓のまわりに群がっていた。

もう二十台以上の馬車が、憲兵のさしずで、往来に沿って並んでいた。警部は、厳寒をものともせずに、制服を輝かせながら、入口に立っていた。まだあとからあとから、たえまなく馬車が乗りつけて来た。そして、花を飾った裳裾《もすそ》を高くかかげた貴婦人たちが、あるいは男たちが制帽や黒いソフトを脱ぎながら、教会の中へはいって行った。会堂の中は、一対《いっつい》の釣《つ》り燭台《しょくだい》も、それぞれの聖像の前のろうそくも、もうあかあかとともされていた。聖障（訳注 聖壇）の緋《ひ》の地にはえる金色の輝きも、金箔《きんぱく》に輝く木彫りの聖像も、多聖燭や燭台の銀も、石畳の床も、じゅうたんも、聖歌隊席の上の凱旋《がいせん》旗《き》も、升壇の階段も、黒ずんだ古い書物も、祭袍《さいほう》下着も、祭衣も、なにもかもいっぱいに光を浴びていた。暖かい会堂の右側には、燕尾服《えんびふく》や、白ネクタイや、制服や、花《はな》緞子《どんす》や、ビロードや、繻子《しゅす》や、髪や、花や、あらわな肩や、胸や、長い手袋などが群がっている中で、控えめながら活気のある会話がかわされて、それが高い丸天井に奇妙にこだましていた。ドアのあく音がするたびに、人びとの話し声はぴたりとやんで、はいって来る新郎新婦の姿を見ようと待ちかまえて、いっせいに振り向くのだった。ところが、ドアはもう十ぺん以上も開かれたにもかかわらず、いつもそれは右手の招待席へつらなる遅れて来た男女の客たちか、でなければ、警部をだますか拝みたおすかして、左手の一般席にはいりこむ見物の女たちであった。こうして、親戚《しんせき》のものも見物人も、もう待ちどおしいといった状態を通り越していた。

はじめのうちは、今にも新郎新婦が来ると思って、遅れていることを気にもとめずにいた。そのうちに、だんだんとひんぱんにドアのほうを振り返って、なにか起ったのではないかと話すようになった。やがて、遅いことがなにかばつが悪くなってきて、親戚のものも客たちも、もう花婿《はなむこ》のことは考えないで、自分たちの話に夢中になっているようなふりをしようと努めていた。

長補祭は、自分の時間の貴重なことを思い知らせようとするかのように、じりじりしながら、窓ガラスが震えるほど、大きな咳《せき》ばらいをした。聖歌隊席では、しびれをきらした歌手たちが声ならしをしたり、洟《はな》をかんだりするのが聞えた。司祭は、しょっちゅう花婿はまだかと、堂役や補祭を次々に見にやって、自分でも紫の祭袍に刺繡《ししゅう》した帯を締めた姿で、ますますひんぱんにわきの戸口へ出かけて行っては、花婿の到着を待ちわびていた。ついに、ひとりの貴婦人がちらっと時計を見て、「それにしても変ですわね！」といった。すると、客はみんな不安にかられて、自分たちの驚きや不満を声高《こわだか》にもらしはじめた。介添人のひとりが、なにごとが起ったのか様子を見に出かけて行った。キチイは、その時分にはもうとっくに着つけをすましていて、純白の衣装に長いヴェールをつけ、橙《だいだい》の花を飾った冠をかぶり、仮親となった姉のリヴォフ夫人といっしょに、シチェルバツキー家の広間に立って、介添人から花婿が教会へ着いたという知らせが来るのを、もう三十分以上もむなしく待ちながら、じっと窓の外をながめていた。

一方、リョーヴィンはそのころ、ズボンをはいただけで、チョッキもフロックも着ずに、やたらに戸の外をのぞいたり、廊下を見まわしたりしながら、部屋の中をあちこち歩きまわっていた。しかし、廊下には、待ちうけている人の姿がいっこう現われないので、しょげたような顔つきで引き返して来ては、落ち着きはらってたばこをふかしているオブロンスキーに、両手を振りまわしながら、こう食ってかかるのだった。

「いや、まったく、こんなひどいばかげた目にあった人間なんているもんか！」彼はいった。

「ああ、ばかげているね」オブロンスキーは、とりなすような微笑を浮べて、相槌《あいづち》をうった。「でも、まあ、落ち着けよ、今に持って来るだろうよ」

「いや、とんでもない」リョーヴィンは腹にすえかねながら、いうのだった。「それに、このばかばかしいほど胸のあいたチョッキはどうだい！　とっても、我慢ができないよ」彼はワイシャツのしわになった胸のあたりを見ながらいった。「それにしても、もう荷物が停車場へ出されてしまったあとだったら、どうしよう！」彼は絶望的に叫んだ。

「そのときはぼくのを着りゃいいよ」

「そんなら、もっと前にそうすりゃよかったよ」

「おかしな格好に見えちゃよくないからな……まあ、もう少し待ちたまえ、丸くおさ、、、、、、まるだろうよ」

じつは、こういうわけであった。リョーヴィンが着替えをしようとしたとき、老僕のクジマーは、燕尾服やチョッキやそのほか必要なものをいっさいそろえて持って来た。

「ワイシャツはどうした？」リョーヴィンは叫んだ。

「ワイシャツはお召しになっていらっしゃいますよ」クジマーは平然と微笑を浮べながら、答えた。

クジマーは新しいシャツを残しておくということに思いいたらなかったので、すっかり荷造りして、シチェルバツキー家へ送れという命令を受けると、燕尾服を一着だけ残して、あとは全部荷造りしてしまった。若いふたりは今晩すぐ、シチェルバツキー家から発《た》つことになっていたからである。朝から着ていたワイシャツはもうしわくちゃになっていたので、胸の大きくあいた流行のチョッキを着ることは、とてもできなかった。シチェルバツキー家へ使いを出すのは遠すぎてできなかった。そこで、ワイシャツを買いにやらせたところ、ボーイがもどって来て、日曜なのでどこもしまっている、という返事だった。オブロンスキー家へ使いを出して持って来てもらったワイシャツは、お話にならぬほど大きくて、丈《たけ》が短かかった。結局、シチェルバツキー家へ使いをやって、荷物を解くことにしたのである。こうして、みんなが教会で花婿を待っているというのに、ご当人は檻《おり》に閉じこめられた獣のように、廊下をのぞいたり、さっきキチイに話したことを思いだしたり、今ごろキチイはどんなことを考えているだろうか、と想像しながら、恐怖と絶望にかられて、部屋の中をあちこち歩きまわっているのであった。

ようやくクジマーが申しわけなさそうな顔をして、息も絶えだえに、ワイシャツを手にして部屋の中へとびこんで来た。

「やっとこさ間にあいましたよ。もう車に積んでるところでございました」クジマーはいった。

三分後に、リョーヴィンはわざと傷口にふれないように時計も見ないで、廊下を駆けだして行った。

「いや、いまさらそんなことをしたって、たいした違いはないさ」オブロンスキーはゆっくり彼のあとからついて行きながら、微笑を浮べて、いった。「丸くおさまるよ、いや、丸くおさまるっていうのに……」

4

「ほら来た！」「あれですよ！」「どの人？」「あの若いほうかしら？」「まあ、花嫁さんのほうは、生きた心地《ここち》もなさそうね！」リョーヴィンが車寄せで花嫁を迎えて、いっしょに教会へはいって行ったとき、群衆の中でこんなささやきが起った。

オブロンスキーは、遅れたわけを妻に話して聞かせた。客たちは微笑を浮べて、お互いにささやきかわしていた。リョーヴィンはなにひとつ、だれひとり気づかなかった。彼はずっと目を放さずに、花嫁を見つめていた。

みんなは、花嫁がこの二、三日のあいだにひどく器量が落ちて、せっかくの花嫁姿がいつもよりずっと見劣りがすると話していた。しかし、リョーヴィンにはそう思われなかった。彼は、キチイの長いヴェールをかぶって白い花で飾られた高い髪型や、とりわけ処女らしく長い首の両わきを隠して、前のほうだけ見せている襞《ひだ》の多い立襟《たちえり》や、驚くばかりほっそりした腰を見て、彼女がいつもよりかえって美しいような気がした。が、それは、こうした花や、ヴェールや、パリから取り寄せた衣装などが、キチイの美しさになにものかを加えたからというのではなく、こうした人工的な装いの華やかさにもかかわらず、その愛らしい顔や、まなざしや、唇《くちびる》の表情が、相変らず、彼女独特の清純な誠実さを表わしていたからであった。

「もう逃げだしたくおなりになったのかと思いましたわ」キチイはいって、にっこり笑った。

「あんまりばかげたことが起って、お話しするのも気がひけるくらいですよ」彼は赤面しながらいったが、そのときそばへ寄って来たコズヌイシェフのほうへ振り向かなければならなかった。

「おまえのワイシャツの一件はなかなか傑作だね！」コズヌイシェフは、頭を振って、微笑しながらいった。

「え、ええ」リョーヴィンはなにをいわれているのかもわからずに答えた。

「さて、コスチャ（訳注 コンスタンチンの愛称）、今すぐ決断を下さなくちゃならんことがあるんだよ」オブロンスキーが、わざとびっくりしたような顔をしていった。「こりゃ重大問題だからね。今こそきみは、その重大性を評価しうる立場にあるんだからね。いいかい、ろうそくは使いかけのにするか、それとも新しいのにするか、と今きかれたんだよ。値段の違いは十ルーブル」彼は今にも微笑しそうな唇をしながら、こうつけ足した。「ぼくは断を下したんだが、きみに異存があるんじゃないかと気がかりでね」

リョーヴィンはそれが冗談だとわかったが、しかし笑うことはできなかった。

「さあ、どうなんだい？　新しいのにするか、使いかけのにするか？　これが問題なんだよ」

「うん、わかった！　新しいやつを」

「いや、そりゃ、けっこうだね！　問題は解決したよ」オブロンスキーは、微笑しながらいった。「それにしても、人間はこんな場合ずいぶんばかになるもんだなあ」彼はリョーヴィンが放心したようにこちらへ顔を向けて、花嫁のほうへ歩きだしたとき、チリコフにいった。

「キチイ、よくって、あなたが先にじゅうたんにひざまずくのよ」（訳注　式で先にじゅうたんを踏んだほうが結婚生活で主導権を握るという迷信がある）ノルドストン伯爵《はくしゃく》夫人は、そばへ近寄りながらいった。「まあ、ごりっぱですこと！」夫人はリョーヴィンにいった。

「ねえ、こわくないかい？」年とった伯母のマリヤ・ドミートリエヴナがきいた。

「寒くないの？　まっ青な顔をして。ちょっと、頭を下げておいで！」姉のリヴォフ夫人はキチイにいうと、肉づきのいい見事な両腕を丸くしながら、微笑を浮べて、妹の頭の花をなおしてやった。

ドリイが近づいて来て、なにかいおうとしたが、言葉にならず、泣きだしたかと思うと、すぐぎごちなく笑い声をたてた。

キチイもリョーヴィンと同じく、放心したような目つきでみんなをながめていた。自分に話しかけられるすべての言葉に対して、ただ幸福の微笑で答えることしかできなかった。その微笑は今の彼女にとって、いかにも自然であった。

そのうちに、堂役たちは祭服をつけ、補祭を従えた司祭は、会堂の正面にある経案のそばへ進み出た。司祭はなにやらいってリョーヴィンのほうへ向いた。リョーヴィンは司祭のいったことが、よく聞きとれなかった。

「花嫁の手をとって、前へお連れしなさい」介添人がリョーヴィンにいった。

リョーヴィンは長いこと、なにをいわれているのか、わからなかった。人びとは、何度も彼のすることをなおそうとし、ついにはもう見切りをつけようとした。というのは、彼はいくらいっても、いつも違う手を出したり、違う手を取ったりしたからである、そのとたん、彼はやっと、右手で、位置を変えずに、花嫁の右手を取らなければならないことを悟った。ようやく彼が、ちゃんと花嫁の手を取ったとき、司祭は五、六歩ふたりの前へ進み出て、経案のそばに立ち止った。身内のものや知人たちが、ざわざわささやきあったり、さらさら裳裾を鳴らしたりしながら、そのあとにつづいた。だれかが、かがみこんで、花嫁の裳裾をなおした。会堂の中はしんと静まりかえって、蠟《ろう》のたれる音が聞えるほどであった。

老司祭は椀帽《カミラフカ》をかぶり、銀髪を二つに分けて、耳のうしろにはさみ、背に金の十字架をつけた重そうな銀の祭服の下から、年寄りじみた小さな両手を出して、経案のそばで、なにかを取りだしていた。

オブロンスキーは用心ぶかく、司祭のそばへ行って、なにかささやくと、リョーヴィンに目くばせして、またうしろへもどった。

司祭は、花模様のろうそくを二本ともして、蠟がゆっくりたれるように傾けて左手で持つと、新郎新婦のほうに向きなおった。その司祭は、リョーヴィンの痛悔をきいたのと同じ人であった。司祭は疲れたような、ものうい目つきで新郎新婦をながめると、ほっと溜息《ためいき》をつき、祭服の下から右手を出して、その手で花婿を祝福してから、今度は同じようではあるが、いくらか慎重な優しさをこめて、組み合せた指を、キチイの下げた頭にのせた。そして、司祭はふたりにろうそくを渡して、振り香炉をとると、ゆっくりふたりのそばを離れた。

《ほんとに、これは夢ではないのだろうか?》リョーヴィンは考えて、花嫁を振り返った。彼は少し上のほうからその横顔を見た。そして、それと知られる唇とまつげのわずかな動きから、相手が自分の視線を感じたことを知った。キチイは、振り向かなかったが、その高い襞襟が動いて、ばら色の耳のほうへ持ちあがった。彼女の溜息が胸の中で止って、ろうそくを持っている長い手袋をはめた小さな手が、震えだしたのが見えた。

ワイシャツの一件や遅刻さわぎも、知人や親戚との会話も、彼らの不満も、自分のこっけいな立場も、なにもかもいっぺんに消えてしまって、彼はうれしいような、恐ろしいような気持におそわれた。

銀色の祭衣をつけ、左右に長い巻毛をみせた、美しい長身の長補祭は、元気よく前へ進み出て、慣れたしぐさで、二本指で聖帯を持ちあげると、司祭に向き合って立ち止った。

『主よ、祝福をたれたまえ!』ゆっくりと、次々に荘重な音が、あたりの空気を震わせながら、響きはじめた。

『われらが神は、今も、のちの世も、とこしえに、祝福されん』老司祭は、経案の上でなにかを選《え》り分けながら、おだやかに、歌うような口調で応じた。すると、目に見えぬ聖歌隊の完全な和音が、会堂から丸天井まで満たしながら、調子よく広々とわき起って、一瞬やんだかと思うと、静かに消えていった。

例によって、天よりの平和と救いのために、宗務院のために、皇帝のために祈りがささげられた。また、きょう結びあわされる神の僕《しもべ》コンスタンチン（訳注　リョーヴィンの正式な名前。愛称はコスチャ）とエカテリーナ（訳注　キチィの正式な名）のためにも祈りがささげられた。『ああ、神よ、このふたりによりよき愛の心と助けとをたまわらんことを、われら祈らん』という長補祭の声に、会堂全体が呼吸しているようであった。

リョーヴィンはこうした言葉に耳を傾けていたが、思わずはっとした。《なぜあの人たちは、助けということに気づいたんだろう、たしかに、助けが必要だな！》彼は最近の恐怖と疑惑を思いおこしながら、そう考えた。《おれの知ってることってなんだろう？　こんな恐ろしいことをしながら、おれにはいったいなにができるだろう？》彼は考えた。《助けがなかったら？　いや、今のおれには助けが必要なんだ》

補祭が祈りを終えたとき、司祭は祈禱書《きとうしょ》を手にして、結び合されたふたりのほうを向いた。『離れておりしものを一つに結びたもう、永遠《とわ》なる神よ！』司祭はつつましい、歌うような声で唱えた。『犯すべからざる聖なる愛の結びをふたりに授け、イサクとレベッカに世継ぎを与え、聖約を示されし神よ。願わくば、みずから、なんじが僕コンスタンチンとエカテリーナに祝福をたれ、よき行いにみちびきたまえ。なんじはみ恵みぶかく、人の子を愛したまえば、父と子と聖霊の御名《みな》によりて、今も、のちの世も、とこしえに、栄えをば送らん』『アーメン』と、また目に見えぬコーラスがあたりに響きわたった。

《『離れておりしものを一つに結びたもう、愛の結びを授けたもう』ああ、これはなんと意味ぶかい言葉だろう、今自分が感じていることに、なんとよくあてはまっていることだろう！》リョーヴィンは考えた。《キチイもおれと同じことを感じているのだろうか？》

　そう思って、振り返ったとたんに、彼はキチイの視線に出会った。

　そして、彼はそのまなざしの表情から、キチイも自分と同じふうに理解していると見てとった。しかし、それはまちがっていた。キチイは祈りの言葉を、ほとんどまったく理解しなかったばかりか、礼拝のあいだじゅう、それに耳も傾けていなかったのである。いや、そんなものに耳を傾けたり、理解したりすることはできなかった。ある一つの感情が彼女の心を満たして、いやが上にも強まっていったからである。それは、もう一月半も前に彼女の心に生れて、この六週間というものたえず彼女を喜ばしたり、苦しめたりしていたことが、いまや完全に成就《じょうじゅ》したという喜びの感情であった。彼女が茶色の服を着て、アルバート街のわが家の広間で黙って彼に近づき、彼の腕に身を投げたあの日あの時、彼女の心の中では、それまでのいっさいの過去の生活と絶縁し、まったく別な、新しい、未知な生活がはじまったのである。ところが、現実には、まだ古い生活がつづいていた。この六週間は、彼女にとってもっとも幸福であると同時に、もっとも苦悩に満ちたときであった。彼女の生活はすべて、その希望も、期待も、まだ自分によくわからないひとりの男性に集中された。しかも、この男性とは、その当人以上に不可解な、ときには接近させ、ときには反撥《はんぱつ》させる感情によって結ばれていたが、それと同時に、彼女は相変らず昔と同じ生活条件の中で暮していた。彼女は昔ながらの生活をつづけながら、自分自身に対しても、また、過去のいっさいのもの——その品物や、習慣や、自分を愛してくれた人びとや、現に愛してくれている人びとや、娘の無関心を悲しんでいる母親や、かつてはこの世のだれよりも愛していた優しい父親に対しても、どうしようもなく無関心になってしまったことに、われながらぞっとした。いや、彼女もこうした無関心にぞっとすることもあったが、時には、自分をこうした無関心にさせたものを喜んだりした。彼女はこの男性との生活を除いては、なにひとつ考えることも望むこともできなかった。しかも、その新しい生活はまだはじまらないので、それをはっきり想像することさえできなかった。あるのはただ、新しい未知のものに対する恐怖と喜びのいりまじった期待だけであった。ところが、今まさに、その期待も、未知なことも、昔の生活と手を切るという悟りも――なにもかも終りを告げて、新しいものがはじまろうとしているのだ。この新しいものは、未知なるがゆえに、恐ろしくないはずはなかった。しかし、それが恐ろしくても、恐ろしくなくても――それはもう六週間前に、心の中に生れたのであり、いまや心の中でとっくにできあがってしまい、単にそれが聖化されただけのことであった。司祭はまた経案のほうへ向くと、キチイの小さな指輪を、やっとのことでつかんで、リョーヴィンの手を出させ、指の第一関節にはめた。『神の僕コンスタンチンは、神の僕エカテリーナと結ばれぬ』それから、司祭は、キチイの痛々しいほど小さなばら色の指に、大きな指輪をはめて、また同じことを唱えた。

新郎新婦は何度もどうすればいいのか察しかねて、まちがってばかりいたので、司祭は小声で、それをなおしてやっていた。やっと、必要なことをすますと、司祭は指輪でふたりに十字を切ってから、またキチイに大きな指輪を、リョーヴィンには小さいほうを手渡した。と、またふたりはまちがって、二度も指輪を手から手へ渡したが、それでも、ちゃんとしたふうにはいかなかった。

ドリイとチリコフとオブロンスキーは、それをなおそうとして、前へ進み出た。あたりがざわついて、ささやきと微笑が生れたが、結びあわされたふたりの感動に満ちた厳粛な表情は、変らなかった。いや、それどころか、手のやり方をまちがえながらも、ふたりは前よりもさらにいっそうまじめくさって、ものものしい顔つきになった。オブロンスキーは、めいめい自分の指輪をはめるようにと、微笑を浮べてささやいたが、その微笑は唇の上に凍《い》てついてしまった。さすがの彼も、この瞬間にはどんな微笑もふたりを侮辱するにちがいないと、感じたのであった。

『神よ、なんじははじめより男と女とをつくりたまえり』司祭は指輪の交換がすむと、唱えはじめた。『なんじの御手《みて》によりて、妻はその助けとなり、その子を養わんがために、夫に結びあわさるるなり。われらの主なる神よ、なんじの御業《みわざ》と聖約のために、選ばれてなんじの僕となりしわれらが父祖に真実を授けたまいし神よ。なんじの僕コンスタンチンとエカテリーナとを守りて、ふたりの婚姻を、その信仰と、魂の一致と、真理と、愛の中に固めさせたまえ……』

リョーヴィンは、結婚について自分のいだいていたすべての空想、つまり、自分の生活をどのように築いていこうかという空想は、なにもかもまったくの子供だましのようなものにすぎないと思った。そして、結婚というものは、自分が今まで理解していなかった何ものかであり、それはいまや自分の身の上に成就されようとしているにもかかわらず、今は前よりさらにいっそう不可解になっているなにものかであると、ますます強く感じるのであった。彼の胸の中にはますます激しい戦慄《せんりつ》が生れて、おさえきれない涙が、両の目にあふれてくるのだった。

5

教会には、モスクワじゅうの親戚《しんせき》や知人が集まっていた。そして、結婚の儀式が行われているあいだ、燈火《とうか》の明るく輝いた会堂の中では、着飾った婦人や令嬢たち、また白ネクタイにフロックコートや制服姿の紳士たちが、互いに、行儀よく静かな会話をつづけていた。もっとも、話をしていたのは主として紳士たちで、婦人たちはいつ見ても強く心を動かされる神聖な儀式の細かい観察に、すっかり気をとられていた。

花嫁にいちばん近い一団の中には、ふたりの姉がいた。長姉のドリイと、外国からかけつけて来た、しとやかな美人のリヴォフ夫人である。

「まあ、なんだってマリイときたら、結婚式だというのに、まるで黒に見える紫の服を着てるんでしょうね?」コルスンスカヤがいった。

「あんな顔色ですもの。あれがたった一つの救いなんですよ……」ドルベツカヤが答えた。「でも、晩に結婚式をあげるなんて驚きましたわ。商家のしきたりですわ……」

「そのほうがきれいに見えるからでしょ。あたしのときもやっぱり晩でしたわ」コルスンスカヤは答えた。そして夫人はその日の自分のあで姿と、おかしなくらい自分に夢中になっていた夫のことを思いだすと、それが今はなにもかもすっかり変ってしまったことに気づいて、ほっと溜息をもらした。

「世間じゃ、十ぺん以上介添人をやった者は、結婚できないっていってますね。私も結婚からのがれるために、十ぺんめを務めたいと思ったんですが、チャンスがありませんでしてね」シニャーヴィン伯爵は、自分に気のあるらしい美しい公爵令嬢チャールスカヤに話しかけた。

チャールスカヤは、それにただ微笑だけで答えた。令嬢はキチイの姿をながめながら、自分がいつかシニャーヴィン伯爵と並んで、今のキチイの立場に立つことになるだろうことや、そのときにはどんなふうにして今の冗談を思いださせてやろうか、などと考えていた。

シチェルバツキーは、老女官のニコラーエヴァに、あの子が幸福になるように、キチイの付け髷《まげ》の上に花冠をかぶせてやるつもりだ、といっていた。

「付け髷なんかしなければよろしかったのに」ニコラーエヴァは答えたが、彼女は自分の見つけた年とった寡夫《かふ》と結婚するようなことになったら、式はごく簡単なものにしようと、前々からきめこんでいたのである。「あたしはおおげさなことがきらいでしてね」

コズヌイシェフは、ドリイを相手に、式のあとで旅行に出かける風習がひろまったのは、新郎新婦というものはいつもいくらか気恥ずかしい思いをするからだと、冗談まじりに説得していた。

「弟さんは、ご自慢なすってもよろしゅうございますわね。あんなにかわいいお嫁さんですもの。あなた、おうらやましくはありません？」

「いや、もうそんな時代は過ぎてしまいましたよ」彼は答えたものの、その顔は思いがけなく沈んだ、かたい表情になった。

オブロンスキーは義妹に、例の《ラズヴォード》にかんする語呂《ごろ》あわせを話して聞かせた。

「花冠をなおさなくちゃいけませんわ」相手は彼の話を聞きもしないで、いった。

「あんなにご器量が落ちてしまって、ほんとに残念ですわね」ノルドストン伯爵夫人は、リヴォフ夫人にいった。「それにしても、花婿《はなむこ》さんは、あの方の小指だけの値うちもありませんわね。そうじゃございません？」

「いいえ、あたし、あの方のこと、とても気に入っておりますの。これはなにも、あの方が義弟《ボー・フレール》になるから申してるのじゃありませんわ」リヴォフ夫人は答えた。「ねえ、ほんとうにごりっぱな態度じゃありませんか！　あんな立場に立って、りっぱな態度をとるってことは、そりゃむずかしいものですわ、ちっともこっけいに見えないってことは。あの方はこっけいでもなければ、固くもならないで、さも感動しているみたいなんですものねえ」

「ずいぶん、この日が待たれたことでしょうねえ？」

「ええ、それは。あの子も、ずっとあの方をお慕いしておりましたし」

「さあ、これから、どちらが先にじゅうたんの上へ立つんでしょうね。あたし、キチイに教えておいたんですけど」

「どっちみち同じことですわ」リヴォフ夫人は答えた。「あたしたちはみんなおとなしい妻ですもの。これはわが家の血筋なんですのね」

「あたしのときは、わざとワシーリイより先に立ちましたけど。ドリイ、あなたはどうでしたの？」

ドリイはふたりのそばに立って、その話を聞いていたが、なんとも返事をしなかった。すっかり感動していたからである。目には涙があふれていて、もうなにかひと言いっても、泣きださんばかりであった。キチイとリョーヴィンのことがうれしくてたまらなかったのである。心の中で、自分たちの結婚式のことを思いだしながら、顔を輝かせている夫のオブロンスキーをちらとながめて、現在の境遇をすっかり忘れてしまい、あの清らかな初恋のころのことばかりを思いだしていた。ドリイは自分ひとりばかりでなく、身近な親しい婦人たちのことをすっかり思い起した。その婦人たちがキチイと同じように、過去の生活と別れて、神秘な未来へ踏みこむために、胸の中に愛と、希望と、恐怖をいだきながら冠をかぶって立ったときの、あの生涯《しょうがい》にただ一度の厳粛な瞬間における彼女たちの姿を思い起したのであった。ドリイは心に浮んできた多くの花嫁たちにまじって、あの愛すべきアンナのことも思い浮べ、つい先ごろ聞いたばかりの離婚話の一部始終を思いだした。アンナもかつて同じように橙《だいだい》の花飾りとヴェールをかぶって、清らかな姿をして立っていたのだ。それが、今はどうだろう?

「まったくわからないものだわ」ドリイはつぶやいた。

この神聖な儀式の一部始終をじっと見守っていたのは、姉たちや、友だちや、親戚の者ばかりではなかった。まったく縁のない見物の婦人たちまでが、息を殺して、胸をおどらせながら、新郎新婦の一挙一動から顔の表情まで見のがすまいとして、目をこらしていた。そして、冗談をいったり、関係のないことをしゃべったりする無関心な男たちの話には、わざといまいましそうに、返事をしなかったり、まるっきり耳もかさない始末であった。

「なんだってあんなに目を泣きはらしてるんでしょうね？　いやいやお嫁入りするのかしら？」

「あんなりっぱな男ですもの、いやいやってこともないでしょう。公爵《こうしゃく》ですって？」

「あの白い繻子《しゅす》の衣装を着ているのは、お姉さんかしら？　まあ、あの補祭ったら『されば、なんじの夫を恐れ』だなんて唱えていますよ」

「チュードヴォ修道院の聖歌隊かしら？」

「いえ、宗務院の方たちですわ」

「召使にきいてみたんですけど、すぐご自分の領地へ連れて帰られるんですって。たいへんなお金持なんですって。それで、お嫁にやったんでしょ」

「でも、お似合いのご夫婦ですわ」

「ねえ、マリヤ・ヴラーシエヴナ、あなたはいつかクリノリン（訳注　かたい布製のペチコート）は離して着るものだっていってらしたけど、ほら、ごらんなさい、あの鳶色《とびいろ》の服を着てる方、なんでも公使夫人だそうですけど、あんなにくっついてるじゃありませんか……ほら、だからまたあんなふうになるんですわ」

「ほんとにかわいい花嫁さんですこと。まるで花の飾りをつけた小羊みたいですね！　なんといっても、あたしはやっぱり女の方に同情してしまいますわ」

教会の入口からうまくすべりこんだ見物の婦人たちの中では、こんな話が取りかわされていた。

6

結婚の儀式がすんで、堂役者が会堂のまん中の経案の前に、ばら色の絹の小さな敷物を敷いたとき、聖歌隊は、バスとテノールが交互に響きわたる、こみいった、むずかしい聖歌を歌いはじめた。すると、司祭は新郎新婦に向って、今敷かれたばら色の敷物を指さした。先にこの敷物の上に立ったほうが、その家庭を牛耳《ぎゅうじ》るという話は、ふたりともこれまで何度もずいぶん聞いたものであるのに、リョーヴィンもキチイも前へ五、六歩進み出ながら、そのことを少しも思いださなかった。あるものは、男のほうが先だったといい、またあるものは、ふたりいっしょだったと声高に話し合ったり、議論したりしていたが、それもふたりの耳にははいらなかった。ふたりは結婚を望んでいるか、ほかに約束した人はいないかという、例のおきまりの質問があり、それに対してふたりが自分ながら妙に思われる答えをすると、今度は新しい勤行《ごんぎょう》がはじまった。キチイはその意味を知ろうと思って、祈りの言葉に耳を傾けたが、やはりわからなかった。式がすすむにつれて、勝ち誇ったような気持と、晴ればれした歓喜の情とがいよいよ強くその心を満たして、彼女から注意力を奪ってしまったからである。

祈りの言葉はこうつづいた。『ふたりの僕《しもべ》のために、貞操と母胎のみのりを授けたまえ。ふたりにむすこと娘を与えて、心を楽しませたまえ』それから、神はアダムの肋骨《ろっこつ》から妻をつくりたもうたと唱えて、『このゆえに、人は父母を離れて妻と結ばれ、ふたりは一体とならん』とつづき、『そは大いなる神秘なり』といい、さらに、神はふたりにイサクとレベッカ、ヨセフ、モーゼ、セポーラのように、多産と祝福とを与えたまわらんことを、ふたりに子孫を見る喜びを与えたまわらんことを、と祈った。《なにもかもみんなすばらしいことだわ》キチイはこうした言葉を聞きながら、心の中で思った。《なにもかもみんなこうでなくてはいけないんだわ》と、喜びの微笑が、彼女の明るい顔に輝き、キチイを見ている人びとにいつのまにか伝わっていった。

「ちゃんとかぶらせてあげてくださいね！」司祭がふたりに冠をかぶせたとき、こう注意する声が方々から聞えた。そこでシチェルバツキーは、三つボタンの手袋をはめた手を震わせながら、キチイの頭上たかく冠をささげた。

「かぶらせてね！」キチイは微笑しながら、ささやいた。

リョーヴィンはキチイのほうを振り返って、その顔にあふれている喜びの輝きに、心を打たれた。キチイのその気持は、そのまま彼にもうつった。彼もキチイと同じような明るい楽しい気持になった。

ふたりは聖使徒の書簡の朗読を聞いたり、一般の見物客たちがしびれをきらして待っていた、最後の詩篇《しへん》を朗唱する長補祭の、うなるような声を聞いたりするのが、楽しかった。浅い杯で、水割りした生ぬるい赤ぶどう酒を飲むのも、楽しかった。さらに、司祭が祭服をはらい、ふたりの両手をとって、『イサク喜びたまえ』と、うたうバスの重々しい響きにつれて、経案のまわりを一周したときには、なおいっそう楽しい気持になった。冠をささげ持っていたシチェルバツキーとチリコフは、花嫁の長い裳裾《もすそ》に足をからまれながら、やはり笑顔でなにか喜びながら、歩調をゆるめたり、司祭が足を止めるたびに、新郎新婦につまずいたりしていた。キチイの心をもえたたせた喜びの火花は、会堂に居あわせたすべての人びとに感染したようだった。リョーヴインには、司祭や補祭までが、自分と同じように、微笑したがっているように思われるのだった。

ふたりの頭から冠をとると、司祭は最後の祈りを唱え、若いふたりを祝福した。リョーヴィンはちらとキチイのほうを見たが、彼はいまだかつてそんな彼女を見たことがなかった。キチイは、その顔にあふれる新しい幸福の輝きで、またとなく美しかった。リョーヴィンはなにか言葉をかけたかったが、もう式がすんだかどうかもわからなかった。と、司祭は当惑している彼に助け舟を出してくれた。司祭は人のよさそうな口もとでにっこり笑い、小さな声でいった。

「妻に接吻《せっぷん》なさい、あなたは夫に接吻なさい」そういって、ふたりの手からろうそくをとった。

リョーヴィンは慎重に、微笑を浮べている妻の唇《くちびる》に接吻し、手をさしのべた。そして、なにかふしぎな身近さを感じながら、教会を出て行った。彼には、こうしたことがほんとうだとは信じられなかった。なんとしても信ずることができなかった。やっとふたりのびっくりしたような、おずおずした視線が出会ったとき、はじめて彼は信ずることができた。彼は自分たちがもはや一心同体であることを感じたからである。

晩餐《ばんさん》がすむと、その晩すぐ若いふたりは田舎へ向けて出発した。

ヴロンスキーとアンナはいっしょにもう三カ月も、ヨーロッパを旅行していた。ふたりはベニス、ローマ、ナポリをまわり、今イタリアのある小さな町へ着いたばかりのところだった。そこにしばらく滞在しようと思ったのである。

7

好男子の給仕頭《きゅうじがしら》は、ポマードをぬった濃い髪を、首筋の辺からきれいに分け、燕尾《えんび》服《ふく》の胸から白麻のワイシャツを大きくのぞかせ、大きな太鼓腹に時計の飾りをぶら下げ、両手をポケットに突っこんだまま、ばかにしたように目を細めて、そこに立っている紳士に、きびしい口調で、なにやら返事していた。車寄せの反対側から、階段をのぼって来る足音を聞きつけると、給仕頭はそちらを振り返った。そして、そのホテルでもいちばん上等の部屋におさまっているロシアの伯爵を見ると、うやうやしく、両手をポケットからぬきだし、小腰をかがめ、先ほど使いがやって来て、邸宅《パラッツォ》を借りる話がまとまったと報告した。もう支配人が、契約に署名するばかりになっていたのである。

「ほう！　そりゃけっこうだね」ヴロンスキーはいった。「で、奥さんはいるかね、それとも出ているかね？」

「散歩にお出かけになりましたが、今しがたおもどりになられました」給仕頭は答えた。

ヴロンスキーは頭から鍔広《つばびろ》のソフトを脱いで、汗ばんだ額と、はげを隠すために耳の半ばまでたらしている、バックにした髪を、ハンカチでふいた。そして、まだそこに立ったまま、自分のほうを見つめている紳士をぼんやりながめて、彼はそのまま通り過ぎようとした。

「あの方はロシア人で、あなたさまのことをたずねていらっしゃいますが」給仕頭はいった。

どこへ行っても、知人からのがれられないといういまいましさと、どんなことでも単調な生活をまぎらすものを見つけたいという希望の入りまじった妙な気持で、ヴロンスキーは、いったん出て行こうとしてまた立ち止った紳士を、もう一度振り返った。と、ふたりのまなざしが、同時にさっと明るくなった。

「ゴレニーシチェフ！」

「ヴロンスキー！」

実際、それはヴロンスキーの貴族幼年学校時代の仲間、ゴレニーシチェフであった。

ゴレニーシチェフは、学校時代に自由主義者の党に属し、文官の資格で学校を出たが、どこにも勤務しなかった。ふたりは、卒業してから別々の道を歩んで、その後はたった一度しか会ったことがなかった。

その再会のとき、ヴロンスキーは、ゴレニーシチェフがなにか高尚《こうしょう》な、自由主義的な活動をしていて、そのためにヴロンスキーの仕事や身分を軽蔑《けいべつ》しようとしているのを悟った。ヴロンスキーも、ゴレニーシチェフに会ったとき、冷やかな傲然《ごうぜん》とした反《はん》撥《ぱつ》の態度をとった。彼は他人に対して、そんな態度をとることがじょうずで、それは、『ぼくの生活様式がきみの気に入ろうと入るまいと、ぼくにとっては、どっちみち同じことさ。もしぼくのことが知りたければ、ぼくを尊敬しなくちゃいかんよ』という意味であった。ところが、ゴレニーシチェフは、ヴロンスキーのこうした態度に対して、さげすむような無関心ぶりをみせた。そのために、この再会はさらに、ふたりの間を引き離すはずであった。ところが、今ふたりは互いに相手の顔に気づくと、喜びに顔を輝かせて、思わず叫び声をたてた。ヴロンスキーも、ゴレニーシチェフとの邂《かい》逅《こう》がこんなにうれしいとは、われながら予期していなかった。しかし、どうやら、彼は自分がどれほど退屈しているかを、自分で知らなかったのであろう。彼はこの前会ったときの不愉快な印象をけろりと忘れて、うちとけた、うれしそうな顔をして、旧友に手をさしのべた。と、それと同じような喜びの色が、ゴレニーシチェフの顔にも、それまでの不安な表情にとってかわった。

「きみに会えるなんて、じつにうれしいね！」ヴロンスキーは友情の微笑を浮べて、白い大きな歯並みを見せながら、いった。

「いや、ぼくもヴロンスキーと聞いたものの、どこのヴロンスキーかわからなくてね。ほんとに、じつにうれしいよ！」

「まあ、はいろうじゃないか。で、きみはなにをしてるんだい？」

「もう足かけ二年、ここで暮してるんだよ。仕事でね」

「ほう！」ヴロンスキーは興味をひかれていった。「まあ、とにかくはいろうよ」

そして、ロシア人共通の習慣によって、使用人に隠したいと思うことをロシア語で話すかわりに、フランス語で話しだした。

「きみはカレーニン夫人を知っていたかい？　ぼくらはいっしょに旅行してるんだよ。今そこへ行くところさ」彼は注意ぶかくゴレニーシチェフの表情に見入りながら、フランス語でいった。

「ほう！　そりゃ知らなかったな（そのくせ、彼は知っていたのである）」ゴレニーシチェフはさりげなく答えた。「もうずっと前に着いたのかい？」彼はつけ足した。

「ぼくかい？　四日めになるよ」ヴロンスキーはもう一度じっと友人の顔をのぞきこみながら、答えた。

《いや、こりゃちゃんとした人間だ、物事を正しく見ているな》ヴロンスキーはゴレニーシチェフの表情と、彼が話題を変えた意味を悟って、こう考えた。《この男ならアンナに紹介してもいいな、ちゃんとした物の考え方のできる人間だから》

ヴロンスキーは、アンナと外国で過したこの三カ月のあいだ、未知の人びとに出会うたびに、その人物が、自分とアンナとの関係をどんなふうに見るかという問いをいつも自分に発していたが、たいていの場合、ちゃんとした理解を示すのは相手が男の場合であった。しかし、そのような理解とはどのようなものであるかと、彼が人にきかれたら、いや、その『ちゃんと』理解している人びとも、だれかにそうきかれたら、彼もその人びとも、きっと返答に窮したにちがいない。

実際のところ、ヴロンスキーが『ちゃんと』理解していると考えた人びとも、そんなことはまるっきりわかってはいなかったのである。ただそれらの人びとは、この人生をとりまいているいっさいの複雑な、不可解な問題に対して、育ちのいい人たちがとると同様、あてこすりや不快な質問を避けながら、礼儀正しい態度を守っているにすぎなかった。それらの人びとはそうした境遇の意義や真意を完全に理解して、単にそれを是認するだけでなく、賛成さえしているのだが、ただそうしたことをはっきりさせるのをぶしつけな、よけいなことと思っているような顔つきをしているのだった。

ヴロンスキーは、ゴレニーシチェフがそうした人間のひとりであることを、すぐに悟ったので、彼に会えたことが二重にうれしかった。実際、ゴレニーシチェフはカレーニナの部屋へ案内されたとき、彼女に対して、ヴロンスキーの望みうるかぎりの態度をとった。彼は明らかに、少しの努力もはらわずに、ばつの悪いことになりそうな話題はすべて避けているようだった。

彼は前にアンナを知らなかったので、その美しさに一驚したが、それにもまして、アンナが自分の立場をさばいている飾りけのなさに心を打たれた。ヴロンスキーが、ゴレニーシチェフを連れて行ったとき、アンナは顔を赤らめたが、その無邪気な美しい顔をそめた子供っぽい紅《くれない》の色は、とりわけ、彼の気に入った。しかし、なによりも彼の気に入ったのは、アンナが他人に誤解されないようにと、わざと、すぐにヴロンスキーのことを親しくアレクセイと呼び、自分たちは今度借りた家、この土地の言い方によれば邸宅《パラッツォ》へ、移るつもりだ、といったことである。自分の立場に対するこうした率直な、飾りけのない態度に、ゴレニーシチェフはすっかり気に入った。アンナの善良で快活な、しかも精力的な動作を見ていると、夫のカレーニンとヴロンスキーを知っているゴレニーシチェフには、すっかり彼女を理解してしまったような気になった。彼には、アンナがどうしてもわからないでいることが、わかったような気がした。それはつまり、夫を不幸にし、夫とむすこを捨て、華やかな名声を失ってしまった彼女が、どうして精力的で快活な、幸福な気持でいられるのか、ということであった。

「それならガイド・ブックにも出ているよ」ゴレニーシチェフは、ヴロンスキーの借りるという邸宅について、いった。「あそこにはティントレットー（訳注　一五一八―一五九四。イタリアの画家）の名画があるんでね。晩年の作がね」

「ねえ、どうです、すばらしい天気だし、もう一度あそこへ行ってみませんか」ヴロンスキーはアンナに話しかけた。

「まあ、うれしい。今すぐ帽子をかぶって来ますからね。外はお暑いっておっしゃったわね？」

　アンナは戸口に立ち止って、たずねるようにヴロンスキーを見やりながら、いった。と、またもやあの明るい紅がその顔をそめた。

　ヴロンスキーはアンナの目つきから、彼女にはヴロンスキーがゴレニーシチェフと、どんな関係を結ぼうとしているかわからないので、自分の態度が彼の希望にそわないのではないかと、心配しているのを見てとった。

彼は優しいまなざしで、長いことじっとアンナをながめた。

「いや、そんなでもありません」彼はいった。

そこで彼女は自分がなにもかもすっかり悟ったような気がした。なによりも彼が自分の態度に満足しているように思われたので、彼女はにっこり笑って、素早い足どりで戸の外へ出て行った。

友だち同士は、互いに顔を見合せたが、どちらの顔にも困惑の色が表われた。それはちょうど、ゴレニーシチェフは明らかにアンナに見とれていたので、なにか彼女のことをいおうと思ったものの、なんといっていいか考えつかないふうだったし、ヴロンスキーのほうもそれを望みながら、同時に恐れているふうだったからである。

「それじゃ、なんだね」ヴロンスキーは会話の糸口を見つけるために、こう話しかけた。「きみはここに落ち着いてるわけなんだね？　それで、相変らず例の仕事をやってるのかい？」彼はゴレニーシチェフがなにか書いているといううわさを思いだして、言葉をつづけた。

「ああ、『二つの起源』の第二部を書いているんだ」ゴレニーシチェフはこの質問を聞いて、満足そうにさっと顔を赤らめながら、答えた。「いや、正確にいえばね、まだ書いているのじゃなくて、いろいろ準備のために、材料を集めているところなんだ。これは前のものよりずっと広範な、ほとんどあらゆる問題を包含するようなものになる予定でね。なにしろ、わがロシアでは、われわれがビザンチンの後継者だってことを、理解しようとしないんでね」彼は長々と熱心に説明をはじめた。

ヴロンスキーもはじめのうちは、著者がなにか周知のものとして語っている『二つの起源』の第一部さえ知らなかったので、少々ばつが悪かった。しかし、その後、ゴレニーシチェフが、自分の思想を述べはじめ、ヴロンスキーもその話についていくことができるようになると、彼は『二つの起源』を知らないながらも、少なからぬ興味をいだいて、相手の話に耳を傾けることができるようになった。それには、ゴレニーシチェフの雄弁も手伝っていた。しかし、ゴレニーシチェフが自分の研究しているテーマを話すときの、いらいらと興奮した態度は、ヴロンスキーを驚かすと同時に、失望させた。話が進むにつれて、彼の目はますます輝き、仮想の敵に対する論駁《ろんばく》はますます性急となり、その表情はますます落ち着きのない、腹立たしいものとなっていった。ゴレニーシチェフが、幼年学校では、いつも首席を通し、活溌《かっぱつ》で、善良で、上品なやせぎすの少年であったことを思いだすと、ヴロンスキーにはどうしても、そのいらだちの原因を察することができず、なにか相手を是認しかねる思いであった。とくに気に入らなかったのは、ゴレニーシチェフが良家の出でありながら、自分をいらいらさせた三文文士と同じレベルに立って、彼らに腹を立てていることであった。はたしてそんな値うちがあるのだろうか？　ヴロンスキーにはそれが気に入らなかったが、しかしそれにもかかわらず、彼はゴレニーシチェフがふしあわせなような気がして、同情を覚えた。アンナの出て来たのにも気がつかずに、彼がせかせかと熱中しながら、自分の思想を述べつづけていたとき、変化の激しい、かなり美しいその顔には不幸、というよりも、ほとんど狂気にちかいものが見られた。

アンナが帽子をかぶり、ケープを羽織って現われ、美しい手を素早く動かして、パラソルをおもちゃにしながら、ヴロンスキーのそばに立ったとき、彼はほっとしたような気持で、自分にじっと注がれている、訴えるようなゴレニーシチェフの目から、のがれることができた。そして、彼は新しい愛情を覚えながら、生命と喜びにあふれた、自分の美しい人生の伴侶《はんりょ》をながめた。ゴレニーシチェフもようやくわれに返ったが、はじめのうちはうちしおれて、暗い顔をしていた。しかし、だれに対しても愛想《あいそ》のいいアンナが（そのとき彼女はそういう状態だった）、例の飾りけのない快活な態度で、じき彼の心をひきたてた。いろんな話題を試みたあとで、アンナは話を絵画にもっていった。彼も絵についいては大いに話したので、彼女はその話に耳を傾けた。一同は借りた家まで歩いて行くと、そこを検分した。

「ねえ、一つとてもうれしいことがあるんですのよ」アンナはもう帰りかけたとき、ゴレニーシチェフにいった。「アレクセイに、りっぱなアトリエができるってことですの。あんた、ぜひこの部屋をお使いなさいね」アンナはロシア語で、親しく『あんた《トゥイ》』と呼びかけながら、ヴロンスキーにいった。それというのもアンナはもうゴレニーシチェフが、世間を離れた自分たちだけの生活では親しい人となるであろうから、なにも隠しだてする必要のないことを悟ったからであった。

「ほんとに、きみは絵を描《か》くのかい？」ゴレニーシチェフは、ヴロンスキーのほうをいきなり振り向きながらいった。

「ああ、昔からやっていたんだが、今度またはじめたんだよ」ヴロンスキーは顔を赤らめながら答えた。

「この人はとても才能があるんですのよ」アンナは、うれしそうに微笑を浮べながらいった。「そりゃ、あたしは批評家じゃありませんけど……でも、専門の批評家がそう申しましたの」

8

アンナは、自由の身となってどんどんと健康が回復していった最初のころは、われながらすまないと思うほど幸福で、わが身に生の喜びがあふれているように感じた。夫の不幸を思いだしても、彼女はいささかも傷つかなかった。その思い出は、一方からいうと、あまりに恐ろしくて、考えることもできなかった。が、他方からいえば、彼女の夫の不幸は、後悔するにはあまりに大きな幸福を、彼女に与えたのであった。例の病気のあとでアンナの身に起ったいっさいの思い出、つまり、夫との和解、決裂、ヴロンスキーの負傷の知らせ、彼の出現、離婚の準備、夫の家からの出奔、むすことの別れなど、こうしたいっさいの思い出は、熱病患者の悪夢のように思われた。彼女がようやくその悪夢からさめたのは、ヴロンスキーとふたりきりで外国へ旅立ったときであった。アンナは自分が夫になした悪を思いだすと、なにか嫌悪《けんお》に似た感情を味わった。それはおぼれかかった人間が、自分にしがみついた人を突き放したときに、味わうような気持であった。その人はおぼれ死んでしまった。もちろん、それは悪いことにちがいない。しかし、それは自分の助かる唯一《ゆいいつ》の手段であったのだから、いまさらそんな恐ろしいことをとやかく思いださないほうがいいのである。

夫と決裂した当時、自分の行動について、気休めになるような一つの理屈が、彼女の頭に浮んだ。そして今、これまでのいっさいの過去を思いだしてみても、ただその一つの理屈しか思いだせなかった。

《あたしがあの人を不幸にしたのはどうにものっぴきならないことだったんだわ》彼女はそう考えるのだった。《でも、あたしはその不幸を利用しようとは思わないわ。あたしだって苦しんでいるのだし、これからも苦しむだろう。あたしは、なによりもいちばんたいせつに思っていたものを失ってしまった——自分の名声も、ひとりむこも。自分で悪いことをしたのだから、もう幸福なんて望みはしないわ。離婚も望まないわ。ただ、恥をさらしながら、わが子と別れて苦しんでいくんだわ》ところが、アンナはどんなに心から苦しもうと思っても、事実は苦しんでいなかった。恥さらしなどということは少しもなかった。ふたりとも、なかなか気転がきいたので、外国へ来てからは、ロシアの貴婦人たちを避けるようにして、けっして自分たちを気まずい立場に立たせるようなことはなかった。ふたりはいたるところで、自分たちの関係を、当人たちよりずっとよく理解しているといった顔をしている人たちばかりに会っていた。愛するひとりむすことの別れも、はじめのころは彼女を苦しめなかった。ヴロンスキーの子である幼い娘がとてもかわいく、その子だけが手もとに残ってからは、アンナもすっかりその子にひきつけられてしまったので、むすこのことはめったに思いださなかったからである。

健康が回復するにつれてますますつのってきた生の要求があまりにも強烈で、しかも生活条件があまりにも新鮮でかつ快適だったので、アンナはわれながらすまないと思うほど幸福に感じていた。アンナは、ヴロンスキーの人がらを知れば知るほど、ますます深く愛していった。アンナは、彼そのもののためとともに、自分に対する彼の愛のために、彼を愛したのであった。ヴロンスキーを完全に独占したことは、アンナにとってたえざる喜びであった。彼が身近にいるということが、アンナには快かった。彼の性格のひとつひとつが、知れば知るほど、アンナには言葉につくせぬほど愛らしかった。平服を着たために一変した彼の風貌《ふうぼう》は、アンナにとって、まるで恋せる若い乙女のように魅力があった。彼が話したり、考えたり、行なったりするいっさいの中に、アンナはなにか特別上品な、高尚《こうしょう》なものを見いだすのだった。彼のことを讃美《さんび》する気持は、しばしば彼女自身をはっとさせた。アンナは彼の中になにか美しからぬものを捜したが、どうしてもそれを見いだすことはできなかった。アンナには、彼に比べれば自分などつまらない女だと相手に思い知らす勇気はなかった。彼女はもし相手がそれを知ったら、じきに自分を愛さなくなってしまうような気がした。今の彼女には、べつにそれを恐れる理由など少しもなかったにもかかわらず、彼の愛を失うことほど恐ろしいものはなかった。しかも彼女は、自分に対する彼の態度に、感謝せずにはいられなかったし、またそれを自分がどんなにありがたく思っているかを、示さずにもいられなかった。アンナの考えによると、彼は国家的な仕事に対してある使命をもち、当然それによってめざましい役割を演ずべきであったが、彼女のためにその名誉を犠牲にし、しかも一度として残念そうな様子を見せたことがなかった。彼は以前よりももっとアンナに愛情あふれるうやうやしい態度をとり、彼女が今の境遇のために、ばつの悪い思いをしないようにと、片時も忘れずに、気を配るのだった。彼はまったく男性的な人間であったが、アンナに対しては、反対しなかったばかりか、自分の意思をもたずに、ただひたすらアンナの望みを察することばかりに没頭しているみたいであった。したがって、アンナも、それをありがたく思わずにはいられなかったが、彼のそうした心づかいがあまり高じてくると、自分をとりかこむそうした雰囲気《ふんいき》に、時としてわずらわしく思うこともあった。

一方ヴロンスキーは、あれほど長いあいだ待ち望んでいたものが、完全に実現されたにもかかわらず、まったく幸福であるとはいえなかった。彼はじきにそうした欲望の実現は、前々から期待していた幸福の大きな山に比べれば、そのわずか一粒の砂をもたらしたくらいにしか感じなかった。この実現は、幸福というものを欲望の実現であると考えている人びとが犯す例のあやまりを彼にも思い知らせたのであった。彼はアンナといっしょになり、平服に着かえた当座は、それまで知らなかった一般的な自由というものの魅力や、恋の自由の魅力を味わって、満足を感じたが、それも長くはつづかなかった。彼はじきに、自分の心の中に欲求、つまり、ふさぎの虫が、頭を持ちあげてくるのを感じた。彼は自分の意思とは無関係に、刹那《せつな》的な気まぐれを欲望や目的のように見なして、それにとびついていった。一日のうち十六時間は、なんとかしてつぶさなければならなかった。というのは、ペテルブルグ生活では時間つぶしになっていた社会生活の枠《わく》が、今はなかったので、まったく自由に暮していたからである。前の外国旅行のときに、ヴロンスキーの興味をひいた、ひとり者にとっての楽しみなどは、考えてみることもできなかった。なぜなら、そうした楽しみについて、ちょっと口をすべらしただけでも、アンナは知人たちと遅い夜食をとっているときでさえ、急に、場ちがいなしょげ方をするからであった。ふたりの立場がはっきりしていなかったので、土地の社交界やロシア人との交際も、うまくいかなかった。名所旧跡は、もうのこらず見てしまったことは別にしても、しかし、彼はロシア人として、また聡明《そうめい》な人間として、イギリス人ならそうした行為に巧みにつけ加えるであろう、あのもったいぶった意味を見いだすこともできなかった。

こうして、飢えた獣がなにか食べ物を見つけようと、手あたりしだいあらゆるものに食いつくのと同様、ヴロンスキーはまったく無意識に、時には政治に、時には新刊の書物に、時には絵画にと手を出してみるのだった。

彼には子供の時分から絵の才能があったし、今はなにに金を使ったものかわからなかったので、版画の収集をはじめたが、やがて絵を描くようになり、それを仕事にしだした。そして、彼はなにかしたくてうずうずしている余分な精力をすべて、絵画に打ち込むようにした。

彼には絵画を理解する能力があり、正確に、しかもじょうずに作品を模倣する能力があったので、自分で画家としての素質があると思いこみ、自分はどんな流派の絵を選ぶべきか、宗教画か、歴史画か、風俗画か、それとも写実画か、としばらく思い迷ったあげく、とにかく描きはじめてみた。彼はあらゆる流派の絵画を理解し、そのいずれにも感動することができた。ところが、彼は絵画にはどんな流派があるかということを、まるっきり知らなくても、また自分の描くものがどんな流派に属するか、そんなことは気にかけなくても、自分の心にあるものから、じかに霊感を受けることができるのだとは想像してみることもできなかった。彼はそれを知らなかったので、直接に人生そのものからではなく、すでに絵画によって具現された間接的な人生から霊感を受けた。したがって、彼はきわめてすみやかに容易に霊感を覚え、それと同時に、きわめてすみやかにかつ容易に得られた結果は、彼の描いたものが、彼の模倣しようと思った流派に、きわめてよく似てきたことであった。

彼はどんな流派の絵よりも、優雅で効果的なフランスの流派が気に入ったので、イタリア風の衣装を着たアンナの肖像を、そういった流派で描きはじめた。そして、その肖像は彼自身にも、それを見たすべての人びとにも、きわめて成功した作品に思われた。

9

古い荒れはてた邸宅《パラッツォ》——漆喰《しっくい》装飾のある高い天井や、壁画や、モザイクの床や、高い窓にかかった黄色い花緞子《はなどんす》の重そうなカーテンや、花瓶《かびん》ののっている飾《かざ》り棚《だな》とマントルピースや、木彫りのあるドアや、たくさんの絵のある陰気な広間などのあるこの邸宅は、ふたりがそこへ移って以来、その外観そのものによってヴロンスキーの心の中に、自分はロシアの地主とか、退職した主馬寮官《しゅめりょうかん》とかいったものよりも、むしろ教養ある芸術の愛好者であり、パトロンであって、しかもそのうえ、自分は愛する女のために、社交界も、係累《けいるい》も、名声も、すべて捨ててしまった、謙虚な芸術家であるという快い錯覚を起させた。

ヴロンスキーの選んだ役割は、邸宅へ引き移るとともに、完全にうまくいったし、ゴレニーシチェフの紹介で、二、三の興味ある人物とも近づきになれて、はじめのうちはかなり落ち着いていた。彼はあるイタリア人の絵画教授の指導のもとに、モデルを写生した習作を描いたり、中世イタリア風俗の研究を行なったりした。中世イタリア風俗は、最近すっかりヴロンスキーの気に入って、彼は帽子やマントまで、中世風な着方をしたが、それがまたとてもよく似合った。

「ぼくたちはここに暮していながら、まったく知らなかったわけだよ」ヴロンスキーはある朝、やって来たゴレニーシチェフにいった。「きみはミハイロフの絵を見たことがあるかい？」彼はけさ届いたばかりの新聞を渡しながら、あるロシアの画家についての記事を指さした。その画家は、同じこの町に住んでいて、最近ある絵を完成したばかりだが、それはもうだいぶ前から評判になっており、買い手もついていた。その記事には、こうしたすぐれた画家が奨励金も、補助金も与えられていないことに対して、政府やアカデミアを非難していた。

「見たとも」ゴレニーシチェフは答えた。「もちろん、彼は天分がないわけじゃないが、まったく誤った道を進んでいるんだ。だって彼のキリストや宗教画に対する態度は、相も変らず、イワノフ（訳注 一八〇六―一八五八。ロシアの画家）的だったり、シュトラウス（訳注 一八〇八―一八七四。ドイツの宗教哲学者）的だったり、ルナン（訳注 一八二三―一八九二。フランスの宗教史家）的だったりするんだからね」

「その絵はなにを描いたものなんですの？」アンナはたずねた。

「ピラトの前に立つキリストですよ。しかも、そのキリストは、新派のリアリズムを縦横に駆使して、一個のユダヤ人として描かれているんですよ」

こうして、絵の内容に関する質問を受けると、ゴレニーシチェフはそれがもっとも得意とする話題の一つだったので、大いに弁じはじめた。

「ぼくにはあの連中が、どうしてああいうとんでもない誤りをするのか、まったく納得がいきませんね。だって、キリストはすでに昔の巨匠たちの芸術作品によって、一定不変の形象化がなされているんですからね。だから、もし神でなく、革命家とか、賢人とかを描きたいのなら、歴史の中から、ソクラテスでも、フランクリンでも、シャルロット・コルデ（訳注 一七六八―一七九三。革命家マラーを暗殺したフランスの少女）でも、選べばいいんですよ。ただ、キリストだけはいけませんね。あの連中はよりによって、芸術のために選んではいけない人物をもってきて、しかも……」

「それはそうと、そのミハイロフという男はひどく困っているというのは、ほんとかね?」ヴロンスキーはたずねた。彼は自分がロシアの芸術保護者として、その絵の良否にかかわらず、画家を助けなければならない、と考えたからであった。

「さあ、どうかね。とにかく、りっぱな肖像画家だよ。きみはあの男の描いたヴァシーリチコヴァの肖像を見たことがないかい? でも、今後も、どうやら、もう肖像画は描かないらしいね。いや、ひょっとしたら、そのために、ほんとに困っているかもしれないね、ぼくがいうのは、つまり……」

「じゃ、その男に、アンナの肖像を描いてもらうわけにはいかないかね?」ヴロンスキーはいった。

「なぜあたしの肖像なんか?」アンナはいった。「あなたに描いてもらったあとですもの、もうほかの肖像なんかいりませんわ。それより、アーニャのがいいわ(アンナは自分の娘をそう呼んでいた)。ほら、あそこにいますわ」アンナは窓ごしに、女の子を庭に連れだした美しいイタリア人の乳母を見ると、そっとヴロンスキーのほうを振り返って、こうつけ足した。ヴロンスキーは、その美しい乳母の顔を絵に描いたが、それはアンナの生活にとって唯一の秘められた悲しみとなっていた。ヴロンスキーは、そのイタリア女を写生して、その美しさと中世的な風貌に、すっかり惚《ほ》れこんでしまった。ところがアンナは、自分がこの乳母に嫉妬《しっと》を感じそうになっていることを自覚する勇気がなかったので、乳母とその小さな男の子を、特別にかわいがって、甘やかしているのであった。

ヴロンスキーもまたちらと窓の外を見、アンナの目の色をうかがったが、すぐにゴレニーシチェフのほうを振り向いて、いった。

「それで、きみはそのミハイロフを知っているの？」

「会ったことはあるよ。でも、あの男は変人で、まるっきり教養がないんだよ。いや、近ごろよく見かける例の新しい野蛮人のひとりってわけさ。早い話、不信仰と、否定主義と、唯物主義の観念で d'emblée（訳注　一気に）教育された自由思想家のひとりなんだね、以前は」ゴレニーシチェフは、アンナとヴロンスキーがなにか話したがっているのに気づかないのか、あるいはわざと気づかぬふりをしているのか、そのまま話しつづけた。「以前は、自由思想家といわれた人物は、宗教や、法律や、道徳の観念で教育されたあと、みずからの闘争と労苦とによって、自由思想にまで到達したのだったけれど、今では生れながらの自由思想家という、まったく新しいタイプが現われてきたんだね。この連中は、道徳や宗教の掟《おきて》があったということも、権威というものがあったということも、まったく知らずに成長して、いきなり、いっさいのものを否定するという観念の中で成長した、いわば野蛮人なんだよ。あの男がつまり、それなんでね。たしか、モスクワの貴族の執事のせがれで、教育はまったく受けなかったらしい。ところが、アカデミアへはいって、世間に知られるようになると、もともとばかなやつじゃないから、自分で教養をつけようという気になったのさ。そして、教養の源だと信じたものに、つまり、雑誌にとびついたってわけさ。それで、どうだい、昔なら教養を身につけたいと考える人間は、まあ、かりにそれがフランス人なら、あらゆる古典を、神学者のも、悲劇詩人のも、歴史家のも、哲学者のも、まあ、早い話、自分の前にあるいっさいの知的労作を、片っぱしから研究したにちがいない。ところが、わが国のことだから、あの男は、いきなり、否定の文学にぶつかったわけだ。そして、たちまち、その否定主義の学問のだいたいのところを自分のものにしてしまって、もうそれで終りというわけさ。それればかりか、これが二十年も前なら、あの男もこの文学の中に権威や、何世紀にもわたる思潮との闘争の徴候を認めて、その闘争の中からなにか別のものがあったことを、悟ったにちがいないけれどね。ところが、今じゃ、古くさい思潮なんか論ずる価値もないとする学問に、いきなり、飛びこんで行って、『なんにもありゃしない、あるのは évolution（訳注 進化）、自然淘汰《とうた》、生存競争——これだけじゃないか』という始末さ。ぼくは自分の論文の中で……」

「あの、いかがでしょう？」アンナは、もうだいぶ前からそっとヴロンスキーに目くばせしながら、ヴロンスキーにはその画家の教養なんか少しも興味がなく、ただ画家を援助するために肖像画を注文したい気持でいるのを察して、いった。「あの、いかがでしょう？」アンナはむきになってしゃべっているゴレニーシチェフをさえぎった。「その方のところへ行ってみましょうよ！」

ゴレニーシチェフもわれに返って、喜んで同意した。しかし、その画家が遠い地区に住んでいたので、馬車を雇うことにきめた。

一時間後に、アンナはゴレニーシチェフと並んで馬車にすわり、ヴロンスキーは前の席に腰をかけて、遠い地区にある新しいこぎれいな家へ乗りつけた。出て来た庭番の女房から、ミハイロフはいつも客をアトリエへ通すのだが、今は目と鼻の先にある住居のほうへ行っていると聞かされたので、一行はその女房に名刺を持たせて、ぜひ作品を見せてもらいたいと頼んでやった。

10

画家のミハイロフは、ヴロンスキー伯爵《はくしゃく》とゴレニーシチェフの名刺が届けられたとき、例によって仕事をしていた。朝のうち彼はアトリエで、大きな作品を描くことにしていた。住居へ帰ると、彼は借金の催促に来た家主のかみさんをうまく撃退しなかったといって、妻に腹を立てはじめた。

「もう二十ぺんもいったじゃないか、くどくど言いわけなんかするんじゃないって。ただでさえばかなおまえが、イタリア語で言いわけなんかしたら、三倍もばかになってしまうんだから」彼は長い口論の末にいった。

「そんなら、いつまでもうっちゃっとかないでくださいよ。なにもあたしが悪いんじゃありませんからね。あたしだってお金さえあれば……」

「頼むからおれをそっとしておいてくれ！」ミハイロフは涙声で叫ぶと、耳をふさいで、仕切り壁の向うの仕事部屋へはいり、戸に錠をかけた。「ものわかりの悪いやつだ！」彼はつぶやいて、机に向い、紙ばさみを開いて、たちまち特別熱心に、描きかけのデッサンにとりかかった。

彼は、生活状態が悪いときほど、とくに妻と口論したときほど、仕事に熱中し、しかも順調にはかどるのだった。

《畜生っ！　どこへでも消えうせろ！》彼は仕事をつづけながら考えた。彼は、憤激の発作にかられた男のデッサンをしていたのである。このデッサンは、以前にも描いたことがあるのだが、彼はそれに不満だった。《いや、あのほうがよかったかな……あれはどこにやったかな？》彼は妻のところへ行き、しかめ面《つら》をしながら、妻のほうは見ないで、上の女の子に、前にやった紙はどこにあるか、とたずねた。描き捨てたデッサンの紙は、見つかるには見つかったが、ひどくよごれて、ろうそくのしみがいっぱいついていた。それでも、彼はそのデッサンを持って来て、自分の机の上に置き、少し離れたところから、目を細くして、じっとながめた。と、不意に、彼はにっこり笑って、うれしそうに両手を振りまわした。

「そうだ、そうだ！」彼はいって、いきなり鉛筆をにぎると、素早く描きはじめた。ろうそくのしみが、その絵の人物に新しいポーズを与えていたのである。

彼はその新しいポーズを描き出したが、不意に、自分がいつも葉巻を買う店の主人の、あごの突き出た、精力的な顔を思いだして、その顔を、そのあごを、デッサンの人物の中に描き加えた。彼はうれしさのあまり、大声で笑いだした。今まで生気のない、死んだつくりもののような人物が、急に、生気があふれて、もう変更の余地のないものとなったからである。その人物は生命の息吹《いぶ》きが感じられ、一点の疑いもなく明瞭《めいりょう》に決定されていた。その人物の要求に応じて、デッサンを修正することができた。両足のひろげ方をなおし、左手の位置をすっかり変え、髪をうしろへなでつけることができるばかりでなく、そうする必要があった。しかも、こうした修正を行いながらも、人物そのものには手を加えず、ただその人物の真の姿を隠しているものを取り去っただけであった。それはちょうど、全体を見ることを妨げていたおおいを、画面から取り除くようなぐあいであった。新しい線を一つ加えるだけで、精力的な、力にあふれた人物そのものが、いよいよ明瞭に現われてくるのだった。それはろうそくのしみのために、いきなり彼の目の前に現われたものであった。名刺が届いたのは、彼が慎重に人物の仕上げをしていたときであった。

「ああ、今すぐ、今すぐだ！」

彼は妻のところへ行った。

「さあ、もうたくさんだよ、サーシャ、もうおこるのはたくさんだよ！」彼はおずおずと優しくほほえみながら、妻にいった。「おまえも悪ければ、おれも悪かったのさ。だが、万事おれがうまくやるからな」こうして、妻と仲直りすると、彼はビロードの襟《えり》のついたオリーヴ色の外套《がいとう》を着て、帽子をかぶり、アトリエへ出かけて行った。うまく描けたデッサンのことなどは、もうけろりと忘れていた。いまや彼は、馬車で乗りつけた身分の高いロシア人の訪問に、すっかり喜び、興奮していたのである。

彼は今画架にかかっている自分の作品については、心の奥底に一つの信念をもっていた。つまり、こうした作品は今までだれひとり描いたためしはなかった、という信念である。彼はむろん、自分の絵がラファエルの全作品よりもすぐれているなどとは考えなかったが、彼がこの絵で表現しようと思い、事実表現しえたものは、今までだれも表現したことがないことを承知していた。そのことは、この絵を描きはじめた時分から、はっきりと承知していたのである。しかしながら、他人の批評は、それがどんなものであろうと、やはり彼にとって大きな重要性をもっていて、彼を心の底から興奮させるのだった。彼が自分の絵の中に認めたもののごく小部分でも、他人が認めたということを証明するような批判は、たとえそれがきわめて些細《ささい》なものでも、深く彼の心を興奮させるのであった。彼はそうした批評をする人をいつも自分より深い鑑賞眼をもっているように考えた。そして彼は、自分自身でさえその作品の中に認めていないようななにものかを、いつも、そうした人びとの批評から期待していた。そして事実彼はよく鑑賞者の批評の中に、そうしたものを発見するような気がした。

彼は足速にアトリエのドアに近づいた。と、彼はかなり興奮していたにもかかわらず、車寄せの陰に立って、なにやら熱心にしゃべっているゴレニーシチェフの話に耳を傾けながら、それと同時に、近づいてくる画家を振り返って見ようとしているらしいアンナの姿の柔らかな輝きに、思わずはっとした。彼は自分でもそれと気づかずに、一行に近づきながら、この印象をとらえて、それをのみこんでしまった。それはちょうど、あの葉巻を売っている商人のあごと同様、どこか頭の中へ隠しておいて、他日必要なときにそこから引き出すためであった。ゴレニーシチェフの話で、もうあらかじめこの画家に幻滅を感じていた一行は、その風貌《ふうぼう》をひと目見て、さらにいっそうその幻滅を深くした。ずんぐりした中背で、こせこせした歩きぶりの、茶色の帽子にオリーヴ色の外套を身にまとい、もうとうに太いズボンがはやっているのに細いズボンをはいたミハイロフは、ことにその平べったい顔の平凡なところと、おどおどしているくせに、威厳をつくろうとする気持のまじった表情が、不愉快な印象を与えていた。

「さあ、どうぞ」彼はわざと落ち着きはらった態度を見せようとしながら、いった。そして、玄関へはいると、ポケットから鍵《かぎ》を取り出して、ドアをあけた。

11

アトリエへはいると、画家のミハイロフはすぐ、もう一度客たちを見まわして、さらにヴロンスキーの表情を、ことにその頬骨《ほおぼね》の表情を、自分の頭の中へしまいこんだ。彼の画家としての感情は、素材を集めながらたえまなく働いていたにもかかわらず、また自分の作品の批評されるときが近づいてくるために、ますます興奮が激しくなっていたにもかかわらず、彼はほとんど目につかぬほどの特徴から、これら三人の人物についての概念を、すみやかに、かつ細かい点までつくりあげていった。あれ（ゴレニーシチェフ）は、この土地のロシア人だが、ミハイロフはその姓名も、どこで会ったかも、なにを話し合ったかも覚えていなかった。彼はどんな顔でも、一度見れば覚えてしまうので、ゴレニーシチェフの顔だけは見覚えがあった。さらにその顔が彼の記憶の中では、真の表情にとぼしい、うすっぺらな顔として、きわめて大きな部門に属している顔の一つであることも、また覚えていた。そのたっぷりした髪の毛と、ひどくあけっぴろげの額は、その顔に外面的な表情を与えていたが、その実、ただちっぽけな、子供っぽい不安げな表情が狭い鼻筋に集まっているだけであった。ヴロンスキーとアンナは、ミハイロフの想像によると、金持のロシア人の例にもれず、芸術など少しもわからないくせに、その愛好家かつ鑑賞家を気どっている身分の高い、金持のロシア人にちがいなかった。《きっと、もう古いところはすっかり見つくしてしまって、今はドイツの三文画家や、イギリスのラファエル前派のばか者どもなど新しい流派のアトリエを見てまわっているので、見聞を充実させる意味で、おれのところへもやって来たんだろう》彼はそう思った。彼はこうしたディレッタントたちの態度を、よく知りぬいていた（この連中は賢ければ賢いほど、なおいっそう始末が悪いのである）。こうした連中が現代のアトリエを見てまわる目的は、ただ、芸術も堕落したものだ、新しい作品を見れば見るほど、古い巨匠たちの模倣を許さぬ偉大さが理解できる、と語る権利をうるためにすぎなかった。彼はそれを予期していたばかりでなく、彼らの顔つきにもそれを見てとったし、また彼らが互いに話し合ったり、模像や胸像をながめたり、今にも画家が作品のおおいをとるのを待ちながら、自由にその辺を歩きまわっている、そのさりげない無造作な態度にも、それをまざまざと見てとった。ところが、それにもかかわらず、彼はデッサンをめくって見せたり、ブラインドをあげたり、おおい布を取りのけたりしているあいだ、激しい胸騒ぎを覚えた。そして、身分の高い金持のロシア人は、みんな畜生同然のばかにきまっていると日頃《ひごろ》見なしていたにもかかわらず、ヴロンスキーと、とりわけ、アンナに好意を感じたので、その胸騒ぎはいよいよ激しくなってきた。

「さあ、これはいかがですか？」彼は、例のこせこせした歩きぶりでわきのほうへ避けて、一つの絵をさしながらたずねた。「これはピラトの訓戒です。マタイ伝第二十七章の」彼は、興奮のために唇《くちびる》が震えるのを感じながら、いった。彼はそこを離れて、みなのうしろに立った。

訪問客たちが黙って画面をながめていた幾秒かのあいだ、ミハイロフもまた他人のようなさりげない目つきでながめていた。この幾秒かのあいだに、彼はもっとも公平な高度の批評が、つい一分前まであんなに軽蔑《けいべつ》していた、これらの訪問客たちによってなされるにちがいない、ともう堅く信じきっていた。彼は以前その絵を描いていた三年のあいだ、その絵について考えていたことを、すっかり忘れてしまった。彼は今まで自分にとって、一点の疑いの余地もなかったその絵の価値を、なにもかも忘れてしまった。彼はいまや他人のような、さりげない、新しい目でながめ、そこになにひとついいところを見いだせなかった。彼は前景にピラトのいまいましそうな顔と、キリストのおだやかな顔を、そのうしろにはピラトの家来たちの姿と、その場の様子に見入っているヨハネの顔を見た。どの顔もなみなみならぬ探求と、多くの失敗と修正をかさねて、それぞれ特殊な性格をそなえて、彼の心に生れたものであり、彼にひじょうな苦悶《くもん》と喜びを与えたものであった。また、全体の調和のために、幾度となく置き換えられたこれらの顔や、異常な努力の末に到達したすべての色彩と調子のニュアンス――これらいっさいのものも、今これらの訪問客の目には、千べんも繰り返された俗悪なものに見えるような気がするのだった。彼にとってもっとも貴重な顔、それを発見したときには、あれほど歓喜した、画面の中心であるキリストの顔も、いまや訪問客の目で見ると、彼にはまったく無価値になってしまった。彼はただよく描かれた（いや、それさえよくとばかりはいえない、今では無数の欠点が目についた）、ティツィアーノ、ラファエル、ルーベンスなどの無数に描いているキリストや、兵士たちや、ピラトの絵の模倣を見るばかりであった。それらはどれもこれもみんな俗悪で、貧弱で、古くさくて、描き方さえもまずかった――色がめちゃめちゃで、力も弱かった。彼らは画家の前では、わざと慇懃《いんぎん》な文句を並べたて、さて自分たちだけになると、今度は画家を哀れんだり冷笑したりするのだろうが、それも、もっともなことかもしれないと思われてきた。

彼には、この沈黙があまりにも苦しくなったので（そのくせ、それは一分もつづいていなかった）、その沈黙を破り、自分は興奮などしていないということを示すために、みずから努めて、ゴレニーシチェフに話しかけた。

「たしか、お目にかかったことがあるように存じますが」彼は不安そうに、アンナとヴロンスキーを、かわるがわる振り返りながら、ふたりの顔の表情を一点たりとも見おとすまいとして、いった。

「ええ、もちろん！　ロッシのとこでお会いしましたよ。ほら、覚えていませんか、あの新しいラシェル（訳注　フランスの名女優）といわれるイタリアの女優さんが朗読をした夕べのことを」ゴレニーシチェフはいささかの未練もなく画面から目を放して、画家のほうへ振り向きながら、自由な調子でしゃべりだした。

しかし、ミハイロフが絵の批判を期待しているのに気がつくと、彼はこうしゃべりだした。

「あなたの絵は、このまえ拝見したときからみると、たいへんはかどりましたね。あのときもそうでしたが、今もピラトの姿には、とても心を打たれますね。善良で気のいい男でありながら、自分で自分がなにをしているかわからない、骨の髄まで役人であるこの人物が、じつによく出ていますよ、ただ、私にはそれが……」

ミハイロフのよく表情の変る顔は、不意に、さっと明るく輝いた。両の目は生きいきと光りだした。彼はなにかいいたそうだったが、興奮のあまり口がきけなかったので、咳《せき》ばらいをするようなふりをした。彼は、ゴレニーシチェフの絵に対する理解力を、きわめて低く評価していたにもかかわらず、いや、役人としてのピラトの顔の表情が的確であるというしごく公平な指摘は、つまらないものであったにもかかわらず、また、もっとも重大な点にふれず、こんなつまらない点をまっ先に問題にされたのは、ずいぶん不服なことだったにもかかわらず、ミハイロフはこの批評に、すっかり有頂天になってしまった。彼自身もピラトの姿については、ゴレニーシチェフが指摘したのと同じことを考えていた。このような批評は、いずれもあたりさわりのないものにちがいない他の幾千万という批評の一つにすぎないことは、ミハイロフ自身も承知していたが、それでもこのゴレニーシチェフの言葉は、彼にとってすくなからぬ価値をもった。彼はこの批評のために、ゴレニーシチェフに好意を感じ、意気消沈した状態から、いきなり、有頂天になってしまったのである。と、たちまち、その絵全体は、生きとし生けるものの名状しがたい複雑さをそのまま表わして、彼の目の前で生気を取りもどしてきた。ミハイロフはまた、自分もピラトをそのように解釈している、といおうとしたが、唇は、心ならずもぶるぶると震えて、口がきけなかった。ヴロンスキーとアンナも何か小声でいった。それは画家を侮辱しないための心づかいと同時に、また、絵の展覧会などで美術を語る場合、よく人がうっかり口にするばかげたことを、大声でしゃべらない用心のためでもあった。ミハイロフには、自分の絵がこのふたりにも感銘を与えたように思われた。で、彼はふたりのそばへ近づいて行った。

「キリストの表情がよく出ていますわねえ！」アンナはいった。今まで見た中で、アンナはこの表情がいちばん気に入ったうえ、これは絵の中心であるから、こうした讃《さん》辞《じ》は画家にとってもうれしいだろう、と思ったのである。「ピラトを哀れんでいるのが、よくわかりますわね」

こうした批評もまた、彼の絵の中にもキリストの姿の中にも見いだすことのできる、幾千万というあたりさわりのない批評の一つであった。アンナは、キリストがピラトを哀れんでいる、といった。キリストの表情には、もちろん、憐憫《れんびん》の情もあったであろう。なぜなら、その表情には愛と、この世ならぬ安らぎと、死の覚悟と、言葉のむなしさを自覚した表情とが読みとれたからである。もちろん、ピラトには役人のような表情があり、キリストには憐憫の情がある。一方は欲望的生活の権化《ごんげ》であり、他方は精神的生活の権化だからである。すべてこうしたことや、そのほか多くの考えが、ミハイロフの頭にひらめいた。と、またもや、彼の顔はさっと歓喜の色に輝いた。

「ええ、たしかに、この人物はよくできていますね。空間もよく出ていて、まるであの辺を歩けそうですね」ゴレニーシチェフはいったが、明らかに、その批評によって、この人物の内容と思想とを是認していないことを、示そうとしているようだった。

「まったく、すばらしい腕前だな！」ヴロンスキーはいった。「あの背景の人物なんか、まるで浮きだしてるみたいじゃないか！　これこそ技法というものさ」彼はゴレニーシチェフに向っていったが、彼はその言葉によって前にふたりで話し合ったとき、自分がこの技法を修得するのに絶望したということを、ほのめかしたのであった。

「ええ、ほんとに、すばらしいですね！」ゴレニーシチェフとアンナは、相槌《あいづち》を打った。ミハイロフは興奮していたにもかかわらず、この技法についての批評は、ひどく彼の気持をかきみだした。そこで、彼はおこったようにヴロンスキーをちらと見て、急に、しかめ面《つら》をつくった。彼はよくこの技法という言葉を耳にしたが、その言葉の陰には、どんな意味が隠れているのか、まったく理解できなかった。彼は、この言葉の陰には、絵の内容とはぜんぜん無関係な、描いたり塗ったりする機械的な才能を意味しているのだ、と承知していたからである。彼は今の讃辞でもそうだが、技法というものを内面的な価値に対立するものとして、つまらないものでも巧みに描く才能としていることに、しばしば気づいていた。彼は、真の対象を隠しているおおいを取るとき、作品そのものをそこなわないためには、また、そのおおいをすっかり取り除くためには、ひじょうな注意と細心の心づかいが必要なことを知っていた。しかし、そこには描くための技術、つまり、技法とかいったものはなにひとつないのだ。もし幼い子供や台所女中に、彼の見たのと同じものが啓示されたなら、彼らもまた自分の目に映ったものの真の姿をちゃんと表わして見せるにちがいない。ところが、どんなに経験に富んだ巧妙な技巧派の画家でも、描くべき内容の限界があらかじめ啓示されない以上、単にその機械的な能力だけでは、なにひとつ描くことはできないにちがいない。いや、それればかりか、技法ということを云々《うんぬん》する以上、彼はもうその点では自分がほめられる資格がないのを、ちゃんと知っていた。彼は自分の描きつつあるもの、またすでに描きあげたもののすべてに、一見して目につく幾多の欠点を認めていた。それらは、真実を隠すおおいを取り除くときの不注意から生れたもので、もう今となっては、作品全体をそこなわずに、それを修正することはできなかった。ほとんどすべての姿や顔に、まだ完全におおいが取り除かれてない痕跡《こんせき》があり、それが画面をそこねているのを、見てとった。

「批評を許していただければ、一つだけ申しあげたいことがあるんですが……」ゴレニーシチェフがいった。

「ほう、それはありがたいですね。どうぞ」ミハイロフは、わざとらしく微笑を浮べながらいった。

「それはですね、あなたのキリストは神人ではなくて人神だということです。そりゃ、あなたがその点をねらわれたのも、わかりますがね」

「私は自分の心にもないキリストを、描くことはできなかったのです」ミハイロフは顔をくもらせて答えた。

「なるほど、でも、もしそういうことでしたら、私の考えをいってよろしければですね、あなたの絵はじつにりっぱですから、私の批評なんかで、その価値が傷つけられることはありませんし、それに第一、これは私の個人的な意見ですからね。そりゃ、あなたには別のご意見がおありでしょう。モチーフそのものも別ですからね。まあ、かりにイワノフを例にとってみましょう。もしキリストを歴史上の人物として扱うのなら、イワノフとしてはもっと別な、新しいだれも手をつけてない歴史的なテーマを選ぶべきだったと思いますね」

「でも、これが芸術に与えられた最大のテーマだとしたらどうでしょう？」

「いや、捜せば、もっとほかのテーマが見つかりますよ。ただ問題なのは、芸術というものは論争や批評を超越しているということですね。イワノフの絵の前では、信仰のある者もない者も、これは神なりや否《いな》やという疑問がわいてきて、印象の統一を妨げますからね」

「なぜでしょうね？　教養のある人びとにとっては」ミハイロフはいった。「もう論争なんかありえないと思われますがね」

ゴレニーシチェフはそれに同意しなかった。そして、芸術には印象の統一が必要だという自分の最初の意見を固執して、ミハイロフを論破した。

ミハイロフは興奮したが、自分の意見を弁護するためにはなにひとつということができなかった。

12

アンナとヴロンスキーは、もうかなり前から、ゴレニーシチェフが物知りぶってまくしたてているのにうんざりしながら、互いに顔を見合せていたが、とうとう、ヴロンスキーは主人の案内を待ちきれずに、次の小さな絵に移った。

「ああ！　すばらしい、ほんとに、すばらしい！　奇蹟《きせき》ですね！　まったく、すばらしい！」ふたりは声をそろえて叫んだ。

《なにがそんなに気に入ったんだろう？》ミハイロフは思った。三年前に描いたこの絵のことなんか、すっかり忘れていたからである。彼は何カ月かのあいだ、寝てもさめても、この絵のことが気がかりだった時分に味わったいっさいの苦悩も、歓喜も、すっかり忘れていた。彼は完成してしまった絵のことはいつも忘れてしまうのであった。彼はその絵をながめることさえ好まなかったが、それを買いたいというイギリス人を待っていたので、飾っていたにすぎなかった。

「これはもうだいぶまえに描いた習作です」彼はいった。

「じつに、すばらしい！」ゴレニーシチェフもまた、心からその絵の美しさに打たれたようにいった。

ふたりの男の子が楊《やなぎ》の木陰で魚を釣《つ》っていた。年上のほうは、たったいま竿《さお》を投げこんだばかりで、懸命に茂みの中から浮きを引き出しながら、すっかり夢中になっていた。年下のほうは、草の上にねころんで、金髪の頭に頬杖《ほおづえ》をついて、なにか考えこんでいるような空色の目で、水面をながめていた。いったい、なにを考えているのだろう？

この絵に対する一同の賞讃は、ミハイロフの心にかつての興奮を呼びおこした。ところが、彼はこうしたおめでたい懐旧の念を恐れると同時にきらっていたので、そのほめ言葉はうれしかったが、彼は客たちを三番めの絵のほうへ連れて行こうとした。

しかし、ヴロンスキーは、その絵を売ってもらえないか、とたずねた。訪問客のために興奮している今のミハイロフにとっては、金銭の話はひじょうに不愉快であった。

「そりゃ売るために飾ってあるんですから」彼は暗い顔に眉《まゆ》をひそめながら答えた。

客たちが立ち去るとミハイロフは、ピラトとキリストの絵の前にすわりこんで、客のいったことや、口には出さないまでも、暗にほのめかしたことを、心の中で繰り返してみた。ところが、ふしぎなことに、客たちが目の前にいて、彼もひそかに彼らの見地に立ってながめていたときは、あれほどの重みをもっていた言葉も、たちまち、いっさいの意味を失ってしまった。彼は自分の芸術観によって、自分の絵をながめはじめ、その絵が完璧《かんぺき》であり、したがって、重大な意義をもっていると確信した。こうした自信は、他のいっさいの興味をしりぞける緊張感のために必要であり、彼はそういう状態においてのみ、仕事をすることができるのであった。

それにしても、遠近画法によって描かれたキリストの片方の足は、やはり難点があった。彼はパレットをとって、仕事にかかった。彼はその片足をなおしながら、背景のヨハネの姿に見入っていた。その姿こそ訪問客は気づかなかったが、完成の極致であることを、彼は知っていた。足を仕上げると、この人物にとりかかろうとしたが、その仕事をするためにはあまりにも興奮しすぎていることを感じた。彼は心が冷静なときも、またあまり感じやすくなって、なにもかも見えすぎるときも、同じように仕事ができなかった。仕事ができるのは、この冷静な状態から興奮へ移って行く、その中間のただ一つの時期においてであった。それにしても、今はあまりに興奮しすぎていた。彼は絵におおいをかけようとしたが、ちょっとその手を休めて片手におおい布を持ったまま、幸福そうに微笑を浮べながら、長いことじっとヨハネの姿に見入っていた。やがて、なにか悲しそうに目を放すと、おおい布をかけ、疲れてはいたが幸福な気持で、わが家へ帰って行った。

ヴロンスキーと、アンナと、ゴレニーシチェフは、帰る道すがら、いつもと違って快活であった。三人は、ミハイロフのことやその作品について話し合った。彼らは才能という言葉を好んで使ったが、彼らはその言葉の意味を理性や感情を超越した、生れながらの、ほとんど肉体的ともいうべき能力として受け取り、この言葉によって画家の体験するいっさいのことを名づけようとした。なぜなら、この言葉は自分たちがなんの観念ももっていないくせに、話したくてたまらないことを形容するのに、ぜひ必要だったからである。彼らの見解によれば、ミハイロフの才能は否定できないが、ロシアの画家すべてに共通な不幸である教養の不足のために、彼の才能も十分のびることができない、というのであった。しかし、例の男の子を描いた絵は三人の記憶に深く刻まれていたので、話はともすればそれに返っていった。

「じつに、すばらしかったね！　いや、まったく見事で、しかもすごく簡潔だったな。あの男には、あの絵のすばらしさがわかってないのさ！　そうだ、なんとしても、あれは買わなくちゃいかんな」ヴロンスキーはいった。

13

ミハイロフはヴロンスキーに自分の絵を売って、アンナの肖像を描くことを承知した。彼は指定された日にやって来て、さっそく仕事にかかった。

その肖像は、五回めあたりから、みんなを、とりわけヴロンスキーを驚かした。それは、ただよく似ているからだけではなく、その一種特別な美しさのためであった。ミハイロフがどうしてアンナ特有の美しさを見いだすことができたか、ふしぎなくらいであった。《あれのこうした美しい精神的な表情を発見するためには、おれと同じように、あれを知り、あれを愛さなければならないはずだが》ヴロンスキーは考えた。そのくせ、彼はこの肖像画によって、アンナのそうした美しい精神的な表情を、はじめて知ったのであった。しかし、その表情があまりにも真実味にあふれていたので、彼にしても、ほかの人びとにしても、もうずっと前からそれを知っているような気がしたのであった。

「ぼくなんかもう長いこと苦心しているのに、なにひとつできやしない」彼は自分の肖像画についていった。「それなのにあの男ときたら、ちょっとながめて、すぐ描いてしまった。これがつまり技法ということなんだな」

「なに、そのうちにできますよ」ゴレニーシチェフはヴロンスキーを慰めた。彼の考えによると、ヴロンスキーは才能、ことに教養があるから、これが芸術に対して、高度の見解を与えるというのであった。そのほか、ゴレニーシチェフがヴロンスキーの才能を評価していたのは、自分の論文や思想に対してヴロンスキーの同感や賞讃が必要だったからでもあった。彼は、賞讃や支持というものは、相互的なものであるべきだと、感じていたからである。

ミハイロフは他人の家では、とくにヴロンスキーの邸宅《パラッツォ》では、自分のアトリエにいるときとは、まるっきり別人のようであった。彼はまるで自分の尊敬しない人びとと接近するのを恐れるかのように、反感を秘めたようなうやうやしさをみせていた。彼はヴロンスキーのことを閣下と呼び、アンナやヴロンスキーがいくら招待しても、けっして食事に残ることもなく、仕事に来る以外には、たずねることもなかった。アンナはほかのだれに対するよりも彼に愛想《あいそ》よくして、自分の肖像画のことを感謝していた。ヴロンスキーも彼に対しては、慇懃《いんぎん》以上の態度をとり、明らかに、自分の絵に対するこの画家の批評に興味をもっているようだった。ゴレニーシチェフは、ミハイロフに対して真の芸術観を吹きこむ機会を、のがそうとはしなかった。一方、ミハイロフはだれに対しても、同じように冷淡であった。アンナは相手の目つきによって、彼が自分をながめるのを喜んでいることを感じたが、彼のほうはアンナと話すのを避けるようにしていた。ヴロンスキーが彼の絵の話をしても、彼はかたく沈黙を守っていたし、ヴロンスキーの絵を見せられても、同じく無言のままであった。ゴレニーシチェフの弁舌にも明らかにまいっていたようだったが、けっして反駁《はんばく》はしなかった。

要するに、ミハイロフは、その控えめな、まるで敵意でもいだいているような不愉快な態度のために、彼をもっとよく知るようになってから、かえって三人の不興を買ってしまった。したがって、仕事が終って、すばらしい肖像画が手もとに残り、彼がもうやって来なくなったとき、一同はほっとして喜んだ。

ゴレニーシチェフは、みんなが心に秘めていた考えを、まっ先に口に出した。つまり、ミハイロフはただヴロンスキーをうらやんでいたのだというのであった。

「いや、うらやむとこまではいってないだろう。なにしろ、あの男には才能があるんだから。しかしね、宮内官《くないかん》で、金持で、おまけに伯爵《はくしゃく》(なにしろ、あの連中はこういうことをひどく憎んでいるからね)、こういう人間が、苦労もしないで、この道に一生をささげたあの男より、すぐれた仕事とはいえないまでも、同じようなことをしているのが、しゃくなんだよ。それになによりも肝心なのは、教養だからね。あの男のもっていない教養だよ」

ヴロンスキーはミハイロフのことを弁護したが、心の奥底では、その説を信じていた。なぜなら、彼の見解によれば、自分より低級な別の世界の人間は、羨望《せんぼう》するのが当然だったからである。

彼とミハイロフによって、直接モデルから同じように描かれたアンナの肖像画は、彼とミハイロフとのあいだに存在する相違を、当然、ヴロンスキーに思い知らせるはずであったが、彼はそれに気づかなかった。彼はただミハイロフの作品ができあがると、もうむだなことだとして、自分でアンナの像を描くのをやめてしまった。一方、中世風俗を主題とした絵は、相変らず、つづけていた。彼自身も、ゴレニーシチェフも、とりわけアンナは、その作品がたいへんよくできていると考えた。なぜなら、それはミハイロフの絵よりも、有名な作品にもっと似ていたからであった。

ミハイロフもまた、アンナの肖像には心から打ち込んでいたにもかかわらず、その絵を完成して、もうゴレニーシチェフの芸術論を聞く必要もなく、ヴロンスキーの絵を見る必要もなくなったときには、彼ら以上に喜んだ。彼は、ヴロンスキーが絵をなぐさみものにするのを、止めるわけにはいかないことを承知していた。彼は自分にしても、またすべてのディレッタントにしても、なんでも自分の好きなものを描く十二分の権利があることを承知していたが、それでもやはり、彼はそのことが不愉快であった。ある人が大きな蠟人形《ろうにんぎょう》をつくって、それに接吻《せっぷん》するのを止めるわけにはいかない。しかし、この人がその人形を持って来て、愛する男の前にすわりこみ、その男が恋人を愛撫《あいぶ》するように、その人形を愛撫したとしたら、その男はきっと不愉快になるにちがいない。ミハイロフはヴロンスキーの絵を見るたびに、これと同じような不快感を覚えたのであった。彼はおかしくもあれば、いまいましくもあり、みじめでもあれば、侮辱されたような気にもなったのである。

絵画と中世風俗に対するヴロンスキーの心酔も、そう長くはつづかなかった。彼は絵に対してかなり趣味をもっていたので、かえって自分の絵を完成することができなかった。作品は中断されてしまった。はじめのうちこそあまり目だたない欠点も、つづけていくうちに、人を驚かすようになるだろう、とおぼろげながら感じたのである。彼は、ゴレニーシチェフと同じような気持になった。つまり、ゴレニーシチェフは、自分でなにもいうことがないと感じながらも、たえず自らを欺《あざむ》いて、自分の思想はまだ熟さないから、今のところそれを練りながら、材料集めをしているのだ、といっていた。しかし、ゴレニーシチェフはそのために腹を立てて、自分で苦しんでいたが、ヴロンスキーは自分を欺いたり、苦しめたり、とりわけ腹を立てたりすることができなかった。彼は決断力に富んだ性質だったので、なんの説明も弁解もせずに、絵を描くことをやめてしまった。

ところが、こうした仕事がなくなると、イタリアの町におけるヴロンスキーとアンナとの生活は、まったく退屈きわまりないものに思われてきた。ヴロンスキーはアンナもあきれるほど退屈していた。邸宅《パラッツォ》はとつぜん、いかにも古ぼけてきたなく感じられ、カーテンのしみや、床の割れ目や、蛇腹《じゃばら》の漆喰《しっくい》の剝《は》げたところが、ひどく不愉快になってきた。そして、相も変らぬゴレニーシチェフや、イタリア人の教授や、ドイツ人の旅行者などがどうにも鼻についてきたので、生活を一変する必要に迫られた。ふたりはロシアの田舎へ帰ることにきめた。ペテルブルグで、ヴロンスキーは兄と遺産分配の話をきめ、アンナはむすこに会いたいと考えていた。ふたりはこの夏をヴロンスキーの大きな領地で過すつもりであった。

14

リョーヴィンが結婚してから、三月めになった。彼は幸福だったが、それは期待していたようなものとは、まるっきり違っていた。彼はことごとに以前の空想の幻滅と、新しい思いがけない魅惑を感じていた。彼は幸福だったが、いざ結婚してみると、自分が想像していたものとはまったく違うということを、ことごとに思い知らされた。彼がことごとに味わった感じというのは、湖上をなめらかにすべる小舟の、幸福そうな動きに見とれていた人が、そのあとで実際にその小舟に乗ったときの感じと同じようなものであった。つまり、それはからだを動かさずに、じっと平均を保っているだけではだめで、どの方向へ行かねばならぬとか、足の下には水があり、その上を漕《こ》いで行かねばならぬとか、慣れぬ腕にはそれがつらいことだとか、ただ見た目には楽しそうだが、いざ自分でやってみると、とても楽しいものの、なかなかむずかしい仕事だとかいうことを、片時も忘れずに、ずっと気を配っていなければならないと悟ったからである。

彼も独身だったころには、よく他人の結婚生活をながめながら、そのくだらない心配やら、いさかいやら、嫉妬《しっと》やらを見ると、内心そっとさげすみの笑いを浮べ、自分の未来の結婚生活には、そうしたことはいっさいありえないばかりか、その外面的な形式までが、あらゆる点において、他人の生活とはまったく違っていなければならないと確信していた。ところが、いざとなると、その期待に反して、彼と妻との生活は特別な形式をとらなかったばかりか、かえって以前あれほど軽蔑《けいべつ》していた、取るに足らない、くだらないことで成り立ってしまったのである。しかも、そのくだらないことが、今では彼の意思に反して争いがたい、なみなみならぬ意義をもっているのであった。リョーヴィンは、こうしたいっさいの取るに足りないことを築きあげていくのが、以前考えていたほど、そう簡単なものではないことを悟った。リョーヴィンは自分が結婚生活について、きわめて正しい観念をもっているように思いこんでいたにもかかわらず、やはりあらゆる男性と同様、結婚生活を、いつのまにか、なにものからも妨害されない、またくだらない心づかいにわざわいされない、単なる愛の享楽《きょうらく》と考えるようになっていた。彼の見解によれば、自分は仕事にいそしんで、その休息を愛の幸福の中に求めればよかったのである。妻は愛せられるものとして、それ以上のものであってはならなかった。ところが、彼はあらゆる男性と同様、妻も働かなければならないということを、忘れていたのである。そのため、リョーヴィンは、この詩的で美しいキチイが、結婚生活の最初の週から、いや、それどころか最初の日から、テーブル・クロスや、家具や、来客用のふとんや、お盆や、料理人や、食事その他のことを考えたり、覚えたり、心配したりすることができたのには、すくなからずびっくりした。まだ婚約時代にも、キチイが自分にはほかになにか大事なことがあるからと、外国旅行を断わって、田舎行きを決意したときの決断ぶりに、また恋以外の別のことを考えることもできたその余裕のある態度に、驚いたものである。そのときも、彼はそのことに腹立たしさを覚えたが、今も彼はキチイがこまごましたくだらぬことに心を労しているのを見て、腹立たしくなった。しかし、彼はキチイにとって、それがやむをえないことを悟った。したがって、彼はキチイを愛していたので、それがなぜかはわからず、またそうした心づかいを冷笑していたにもかかわらず、やはり、それに見とれないわけにはいかなかった。彼はキチイがモスクワから持って来た家具を並べたり、自分と夫との部屋を新しく模様がえしたり、カーテンをかけたり、来客やドリイのために、あらかじめ部屋の割当てをしたり、自分の新しい小間使に部屋を整えてやったり、年寄りの料理人に食事をいいつけたり、食料の買いこみにアガーフィヤを除《の》け者《もの》にして、老婆《ろうば》といい争ったりしているのを見た。彼はまた、年寄りの料理人がキチイに見とれながら、そのいかにも不慣れなとてもできない命令を聞いて苦笑しているのも、またアガーフィヤが、若奥さまの食品貯蔵に関する新しいやり口に驚いて、考えぶかそうに、優しく首を振っているのも見た。さらにキチイが、泣き笑いしながら、小間使のマーシャが前からの習慣で、自分をお嬢さんと呼ぶので、だれも自分のいうことをきいてくれないといって、彼のところへ泣きついて来たときには、彼女がいつにもましてかわいらしかったことを見てとった。彼にはこうしたことがかわいらしくも、それと同時に、奇妙なことにも思われた。彼はいっそこうしたことはないほうがいいのにと考えた。

彼は、キチイが結婚してから境遇の変化によって経験した感情を、知らなかったのである。キチイは実家にいたころには、ときにクワスを添えたキャベツやお菓子をほしいと思うことがあっても、そういうものをあれもこれも自由に手に入れることはできなかった。ところが、今はなんでも好きなものを注文することができるし、お金も好きなだけ使うことができ、ケーキなども山ほど、なんでも好きなのを注文することができたのである。

キチイは今、ドリイが子供たちを引き連れてやって来るときのことを、楽しい気持で待ちわびていた。それがとくにうれしかったのは、子供たちにめいめい好きなケーキをつくってやろう、それに、ドリイは、きっと、自分の新しい世帯ぶりをほめてくれるだろう、と思ったからであった。キチイは自分でもそれがどういうわけか、またなんのためか知らなかったが、家政という仕事に、否応《いやおう》なくひかれていった。彼女は本能的に、春が近づくのを感じながら、それと同時に、不幸や災厄《さいやく》の日があることも知っていたので、分相応に、巣ごしらえに努め、巣ごしらえをすると同時に、そのこしらえ方をも覚えようと、一生懸命であった。

このようなキチイのこまごました心づかいは、リョーヴィンがはじめいだいていた崇高な幸福の理想に反していたので、彼の味わった幻滅の一つとなった。もっとも、このかれんな心づかいは、その意義こそ彼に理解できなかったが、彼には愛さないではいられない新しい魅力の一つとなった。

もう一つの幻滅と魅力は、いさかいであった。リョーヴィンには、自分と妻とのあいだに優しい愛と尊敬以外の別の関係がありうるとは、とても想像することができなかった。ところが、結婚早々から、ふたりはけんかをはじめて、キチイは彼に向って、あなたはあたしを愛しているのではなくて、ただご自分をかわいがっているだけだといって、泣きくずれ、両手を振りまわす始末であった。

このふたりの最初のいさかいは、リョーヴィンが新しい農園を見に出かけ、近道をしようとして道に迷い、半時間ばかり遅れて帰って来たのが原因だった。彼はただキチイのことや、彼女の愛のことや、自分の幸福のことばかり考えながら、わが家へ急いでいたので、家へ近づくにつれて、彼の心の中にはキチイに対する優しい気持が、ますます激しくもえたっていた。彼はかつて結婚の申し込みをしに、シチェルバツキー家へ出かけたときのような、いや、それよりもっと激しい愛情をいだきながら、部屋の中へ駆けこんで行った。すると、いきなり、彼を迎えたのは、今までついぞ見たこともないほど暗い妻の表情であった。彼は接吻しようとしたが、キチイは彼をつきのけた。

「どうしたんだい？」

「あなたはご気分がよろしくて結構ですこと……」キチイは毒を含んだ落ち着きはらった態度を装いながら、いった。

しかし、キチイがいったん口を開くと、無意味な嫉妬と、彼女が窓に腰かけて身じろぎもせずに過した半時間のあいだ、その胸を苦しめていたありとあらゆるものが、激しい非難の言葉となって、とびだしてきた。そのときになってはじめて、彼は式のあとでキチイを教会から連れだしたときに、どうしても理解できなかったことを、ようやくはっきりと悟ったのであった。彼は、キチイが自分にとって身近な存在であるばかりでなく、今ではもうどこまでが彼女で、どこまでが自分なのかわからないということを理解したのであった。彼はこのことを、その瞬間に経験した苦しい自己分裂の感情から理解したのであった。はじめは彼も少しむっとなったが、すぐその瞬間、自分は妻に腹を立てることはできない、彼女は自分自身にほかならないのだからと、感じたのであった。彼が最初の瞬間に味わった気持というのは、いきなり、うしろから強打された人が、かっとなり、仕返しのために相手を見つけようと思って、うしろを振り向いてみたところ、それはなにかのはずみに自分で自分を打ったので、だれに腹を立てるわけにもいかず、その痛みをじっとこらえて、しずめなければならない、と悟ったときに、味わうような妙な気持であった。

その後はもう彼もそれほど強くそうした感じを味わわなかったが、はじめてのときは、長いことわれに返ることができなかった。彼は自然な気持として、自分を弁護して、彼女にその非を悟らせようとした。ところが、彼女に非を悟らせることは、ますます彼女をいらだたせて、すべての不幸の原因となったその決裂を、いよいよ大きくするばかりであった。彼はその罪を自分から取りのけて、彼女のほうへ移そうと、つい今までどおりの習慣で考えたが、いったん生じた決裂を大きくさせないで、早いところ、いや、一刻でも早く、それをしずめなければならぬという気持に激しくおそわれた。そうした不当の非難に甘んずることは、苦しいことであったが、自己弁護をして彼女に痛みを与えることは、それよりもさらに悪いことであった。夢うつつのうちに、痛み苦しんでいる人のように、彼はその痛みの個所をひきちぎって、投げ捨ててしまいたいと思った。が、われに返ってみると、その痛みの個所は彼自身であることを感じた。もう今はただできるだけ辛抱して、その痛みを楽にすることよりしかたがなかった。そこで、彼はそうするように努めた。

ふたりは仲直りした。キチイは自分の罪を悟ったが、それを口に出してはいわず、ただ前よりも、彼にいっそう優しくなった。こうしてふたりは旧に倍した新しい愛の幸福を味わった。しかも、こうした事態は、このような衝突が繰り返されるのを、防ぐ助けにはならなかった。いや、それどころか、まったく思いがけない、些細《ささい》な原因で起ることが、よくあった。このような衝突は、お互いにとってなにが大事なのかを、ふたりが知らないためでもあったし、またはじめのころふたりともふきげんでいることが多かったからでもあった。一方が上きげんで、他方が不きげんという場合には、平和は破られなかった。ところが、ふたりそろって不きげんのときには、まったく納得がいかぬような、つまらない原因からでも衝突がはじまるので、あとになってなんでいい争ったのか、まったく思いだせないほどであった。もちろん、ふたりながら上きげんのときには、生活の喜びはいつもの何倍にもなった。しかし、なんといっても、この結婚したてのころは、ふたりにとって苦しい時期であった。最初のころはずっと、ふたりが互いに結び合されている一本の鎖を、両方から引っぱっているような緊張が、とくにはっきりと感じられた。世間一般の話によって、リョーヴィンがあれほど多くのものを期待していた蜜月《みつげつ》、つまり結婚後の一カ月は、生《しょう》涯《がい》におけるもっとも重苦しい屈辱の時期として、お互いの記憶に残ったほどであった。ふたりはともに、その後の生活にはいってから、この不健全な時期の、醜く恥ずかしい数々の出来事を、記憶の中からかき消そうと努めた。それほどこの時期のふたりは正常な気分でいることがまれで、ふたりながら自分を失っていたのであった。

ようやく結婚生活三月めになって、ふたりがひと月ばかりモスクワへ行ってきてから、ふたりの生活は前より順調になった。

15

ふたりはモスクワから帰って来たばかりで、自分たちだけになれたことを喜んでいた。彼は書斎で仕事机に向って、書きものをしていた。彼女は濃い紫の服を着て（それは結婚当時着ていたものであり、きょうまた取り出して着たので、彼にとってはことさら思い出ぶかく貴重なものに感じられた）、リョーヴィンの父や祖父の時代から、ずっと書斎に置かれていた、例の古風な皮張りの長いすに腰かけて、broderie anglaise（訳注 イギリス刺繍）をしていた。彼は妻の存在をたえず楽しく感じながら、考えたり書いたりしていた。彼は農事経営の仕事も、新しい農事経営の基礎を明らかにするはずになっている著述の仕事も、放棄していなかった。もっとも、前にはこうした仕事も、自分の生活全体をおおっている暗黒に比べて、些細な取るに足らぬもののように思われていたのと同様、今でもそうした仕事は幸福の光をいっぱいに浴びている未来の生活に比べると、まったく些細な取るに足らぬもののように思われるのであった。彼は相変らずそうした仕事をつづけていたが、今では注意の焦点がほかへ移って、その結果として彼は事態をもっと違ったふうに、もっと明瞭《めいりょう》にながめるようになったことを感じていた。以前はこの仕事が彼にとって、人生からの救いであった。以前には、この仕事がなかったら、自分の人生はあまりにも暗いものになるであろう、と彼は感じていた。ところが、いまやこの仕事が彼に必要だったのは、その生活をあまり単調な明るすぎるものにしないためであった。彼は再び原稿を手にとって、内容を読み返すと、その仕事がやりがいのあるものであることを確認して、満足した。その仕事は新しい有益なものだった。以前いだいていた思想の中には、よけいで極端なものと思われるものが多かったが、彼が頭の中でその問題に新しい光をあてたとき、今まで空白だった多くの点が、明らかになった。彼は今、ロシアにおける農業の不振の原因について新しい章を書いていた。ロシアの貧困は単に私有地の誤った分配や、誤った傾向に起因するだけでなく、最近、変則的にロシアに持ちこまれた表面的な文化、とくに、交通機関である鉄道が、いっそうこれを助長しているのであり、その結果として都市中心主義となり、奢侈《しゃし》の風潮がたかまり、さらに、農村を荒廃させる工業や金融業の発達などを招来したのであると論証しようとした。彼の見解によれば、一つの国家において富が正常な発達をとげる場合、すべてこれらの現象は、すでに農村に対して相当の労力が注入され、農業が正しい、すくなくとも、一定の条件におかれたときにのみ起るものであった。一国の富は平均して成長すべきであって、とくに富の他の部門が農業を上まわらないことが必要であり、交通機関も農業の一定段階に対して、それ相応なものでなくてはならない。ところが、現在のわが国のように、土地の利用が誤っている場合には、経済的必要からではなく政治的必要から生れた鉄道などは、まだ時期尚早《しょうそう》であり、それは期待されたように農業を助成するどころか、かえって農業を追い越して、工業と金融業の発達をうながし、農業の発展を阻止してしまうのである。したがって、動物の器官の一つが、一方的な早期発達をとげた場合、その全体的な発達を妨げるのと同様、金融業や交通機関や工業の発達は、これが時宜に適しているヨーロッパでは、疑いもなく必要なものであるが、わがロシアの国富の全般的な発達のためには、当面の重大問題である農業の改良をあとまわしにしたという点で、かえって有害だったのである。

一方、彼がこんな原稿を書いているあいだ、キチイは次のようなことを考えていた。モスクワを発《た》つ前の晩、若いチャルスキー公爵《こうしゃく》が、ひどく気のきかないやり方で、彼女にまつわりついたが、そのとき夫は相手に対してなにか不自然に注意を向けていた。《たしかに、うちの人は、やきもちをやいているんだわ！》彼女は考えた。《まあ、ほんとにうちの人はなんてかわいいおばかさんなんでしょう！　あたしにやきもちをやくなんて！　あたしにとってはあんな人たちなんか、料理人のピョートルとちっとも変らないってこと、知ってくれたらねえ》キチイはわれながらふしぎなことだったが、夫の後頭部や赤い首筋を自分のもののように感じながら、こう考えた。《お仕事のじゃまをしちゃ悪いけれど（でも、きっと、大丈夫だわ！）ひと目でもいいからお顔が見たいわ。あたしが見てるのを、感づいてくださるかしら？　こっちを向いてくださるといいんだけれど！……ちょっとでも、ねえ！》キチイはそう思うと、目をさらに大きく見ひらいて、視線の効き目をいっそう強めようとした。

「いや、あんな連中は、いっさいの甘い汁を自分たちばかりで吸い取ってしまって、虚偽の光を放っているんだ」彼は書く手を休めて、つぶやいた。と、妻が自分のほうを見ながら、にこにこ笑っているのを感じて、振り返った。

「なんだい？」彼は微笑を浮べて立ちあがりながら、たずねた。

《まあ、お向きになったわ》彼女は思った。

「いいえ、なんでもないの。ただ、こっちをお向きになればいいなって、思ってただけなの」

彼女はじっと夫の顔を見つめ、自分が仕事のじゃまをしたのを、夫がいまいましく思っているかどうか知ろうとして、答えた。

「ねえ、ふたりだけでいるのは、ほんとに楽しいねえ！　いや、これはぼくだけのことだがね」彼は妻のそばへ近づいて、幸福の微笑に顔を輝かせながら、いった。

「あたしも！　もうどこへも行かないわ、とくにモスクワなんかには」

「じゃ、なにを考えていたんだい？」

「あたしが？　あたしの考えてたことはね……いや、いや、さあ、行ってお仕事なさいな、気を散らさないで」キチイは唇《くちびる》をすぼめながらいった。「あたし今、ほら、この穴を切り抜かなくちゃならないの」彼女は鋏《はさみ》をとって、切り抜きはじめた。

「ねえ、なにを考えてたか、ほんとに、いってごらん」彼はそばに腰をおろして、小さな鋏が丸く動くのを見ながら、いった。

「あら、なにを考えていたのかしら？　そうだわ、モスクワのことや、あなたのことだわ」

「でも、なんだって、ぼくはこんなに幸福なんだろう？　すこし不自然だな。あんまり楽しすぎて」彼はキチイの手に接吻《せっぷん》しながらいった。

「あら、あたしはその反対に、楽しければ楽しいほど自然な気がするわ」

「あ、おまえの編んだ髪が」彼はそっと妻の頭を自分のほうへ向けながらいった。「編んだ髪が、ほら、こんなになって。いや、いや、ふたりとも仕事をしなくちゃ！」

しかし、仕事はもうつづけられなかった。そしてふたりは、クジマーがお茶の用意ができたと知らせにはいって来たとき、まるで悪いことでもしていたように、さっと離れた。

「町からもどって来たかい？」リョーヴィンはクジマーにたずねた。

「いましがたもどってまいりまして、荷を選《よ》り分けております」

「さあ、早くいらっしゃいよ」キチイは書斎を出ながら、夫にいった。「でないと、あたしひとりで手紙を読んでしまってよ。それから、いっしょにピアノをひきましょうよ」

彼はひとり残って、ノートを妻の買ってくれた新しい折りかばんにしまうと、キチイが持って来た新しい優雅な品々の置かれてある、新しい洗面所で手を洗いはじめた。リョーヴィンは、自分の思いに微笑すると同時に、その思いに承服しかねるといったふうに、首を振った。彼は悔恨に似た気持に悩まされていたのである。なにかしら恥ずかしい、遊惰な、彼がカプア的（訳注　カプアはイタリアの古都の名称で、カプア的とは享楽的の意）と名づけたものが、彼の今の生活の中には見いだされたからである。《こんなふうに暮すのはよくないな》彼は考えた。《もうまもなく結婚して三月になるが、おれはほとんどなにもやってない。さあ、きょうはじめて、まじめな気持で仕事にかかったのに、これはどうだ！　はじめたとたんに、すぐやめてしまうなんて。これまでずっとやっている仕事さえ、ほとんどほっぽりだしている。農場の見まわりだって、ほとんど出かけて行かない。キチイをかまってやらないのはかわいそうな気がしたり、時には退屈そうな姿が目にはいったりするからな。おれは、結婚前の生活なんかいいかげんなもので、とりたてていうほどのこともないが、結婚すれば、それこそほんとうの生活がはじまると思っていたんだ。ところが、もうすぐ三カ月になるというのに、おれはいまだかつてないほど遊惰な、無益な生活を送っている。いや、これじゃいけない。仕事をはじめなくちゃ。

もちろん、キチイが悪いわけじゃない。あれにはなにひとつ非難するところはなかった。おれがもっとしっかりしていて、男性としての独立を守らなくちゃいけなかったんだ。いや、こんなことをしていたら、自分でも慣れっこになってしまうし、あれにもこんな習慣をつけることになってしまう……そりゃ、あれが悪いわけじゃないが》彼は自分にいいきかせた。

しかし、不満をもっている人が、自分の不満の原因について、だれか他人を、それももっとも身近な人間を責めずにいるのは、とてもむずかしいことである。そこで、リョーヴィンの頭にも、漠然《ばくぜん》とした次のような考えが浮んだ。そりゃ、あれ自身が悪いというわけじゃないが（彼女はどの点からみても悪いはずはない）ただあれの受けたあまりにも表面的で、軽薄な教育が悪いのだ。《あのチャルスキーの野郎め。おれにはちゃんとわかっているが、キチイはあの男の無礼を止めようと思いながら、それができなかったのだ》《うむ、あれには、家庭に対する興味と（それはたしかにある）、化粧と、broderie anglaise（訳注　イギリス刺繍）のほかには、興味というものがないんだ。あれは自分の仕事にも、家政にも、百姓にも、かなりじょうずな音楽にも、読書にも、べつになんの興味ももっちゃいないんだ。あれはなにもしないくせに、すっかり満足しきっているんだ》リョーヴィンは心の中でこんな非難を浴びせながら、彼女がきたるべき活動の時期にそなえているのだということをまだ理解していなかった。そうした時期になれば、彼女は夫の妻として、同時にまた、一家の主婦として、子供を産んだり、養ったり、教育したりしなければならないのである。彼は、妻がそれを本能的に察知し、この恐ろしい労働に対する準備として、未来の巣を楽しそうにつくりながら、愛の幸福にあふれた、のんびりした毎日を楽しんでいる自分を、責める気にならぬことを理解できなかったのである。

16

リョーヴィンが二階の部屋へはいって行ったとき、妻は新しい紅茶セットを前に、新しい銀のサモワールのそばにすわっていた。そして、アガーフィヤを小さなテーブルの前にかけさせ、紅茶をついでやり、自分は、たえずひんぱんに文通しているドリイからの手紙を、読んでいた。

「ほら、奥さまがここにすわらせてくださいましたよ。ご自分といっしょにすわれとおっしゃいまして」アガーフィヤはさも親しそうに、キチイにほほえみかけながら、いった。

リョーヴィンは、アガーフィヤのこの言葉によって、つい最近、この老婆《ろうば》とキチイのあいだに起った悶着《もんちゃく》が丸くおさまったことを感じた。キチイは新しい主婦として、アガーフィヤから一家の支配権を取りあげて、老婆にいろいろと悲しい思いをさせたが、それにもかかわらず、キチイは相手の心をおさえて、自分を愛するようにしむけたのである。彼はそれを見てとった。

「今ね、あなたへのお手紙を見てたとこなの」キチイは無学な人が書いたらしい手紙を夫に渡しながら、いった。

「これは、きっと、お兄さまの女の方から来たのね……」彼女はいった。「まだ読みはしなくってよ。ねえ、これは実家《さと》から、これはドリイから来たの。まあ、あきれた！　ドリイはサルマツキー家の子供舞踏会に、グリーシャとターニャを連れて行ったんですって。ターニャが侯爵夫人に扮《ふん》したなんて」

ところが、リョーヴィンは妻の話を聞いていなかった。彼は顔を紅潮させながら、兄ニコライの情婦であったマーシャの手紙をとって、読みはじめていたからであった。これはもう、マーシャから来た二度めの手紙であった。マーシャは最初の手紙で、兄がなんの罪もないのに、自分を追い出したことを知らせ、自分はまた乞食《こじき》のような境遇に落ちたが、なにもお願いしたり、望んだりはしない、ただニコライさまはからだが弱いから、自分がそばにいなかったら、きっと倒れてしまうだろうと思うと、居ても立ってもいられないと、胸を打つような素朴《そぼく》な調子で書き、どうか兄上に気をつけてほしい、と結んでいた。が、今度は別のことを書いてよこした。彼女はまたモスクワでニコライにめぐりあって、同棲《どうせい》するようになったが、彼がある県庁所在地に勤め口ができたので、いっしょにそこに赴任した。ところが、彼は上官とけんかをやり、またモスクワへ帰ろうとした。しかし、その途中で発病して、今はもうほとんど再起の望みがなくなった、と彼女は書いていた。『たえずあなたのことばかりいっていらっしゃいます、それに、お金ももうありません』

「ねえ、お読みになって、ドリイがあなたのことを書いてますわ」キチイは微笑を浮べながらいいかけたが、ふと、夫の顔色が変ったのに気づいて、言葉を切った。

「どうなすったの？　ねえ、なにごとですの？」

「この手紙によると、兄のニコライは、死にかけているそうだ」

キチイの顔色もさっと変った。ターニャの侯爵夫人のことも、ドリイのことも、すっかり消しとんでしまった。

「で、いつお出かけになりますの？」彼女はたずねた。

「あした」

「あたしもごいっしょして、いいかしら？」彼女はいった。

「キチイ！　それはどういうつもりなんだね」彼は非難をこめていった。

「どういうつもりですって？」夫がしぶしぶと、さもいまいましそうに自分の申し出《いで》を受けたのに腹を立てて、「なぜあたしが行っちゃいけないんです？　おじゃまになるわけじゃなし、あたしだって……」

「ぼくが行くのは、兄貴が死にかかっているからだよ」リョーヴィンはいった。「なんのためにおまえまでが……」

「まあ、なんのためですって？　そりゃ、あなたと同じわけじゃありませんか」

《おれにとってこんな重大なときに、あれはひとりになったらさびしいなんてことばかり考えているんだ》リョーヴィンは考えた。そして、これほど重大な場合に、そんな口実を聞いて、すっかり腹を立てた。

「そんなことはできないよ」彼はきびしい調子でいった。

アガーフィヤは、けんかになりそうなのを見てとると、そっと茶碗《ちゃわん》を置いて、出て行ってしまった。キチイはそれに気づかぬほどであった。夫が最初の言葉を口にした調子は、彼女の癇《かん》にさわった。ことに、彼女のいったことを、どうやら、信じていないらしいことがとりわけしゃくであった。

「はっきりいいますけど、あなたがいらっしゃるなら、あたしもごいっしょします。かならず、まいります」彼女は腹立たしげに早口でいった。「どうしてできないんですの？　どうしてできないなんて、おっしゃるんですの？」

「だって、どんなところへ行くのか、どんな道のりか、どんな宿屋なのかてんでわかっちゃいないんだからね……おまえがいると、なにかにつけて面倒だからね」リョーヴィンは、努めて冷静になろうとしながら、いった。

「いいえ、ちっともご心配なく。あたし、なんにもいりませんもの。あなたの我慢できるところなら、あたしだって平気ですわ……」

「いや、それに向うには、おまえなんかつきあうわけにはいかない例の女もいることだし」

「向うにだれがいるとか、なにがあるとか、そんなことはちっとも知りませんし、知ろうとも思いませんわ。あたしが知っているのは、夫の兄が死にかかっていて、夫がそこへ行くということだけですわ。だから、あたしも、自分の夫といっしょに行くんです。つまり……」

「キチイ！　そう腹を立てないでおくれ。しかしね、考えてもごらん、これはまったく重大なことなんだよ。それなのに、おまえはひとりで残りたくないという女々《めめ》しい気持と、ごっちゃにしているんだから。いや、そう思うと、ぼくはたまらないよ。ねえ、ひとりでいるのがさびしいと思ったら、モスクワへでも行けばいいじゃないか」

「ほら、あなたはいつだってあたしに、そんなあさましい、よくない考えを結びつけるんですのね」キチイは侮辱と憤激の涙にくれながら、しゃべりだした。「あたしそんなんじゃありませんわ、女々しいだなんて、いいえ……ただ、夫が悲しんでいるときには、夫といっしょにいるのが、妻の務めなんだと感じているんですの。それなのに、あなたときたら、わざと、あたしを傷つけようとして、わざとあたしの気持を誤解なさろうとするんですもの……」

「いや、こりゃ、たまらん。まるで奴隷《どれい》になるのと同じじゃないか！」リョーヴィンは、もう自分のいまいましさを隠す力もなく、つと席を立ちながら、こう叫んだ。しかし、その瞬間、彼は自分で自分をなぐっていることを感じた。

「それじゃ、どうして結婚なすったんです？　せっかく自由な身でいらっしゃれたのに。後悔なさるくらいなら、いったい、どうして？」彼女はいうと、席を立って、客間のほうへ駆けだして行った。

　彼があとを追って行ってみると、キチイは泣きじゃくっていた。

　彼は妻を納得させるというよりも、とにかく、落ち着かせるような言葉を捜しだそうとしながら、いろいろとしゃべりだした。しかし、彼女はそれを聞こうともせず、なんといっても承知しなかった。彼は妻のほうへ身をかがめて、振りはらおうとするその手を取った。そして、その手に接吻し、さらに、その髪に接吻し、もう一度、その手に接吻した。が、妻はなおもおし黙っていた。が、彼が妻の顔を両手にかかえて、「キチイ！」といったとき、彼女はふとわれに返って、ひと泣きしてから、仲直りした。

翌日ふたりはいっしょに出かけることにした。リョーヴィンは妻に、おまえがいっしょに行きたいのは、ただなにかの役に立ちたいからだということを信じている、といい、兄のそばにマーシャがいても、べつに世間体の悪いことではない、ということにも賛意を表した。しかし、彼は心ひそかに、妻にも自分にも不満な気持をいだきながら、出発した。妻に不満だったのは、いざというときに、自分ひとりを送りだしてくれなかったからである（それにしても、よく考えてみると、これはまったくおかしなことであった。というのは、つい最近まで、彼は自分が妻から愛されるという幸福を信じかねる気持だったのに、今は妻があまりにも自分を愛しすぎるといって、わが身の不幸を嘆いているのだった！）。また自分に不満だったのは、自分の我をおし通すことができなかったからであった。いや、それよりなおいっそう、彼は心の奥底では、兄といっしょにいる女のことなどは関係ないというキチイの意見に、同意できず、起りうべき衝突の数々を予想して、ぞっとするのであった。彼は自分の妻であるキチイが、娼婦《しょうふ》と同じ部屋にいるということを考えただけでも、嫌悪《けんお》と恐怖の念にかられて、思わず身震いせずにはいられなかった。

17

ニコライが病身を横たえている県庁所在地の旅館は、清潔と、快適さと、さらに優美さをもかねそなえようという最上の意図によって、最新式の完璧《かんぺき》なプランのもとに建てられた地方旅館の一つであった。ところで、こうした旅館は、そこを訪れる客たちのために、驚くべき早さで、きたならしい居酒屋に変じてしまうのであった。が、それにもかかわらず、そのモダン建築を売りものにしているので、かえってそのうぬぼれのために、ただ単にきたない旧式の宿屋よりも、いっそう始末の悪いものになるのであった。この旅館も、もうそうした状態になっていた。きたない軍服を着て、ドア・ボーイ気どりで入口でたばこを吸っていた兵隊あがり、陰気で不愉快な、すかし模様のついた鉄の階段、よごれた燕尾服《えんびふく》を着た、ぞんざいなボーイ、ほこりまみれの蠟細工《ろうざいく》の花束がテーブルを飾っている大広間、さらに、いたるところで目につくほこりも、不潔さも、だらしなさも、それと同時に、この旅館のなにかしら新式の、モダンな、文明開化式の、ひとりよがりなしたり顔――こうしたすべてのものが、若々しい新婚生活を送ってきたリョーヴィン夫妻の心に、なんともいえぬ重苦しい感じを与えた。とりわけ、この旅館の与えるちゃちな印象が、ふたりを待ちうけているものと、なんとしても調和しなかったので、そうした感じはなおさらであった。

例によって、どんな値段の部屋がよろしいでしょう、という質問のあとで、上等の部屋は一つもあいてないことがわかった。上等の部屋の一つには、鉄道の検察官がはいっていたし、もう一つはモスクワの弁護士、もう一つは田舎から出て来たアスターフィエフ伯爵《はくしゃく》夫人が、それぞれはいっていた。あいていたのはきたない部屋ひとつで、その隣にもうひとつ、晩までにあくというのがあった。リョーヴィンは予想どおりのことになったので、内心妻をいまいましく思いながら、あてがわれた部屋へ妻を連れて行った。というのは、兄の容体《ようだい》を案じて、気もそぞろになっているときに、すぐ兄のところへとんで行くかわりに、到着早々から、このように妻の心配をしてやらなければならなかったからである。

「さあ、いらっしゃいよ、いらっしゃいよ！」妻はおどおどした、すまなそうな目つきで、彼を見ながらいった。

彼は黙って部屋の外へ出た。と、そのとたん、マーシャにばったり出会った。マーシャは彼の到着を知ったものの、中へはいりかねていたのであった。彼女はモスクワで会ったときと、まったく変っていなかった。同じ毛織りの服に、むきだしの腕と首筋、それに、例の善良そうで、気のきかなそうな、いくらか太ったあばた顔。

「やあ！　どうしました？　兄貴はどうなんですか？　容体は？」

「とても悪いんでございますよ。もうお起きになれないんですの。ずっとあなたのことを待っていらっしゃいましたよ。あの方は……じゃ……奥さまとごいっしょで」

リョーヴィンははじめ相手が、なにをもじもじしているのかわからなかったが、すぐ彼女のほうからそれを説明した。

「あたしはちょっと、台所のほうへ行っております」彼女はいった。「あの方もさぞお喜びになるでしょう。おうわさは聞いて、ご承知でいらっしゃいますもの。外国でお会いになったことも、ちゃんと覚えていらっしゃいますよ」

リョーヴィンは、相手が妻のことを、いっているのだと気づいたが、なんと答えていいか、わからなかった。

「さあ、行きましょう、行きましょう！」彼はうながした。

しかし、彼が足を一歩踏みだしたとたん、部屋の戸がさっとあいて、キチイが顔をみせた。リョーヴィンは恥ずかしさと、いまいましさに、さっと顔を赤らめた。妻が自分自身をも、夫をも、こんな苦しい立場に立たせたのがいまいましかったのである。ところが、マーシャは、もっと赤くなった。彼女はすっかり身をちぢめて、泣きだしそうなほどまっ赤になり、両手で肩掛けの端をきつく握りしめ、なんといったらいいか、なにをしたらいいかもわからずに、赤い指先でその端をよじりまわしていた。

最初の瞬間、リョーヴィンは、キチイが自分にとって不可解なこの恐ろしい女を見る目つきに、むさぼるような好奇心のひらめきを読みとったが、それはほんの一瞬であった。

「ねえ、いかがなんですの！　お兄さまのおからだはいかがなんですの？」キチイははじめ夫に、それからマーシャにたずねた。

「それにしても、こんな廊下で立ち話するわけにはいかないね！」リョーヴィンは、そのときさも用事ありげに、靴音《くつおと》をばたばたたてながら廊下を通りかかった紳士のほうを、むっとして振り返りながら、いった。

「それじゃ、どうぞ、おはいりになって」キチイは気を取りなおしたマーシャに向っていったが、夫のびっくりしたような顔に気づくと、「いいえ、行ってらっしゃい、行ってらっしゃいませ。あとで、あたしを呼びによこしてくださいまし」そういって、部屋の中へ姿を消した。

リョーヴィンは兄のところへ出かけて行った。

彼が兄の部屋で見たり、感じたりしたことは、まったく予期しないことであった。彼は兄が相変らず、例の自己欺瞞《ぎまん》の状態でいるものと思っていた。そうした状態は、肺病患者にありがちなものだときかされていたが、去年の秋、兄が来たときも、彼はひどく驚かされたものであった。彼は死期の切迫してきた肉体的徴候が、さらにはっきりと表われ、衰弱もいっそう激しくなり、もっとやせこけているだろうが、しかしそれにもかかわらず、ほとんど前と同じような状態だろうと考えていた。また、彼は自分のあのとき経験したのと同じような、愛する兄を失う哀惜の情と、死の恐怖を感ずることだろうが、今度はただその程度がいっそう激しいだろう、と想像していた。そして、それに対する心がまえまでしていたのだが、彼がそこで目撃したものは、まったく別なものであった。

壁につばがやたらに吐き散らしてある、ペンキを塗った小さなきたならしい部屋の中は、薄い仕切り壁の向うに話し声が聞え、あたりは息づまるような汚物の臭気に満ちていたが、その壁から少し離れた寝台の上に、毛布にくるまった一個の肉体が横たわっていた。その肉体についている一方の手は、毛布の上にのっていたが、熊手《くまで》のような大きなその手首が、元から中ほどにかけて同じ太さの細長い橈骨《とうこつ》にくっついているのがなんとも奇妙であった。頭は横向きに、まくらの上にのっていた。リョーヴィンの目にはそのこめかみの上の汗ばんだ薄い髪と、皮膚がぴんと張って透き通るような額が、すぐ映った。

《この恐ろしい肉体がニコライ兄さんだなんて、そんなばかなことが》リョーヴィンは思った。が、近づいて顔を見たとき、それはもう疑う余地はなかった。人相は恐ろしいほど変ってしまっていたにもかかわらず、はいって来た人の気配にちらっと上を仰いだその生ける目を見、ぴったりくっついた口ひげの下でかすかに動く口もとを見ただけで、もうこの死せる肉体が生ける兄であるという、恐ろしい真実を理解するのに十分であった。

そのぎらぎらと光っている目は、はいって来た弟をきびしく非難するように見つめた。と、たちまち、この視線によって、生ける者同士の生きた関係が生れた。リョーヴィンは、自分に向けられた視線の中に、非難の色をすぐ読みとって、わが身の幸福に悔恨の情を覚えた。

リョーヴィンが兄の手をとったとき、ニコライはにっこり笑った。その微笑は、ようやくそれと知られるほどの弱々しいものだったので、そうした微笑にもかかわらず、きびしい目の表情は、変らなかった。

「おれがこんなになっていようとは、思わなかったろう」兄はかろうじて口をきいた。

「ええ……いや……」リョーヴィンは、言葉につまって、いった。「なぜもっと前に知らせてくれなかったんです。つまり、ぼくが結婚したてのころに？　方々たずねさせたんですよ」

沈黙を避けるためには、なにか話していなければならなかった。ところが、彼にはなにを話したらいいかわからなかった。まして、兄のほうはなんとも返事をせずに、ただじっと、目をそらさずに弟を見つめながら、明らかに、一語一語の意味をせんさくしようとしていたので、それはなおさらであった。リョーヴィンは、兄に妻もいっしょに来たことを知らせた。ニコライは満足の色を浮べたが、こんな姿を見せて、驚かせてはかわいそうだといった。沈黙が訪れた。とつぜん、ニコライは身動きして、なにかしゃべりだした。リョーヴィンはその表情から、なにかとくに重大な意味のあることをいうのかと期待したが、ニコライは自分のからだのことをいいだした。彼はかかりつけの医者を責めて、モスクワの名医がここにいないことを残念がった。そこでリョーヴィンは、やはり兄がまだ生きる望みをもっていることを悟った。

沈黙が訪れるとすぐ、リョーヴィンは一分でも苦しい気持からのがれたいと願って立ちあがり、妻を連れて来るから、といった。

「ああ、いいとも。じゃ、そのあいだに、おれはここを少しきれいにするようにいいつけるから。ここはきたなくて臭いだろう。マーシャ、少し片づけてくれ」病人はやっとのことでいった。「それから、片づいたら、おまえはあっちへ行っておいで」彼は弟の顔をうかがうようにながめながら、こうつけ加えた。

リョーヴィンはなんとも答えなかった。廊下へ出ると、彼はその場に立ち止った。彼は妻を連れて来るといったものの、自分のいまの気持を吟味してみて、逆に、妻が病人のところへ行かないように、なんとか説き伏せようと決心した。《なにも、あれまでおれと同じように苦しむ必要はないさ》彼は考えた。

「ねえ、どうでした？　どんなふうですの？」キチイはおびえたような顔つきで、たずねた。

「ああ、たまらん、じつに、たまらん。なんだっておまえはやって来たんだ？」リョーヴィンはいった。

キチイはしばらく無言のまま、おずおずと哀れっぽく夫を見上げていた。やがて、そばへ寄って、両手で彼の肘《ひじ》をつかんだ。

「ねえ、コスチャ、あたしをお兄さまのところへ連れてって。ふたりのほうが気が楽ですもの。ただ、どうか連れてってちょうだい、連れてってね、そしたら、あなたは出て行って」キチイはいいだした。「だって、あなたを見ていて、お兄さまに会わないでいるのは、かえってつらいんですもの。あたしが行けば、あなたのためにも、お兄さまのためにも、なにかお役に立つことがあるかもしれませんもの。お願いだから、わがままを許してね！」まるで一生の幸福が、この一事にかかっているかのように、キチイは夫に哀願するのだった。

リョーヴィンは承知しないわけにはいかなかった。そして、気を取りなおすと、もうマーシャのことはすっかり忘れて、再びキチイといっしょに、兄の部屋へ出かけて行った。

キチイは足音を忍んで、たえず夫のほうを振り返り、雄々しくも同情に満ちた顔を見せながら、病人の部屋へ通ると、ゆっくりうしろ向きになって、音のしないように戸をしめた。彼女は足音をたてずに、すばやく病人の寝床へ近づくと、病人が首をまわす必要のない側へまわりながら、すぐに自分の新鮮な若々しい手で、病人の大きな骨ばった手をとって、握りしめた。それから、女らしい、人の気を悪くしないような、同情に満ちた、静かな生きいきした口調で、彼に話しかけた。

「ソーデンでお会いしたことがございますね、お近づきにはなりませんでしたけど」彼女はいった。「あたしがあなたの妹になるなんて、きっと、お思いにはなりませんでしたでしょうね」

「すぐにはわからなかったでしょうな」彼はキチイがはいってくると同時に、輝くような微笑を浮べて、いった。

「いいえ、そんなことありませんわ。ほんとうに、よくお知らせくださいましたわ！　コスチャはただの一日だって、お兄さまのことを思いだして、気をもまない日はございませんでしたもの」

しかし、病人が活気づいていたのはそう長いあいだではなかった。キチイがまだ話し終らないうちに、彼の顔にはまたもや、あの瀕死《ひんし》の者が生きている人をうらやむような、きびしい、なじるような表情が凍りついた。

「ねえ、このお部屋はあまりよくないんじゃございません？」彼女はじっと自分に注がれたまなざしから顔をそむけて、部屋の中を見まわしながら、いった。「宿の主人に話して、ほかの部屋にしてもらいましょうよ」彼女は夫に話しかけた。「それに、なるべくならあたしたちの部屋へ近くなるようにね」

18

リョーヴィンは、落ち着いた気持で、兄を見ることもできなかったし、兄の前では、落ち着いた自然な態度でいることもできなかった。彼は病人の部屋へはいって行くと、その目もその注意力も、無意識のうちに曇ったようになってしまい、兄の状態のこまごました点を見ることも、見分けることもできなかった。彼はただ恐ろしい臭気を感じ、不潔と無秩序と悲惨なありさまを見、うめき声を耳にして、これではとても救いがたい、と感ずるばかりであった。まして病人の状態をくわしく調べてみようなどとは、とても考えもつかなかった。つまり、毛布の下に、兄のからだがどんなふうに横たわっているのか、あのやせほそった脛《すね》や、腰や、背を、どんなふうに曲げて寝ているのか、どうしたらそれをもっとぐあいよくすることができるのか、せめてよくすることができないまでも、いくらかでも今より楽にする方法はないのか、などという考えはまったく思い浮ばなかった。少しでもそんなこまごました点を考えだすと、背筋のあたりに悪寒《おかん》が走るのだった。彼はもうどんなことをしても、生命をのばすことも、苦しみを軽くすることもできないと、堅く信じきっていた。しかも、もうとても助ける道はないという彼の意識が、病人にも感じられるので、それがいっそう病人をいらさせた。そのために、リョーヴィンはますます苦しい思いをするのだった。病人の部屋にいることも苦しかったが、いなければもっと悪かった。そのため、彼はたえずいろんな口実をつくっては病室を出て行ったが、そのくせひとりでいるのに耐えられなくなって、また舞いもどって来るのであった。

ところが、キチイは彼とはまったく違ったふうに、考えたり、感じたり、行動した。彼女は病人を見たとき、相手がかわいそうになった。しかも、その女らしい心に生れた憐憫《れんびん》の情は、夫の場合のように、恐怖や嫌悪《けんお》の念を呼びさますことなく、逆に、行動を開始して、病人の状態をくわしく知り、彼を助けなければならない、という欲求を呼びさました。そして、彼女は、助けなければならないということを、少しも疑わなかったので、それが可能であるということも、また少しも疑わなかった。そこで、さっそくその仕事にとりかかった。彼女の夫には考えただけでもぞっとするこまごました点が、たちまち、彼女の注意をひいた。彼女は医者を迎えにやり、薬屋へ使いを走らせ、自分が連れて来た小間使とマーシャに、部屋の掃除をさせ、自分でもいろいろと洗ったり、すすいだり、毛布の下へなにかさしこんだりした。彼女のさしずによって、病室へはなにやら持ちこまれたり、持ちだされたりした。彼女自身も、幾度となく自分の部屋へ足を運んだが、そんなときにも、行きずりの人にはなんの注意もはらわずに、敷布とか、まくらおおいとか、タオルとか、シャツとかを取りだしては、運んで来た。

広間で技師たちに食事を出していたボーイは、彼女に呼ばれて、幾度も仏頂面《ぶっちょうづら》をしてやって来たが、そのいいつけを果さないわけにはいかなかった。彼女の頼み方がいかにもやさしく、しかも執拗《しつよう》な調子だったので、適当に逃げだすわけにいかなかったからである。リョーヴィンはそうしたことをあまり感心していなかった。そんなことが、病人のためになろうとは、とても信じられなかったからである。なによりも彼は、病人が腹を立てないかと心配していた。ところが、病人はそれに対して、一見、無関心を装っていたものの、べつに腹も立てず、ただ恥ずかしそうにしていた。いや、要するに、彼女がいろいろと自分に尽してくれることに、興味を感じているらしかった。キチイにいわれて、医者を迎えに行ったリョーヴィンが、帰って来て病室の戸をあけると、ちょうど病人はキチイのさしずで、肌着《はだぎ》を着替えているところであった。大きくとびでた肩甲骨と肋骨《ろっこつ》と背骨の突き出たひょろ長い白い背中はあらわになっており、マーシャとボーイは、だらりとたれさがったその長い腕を、シャツの袖《そで》に通すことができないで、まごまごしていた。キチイは、リョーヴィンのはいって来たうしろの戸を急いでしめると、そっちを見ないようにしていた。しかし、病人がうめき声をたてると、急ぎ足で病人のところへ行った。

「さあ、早くなさって」彼女はいった。

「ああ、来ないでください」病人は腹立たしげに口走った。「自分ひとりで……」

「なんですの？」マーシャがききかえした。

ところが、キチイはそれを聞き分けて、病人が彼女の前で裸になっているのがきまり悪く、不愉快なのだということを悟った。

「見やしませんわ、見ちゃいませんたら！」彼女は、腕をなおしてやりながらいった。「マーシャ、さあ、向う側へまわって、なおしてあげて」彼女はそうつけ加えた。

「ねえ、あなた、お願いだから、取って来てちょうだい。あたしの小さい袋の中に、ガラスの瓶《びん》がはいってますから」キチイは夫に話しかけた。「ねえ、あのわきのポケットのところよ。さあ、後生ですから、取って来てちょうだい。そのあいだに、ここをすっかり片づけときますから」

リョーヴィンがガラスの小瓶を持ってもどって来ると、病人はもう毛布にくるまっていたし、まわりの様子もすっかり変っていた。例の臭気は、香水をまぜた酢のにおいに代っていた。それをキチイは口をとがらせて、ばら色の頬《ほお》をふくらませながら、小さな管で吹いているところだった。どこにもほこりひとつ見えず、寝台の下にはじゅうたんが敷いてあった。テーブルの上には薬瓶やフラスコがきちんと並べられ、必要な肌着や、キチイの手仕事の broderie anglaise（訳注　イギリス刺繍）などが重ねてあった。病人の寝台のそばのもう一つのテーブルには、飲み物や、ろうそくや、粉薬などがおいてあった。当の病人はからだをふいてもらい、髪の毛をといてもらって、清潔な敷布の上に、さっぱりしたシャツの襟《えり》から、不自然に細い首をのぞかせながら、高く重ねたまくらをして、横たわっていた。そして、ついぞ今まで見られなかった希望の色を浮べながら、じっと目を放さずに、キチイを見守っていた。

　リョーヴィンがクラブにいたのを見つけて連れて来た医者は、それまでニコライが診てもらっていて、不満に思っていた医者とは、別人であった。新しい医師は聴診器を取りだして、病人を診察すると、ちょっと首を振ってから、処方箋《しょほうせん》を書いた。そして、まずはじめに薬の飲み方を、つづいて、どんな食事をすべきかと、特別くわしく説明した。彼は、生卵か半熟を、またソーダ水と、適度に暖めた牛乳を飲むようにすすめた。医者が帰ってしまうと、病人は弟になにかいった。しかし、リョーヴィンは最後の『おまえのカーチャ』（訳注　カーチャはキチイの正式の名エカテリーナの愛称）という言葉しか聞きとれなかった。が、キチイを見た兄の目つきで、リョーヴィンは兄が彼女をほめたことを悟った。

兄はキチイをカーチャと呼んで、そばへ呼び寄せた。

「もうずいぶんよくなりましたよ」彼はいった。「あなたに看病してもらってたら、もうとっくになおっていたでしょうね。じつにいい気持だ！」彼はキチイの手をとって、自分の唇《くちびる》のほうへ引き寄せた。が、相手にいやな感じを与えないかと心配し、すぐ思いなおして手を放し、ただなでるだけにした。キチイは両手で病人の手を取って、握りしめた。

「じゃ、今度は左向きに寝返りさせてください。それでもう、寝てくださいよ」彼はいった。

だれひとり彼がいったことを聞き分けられなかったが、キチイだけにはわかった。キチイにそれがわかったのは、たえず病人に必要なことを気にかけていたからであった。

「あちら向きにしたいんですって」彼女は夫にいった。「いつも、あちら向きでお休みになるんですの。ねえ、向きを変えておあげになってね、ボーイなんか呼ぶのはいやですもの。あたしにはできませんの。あなたもおできになりません？」彼女はマーシャに問いかけた。

「あたし、こわいんです」マーシャは答えた。

リョーヴィンには、両手でこの恐ろしい肉体をかかえて、考えることすらはばかられた毛布の下の部分に手をかけるのは、なんとしても気味悪く思われたが、妻の意気込みに引きこまれて、彼女にはおなじみのあの決然たる表情を浮べて、両手をさしこんで、抱き起そうとした。ところが、彼は力持ちだったにもかかわらず、そのやせ衰えた肢体《したい》のふしぎな重さに驚かされた。リョーヴィンが、病人の大きなやせた片腕で自分の首を巻かれるのを感じながら、兄を寝返りさせているあいだに、キチイはすばやく、音のしないように、まくらをひっくり返し、それを軽くたたいた。それから、病人の頭と、またもやこめかみにくっついた薄い髪の毛をなおしてやった。

病人は、弟の手を自分の手の中にじっとつかんでいた。リョーヴィンは、兄がその手をどうかしようとして、どこかへ引っぱって行くのを感じていた。リョーヴィンは胸のしめつけられる思いで、なすにまかせていた。すると、兄はその手を自分の口にもっていって、接吻《せっぷん》した。リョーヴィンは、慟哭《どうこく》に身を震わせたかと思うと、なんにもいうことができぬまま、部屋を出て行った。

19

『神はその御業《みわざ》を賢者に隠して、幼児と知恵なきものに顕《あら》わしたまえり』リョーヴィンはその晩、妻といろいろ話をしながら、妻のことをそう思った。リョーヴィンが聖書の箴言《しんげん》について考えたのは、なにも自分が賢者だと考えたからではなかった。彼は自分を賢者だとは考えていなかったが、しかし自分が妻やアガーフィヤよりは賢いということも、認めざるをえなかった。また、彼が死について考えたとき、自分は精神力の限りをつくしたということも、知らないわけにはいかなかった。さらに彼は、この死という問題について、多くの偉大な男性の思想家が書いた書物を読んでみたが、彼らも死という問題については、妻やアガーフィヤの知っている百分の一も知らないでいるということを承知していた。アガーフィヤとカーチャ（これは兄ニコライの呼び方であったが、今はリョーヴィンもこう呼ぶのが気持よかった）のふたりは、お互いにずいぶんかけ離れた人間であったが、この点に関してだけは、まったく似かよっていた。ふたりとも、生とはなんであり、死とはなんであるかを、疑う余地のないほど知っているのだった。もっとも、ふたりともリョーヴィンの当面しているような疑問には、答えることはおろか、その意味を理解することさえできないであろうが、死という現象の意義には疑いをさしはさまず、単にふたりのあいだばかりでなく、幾百万という人びとと同じ見解をとりながら、まったく一様に、死をながめているのであった。彼女たちが、死とはなにかをはっきり知っているという証拠は、瀕死の人びとに対してはどんなふうにしなければならないかを、一分一秒も疑うことなく、ちゃんと心得ていて、けっしてそれらの人びとを恐れたりしないという点にあった。ところが、リョーヴィンやその他の人びとは、死についていろんなことを口にすることはできても、明らかに、その本質は知らなかったにちがいない。というのは彼らは死を恐れていたので人が死にかかっているときにはどうしなければならないか、まるっきり知らないからであった。かりに今リョーヴィンが、兄ニコライとふたりきりでいたとしたら、ただ恐怖の念をもって兄をながめ、さらにもっと大きな恐怖をいだいてきたるべきものをじっと待ちうけているだけで、それ以外には、なにひとつなしえなかったにちがいない。

いや、それればかりか、彼はなにをいったらいいか、どんなふうに見、どんなふうに歩いたらいいかさえ、知らなかった。まるで関係のない話をするのは、兄を侮辱するようで、できなかった。そうかといって、死のことや、暗い話をするのも、やはり、できなかった。また、じっと黙っていることも、できなかった。《おれがじっと顔を見ていれば、兄はおれが病人の様子を調べている、きっと、こわがっているんだなと思うだろうし、そうかといって、見ないでいれば、なにか自分と関係のないことを考えていると思うだろう。そっと、爪立《つまだ》ちで歩けば、かえって兄は不満だろうし、そうかといって足をいっぱいにつけてばたばた歩くのは気がひけるな》一方、キチイは明らかに自分のことなど考えていなかったし、またそんなことを考えている暇もないようだった。彼女はなにごとかを心得ていたために、病人のことばかりを考えていた。そして、なにもかもうまくいった。彼女は自分のことも、自分の結婚式のことも話した。そして、たえず微笑を浮べたり、気の毒がったり、優しくいたわりながら、全快したときの話もしたので、なにもかもうまくいったのであった。つまり、彼女はそれを承知していたのだ。キチイやアガーフィヤの行為が、本能的な、動物的な、不合理なものでなかったという証拠には、アガーフィヤもキチイも単に肉体の看護や、苦痛を軽くするということ以外に、瀕死の病人のために、もっと重大なあるもの、つまり、肉体的な条件とはまったく関係のないものを求めていたのであった。アガーフィヤは死んだ老人のことを話しながら、「まあ、ありがたいことに、あの人は聖餐《せいさん》の式も塗油の式もしてもらいましたよ。どうか神さまが、だれにもあんな死に方をさせてくださいますように」といった。キチイもこれとまったく同様で、肌着や、床ずれや、飲み物などを心配するほかに、もう着いた日にさっそく病人に、聖餐式と塗油式の必要なことを納得させた。

夜もふけて、病人のところから、二間つづきの自分の部屋へもどって来ると、リョーヴィンはなにをしたものかわからぬままに、ただうなだれてすわっていた。夜食をしようとか、寝じたくをするとか、これからさきのことを考えるとか、そんなことはもちろん、妻と話をすることさえできなかった。彼は自分が恥ずかしかったのである。一方、キチイはそれと反対に、いつにもまして、活動的であった。いや、それどころか、いつもより生きいきしているくらいだった。彼女は夜食を持ってくるように命じ、自分で荷物をといたり、寝床をのべる手伝いをしたり、その上に虫取り粉をふりかけることさえ忘れなかった。彼女は興奮して思考活動が敏活になっていたのである。それは、男性が、戦争や闘争の前のような、生涯《しょうがい》の運命を決する危険な瞬間に、つまり、男子たるものが、一生にただ一度自分の価値を示して、これまでの自分の過去も無意味なものでなく、すべてこの瞬間に対する準備であったと、証《あかし》をたてるときに表われるような状態であった。

どんな仕事でも、彼女の手にかかると、うまく片づいた。まだ十二時にならぬうちに、荷物はすっかり清潔に、きちんと、なにか特別なおもむきに整理されたので、旅館の一室がまるでわが家の、彼女の居間のような感じになった。寝床が整えられ、ブラシや、櫛《くし》や、小鏡などが並び、ナプキンまでがひろげられた。

リョーヴィンはそのときになっても、食べたり、寝たり、話したりするのを、まだ許すべからざることのように思っていた。そして、自分の一挙一動が、ぶしつけなように感じられた。ところが、キチイは、ブラシを選り分けていたが、それもべつに人の気持を傷つけるようなことではない、といった態度をとっていた。

そうはいうものの、いざ夜食となると、ふたりはなにひとつのどへ通らなかった。そして、長いあいだ眠ることもできなかった。いや、長いあいだ床につくことさえできなかった。

「ほんとにうれしいわ、あす、塗油式をなさるようお兄さまを納得させたんですもの」ブラウス姿のキチイは、組立て式の鏡台の前にすわって、柔らかい香りの高い髪を、目の細かい櫛でとかしながら、いった。「あたしは一度も見たことありませんけれど、ママの話じゃ、あれは病気のなおるお祈りなんですって」

「おまえは、兄貴がなおるかもしれないとほんとに思ってるのかい？」リョーヴィンは妻が櫛を前へ持って行くたびに隠れて見えなくなる、まるい小さな頭のうしろの細い分け目を見ながら、たずねた。

「お医者さまにうかがったら、三日以上はもたないっておっしゃってたわ。でも、あんな人たちにはなにもほんとのことはわからないのよ。とにかく、あたしはうれしくてしようがないのよ、お兄さまを納得させたんですもの」キチイは髪の陰から、夫を横目に見ながらいった。「どんなことだって、起らないとはかぎりませんものね」キチイは一種特別な、ややずる賢い感じのする表情で、つけ加えた。それは、彼女が宗教の話をするとき、いつもその顔に浮ぶ表情であった。

ふたりがまだ婚約時代に宗教の話をして以来、彼のほうからも彼女のほうからも、一度もこの問題について、話をはじめたことはなかった。しかし、キチイは教会へ出かけるとか、祈禱《きとう》するとかの勧めはかかさずすませて、しかもそれは必要なことだと、つねに変らぬ落ち着いた意識をもっていた。また、夫が自分と反対の信念をもっているといっても、彼女は夫が自分と同じキリスト教徒であるどころか、むしろ自分よりもっとすぐれた信者であって、この問題に関して、彼のいうことなどは、彼の男らしいこっけいな放言の一つにすぎないとかたく信じきっていた。たとえば彼はbroderie anglaise（訳注 イギリス刺繍）のことを、善良な人間は穴をつくろっていくのに、おまえときたら、わざと穴をあけているじゃないか、とからかったが、これもそうしたものにすぎないと思っていた。

「まったくだね、あの女じゃ、マーシャでは、そんなことはちょっとできなかっただろうからね」リョーヴィンはいった。「それに……白状するとね、ほんとに、ほんとにうれしく思っているんだ、おまえが来てくれたことを。おまえはまったく純潔そのものなんで……」彼は妻の手を取ったが、接吻はしなかった（死期の迫っているこんなときに、妻の手に接吻するのは、なんとなく不謹慎なように思われたからである）。そして、妻の明るくなった目をじっと見つめながら、さもすまなそうに、ただその手を握りしめた。

「おひとりきりでしたら、さぞおつらかったことでしょうね」キチイはいった。そして、高く両手をかざして、うれしさに赤くなった頬を隠しながら、頭のうしろの束ねた髪をぐっとねじって、ピンで留めた。「いいえ」彼女はつづけた。「あの人は知らないだけなんですのよ……あたしは幸い、ソーデンでいろんなことを習ったものですから」

「じゃ、あそこにもやっぱり、あんな病人がいるのかい？」

「もっとひどいくらいですわ」

「兄貴の若い時分の姿を、思いださずにはいられないってことは、まったくたまらないね……兄貴がどんなに魅力ある青年だったか、とてもおまえには信じられないだろうね。でも、あの時分は、ぼくにもそれがわからなかったのさ」

「いえ、信じますとも、かたく信じますとも。ねえ、あたしたち、お兄さまと仲よく暮すこともできたでしょうにねえ」彼女はいったが、自分のいった言葉にはっとして、夫のほうを振り返った。と、その目には涙があふれた。

「ああ、できたとも」彼は顔をくもらせていった。「いや、兄貴こそ、よく世間でいう、この世の人とも思われない人なんだよ」

「それはそうと、まだこれからさき幾日もあるんですから、もう休まなくちゃいけませんわ」キチイは自分の小さな時計を見て、いった。

20 死

その翌日、病人は聖体機密（訳注聖餐）と聖傅《せいふ》機密（訳注聖油の式）の式を受けた。儀式のあいだ、ニコライは熱心に祈った。色のついたナプキンをしいたトランプ机の上に置いてある聖像に注がれた彼の大きな目の中には、激しい祈りと希望の色が表われていたので、リョーヴィンはそれを見るのが恐ろしいほどであった。この激しい祈りと希望は、彼があれほど愛していた生との別れを、ただいっそう苦しいものにすることを、リョーヴィンは承知していたからである。リョーヴィンには兄の人がらも、思想の遍歴もわかっていた。彼は兄の無信仰も、信仰をもたぬほうが生きやすいからではなく、この世のあらゆる現象を現代科学が次々に解明していって、ついに一歩一歩信仰をしりぞけていった結果であることを承知していた。したがって、今兄が信仰に帰ったのは、同じ思想の過程をふんで行われた合法的なものではなく、病気をなおしたいという狂おしい希望から発したほんの一時的な、利己的なものにすぎないことも、リョーヴィンにはわかっていた。リョーヴィンはまた、キチイが自分の聞いた大病がなおったという異常な物語を話して、兄の希望をさらに強めたということも知っていた。リョーヴィンにはそうしたことが、みんなわかっていた。そのために、その希望に満ちた祈るようなまなざしや、やっと上へ持ちあげて、ぴんと皮膚の張った額に十字を切るそのやせこけた手や、突きだした肩や、病人がこれほど求めてやまない生命をもう保つことのできない、ぜいぜいあえいでいるうつろな胸などを見ているのは、心をかきむしられるような苦しさであった。秘儀が行われているあいだじゅう、リョーヴィンもまた祈りをささげ、信仰をもたぬ彼が、もう千度もやったことを、また繰り返したのであった。彼は神に向って、こう話しかけた。『神さま、もしあなたがこの世に実在するものであるなら、どうか、この男の病気をなおしてください（いや、こうしたことこそこれまでたびたび繰り返されたことではないか）、そうなれば、あなたはこの男ばかりか、私をも救ってくださることになるのです』

聖傳機密の式がすむと、病人は急にぐっとよくなった。まる一時間、一度も咳《せき》をしないで、にこにこしながら、キチイの手に接吻して、涙を浮べて礼をいい、自分はとてもいい気持で、どこも痛くない、食欲もあるし、力も出たようだ、といった。スープが運ばれて来たときには、自分から起きあがり、おまけにカツレツまで食べたいといった。彼の容体《ようだい》はまったく絶望的であって、ひと目見ただけでももうとても全快の望みがないのは、明らかであったにもかかわらず、リョーヴィンとキチイはこの一時間のあいだ、同じような幸福を味わいながらも、ひょっとしてまちがいではないかというびくびくした興奮にかられていた。

「よくなったみたいだね?」「ええ、とても」「ふしぎだね」「なにもふしぎなことはありませんわ」「とにかく、よくなったんだね」ふたりは互いにほほえみあいながら、ささやき声で、こんなことをいっていた。

が、この惑いもそう長くつづかなかった。病人は安らかに眠っていたが、三十分ほどすると、咳で目をさました。するととつぜん、いっさいの希望は、まわりの者にとっても、彼自身にとっても、跡形もなく消えうせてしまった。一点の疑う余地もない、いや、さきほどの希望のかげすらとどめぬ苦悶《くもん》という現実が、リョーヴィンと、キチイと、病人自身のいだいていた希望を、一挙に、破壊しつくしたからであった。

病人は三十分前まで自分がなにを信じていたのか、それさえわからずに、いや、そんなことを思いだすのさえ恥ずかしいといった様子で、ヨードの吸入をしてくれといった。リョーヴィンは、小さな吸入穴のいくつもあいた紙で蓋《ふた》をしたヨード入りの小瓶《こびん》を、取って渡した。と、あの聖油を塗ってもらったときと同じ希望に満ちたまなざしが、今度は弟の顔にひたと注がれて、ヨードの吸入は奇蹟《きせき》的な効果をもたらすことがあるといった医師の言葉を肯定してほしいと訴えるのであった。

「おや、キチイはいないんだね？」病人は、リョーヴィンが仕方なしに、医師の言葉を肯定したとき、あたりを見まわしながら、しゃがれた声でいった。「いないんだね、それじゃ、いってしまおう……あれのためにおれはあんな喜劇をやったんだ。ほんとにかわいい女だね。でも、おれとおまえじゃ、いまさら自分を欺《あざむ》いたってしようがない。いや、こいつなら、おれも信じられるさ」彼はいって、骨ばった手で瓶を握りしめながら、それで吸入をはじめた。

その晩の七時すぎに、リョーヴィンが妻とともに自分の部屋でお茶を飲んでいると、マーシャが息せききって駆けつけて来た。その顔はまっ青で、唇《くちびる》は震えていた。「もうだめですわ！」彼女はささやくようにつぶやいた。「もう今にも息をひきとられるのじゃないかと思ってびくびくしてますの」

ふたりは病室へとんで行った。病人は床の上に起きあがり、片肘《かたひじ》をついて、長い背中を曲げ、頭を低くたれていた。

「気分はどうです？」ややしばらく黙っていてから、リョーヴィンはささやくようにたずねた。

「いよいよおさらばだという気分だよ」ニコライは苦しそうに、しかし、恐ろしくはっきり一語一語言葉をしぼり出すような調子でいった。彼は首を持ちあげずに、ただ上目づかいで見たが、その視線は弟の顔まで届かなかった。「カーチャ、どいていておくれ！」彼はさらにいい足した。

リョーヴィンはさっととびあがって、小声で命令するような調子で、妻を出て行かせた。

「いよいよおさらばだよ」彼はまたいった。

「なんだってそんなことを考えるんです？」リョーヴィンはいったが、それはただなにかいうためであった。

「だって、いよいよおさらばだからね」まるでこの表現が気に入ったように、彼はまたそう繰り返した。「もうおしまいだよ」

マーシャがそばへ寄って来た。

「横におなりになったら、そのほうがお楽ですのに」彼女はいった。「もうすぐ静かに横になるさ」彼は口走った。「死骸《しがい》になってな」彼はあざけるように、腹立たしげにいった。「それじゃ、横にしてもらおう、お望みなら」

リョーヴィンは兄を仰向けに寝かせると、そばへ腰をおろして、息を殺して、じっと、その顔を見つめはじめた。瀕死《ひんし》の病人は目を閉じて、横たわっていた。しかし、その額の筋肉は、まるでなにか深いもの思いにふけっている人のように、ときおり、ひくひくと動くのであった。リョーヴィンは思わず、今兄の内部にあって完成しつつあることを、兄といっしょに考えてみようとした。しかし、兄と歩調をあわせようと、いくら努力してみても、兄の落ち着いたきびしい顔の表情や、眉《まゆ》の上の筋肉の動きなどから察して、自分にとっては相変らず不明なことが、今まさに死んでいく人には、しだいしだいに、はっきりとわかってくるらしいことを悟った。

「うむ、そう、そうだよ」瀕死の病人は一語一語に間をおきながら、ゆっくりといった。「待ってくれ」それからまたしばらく黙っていた。「そうだ！」不意に、まるで自分にとっていっさいのことが解決したかのように、彼は安らかな調子で言葉をのばしていった。「ああ、主よ！」彼はそういって、重々しく溜息《ためいき》をついた。

マーシャは病人の足にさわってみた。

「冷たくなってきました」彼女はささやいた。

長いあいだ、ひじょうに長いあいだ（そうリョーヴィンには思われた）、病人は身じろぎもせずに横たわっていた。しかし、彼はなおも生きていて、時には溜息をついた。リョーヴィンは激しい精神の緊張からもう疲れていた。彼はどんなに精神を緊張させてみても、なにが『そうだ』なのか、自分には理解できないと感じていた。彼は自分がもうとっくに、死んでいく人から取残されたような気がしていた。彼はもう死という問題そのものを考えることはできなかった。しかし、彼は心にもなく、これから自分のしなければならないことを、つまり、目を閉じてやったり、経帷子《きょうかたびら》を着せてやったり、棺を注文したりしなければならぬ、といった思いが浮んでくるのだった。それに、ふしぎなことには、彼は自分がすっかり冷淡になっているのを感じ、もう悲しみも、肉親の失われた嘆きもなく、ましてや兄に対する憐憫《れんびん》の情などは、露ほどもなかった。もし兄に対して今なんらかの感情をもっていたとすれば、それはむしろ、瀕死の兄がもはやかちえたところの、自分には手のとどかない知識に対する羨望《せんぼう》ぐらいのものであった。

彼はなおもまだ長いあいだ、兄の最期《さいご》を待ちながらまくらもとにすわっていた。が、その最期はなかなか訪れなかった。戸があいて、キチイが姿を現わした。リョーヴィンは相手をとめようとして、立ちあがった。ところが、立ちあがった瞬間、彼は死者の動く気配を感じた。

「行かないでくれ」ニコライはいって、片手をさしのべた。リョーヴィンは兄に自分の手を握らせ、腹立たしげに、片手を振って、妻を出て行かせた。

彼は自分の手で死んだような兄の手を握ったまま、三十分、一時間、さらにまた一時間と、じっとすわっていた。彼は、もう今となっては死のことなんか、まるで考えていなかった。彼はキチイはなにをしているだろうとか、隣の部屋にはだれがいるのだろうとか、医者の住んでいる家は自分の持ち家だろうかなどと考えていた。彼は腹がへって、眠くなってきた。彼はそっと手を抜いて、足にさわってみた。足はもう冷たかったが、病人にはまだ息があった。リョーヴィンはまた爪立《つまだ》ちになって出て行こうとした。が、病人はまた身を動かすと、いった。

「行かないでくれ」

……………………………………………………

夜が明けた。病人の容体は、相変らず同じことであった。リョーヴィンはそっと手を放して、瀕死の兄の顔は見ないで、自分の部屋へ帰ると、すぐ寝こんでしまった。

彼は目をさましたとき、予期していた兄の死んだという知らせのかわりに、病人は前と同じ状態になったと聞かされた。彼はまた起きなおって、咳をしたり、また食べたり、話したり、また死については口にしなくなった。また全快の希望を見せたり、前よりいっそういらいらして、気むずかしくなったりした。リョーヴィンも、キチイも、だれひとりとして、兄をなだめることはできなかった。彼はだれに対しても腹を立てた。そして、みんなが自分の苦痛に対して責任でもあるかのような口ぶりで、すべての人に不愉快なことをいい、モスクワから名医を呼んでくれと、要求するのだった。彼は気分がどうかときかれるたびに、いつも憎悪《ぞうお》と非難の表情を浮べて「すごく苦しい、とてもやりきれん！」と答える始末だった。

病人は、ますます苦しみを訴えるようになった。ことに、もうどうにも手の施しようのない床ずれのために苦しんで、ますます周囲の者に、ことごとに腹を立て、とりわけ、モスクワから医者を呼んでくれぬといっては非難の言葉を浴びせた。キチイはなんとかして彼を楽にさせて、慰めようと努めたが、すべては徒労であった。そして、リョーヴィンは、キチイが自分では口に出していわなかったが、肉体的にも精神的にも、すっかりまいっているのを見てとった。病人が弟を呼びよせた晩、この世との別れを告げて、みんなの胸に感動を呼び起したあの死の感じは、今はもう跡形もなく破壊されてしまった。もっとも、彼が近いうちにまちがいなく死ぬということも、もう半ば死骸も同然だということも、みんなは承知していた。みんなの望んでいたただ一つのことは、彼に少しでも早く死んでもらいたい、ということであった。が、みんなはそれを秘め隠して、薬瓶から水薬を飲ましたり、薬や医者を捜しまわったりして、病人をも、自分をも、また、お互い同士をも欺いているのだった。こうしたことはすべて虚偽であった。いまわしい、人を侮辱するのもはなはだしい、冒瀆《ぼうとく》的な虚偽であった。リョーヴィンはその性格からいっても、また、だれよりも病人を愛していたことからいっても、この虚偽をとりわけ痛切に感じていた。

リョーヴィンはもうかなり前から、せめて臨終のときにでも、兄たちを和解させたいと望んでいたので、兄のコズヌイシェフに手紙を書いてやったところ、返事がきたので、その手紙を病人に読んで聞かせた。コズヌイシェフは、自分では出かけて行けないがと書いて、感動的文句を並べて弟に許しを請《こ》うていた。

病人はひと言もいわなかった。

「兄さんにはなんと書いてやったらいいでしょうね？」リョーヴィンはきいた。「もう、まさか腹を立てちゃいないでしょうね？」

「ああ、ちっとも！」ニコライは、こんな質問をされて、さもいまいましそうに答えた。「ただ、おれのところへ医者をよこしてくれるように書いてくれ」

それからまた、苦しみに満ちた三日が過ぎた。病人は相変らず同じ容体であった。もう今では病人をひと目見たものはだれでも、その死を望む気持にかられた――宿のボーイたちも、主人も、すべての泊り客も、医者も、マーシャも、リョーヴィンも、キチイも。ただ当の病人だけは、そうした気持を表わさなかった。いや、それどころか、医者を呼ばないといってはあたりちらし、薬を飲みつづけ、生きながらえることの話ばかりしていた。ただまれに、阿片《あへん》の注射で、ほんのひととき、そのたえまない苦痛を忘れることができると、ほかのだれよりも強く彼の心にあった思いを、夢うつつのうちに、口走るのであった。

「ああ、早くけりがつけばいいのに！」とか、「いったい、いつになったら、おしまいになるんだ？」とか。

苦痛は、一歩一歩、激しさをまし、着々とその力を発揮して、病人を死へ近づけていった。彼にとっては苦しまずにいられる状態もなければ、自分を忘れることのできる瞬間もなく、痛み苦しまない肉体は一個所とてなかった。いや、もはやこの肉体についての記憶や印象や考えすらも、彼の心にからだそのものと同じく、嫌悪《けんお》の情を呼びさますばかりであった。他人の姿も、その話し声も、自分自身の追憶も、――すべてこうしたものはなにもかも、彼にとっては、苦悩のたねにすぎなかった。周囲の人びともそれを察して、無意識のうちに、病人の前では自由に動きまわったり、話をしたり、自分の望みを明らかにするのをつつしんでいた。彼の全生活は苦悩の感情と、それからのがれたいという欲望に集中されていた。

彼の心には明らかに一つの転機が生れたらしく、そのために、彼は死というものを、すべての欲望の充足であり、幸福であると感ずるようになった。以前、彼の苦痛や欠乏によって呼び起された個々の欲望は、飢餓や、疲労や、渇きなどと同じく、自分に快感を与える肉体的な機能の遂行によって満足感を与えられていた。ところが、いまや欠乏と苦痛はそのような満足感をもたらさず、かえって満足感を得ようとする試みは、新たな苦痛をひき起すばかりであった。こうして、すべての欲望は、すべての苦痛とその源である肉体からのがれたい、という一つの欲望に集中された。ところが、この解放の欲望を表現するために、彼は適切な言葉が見つからなかったので、それを口に出してはいわずに、ただこれまでの習慣どおり、もはや満たすことのできない欲望の満足を求めるのだった。彼は『寝返りをさせてくれ』といったかと思うと、すぐそのあとで、元どおりに寝かしてくれと要求した。『スープをくれ、いや、スープなんか持って行け。なにか話をしてくれ、なんだってそう黙りこくっているんだ』といった調子だった。そのくせ、だれかが話をはじめるが早いか、彼は目を閉じてしまって、疲労と、無関心と、嫌悪の情を表わすのだった。

この町へ来て十日めに、キチイは病気になった。頭痛がして、吐き気をもよおしたので、朝のうちはずっと床から起きあがることができなかった。

医者は、疲労と興奮が病気の原因だと説明して、精神的安静を保つよう命じた。しかし、昼食後、キチイは起きあがって、いつものように、手仕事を持って病人のところへ出かけて行った。キチイがはいって行ったとき、病人はきびしい目つきで彼女をながめた。そして、キチイが病気だったというと、ばかにしたように、にやりと笑った。その日、彼はひっきりなしに洟《はな》をかんだり、哀れっぽくうなったりしていた。

「ご気分はどうですの？」キチイはたずねた。

「前より悪いです」彼はやっとのことでいった。「痛むんですよ！」

「どこがお痛みですの？」

「どこもかもですよ」

「きょうが最後でしょうね、きっと」マーシャはささやくようにいったが、リョーヴィンの気づいたところでは、えらく敏感になっている病人の耳にはそれが聞えたらしかった。リョーヴィンはしっと彼女を制して、病人のほうを振り返って見た。ニコライはその言葉を耳にしたが、それは彼になんの感銘も与えなかった。そのまなざしは、相変らず、人を責めるような、緊張した表情をおびていた。

「なぜそう思われるのです？」リョーヴィンはマーシャのあとから廊下へ出たとき、たずねた。

「自分のからだをつまむようになりましたもの」マーシャはいった。

「つまむってどんなふうに」

「こうですわ」彼女は自分の毛織りの服の襞《ひだ》をところどころ引っぱりながら、いった。

実際、リョーヴィンも、病人がその日一日じゅう、自分のからだをあちこちつまんでは、なにか引きちぎろうとしているようなのに気づいた。

マーシャの予言は正しかった。夜には、病人はもう手を上げるだけの力もなく、ただ、注意を一点に集中したようなまなざしを変えずに、じっと、目の前を見すえているばかりであった。弟なりキチイなりが、いやでも目にはいるように、彼の前にかがみこんでも、病人の目つきは、やっぱり変らなかった。キチイは、臨終の祈禱《きとう》をしてもらうために、司祭を迎えにやった。

司祭が臨終規程（訳注 祈禱）を唱えているあいだ、瀕死の病人は、少しも生きている徴候を見せなかった。目は閉ざされていた。リョーヴィンとキチイとマーシャは、寝台のそばに立っていた。司祭がまだ祈禱を終らぬうちに、病人はぐっと伸びをして、溜息をつくと、目をひらいた。司祭は祈禱を終ると、冷たい額に十字架をあて、それからゆっくりとそれを聖帯につつんで、なお二分ばかり無言のまま立っていてから、もう冷たくなった、血の気のない、大きな手にさわった。

「ご臨終です」司祭はいって、そばを離れようとした。が、そのとたん、ぴったりくっついていた死者の口ひげがかすかに動いて、胸の奥からしぼりだされたような、きっぱりと鋭い響きが、あたりの静けさの中に、はっきりと聞えた。

「いや、まだだ……もうすぐだ」

それから一分後に、その顔はさっと明るくなって、口ひげの下には微笑が浮んだ。と、集まっていた婦人たちが、かいがいしく死体の始末にとりかかった。

兄の様子と死期の切迫は、リョーヴィンの心に、兄が自分の家へやって来たあの秋の晩、不意におそって来た恐怖の念を、また呼びさました。それは死という不可解なものを前にしたときの、と同時に、死の切迫と不可避とに対する恐怖の念であった。いまやこの感情は、前よりもっと強くなった。彼は自分が前よりもいっそう死の意義を解く力のないことを痛感し、しかもそれが不可避であることをさらにいっそう恐ろしく感じていた。しかし、今は妻が身近にいるおかげで、この感情も彼を絶望におとしいれなかった。彼は、死というものが存在していても、生きかつ愛さなければならないと感じていた。彼は愛こそが自分を絶望から救い、絶望の脅威にさらされることによって、この愛がさらに強烈にさらに純粋になっていくことを感じていた。彼の目の前で死という一つの神秘が、不可解のまま完成されるかしないうちに、それと同様に、不可解な、愛と生とにみちびくもう一つの神秘が生れたのである。

医師はキチイの健康について自分の診断を確認した。健康がすぐれないのは、妊娠のせいだったのである。

21

カレーニンは、ベッチイやオブロンスキーとの話し合いから、みなが自分に期待しているのは、妻を解放して、いつまでも自分という存在で妻を悩ませないようにすることであり、それは妻自身も望んでいることであると知った瞬間から、彼はすっかり途方にくれてしまい、もう自分ではなにひとつ決断を下すことはおろか、自分が今なにを望んでいるのかもわからなくなってしまった。そこで彼は、しごく満足の体《てい》で自分の事件にたずさわってくれている人びとの手になにもかもまかせてしまい、なにをきかれてもただ同意の返事をしていた。ただアンナが家を出てしまってから、家庭教師のイギリス婦人が小間使をよこして、これからいっしょに食事をしてもいいか、それとも別々にしたほうがいいかとたずねて来たとき、彼ははじめて自分の立場をはっきりと自覚して、思わず愕然《がくぜん》としたのであった。

こうした境遇になって、なによりもつらかったのは、彼が自分の過去と現在をつなぎ合せて、ひとつに融和させることができなかったことである。それは、彼が妻と幸福に暮していた過去が現在の彼の心を乱した、というわけではなかった。その過去から、妻の不貞を知るにいたった過程は、すでに苦悩のうちに体験してしまった。この状態はつらいにはつらかったが、とにかく理解することができた。もしあのとき、妻が自分の不貞を告白すると同時に、夫のもとを去ってしまっていたら、彼は悲観し、不幸におちいったであろうが、それでも今のように、われながら納得のいかない袋小路の境遇に追いこまれることはなかったであろう。現在の彼は、つい先ごろの赦罪や、感動や、病める妻とその不義の子供に示した愛情とを、現在の状態、つまり、そうしたことのいっさいの報いででもあるかのように、気づいてみると、自分の顔に泥《どろ》をぬられ、世間の笑いものとなり、だれにも用のない、だれからも軽蔑《けいべつ》されるような、孤独な人間になったという事実と、融和させることができなかったからである。

妻が家を出て行ってから最初の二日間は、カレーニンもいつものとおり、請願者と応対したり、事務主任に会ったり、委員会へ出席したり、食堂へ食事に出かけたりしていた。彼はなんのためにそんなことをしているのか自分でもはっきりわからずに、その二日間というもの、精神力の限りを尽して、落ち着きはらった無関心な態度さえとろうと努めた。そして奥さまのお荷物やお部屋はどう始末したらいいでしょうという問いに対しても、そんなことはべつに意外なことでもなければ、とくに異常な出来事でもない、といった態度をとるために、なみなみならぬ努力をし、その目的を達したのであった。だれひとりとして、彼の顔に絶望の影を見いだすことはできなかった。しかしアンナの家出の翌日、彼女が支払い忘れた洋品店の勘定書きをコルネイが持って来て、番頭がそこで待っていると取次いだとき、カレーニンはその番頭を自分のところへ呼ぶように命じた。

「閣下、どうも、お騒がせして申しわけございません。もし奥さまのほうへ行けとおおせでございましたら、恐れ入りますが、どうか奥さまの所番地をお教え願いとうございます」

カレーニンは考えこんだ。いや、番頭にはそう思われた。が、急に、うしろ向きになると、机の前に腰をおろした。彼は両手で頭をかかえて、長いことじっと、そのままの姿勢ですわっていた。幾度か口をきこうとしては、やめてしまった。

コルネイは主人の気持を察して、番頭に、次のときにしてくれと頼んだ。カレーニンはまたひとりきりになると、もうこれ以上、自分をしっかりと落ち着きはらった人物に見せる力のないことを自覚した。彼は待たせてあった馬車から馬をはずすように命じ、だれにも会わぬからといいつけて、食事時にも姿を現わさなかった。

彼はもう侮蔑と冷酷という世間一般の重圧に、耐えていくだけの力がないことを感じた。それは、あの番頭の顔にも、コルネイの顔にも、その他この二日間に会ったすべての人びとの顔に、例外なく、はっきりと認められたものであった。彼は、もう人びとの憎悪をわが身からはらいのけることができないのを感じた。というのは、この憎悪は、彼が悪いからではなく（もしそうであれば、彼はよくなるように努めることもできた）、彼の不幸がまったく恥さらしな、忌《いま》わしいものであるからであった。そのために、つまり、彼の心がめちゃめちゃに引き裂かれているために、彼は人びとが自分に対して情け容赦がないことを知っていた。彼は犬の群れが、傷ついて悲鳴をあげている一匹の犬をいじめ殺すように、人びとが自分を破滅させてしまうだろうと感じていた。こうした人びとの手をのがれる唯一《ゆいいつ》の手段は、自分の傷口を隠すことであった。そこで、彼は二日間というもの、無意識のうちに、それを試みたが、今はもう、この圧倒的な敵と戦いをつづける気力がないのを感じていた。

彼のこの絶望感は、自分は悲しみを胸に秘めたまま、まったくの孤独なのだという自覚によって、さらにいっそう激しくなった。彼には自分の味わっているいっさいの苦しみを打ち明けられるような人は、つまり、高官としてでも、社会の一員としてでもなく、単に一個の苦しめる人間として彼を哀れんでくれるような人は、単にペテルブルグばかりでなく、どこを捜してもひとりとしていなかった。

カレーニンは孤児として成長した人であった。ふたり兄弟のひとりであった。ふたりとも父親の顔を知らず、母親は彼が十歳のときに死んだ。財産もたいしてなかった。政府の高官で、先帝の寵臣《ちょうしん》だった伯父のカレーニンが、ふたりを養育したのである。カレーニンは中学と大学を優等で卒業すると、伯父のひきで、ただちに、華々しい官吏生活にはいり、それ以来、もっぱら栄達の道にはげんだ。彼は中学でも、大学でも、またその後、勤務についてからでも、だれとも親しい関係を結ばなかった。ひとりの兄だけは、もっとも近しい心の友であったが、外務省に勤めて、いつも外国に暮していたが、彼が結婚してまもなく、勤務先の外国で死んでしまった。

彼が県知事のときに、その地方の富裕な貴婦人であったアンナの伯母が、もう年こそ若くはなかったが、知事としては若手のほうであった彼に、自分の姪《めい》をひきあわせて、彼が結婚の意思を表明するか、その町を立ち去るかしなければならぬ羽目に追いこんでしまった。カレーニンは長いこときめかねていた。当時、その決断を下すにあたっては、それを是とする理由と、非とする理由とが、同程度であったし、疑わしい場合にはさしひかえるという、彼の原則にそむくほどの、確固たる根拠も見いだせなかった。ところが、アンナの伯母は知人を通じて、彼はもう若い娘の名誉を傷つけたも同然だから、名誉を重んずる義務として、彼は結婚の申し込みをしなければならないと思いこませた。彼は結婚を申し込み、許婚《いいなずけ》として、また妻としてのアンナに、できるかぎりの愛情をささげたのであった。

彼がアンナに対して覚えた親愛の情は、他人と心の底から親密な関係を結ぼうという最後の望みを、彼の心から追いだしてしまった。今でも彼の知人の中には、ひとりとして親しい人間はいなかった。いわゆる縁故と称する連中はたくさんいたが、親友と呼べる者はひとりとしていなかった。カレーニンは自宅へ食事に招いたり、自分が関心をもっている仕事に協力を求めたり、請願者に対する保護を依頼したり、他人の行為や政府の施策について、ざっくばらんに論じあったりするような人は、かなりたくさんいたけれども、こうした人びとに対する関係は、習慣や風習によって、はっきりきめられた一定の枠《わく》に限られていて、そこから一歩も踏みだすことはなかった。ひとり、大学時代の友だちで、卒業してから親しくなり、個人的な不幸についても、語りあえる間がらの男がいたが、今は遠い地方で学区主任を勤めていた。ペテルブルグにいる人びとの中で、もっとも親しくしていて、打ち明け話のできそうなのは、事務主任と医師とであった。

事務主任のスリュージンは、気さくで、聡明《そうめい》で、善良で、道義心の強い男だったし、カレーニンは、相手が自分に対して個人的な好意をよせているのを感じていた。ところが、五年間の役人生活はふたりのあいだに、心を打ち明けて話のできない壁をきずいてしまった。

カレーニンは書類の署名を終えると、スリュージンをながめながら、長いことおし黙っていた。幾度も口をきこうとしたが、どうしてもいいだせなかった。彼はもう心の中で『きみも私の不幸について聞いただろうね？』という文句まで用意していた。しかし、結局のところ、いつものように「じゃ、それをやっといてくれたまえ」といって、そのまま、帰してしまった。

もうひとりは医者で、これまた彼に好感をもっていた。ところが、ふたりのあいだには、とうの昔から、お互いに忙しい身だから、ぐずぐずしちゃいられない、といった気持が暗黙のうちに承認されていた。

女友だちについては、なかでもいちばん親しいリジヤ伯爵《はくしゃく》夫人については、カレーニンもまるっきり考えてみなかった。すべての女は、単に女であるという理由だけで、彼にとっては恐ろしく、忌わしい存在であったからである。

22

カレーニンは、リジヤ伯爵夫人のことを忘れていたが、夫人のほうでは彼のことを忘れていなかった。この孤独な絶望の中でもっとも激しい苦悩を味わっていたときに、夫人は彼をたずねて来て、取次ぎも待たずに、いきなり彼の書斎へはいって来た。夫人がはいって見ると、彼は先ほどからの姿勢のまま、両手で頭をかかえこんですわっていた。

「J'ai forcé la consigne.（訳注 おいいつけにそむいてまいりましたの）」夫人は足速にはいって来て、興奮と激しい運動のために重々しく息をつきながらいった。「なにもかもうかがいましたわ、まあ、カレーニンさん！」夫人は両手で彼の手をしっかり握りしめ、美しいもの思いに沈んだ目で、彼の目をじっと見つめながら言葉をつづけた。

カレーニンは眉《まゆ》をひそめて立ちあがると、握られた手を放して、夫人にいすをすすめた。

「さあ、どうぞ、奥さん。今はどなたにもお会いしないことにしてるんです。病気でしてね、奥さん」彼はいったが、その唇《くちびる》は震えだした。

「まあ、あなた！」リジヤ伯爵夫人は、彼の顔から目を放さないで、こう繰り返した。と、急にその眉が、目頭《めがしら》のほうからつりあがって、額に三角形をつくった。すると、そのあまり美しくない黄色い顔はさらに醜くなった。が、カレーニンは相手が自分を哀れんで、今にも泣きだしそうなのに気づいた。と、彼は感動におそわれた。彼は夫人のふっくらした手をとって、接吻《せっぷん》した。

「まあ、あなた！」夫人は興奮のあまりとぎれがちの声でいった。「ねえ、悲しみにお負けになってはいけませんよ。あなたの悲しみはそりゃたいへんなものですけれども、慰めをお見つけにならなくてはいけませんわ」

「私はうちひしがれてしまったんです。殺されたのも同然です、いや、私はもう生ける屍《しかばね》です！」カレーニンは、夫人の手を放しはしたものの、なおも涙にあふれたその目を見つめながら、いった。「私の立場は、どこを捜しても、いや、自分の中にさえ、ささえを見つけることのできないほど、まったく恐ろしいものです」

「いいえ、ささえは見つかりますとも。でも、あたしなんかをあてになさってはいけませんわ。そりゃ、あたしの友情は信じていただきとうございますけど」夫人は溜息《ためいき》をついていった。「あたしどものささえは愛でございますよ。キリストがあたしどもに、お約束してくださいました愛でございますよ。主の重荷は軽うございますよ」夫人は、カレーニンにはなじみぶかい、例の感動的なまなざしでいった。「主はあなたさまをおささえくださいますわ。きっと、お力をかしてくださいますとも」

こうした言葉の中には、自分自身の崇高な感情に自己陶酔しているようなところがあり、また、最近、ペテルブルグで流行している、カレーニンなどにはなくもがなと思われる、新しい神秘主義的な感動の調子が感じられたにもかかわらず、今のカレーニンの耳には快く響いた。

「私は弱い人間です。もうすっかり破滅させられてしまいました。なにひとつ予想していなかったので、今でもなにがなんだかわからないのです」

「まあ、あなた！」夫人は同じ文句を繰り返した。

「いや、なにもそれはいなくなったものを失ったと、いっているのじゃありません。そんなことじゃありません」カレーニンはつづけた。「そんなことに未練はありませんよ。ただ私は今自分のおかれている境遇のために、世間に恥ずかしい思いをしないわけにはいかないのです。そりゃ、それがよくない考えだってことぐらい知ってますが、でも、私は恥じずにはいられないのです。なんとしても」

「ねえ、あたしばかりか、世間のみなさまが感動されているあの気高い赦罪の行いは、あなたさまがなすったんじゃなくて、あなたさまのお心に宿っている神さまが、なすったのでございますよ」夫人は、さも感動的に顔を仰ぎながらいった。「ですから、ご自分の行いをお恥じになることはございませんよ」

カレーニンは顔をしかめた。そして、両手を曲げて、指をぽきぽき鳴らしはじめた。

「とにかく、こまごました事情をすっかり、知っていただかなくちゃなりません」彼はかぼそい声でいった。「奥さん、人間の力には限界がありますからね。私も自分の力の限界を知ったんです。きょうなんか一日じゅう、今度ひとり暮しをはじめてから生れた（彼は生れたという言葉に力を入れた）家事にかんする雑用で、いろんなさしずをしなければなりませんでしたからね。召使たちや、家庭教師や、勘定取りなど……こうした些細《ささい》な用事が私をくたくたにしてしまうのです。まったく、やりきれませんよ。食事をしていても……きのうなんか、もう少しで食事の途中で立つところでしたよ。むすこに顔を見られるのが、とても我慢がならなかったのです。あの子は、今度の事件がどういうことかなにもたずねはしませんでしたが、でもききたがっていたのです。それで、私もあの子の目つきを見ていられなかったのです！　あの子のほうでも、私を見るのをこわがっています。いや、それぱかりじゃありません……」

カレーニンは、先ほど持ってこられた勘定書きのことをいおうとしたが、声が震えたので、そのまま口をつぐんだ。あの青い紙に書かれた、帽子やリボンの勘定は思いだしただけでも、自分自身に対する哀れさをもよおすからであった。

「ええ、わかりますとも、あなた！」リジヤ伯爵夫人は答えた。「なにもかもわかりますわ。そりゃ、あたしにはお救いすることも、お慰めすることもできませんでしょうけど、それでもできるかぎり、お力になりたいと思ってこうしてまいったのでございますよ。もしあたしがなんとか、そうした、こまごました、お気にさわるようなわずらわしさを取り除くことができましたらねえ……ええ、さようでございますとも、そうしたことには主婦の言葉と女手が必要でございますからね、あたしにまかせていただけまして？」

カレーニンは無言のまま感謝の意をこめて夫人の手を握りしめた。

「では、ごいっしょにセリョージャのお世話をいたしましょう。もっとも実際面のことはあまり得意じゃございませんけど、でもお引き受けしましょう。ええ、お宅の家政婦になりますわ。いえ、お礼なんかおっしゃらないで、なにも自分ひとりでやるのではありませんから……」

「いや、お礼をいわずにはいられませんよ」

「でも、ようございますか、さっきおっしゃったようなお気持にはけっしてお負けになってはいけませんよ。『おのれを卑《いや》しくするものは高められん』というのはキリスト教の最高の徳ですのに、それを恥ずかしくお思いになるなんて。それから、あたしにお礼などおっしゃってはいけませんよ。神さまに感謝されて、主の救いをお願いなさいまし。ただ神さまの中にだけ、安らぎも、慰めも、救いも、愛もあるのでございますから」夫人はそういうと、天井を仰いだ。カレーニンは、夫人がそれっきり黙ってしまったので、きっと、祈禱《きとう》をはじめたのだと悟った。

カレーニンも、今はじっと夫人の言葉に耳を傾けていた。以前は不愉快に思われていた、というよりも、なくもがなと感じられていた表現が、今では自然に聞え、しかも慰めをおびて響いたからであった。カレーニンは、最新流行のこの新しい感動的な調子を好まなかった。彼はおもに政治的な意味で宗教に興味をもっていた信者だったので、いろいろと新しい解釈を許す新しい教義は、それが宗教に対する論争と解剖をもたらすという意味で、原則として、不愉快であった。彼は以前、この新しい教義に冷淡で、むしろ敵意さえいだいていたので、この教義に夢中だったリジヤ伯爵夫人とも議論などはせず、夫人のほうからしかけてきても、努めて沈黙によって避けるようにしていた。ところが、今はじめて、彼は夫人の言葉を喜んで聞き、心の中でもそれに反駁《はんばく》しなかった。

「いや、ほんとに、感謝にたえません、いろいろなお力添えに対しても、ただいまのお言葉に対しても」彼は夫人が祈禱を終ったとき、いった。

リジヤ伯爵夫人はもう一度、親友の両手を握りしめた。

「さあ、今から仕事にかかりますわ」夫人はしばらく無言でいてから、涙のあとを顔からふきとって、にっこり笑いながら、いった。「セリョージャのとこへ行って来ますわ。ただ、なにかよくよくのときだけご相談いたしますからね」夫人はいって立ちあがり、部屋を出た。

リジヤ伯爵夫人は、セリョージャの部屋へ行き、びっくりしている男の子の頰《ほお》に、涙を浴びせかけながら、パパは聖人みたいな方だし、ママはもう亡《な》くなってしまったのよ、と話して聞かせた。

リジヤ伯爵夫人は約束を守った。夫人は実際、カレーニン家の家政や、整理などいっさいの面倒を引き受けた。しかし、夫人が実際面のことは得意でないといったのは、誇張ではなかった。夫人のさしずしたことは、どれもこれも変更しなければならなかった。というのは、そのいずれも実行不可能なことばかりだったからである。それを変更したのは、カレーニンの召使であるコルネイであり、今ではそっと目だたないように、カレーニン家のいっさいをきりもりしていて、主人が着替えをするときに、落ち着きはらって、重々しく、必要なことを報告するのであった。そうはいっても、夫人の助力は、やはりこのうえもなく役に立った。それはカレーニンにとっては、精神的なささえとなったからである。このことは、彼が夫人は自分を愛し尊敬している、と意識するためでもあったが、とりわけ夫人が、彼をほとんどキリスト教に引き入れたためであった。夫人はそれを考えると、まったく慰められる思いだった。つまり、夫人は無関心なものぐさな信者であった彼を、最近ペテルブルグで流行している新しい解釈のキリスト教の、熱心で強力な味方に引き入れたのであった。カレーニンにとってそれを確信することは、たやすいことであった。カレーニンは、夫人や、そのほか同じ見解をもっている人びとと同様、想像力があまりたくましくなかったからである。こうした精神的能力によってはじめて、想像によって呼び起された観念が、強い現実性をおびてきて、他の観念や現実との一致を要求するのである。彼は、信仰のない者には存在する死も、自分には存在しないし、また自分は完全無欠な信仰をもっていて、その信仰の尺度をはかる裁き手は自分自身であるから、もう自分の魂には罪などないし、自分ははやくもこの地上で、全き救いを味わっているというような考え方には、少しも不可能なところも、不合理なところも認めないのであった。

たしかに、自分の信仰に関するこうした観念が浅薄で誤りなこともカレーニンは漠《ばく》然《ぜん》と感じていたので、自分の赦罪が至上の力の働きであるとは考えずに、単にこうした感情をゆだねていたときのほうが、現在のように、自分の魂の中にはキリストが生きているとか、書類に署名することは神の意思を実行することだ、などといつも考えているときよりも、むしろもっと多くの幸福を味わっていたのを、自分でも承知していた。しかし、カレーニンにとっては、なんとしてもそう考えることが必要であったし、今の屈辱的な立場にあっては、たとえそれが架空のものであろうとも、みんなから軽蔑《けいべつ》されている自分は、他人を軽蔑しうるような崇高な境地に立つことが必要だったので、彼は自分のあいまいな救いを真実の救いと思いこんで、必死にそれにすがりついたのであった。

23

リジヤ伯爵夫人は、まだごく若い、すぐ物事に感激する娘時分に、ある裕福で、名門で、善良で、しかしきわめて放埒《ほうらつ》な陽気な男のところへ嫁にやらされた。が、もう二月めに、夫は彼女を捨ててしまい、夫人がいくら感動的な言葉で愛を誓っても、ただ冷笑、というよりもむしろ敵意をもってこたえる始末だった。もっとも、伯爵の善良な心を知り、かつ感激家のリジヤに、なんの欠点も認めることのできなかった人びとは、夫のこうした態度を、なんとしても説明することができなかった。それ以来、ふたりは離婚こそしなかったけれども、ずっと別居生活をつづけていた。そして、夫は妻に出会うたびに、かならずわけのわからない毒々しい冷笑を浮べて、妻をながめるのだった。

リジヤ伯爵夫人はもうずっと前から、夫に愛情を感じなくなっていたが、それ以来いつも、だれかを恋しつづけていた。夫人はよく幾人もの男や女に惚《ほ》れこむことがあった。いや、とくになにかすばらしいところのある人なら、ほとんどだれにでも惚れこんだ。夫人は、新たに皇族となったすべての妃殿下や殿下にも熱をあげた。いや、ある大僧正にも、ある副主教にも、ある司教にも惚れこんだ。あるジャーナリストにも、三人のスラヴ人にも、コミサーロフにも惚れこんだ。ある大臣にも、ある医者にも、あるイギリスの宣教師にも、そしてカレーニンにも惚れこんだ。すべてこのような愛情は、さめたり、熱したりしながらも、夫人が宮廷や社交界できわめて広範囲にわたる複雑な関係をつづけていくじゃまにならなかった。ところが、カレーニンが例の不幸に見舞われて、彼の面倒をとくにみるようになってこのかた、いや、夫人がカレーニンの平和な生活を心にかけて、カレーニン家で骨折るようになってこのかた、夫人は今までの恋はすべて本物ではなく、今の自分はただカレーニンひとりに、心の底から惚れこんでいるような気がした。夫人がいまやカレーニンに対していだいている感情は、これまでのどの場合よりも激しいように思われた。夫人は自分の感情を分析し、それをこれまでのものと比較してみて、はっきりと次のことを見てとった。すなわち、もしコミサーロフが皇帝の生命を救わなかったら、夫人は彼に恋しなかったにちがいない。もしスラヴ問題がなかったら、リスチック・クジッキーなどには恋しなかったにちがいない。しかし、カレーニンについては、彼という人間そのものを愛したのであった。いや、彼の崇高にして不可解な魂を、自分にとってなつかしい、あの引き延ばすようなアクセントをもつかぼそい声を、その疲れたようなまなざしを、その性格を、その血管の浮いた柔らかな白い手を、愛したのであった。夫人は、彼に会うのを喜んだばかりでなく、相手の顔に自分の与えた印象が表われるのを、捜すまでになった。夫人は単に自分の話だけでなく、自分という人間そのものが彼に気に入られたいと願った。夫人はいまや、これまでかつてないほど、彼のために、化粧に憂身《うきみ》をやつすようになった。いや、時には、もし自分が人妻でなく、彼も自由の身だったら、どんなになったろうと空想している自分に気づくことがあった。夫人は、彼が部屋へはいって来ると、胸がわくわくしてまっ赤になった。そして、夫人はなにか自分にうれしいことをいわれると、喜びのあまり微笑を禁ずることができないほどであった。

もうこの数日というもの、リジヤ伯爵《はくしゃく》夫人は興奮の頂点に達していた。アンナとヴロンスキーがペテルブルグにいることを聞きおよんだからであった。カレーニンがアンナと顔を合さないように手はずを講じなければならなかった。いや、そればかりか、あの恐ろしい女が彼と同じ町にいるから、いつなんどき顔を合さぬともかぎらないという知らせを聞いて、彼が心を悩まさないように守ってやらなければならなかった。

リジヤ伯爵夫人は幾人もの知人を通して、夫人のいわゆるけがらわしい人たち、つまり、アンナとヴロンスキーがなにをしようとしているかをさぐり、この数日、自分の親友がふたりに出会わないように、その行動を一から十までさしずするように努めた。夫人は、ヴロンスキーの友人の若い副官を通して、いろいろの情報を手に入れていたが、この男もまた、夫人を通して利権を得ようと期待していたので、もう例のふたりは用事を終えて、あす発《た》つことになっている、と夫人に知らせてきた。夫人は、やっと安心しかけていた。ところが、その翌日届いた手紙の筆跡を見て、夫人は思わずはっとした。それはアンナの筆跡だったからである。細長い黄色い封筒は、菩提樹《ぼだいじゅ》の皮のように厚い紙でできていて、そこには大きなイニシアルの組み合せ文字が打ち出されてあった。そして、手紙は快いかおりをただよわせていた。

「だれが持って来たの？」

「旅館の使いでございます」

リジヤ伯爵夫人はその手紙を読むために、長いことすわることができなかった。夫人は興奮のあまり、持病の喘息《ぜんそく》の発作を起したほどであった。夫人はやっと落ち着きを取りもどして、フランス語で書かれた次のような手紙を読んだ。

『Madame la Comtesse（訳注 伯爵夫人さま）あたくしは、あなたさまのキリスト教徒としてのお情けにおすがりして、われながらまことにあつかましい、このようなお手紙をあえて認《したた》めることにいたしました。あたくしはむすこと別れましたので、不幸を味わっております。どうかここを発ちます前に、ただひと目あの子に会わせてくださるよう、心の底からお願いいたします。どうか、このようなお手紙をさしあげて、あなたさまをおわずらわせいたしますことをお許しくださいませ。あたくしがこのことについてアレクセイ・カレーニンでなく、あなたさまにお願い申しあげますのは、あたくしのようなもののことを思い起させて、あの寛大なみ心の持主を苦しめるに忍びないからでございます。あの方に対するあなたさまのお優しいお心持を存じあげておりますので、あなたさまもあたくしのこの気持をお察しくださるものと存じます。あなたさまがセリョージャをあたくしのところまでおつかわしくださいますなり、あたくしがご指定の時刻にあの家へまいりますなり、どちらでもけっこうでございます。それともまた、あの家以外のところでしたら、いつ、どこであの子に会えますでしょうか、お知らせくださいませ。あたくしは自分がおすがりしている方の、寛大なみ心を存じあげておりますので、かならずやこのお願いをかなえてくださるものと心待ちしております。あたくしがどんなにあの子に会いたがっておりますかは、失礼ながら、あなたさまもお察しがつかぬことと存じます。それゆえ、あたくしが、あなたさまのお力添えをどんなに感謝いたしますかは、きっと、ご想像のほかと存じます。

アンナ』

この手紙に書かれていることは、なにからなにまで、リジヤ伯爵夫人の気にさわった。その内容も、相手の寛大さをほのめかした書き方も、とりわけ、妙になれなれしい（と夫人には思われた）調子も。

「ご返事はありません、といっておくれ」リジヤ伯爵夫人はいった。そして、すぐに紙ばさみを開くと、カレーニンにあてて、きょうの十二時すぎに、宮中の祝賀式でお会いしたい、と認《したた》めた。

『あたくしは、ある重大な、わずらわしいことについて、ご相談申しあげなければなりません。場所をどこにするかについては、その節おきめいたしましょう。いちばん好都合なのは、あたくしの宅であなたさまにお茶をさしあげながら、お話しすることです。ぜひそのようにお願いいたします。主《しゅ》は十字架をお負わせになりますけれど、また力をもお授けくださるのです』夫人は少しでも相手に心がまえをさせるために、こうつけ加えた。

リジヤ伯爵夫人は毎日二、三通カレーニンあてに手紙を認めた。夫人は、彼と直接会って話すときには得られない優雅さと、秘密めいた感じがあるので、このような形で彼と交際するのを好んでいたのである。

24

祝賀式は終った。退出する人びとは、知人と顔を合せては、その日のニュースを、新たに発表された授賞のことや、高官の異動などについて言葉をかわしあっていた。

「いや、マリヤ伯爵夫人を陸軍大臣にして、ワトコフスキー公爵夫人を参謀総長にしたらどんなものでしょうな」金モールの大礼服を着た白髪の老人は、今度の異動のことについてたずねた背の高い美しい女官に、こんな返事をしていた。

「じゃ、あたくしは副官にでも」女官は微笑しながらいった。

「いや、あなたはもうちゃんときまってますよ。宗務大臣ですね。次官はカレーニンでね」

「やあ、公爵、ごきげんよう！」老人はそばへ寄って来た男の手を握りながらいった。

「カレーニンについて、なにをいってらしたのです？」公爵はたずねた。

「彼とプチャトフは、アレクサンドル・ネフスキー勲章をもらいましたね」

「彼はもうとっくにもらってると思ってましたがね」

「ほら、彼の様子をごらんなさい」老人は金モールのついた帽子でさしながらこういった。そちらを見ると、大礼服の肩に新しい赤い綬《じゅ》をかけたカレーニンが、参議院の有力議員のひとりと、大広間の戸口のところで立ち話をしていた。「まるで新しい銅貨のように、幸福で満ちたりたような顔つきをしてますな」彼はスポーツマンのような体格をした美男の侍従と、握手するために足をとめながら、こうつけ加えた。

「いや、彼は老《ふ》けましたよ」侍従はいった。

「苦労のせいですな。なにしろ、あの男はいま法案という法案をみんなひとりで書いてますからな。いや、まったく、今でも彼につかまろうものなら、逐条的な説明がすむまで、けっして放免してはくれませんからな」

「老けたですって？ Il fait des passions.（訳注　やっこさん、うまいことやっているんですよ）どうやら、リジヤ伯爵夫人は、今やっこさんの細君のことでやきもちを焼いているようですね」

「まあ、とんでもない！ ねえ、どうか、リジヤ伯爵夫人のことは、悪くおっしゃらないで」

「ほう、それじゃ、あの夫人がカレーニンに熱をあげてるっていうのが悪いことなんですか？」

「ねえ、カレーニナがここにいるっていうのはほんとうですの？」

「いや、ここといっても、宮中じゃなくて、ペテルブルグのことですよ。私はきのう、あの人がアレクセイ・ヴロンスキーと、bras dessus, bras dessous,（訳注　腕を組んで）モルスカヤ通りを歩いてるのにぶつかりましたよ」

「C'est un homme qui n'a pas……（訳注　あの人はつまり……）」侍従はそういいかけたが、すぐに言葉をきって、ちょうどそこを通りかかった皇族のひとりに、道をゆずって、敬礼した。

こうして、人びとはひっきりなしに、カレーニンのうわさをしながら、非難したり、笑いものにしたりしていた。一方、当人は、うまくつかまえた参議院議員の行く手をふさぐようにして、相手に逃げられないように、次から次へと休むまもなく、自分の財政法案を逐条的に説明していた。

妻が家出をしたのとほとんど同時に、カレーニンの身には、官吏としてもっともつらいこと、つまり、昇進の停止ということが起った。この昇進の停止ということはもはや、既定の事実であって、だれもがはっきりとそれを見てとったが、カレーニン自身は、自分の栄達が終りを告げたとはまだ自覚していなかった。ストリョーモフとの衝突が原因なのか、妻との不幸な出来事がもとなのか、それとも単にあらかじめ予定されていた限界まで出世してしまったのか、とにかく、官吏としての、彼の活躍が終りを告げたことは、もう今年にはいってから、だれの目にも明らかであった。彼はまだ重要な地位を占めていたし、多くの委員会や、会議の一員でもあった。しかし、彼はもはやすべてを出しきってしまった人間であり、彼から期待できるものはなにもなくなっていた。いや、もはや彼がなにをいっても、なにを提議しても、みんなはまるで、とうの昔にわかりきった、なんの必要もないことをいまさら持ちだしているといった顔をして、聞き流していた。

ところが、カレーニンはそれを感じないばかりでなく、かえって、直接に政府の仕事にたずさわらなくなったために、他人の仕事の欠点や誤謬《ごびゅう》が今までよりいっそうはっきりと目につくようになり、それを是正する方法を示すのが、自分の義務であるかのごとく考えた。彼は妻と別れてからまもなく、新しい裁判制度について一つの覚え書を書きはじめたが、それは彼が執筆することになっていた、だれにも必要のない国政全般にわたる無数の覚え書の一つであった。

カレーニンは、官界における自分の地位が絶望的なことに気づかぬばかりか、いや、それを悲観しなかったばかりか、かえって、いつにもまして、自分の活躍ぶりに満足していた。

『妻ある者は妻を喜ばさんとて、この世のことを思いわずらい、妻なきものは主を喜ばさんとて、主のことを思いわずらう』使徒パウロはそういっているが、いまやすべてのことについて、聖書の教えに従っているカレーニンは、よくこの聖句を思い起した。彼には妻と別れて以来、こうした法案を起草することによって、前よりもさらにいっそう主のために奉仕しているような気がするのだった。

相手の参議院議員が、なんとか逃げだそうとじりじりしているのがはっきりしていたにもかかわらず、カレーニンはいっこうに、平気だった。やっと、皇族が通りかかったのをしおに、議員がうまくすべり抜けたとき、彼ははじめて説明をやめた。

カレーニンは、ひとりきりになると、うなだれて、考えをまとめていたが、やがて放心したような顔つきであたりを見まわし、戸口のほうへ歩きだした。そこでリジヤ伯爵夫人に会えるものと思ったからである。

《いや、それにしても、あの連中はなぜあんなに元気で、健康そうなんだろう》カレーニンは、香水をふりかけた頬《ほお》ひげを右左に分けている頑丈《がんじょう》なからだつきの侍従や、ぴったりした大礼服を着た公爵の赤い首を、通りすがりにながめながら、考えた。《この世のすべてのものは悪なり、とはよくいったものだ》彼は侍従のふくらはぎを、もう一度横目でにらみながら、考えた。

カレーニンは、ゆっくり足を運びながら、例の疲れたような、もったいぶった態度で、自分のうわさ話をしているこれらの人びとに会釈《えしゃく》した。そして、戸口のほうをながめながら、リジヤ伯爵夫人の姿を目で捜していた。

「やあ！　カレーニンさん」小がらな老人は、カレーニンがそのそばを通りかかって、素っ気ない態度で、頭を下げたとき、意地悪そうな目を輝かしながら、いった。「まだお祝いを申しあげませんでしたな」老人は、彼の新しくもらった綬をさしながら、いった。「ありがとうございます」カレーニンは答えた。「きょうはまったくすばらしい天気ですな」彼はいつもの癖で『すばらしい』という言葉に特別力を入れながら、つけ加えた。自分がみんなから笑われていたのは、彼も承知していた。しかも、彼は他人から敵意以外のなにものをも期待していなかったし、もうそれにも慣れてしまっていた。

戸口からはいって来るリジヤ伯爵夫人の、袖《そで》なしのブラウスから飛びだしている黄色い肩と、さし招くような美しいもの思わしげなひとみを見ると、カレーニンはいつまでも若々しい白い歯並みを見せながら、にっこり笑って、夫人のそばへ近づいて行った。

リジヤ伯爵夫人の盛装は、最近の夫人の盛装がいつもそうであるように、とても凝ったものであった。夫人の盛装の目的は、いまや三十年前に求めたものとはまるで正反対であった。当時、夫人はわが身をなにかで飾りたかったし、そう飾れば飾るほど美しくも見えた。ところが、今ではその反対に、夫人はいつもその年齢や容貌《ようぼう》に不似合いな飾り方をしなければならないので、そうした飾り方と容貌との対照が、あまりひどいものにならないようにと、ただそのことばかりに気を配っていた。そしてカレーニンに対しては、首尾よくその目的を達して、夫人は彼には魅力のある女性に映っていた。彼にとって夫人は、自分の周囲をとりまいている敵意と嘲笑《ちょうしょう》の海の中にある単なる好意以上の、愛情の島であった。

彼はあざけりの視線の中をくぐりぬけながら、光に向う植物のように、夫人の愛に満ちたまなざしへひとりでにひかれていった。

「おめでとうございます」夫人は彼の綬を目にとめながら、いった。

彼は満足の微笑をおさえながら、目をとじたまま、肩をすくめた。その様子は、こんなことぐらいで喜ぶわけにはいかない、といっているみたいであった。もっとも、夫人は、彼がけっして白状したことはないが、こうしたことが彼にとって、大きな喜びの一つであることを、よく承知していた。

「あたくしどもの天使はどうしていますか？」リジヤ伯爵夫人はセリョージャのことをこんなふうにたずねた。

「どうも、あの子のことは、すっかり満足しているとはいえませんな」カレーニンは眉《まゆ》をつり上げて、目を見ひらきながらいった。「いや、シートニコフも不満でしてね（シートニコフは、セリョージャの普通教育をまかされている教師だった）。いつかもお話ししたとおり、あの子には、どんな人でもどんな子供でも当然感動するようなひじょうにたいせつな事がらに対して、なにか冷淡なところがありましてね」彼は勤め以外に、興味をもっている唯一《ゆいいつ》の問題であるむすこの教育について、こう意見を述べはじめた。

カレーニンは、夫人の助けによって、再び平常の生活と仕事にもどったとき、手もとに残されたむすこの教育をすることを、自分の義務と考えた。彼はこれまで一度も、教育問題について考えたことがなかったので、しばらくのあいだ、この問題の理論的研究に時を費やした。こうして、カレーニンは人類学や、教育学や、教授法に関する本を五、六冊読み終えると、みずから教育計画をたて、ペテルブルグでも有数の教師を招いて、この仕事にとりかかった。そのため、この仕事は、いつも彼の気にかかっていた。

「ええ。でも、心のほうは？　あたくしの見るところでは、心はお父さまそっくりでございますわ。あんな心をもった子供が、よくないなんてことはございませんよ」夫人は、例の感動的な調子でいった。

「なるほど、そうかもしれませんな……いや、私はただ、自分の義務を果しているだけのことですがね。とにかく、私にできるのはそれだけですよ」

「じゃ、うちへいらしてくださいますわね」夫人は、しばらく口をつぐんでから、いった。「あなたにとってわずらわしいことを、ご相談しなくちゃなりませんの。あたくしはなんとしても、あなたをつまらない思い出からお守りしようとしていますけれど、ほかの人はそう考えてはおりませんので。あたくし、あの人からお手紙をいただきましたの。あの人はここに、ペテルブルグにいらっしゃいますよ」

カレーニンは妻のことをいわれたとき、思わず、はっと身震いした。しかし、すぐその顔には、死人のような不動の表情が表われた。それは、この件について彼がまったく無力であることを示していた。

「いや、そんなことだろうと思っていました」彼はいった。

リジヤ伯爵《はくしゃく》夫人は、感動的なまなざしで相手をながめた。と、彼の魂の偉大さに感激する涙が、両の目にあふれてきた。

25

カレーニンが、古風な陶器や、いくつも肖像画の飾ってあるリジヤ伯爵夫人のこぢんまりした、居心地《いごこち》のよさそうな書斎へはいって行ったとき、当の女主人はまだそこに姿をみせていなかった。夫人は着替えの最中であった。

テーブル・クロスのかかった丸いテーブルの上には、中国製の茶器と、アルコール・ランプのついた銀の湯わかしがのっていた。カレーニンは、書斎を飾っている、すでにおなじみの無数の肖像画を、ぼんやりとながめまわしてから、テーブルに向って腰をおろして、そこにのっていた聖書を開いた。と、夫人の衣《きぬ》ずれの音で、彼はわれに返った。

「さあ、これでやっと落ち着くことができましたわ」リジヤ伯爵夫人はわくわくしているような微笑を浮べて、せかせかとテーブルといすのあいだをすり抜けながら、いった。「お茶でもいただきながら、ゆっくりお話しいたしましょう」

夫人は、相手に心がまえをさせるような言葉を、二言《ふたこと》三言《みこと》いってから、重々しく息をついて、顔を赤らめながら、自分の受け取った手紙をカレーニンに手渡した。

彼は手紙を読み終ると、長いこと黙っていた。

「私にはこれを拒絶する権利はないように思いますが」彼は目を上げて、臆病《おくびょう》そうにいった。

「まあ、あなた！　あなたって方はどんな人にも、よこしまな心をお認めになりませんのね！」

「いや、その反対に私はこの世のものはなにもかも悪であると思っていますよ。しかし、そうするのが、はたして正しいことかどうか……」

彼の顔にはなにか決しかねる色と、われながら不可解なこの件について、相手の忠告と、支持と、指導を求める表情が浮んだ。

「いいえ」夫人は相手をさえぎった。「なにごとにも限度というものがございますよ。そりゃ、あたくしにも不義ということだけならわかりますがね」夫人はいったが、それは完全に正直な答えとはいえなかった。というのは、夫人にはなにが女を不義にみちびくかは、とうてい理解できないことだったからである。「でも、この残忍な気持だけはわかりませんわ。しかも、それがほかならぬあなたに向けてなんですのよ！　いえ、あなたのいらっしゃる同じ町に、どうして滞在することができたんでしょう？　いえ、それにしても、長生きすれば、それだけいろんなことを学ぶものですわねえ。あたくしもこれで、あなたさまの気高さと、あの女の卑《いや》しさを思い知りましたもの」

「でも、だれが石を投げることができましょう？」カレーニンは、明らかに、自分の演ずる役割に悦に入っている様子で、いった。「私はすべてを許してやったのですから、あれの愛の求めるものを、わが子に対する愛の求めるものを、あれから奪うことはできません……」

「でも、あなた、これが愛といえるでしょうか？　まことの心といえるでしょうか？　たとえあなたがお許しになったとしても、いいえ、許していらっしゃるとしても……あの天使のような子供の魂をかき乱す権利を、あたくしどもはもっているでしょうか？　あのお子さんは、あの人を死んだと思っているのです。あの人のためにお祈りして、あの人の罪を神さまが許してくださるように祈っているのです。……そのほうがどんなによろしいかしれませんわ。それなのに、今になってそんなことをしたら、お子さんはなんと思うでしょう？」

「私もその点は考えませんでした」カレーニンは、どうやら、夫人の意見に賛成らしく、いった。

リジヤ伯爵夫人は両手で顔をおおって、しばらくのあいだ黙っていた。夫人は祈禱《きとう》をしていたのである。

「それで、あたくしの忠告をお望みになるのでしたら」夫人は祈禱をおえて、顔から手を放しながら、いった。「そんなことお勧めいたしかねますわ。そのためにまた、あなたの傷口がうずいて、お苦しみになるのが手にとるようにわかっておりますもの。いえ、まあ、かりにあなたがいつものように、ご自分のことは忘れていらっしゃるといたしましょう。でも、そんなことをなさったら、どういうことになるとお思いですの？　あなたにとっては、新しい苦しみになりますし、お子さんにとっても、つらい思いをさせるばかりですよ。もしあの人に、なにか少しでも人間らしいところが残っていたら、自分のほうからそんなことは望まないと思いますね。ええ、あたくしも少しも迷うことなく、そんなことはお勧めいたしません。もしお許しがいただければ、あたくしがあの人に手紙を書きましょう」

カレーニンはそれに同意した。そこで、リジヤ伯爵夫人は次のようなフランス語の手紙を書いた。

『拝啓

あなたさまについての思い出は、お子さまの心に、神聖であるべきものに対する非難の精神を植えつけることなしには、答えることのできないさまざまな疑問をもたらすことになるかもしれません。したがって、ご主人が拒絶されましたことは、キリスト教徒としての愛の精神から出たものと、ご了解くださるようお願い申しあげます。あなたさまの上に神のみ恵みが、ゆたかにあらんことを。

リジヤ伯爵夫人』

リジヤ伯爵夫人はこの手紙によって、自分自身にさえ隠していた、秘められた目的を達した。それは心の底から、アンナをはずかしめることであった。

ところが、カレーニンは、夫人のもとからわが家へ帰ってからも、その日、いつもの仕事に没頭して、今まで感じていた救われた信者としての心の安らぎを、見いだすことはできなかった。

リジヤ伯爵夫人が、いみじくも語っているとおり、妻は彼に対してとても罪ぶかいことをしたのであり、彼は妻の前には聖者のようであったから、その妻についての思い出が、彼の心を騒がせるはずはなかった。いや、それにもかかわらず、彼は落ち着いていることはできなかった。彼は読んでいる本の内容を理解することができず、妻に対する自分の態度や、今考えれば妻に対して自分の犯したように思われる過ちなどについての苦い思い出を、追いはらうことができなかった。彼はあの競馬からの帰り道、妻から不貞の告白を聞いたとき自分がどんな態度をとったか（とくに妻に世間体のみを要求して、決闘を申し込まなかった）を思いだすと、悔恨の情に心をかきむしられるのであった。さらに、妻にあてて書いた手紙を思いだすことも、彼にはつらかった。とりわけ、だれにも必要のなかった自分の許しや、不義の子に対する心づかいは、羞恥《しゅうち》と悔恨の情によって彼の心を焼き尽すのだった。

そして、彼は、今アンナとの過ぎし日を思い起しながら、長いためらいの末に、求婚したとき口にした、あのぎごちない言葉を思い起して、そのときと同じ羞恥と悔恨の念を味わったのである。

「それにしても、いったい、おれにはなんの罪があるのか？」彼はつぶやいた。と、この疑問は例によって、また別の疑問を呼び起すのであった。《あのヴロンスキーとか、オブロンスキーとか……あの太いふくらはぎをした侍従などといった連中は、自分とは違った感じ方をしたり、違った恋をしたり、違った結婚をしたりしているのだろうか？》彼の頭の中には、いつもいたるところで、われともなく好奇心にかられずにはいられないあの潑剌《はつらつ》たる、元気いっぱいの、自分を疑うことを知らない連中の姿が、無数に浮んできた。彼はこうした考えを頭から追いはらって、自分は束の間《つかま》のこの世のためではなく、永遠の世界のために生きているのであり、自分の魂の中には安らぎと愛とがあるのだと、自分で自分に信じこませようと努めた。いや、それにもかかわらず、彼が束の間のこの世で犯した、つまらない（と彼には思われた）過ちは、彼の信じていた永遠の救いなどまるでないかのように、彼の心を悩ました。もっとも、その誘惑は長くはつづかなかった。まもなく、カレーニンの心には、いつもの落ち着きと気高さがよみがえってきた。そのおかげで、彼は覚えていたくないことを忘れてしまうこともできた。

26

「ねえ、どうしたの、カピトーヌイチ？」セリョージャは、誕生日をあすに控えた散歩からもどると、高い所から小さな自分を見おろして、にこにこしている年とった背の高い玄関番に、襞《ひだ》のはいった外套《がいとう》を手渡しながら、楽しそうに頰《ほお》を紅潮させて、話しかけた。「ねえ、きょうもあの包帯をした役人は来た？　パパはお会いになったかい？」

「お会いになりましたよ。事務主任さんがお帰りになったばかりのところへ、お取次ぎいたしましたので」玄関番は愉快そうに目くばせしながらいった。「さあ、どうぞ、お脱がせしましょう」

「セリョージャ！」スラヴ人の家庭教師が、奥の部屋へ通ずる戸口に立ち止って、いった。「ご自分でお脱ぎなさい」

ところが、セリョージャは家庭教師の弱々しい声を耳にしても、先生のほうにはなんの注意も向けなかった。少年は片手で、玄関番の帯につかまったまま、その顔をじっとながめていた。

「じゃ、なにかい、パパはあの役人にちゃんとしておやりになったの？」

玄関番は少年にうなずいてみせた。

もう七へんも、カレーニンのところへなにやら頼みにやって来た包帯をした役人のことを、セリョージャも玄関番も興味をもっていた。一度セリョージャはこの男に玄関で会い、彼が、自分は子供たちをかかえてもう飢え死にしそうですと哀れっぽい声でいいながら、玄関番に取次ぎを頼みこんでいるのを聞いたことがあった。

その後、もう一度この役人に玄関で会ったので、セリョージャは、すっかりこの役人に興味をもってしまった。

「ねえ、どうだった、とても喜んでいた？」少年はきいた。

「喜んだのなんのって！　とびあがるようにして、帰って行きましたよ」

「それから、なにか届いたかい？」セリョージャはちょっと口をつぐんでから、たずねた。

「ええ、坊っちゃん」玄関番は頭を振りながら、ささやくような声でいった。「伯爵夫人からなにかまいっておりますよ」

セリョージャはすぐに、玄関番がいっているのは、リジヤ伯爵夫人から届いた誕生日の贈り物だと悟った。

「ほんとかい？　じゃ、どこにあるの？」

「コルネイが、お父さまのところへ持ってまいりましたよ。きっと、けっこうなものでございますよ」

「どのくらいの大きさ？　このくらいかい？」

「もう少し小さいようでしたが、でも、けっこうなものでございますよ」

「ご本かな？」

「いいえ、別のものでございましょう。さあ、もう、あちらへいらっしゃいまし、ほれワシーリイが呼んでおりますよ」玄関番は家庭教師が近づいてくる足音を聞きつけて、自分の帯につかまっている、手袋が半分脱げかかった小さな手をそっと放して、ワシーリイのほうに目くばせしながら、いった。

「先生、今すぐ行きます！」セリョージャは楽しそうな、愛らしい微笑を浮べて答えたが、きちょうめんなワシーリイも、この微笑にかかると、負けてしまうのであった。

　セリョージャはとても楽しくて幸福だったので、親友の玄関番に、夏の公園《レートニィ・サード》で、リジヤ伯爵夫人の姪《めい》から聞いた家庭的な喜びを分たずにはいられなかった。この喜びは、包帯をした役人の喜びと、おもちゃを持って来てもらった自分の喜びといっしょになったために、少年には特別重大なことに思われた。セリョージャにはきょうという日はみんなが喜んで、楽しくしなければならない日であるように思われた。

「ねえ、パパがアレクサンドル・ネフスキー勲章をおもらいになったのを知ってる？」

「もちろん、存じておりますとも、もう大勢お祝いにお見えになりましたよ」

「じゃ、パパも喜んでいらっしゃる？」

「陛下のお恵みは喜ばずにはおられませんとも。つまり、それだけのお働きをなさったのでございますからね」玄関番はきびしい、まじめくさった顔つきをして、答えた。

セリョージャは、細かい点まで知り尽している玄関番の顔を、ことに、その頬ひげのあいだからさがっている頤《おとがい》をながめながら、じっと考えこんだ。この頤は、いつも下からながめているセリョージャのほかは、だれも見たものがいなかった。

「それじゃ、おまえの娘も、もうとっくにやって来たかい？」

玄関番の娘はバレエの踊り子であった。

「ふだんの日に来られるはずがないじゃありませんか？　あれだってレッスンがあるんですよ。さあ、坊っちゃんも、もうお勉強のお時間ですよ、早くいらっしゃいまし」

セリョージャは部屋へはいると、勉強机に向わずに、きょう届いた贈り物は、きっと、機械にちがいないという自分の予想を家庭教師にしゃべりだした。「先生はどう思います？」少年はきいた。

しかし、ワシーリイは、二時にやって来る教師のために、文法の予習をしておかなければならないと、ただそのことばかり考えていた。

「じゃ、先生、これだけ教えてください」少年はもう勉強机に向って、本を手にとりながら、急にいいだした。「アレクサンドル・ネフスキーより上の勲章はなんというんですか？ ねえ、パパがアレクサンドル・ネフスキーをおもらいになったことを知ってますか？」

ワシーリイは、アレクサンドル・ネフスキーの上はウラジーミル勲章だ、と答えた。

「じゃ、その上は？」

「いちばん上はアンドレイ・ペルヴォズヴァンヌイ勲章です」

「じゃ、そのアンドレイの上は？」

「知りません」

「え、先生でも知らないんですか？」そういうと、セリョージャは両肘《りょうひじ》をついて、じっと考えこんでしまった。

少年はきわめて複雑な、さまざまなことを考えこんだ。少年は次のようなことを空想した。もしパパがいっぺんに、ウラジーミルもアンドレイももらったらどうだろう、そうしたら、きょうの勉強の時間はもっと優しくしてくれるだろう、ぼくも大きくなったら、全部の勲章を残らずもらおう、いや、アンドレイより上のものも考えだそう、考えだしたら、ぼくはすぐもらってしまうんだ。それよりもっと上のを考えだしても、ぼくはすぐそれをもらうんだ、と。

そんなことを考えているうちに、どんどん時間がたってしまった。そして、教師がやって来たときには、時と、場所と、行為の状況語についての宿題ができていなかった。そのために、教師は不満に思ったばかりか、情けなさそうな顔をした。この教師の情けなさそうな顔つきを見て、セリョージャも胸が痛くなった。少年は宿題をやらなかったのを、悪いとは思っていなかった。いくら努力しても、どうしてもできなかったからだ。教師が説明しているあいだは、それを信用して、自分でもどうにかわかったような気がしていた。ところが、ひとりになるとたちまち、『とつぜん』という短いわかりきった言葉が、行為のありさまを示す状況語だということは、どうしても思いだすことも、理解することもできなかった。しかし、それにしても、少年は教師に情けない思いをさせたのが、気の毒でたまらなかった。

少年は、教師が黙って本を見ていたときにしゃべりだした。

「ねえ、先生の名の日はいつですか？」少年は不意にたずねた。

「きみはそんなことより、自分の勉強のことを考えればいいんですよ。だいたい、理性をもった人には、名の日なんてなんの意味もありませんからね。ほかの日とまったく同じことで、その日もやっぱり勉強しなくちゃいけないんです」

セリョージャは教師の顔をじっと注意ぶかく見つめ、そのうすい顎《あご》ひげや、鼻の段よりずり落ちている眼鏡などをながめながら、すっかり考えこんでしまったので、もう教師の説明していることなど、なにひとつ耳にはいらなかった。少年は、教師が心にもないことをいっているのを悟った。それは教師のしゃべっている口調で感じられた。

《それにしても、みんなはなぜこんなに、まるで申し合せたように、いつも同じような退屈な、要もないことばかりしゃべっているんだろう？　なんだって先生は、ぼくのことを突き放すようにするんだろう、なぜぼくをかわいがってくれないんだろう？》セリョージャは、もの悲しい気持で自分にきいてみたが、その答えを考えつくことはできなかった。

27

教師の授業がすむと、父の授業があった。父がまだ来ないあいだに、セリョージャは机に向って、ナイフをいじりながら、いろんなことを考えはじめた。セリョージャの好きな仕事の中には、散歩のときに母を捜すということがあった。この少年は一般に死というものを信じなかったが、とりわけ自分の母の死については、いくらリジヤ伯爵《はくしゃく》夫人が母は死んだといい、父もはっきりそういったにもかかわらず、とてもそれは信じられなかった。そこで、母は死んでしまったのだと聞かされたあとも、散歩のときにいつも母を捜すのであった。ふくよかで、優雅な、黒っぽい髪の婦人は、だれでも母に見えた。そんな婦人を見かけると、少年の心には、なんともいえぬやさしい感情がこみあげてきて、胸がいっぱいになり、目には涙があふれてくるのだった。そして、今にも母がそばへ寄って来て、顔のヴェールを上げてくれるだろうと、じっと心待ちに待った。そしたら、母の顔がすっかり見えて、にっこり笑うと、ぼくを抱きしめてくれるだろう。ぼくはあのなつかしいかおりをかいで、そのしなやかな手ざわりを感じるだろう。すると、ぼくは、いつかの晩、母の足もとに寝て、母にくすぐられ、きゃっきゃっと笑いころげながら、指輪をはめた母の白い手をかんだあのときと同じように、すっかりうれしくなって、泣きだすにちがいない。その後、少年は偶然の機会に、婆《ばあ》やから、母は死んだのではないと聞かされた。すると、父とリジヤ伯爵夫人は、お母さんはおまえにとって死んだのも同じだ、なぜなら、お母さんはよくない女なのだから、と話して聞かせた（しかし、そんなことはとても信じられなかった。少年は母を愛していたからである）。それでも、少年は相変らず母を捜し求めて、ひそかに待ちうけていた。きょうも夏の公園《レートニイ・サード》で、紫のヴェールをかけたひとりの婦人を見かけると、その婦人が小道づたいに、自分のほうへ近づいて来るあいだ、少年は胸をしめつけられるような思いをしながら、あれはきっと母に違いないと心待ちしていた。が、その婦人は少年のところまで来ないうちに、どこかへ姿を消してしまった。きょうはいつにもまして、少年は激しく母恋しさの気持がつのっていたので、今も父を待つあいだになにもかも忘れてしまって、目をきらきら輝かしてじっと前方を見つめ、母のことばかり考えながら、ナイフで机の端をすっかり傷つけてしまった。

「パパがお見えになりましたよ」ワシーリイが、少年の空想を破った。

セリョージャはとびあがって、父のそばへ行き、その手に接吻《せっぷん》すると、アレクサンドル・ネフスキー勲章をもらった喜びのしるしを捜しだそうと、じっと父の顔を見つめた。

「散歩は楽しかったかね？」カレーニンはいって、肘掛けいすに腰をおろし、旧約聖書を手もとへ引き寄せて、それを開いた。カレーニンは、キリスト教徒はだれでも聖史をよく知っていなければならないと、一度ならずセリョージャにいいきかせていたにもかかわらず、自分でも旧約聖書の話をしながら、よく本を開いて調べていた。セリョージャもそれに気づいていた。

「ええ、とてもおもしろかったですよ、パパ」セリョージャは、とめられていたことであるのに、いすの上へはすかいにすわって、それをぐらぐらゆすりながらいった。「ナージェンカに会ったんです（ナージェンカは、リジヤ伯爵夫人の養育している姪であった）。ナージェンカから聞いたんですけど、パパは新しい勲章をおもらいになったんですって。うれしいでしょう、パパ」

「さあ、まず第一に、頼むから、そういすをゆすらないでおくれ」カレーニンはいった。「それから、第二に、たいせつなことはほうびじゃなくて、仕事だよ。おまえにもそれがわかってもらいたいね。いや、おまえだってほうびをもらいたいために勉強するなら、そんな勉強は苦しいだろうよ。しかし、その仕事を愛するようになれば」カレーニンは、けさ、百十八通の書類に署名するという、あの退屈な仕事をつづけながら、ただ義務の意識だけで自分をささえていたことを思いだした。「その仕事の中にほうびを見つけることができるんだよ」

優しさと楽しさに輝いていたセリョージャの目は、光を失い、父の視線を受けて、うつむいてしまった。それは、いつも父がむすこに対して示す、もう昔からおなじみの調子だったので、セリョージャもそれにうまく調子をあわせていくすべを心得ていた。父がいつも少年に話しかける態度は――セリョージャの感じたところによると――父が勝手に頭の中でつくりあげた子供、よく本などに出てくるような子供で、セリョージャとはまったく似ても似つかぬ子供に話しかけているように思われた。それで、セリョージャのほうも父に対しては、わざとそうした本に出てくる子供のように、ふるまうことを努めていた。

「このことはわかるだろうね、わかるね！」父はいった。

「ええ、わかります、パパ」セリョージャは空想の子供の役割を演じながら答えた。

授業は聖句をいくつか暗唱し、旧約のはじめのところを復習することであった。セリョージャも聖句はかなりよく知っていたが、暗唱しているうちに、こめかみのところがぐっと曲っている父の額骨を見たとたん、少年は急に頭が混乱してしまって、似ている聖句の終りの言葉を、別な聖句のはじめの言葉とごっちゃにしてしまった。少年が自分のいっている聖句の意味を理解していないのは明らかだったので、カレーニンはいらいらしてきた。

父は眉《まゆ》をひそめると、セリョージャがもう幾度も聞かされながら、あまりわかりきったことのために、どうしても覚えられない事がらを説明しはじめた。それはちょうど、『とつぜん』という言葉が行為のありさまを示す状況語であるといったようなことであった。セリョージャは、びっくりしたような目つきで父をながめながら、ただ一つのことを考えていた。父が今までときどきさせるように、きょうも父のいったことをもう一度繰り返させられるのではなかろうか？　いや、そう思うと、セリョージャはもうそわそわしてしまって、なにひとつ頭にはいらなかった。ところが、父は繰り返させることはしないで、旧約の授業に移っていった。セリョージャは事がらそのものはじょうずに話したが、その事がらがどんな未来のことを予言しているのかという質問に答えなければならなくなると、今までにもそれができずに一度罰をくったことがあるにもかかわらず、まるっきりわからなかった。少年が、なにひとつ答えることができず、もぞもぞして、ナイフで机を傷つけたり、いすの上でからだをゆすったりしていたのは、大洪水《だいこうずい》以前の族長について話をしなければならないときであった。その人たちの中では、生きながら昇天したというエノック以外のことはだれのことも知らなかった。前には彼もいろんな名前を知っていたが、今はすっかり忘れてしまっていた。とりわけ、エノックが旧約の中でもいちばん好きな人物であり、彼が生きながら昇天したという事実は、少年の頭の中で、一連の長い思索の過程と結びつけられていた。少年は父の時計の鎖と、半分だけかけられたチョッキのボタンを、じっと動かぬ目で見つめながら、その思索に没頭していた。

セリョージャは、人からよく聞かされていた死というものを、まったく信じていなかった。少年は自分の好きな人が死んだり、とくに自分が死んだりするということは、とても信じることができなかった。そんなことは、少年にとってまったく不可能なことであり、不可解なことであった。ところが、少年は、だれでも死ぬものだと聞かされたので、自分が信用している人たちにたずねてみたが、やっぱりその答えは同じだった。いや、婆やでさえも、しぶしぶながらそう認めた。しかし、エノックは死ななかった。そうすると、やはりだれもかれも死ぬわけではないのだ。《だれでもあんなふうに、神さまの思召《おぼしめ》しにかなって、生きながら昇天できないものだろうか？》セリョージャは考えた。悪い人、つまりセリョージャのきらいな人びとは、死んでもいいけれど、いい人はみんな、エノックのようになってもいいわけだ。

「さあ、どうだね。どんな族長たちがいたかね」

「エノック、エノス」

「いや、それはもういったよ。だめだね、セリョージャ、どうもだめだね。キリスト教徒にとって、なによりもいちばんたいせつなことを覚えようとしないとすれば」父は腰をあげながらいった。「じゃ、おまえにはなにがおもしろいんだね？　おまえの勉強ぶりには満足できないね。ピョートル・イグナーチッチ（それは主任の教師であった）も、おまえの勉強ぶりには不満だよ……おまえに罰をしなくちゃいけないね」

父も教師もふたりとも、セリョージャの勉強ぶりに不満であった。いや、実際、少年はとても不勉強であった。しかし、この少年をできない子供ということは、まったく不当であった。それどころか、教師がセリョージャに模範とさせようとした子供たちよりも、はるかに素質があった。父には、むすこが自分の教えることを覚えようとしないように見えた。実際、少年にとっては、そんな勉強などすることはできなかった。少年の心の中には、父や教師の教えようとする課題よりも、もっと必然的な課題があった。これらの課題が互いに矛盾するために、少年は直接、自分の教育者たちと戦っているのであった。

少年は九つであった。まだほんの子供であった。しかし、少年は自分の魂を知っており、それは自分にとって貴重なものであった、少年は、それをさながらまぶたがひとみを守るようにたいせつにしていて、愛の鍵《かぎ》を持たない者は、だれひとり自分の魂の中へは入れなかった。教育する人たちは少年のことを、不勉強だといって嘆いたが、少年の心は知識欲でいっぱいだった。彼は普通の教師たちからでなくカピトーヌイチや、婆やや、ナージェンカや、ワシーリイなどから学んだ。父と教師が、自分たちの水車に期待していた水は、とうの昔に漏れてしまって、別のところで働いていたのであった。

父は罰として、セリョージャをリジヤ伯爵夫人の姪の、ナージェンカのところへ行かせなかった。ところが、その罰はかえってセリョージャにとってさいわいとなった。ワシーリイが上きげんだったので、風車の造り方を教えてくれたからである。その晩はずっと、その仕事と、どうしたら自分が乗ってくるくるまわれるような風車をつくることができるか、両手で翼《はね》につかまったものか、それともからだを縛りつけたものかという空想にふけっているうちに過ぎてしまった。その晩は、セリョージャも母のことを考えなかった。ところが、少年は床へはいってから、急に母のことを思いだした。どうかあしたの誕生日には、お母さんも隠れるのをやめて、ぼくのところへ来てくださいますようにと、自分で考えた言葉でお祈りをした。

「ねえ、ワシーリイ、ぼくがきまったお祈りのほかに、なにをお祈りしたか、知ってる?」

「もっと勉強がよくできるように、でしょう?」

「違うよ」

「じゃ、おもちゃのこと?」

「違う、当りゃしないよ。すばらしいことだもの。でも秘密だよ! ほんとにそうなったら、教えてあげるよ。わからないでしょ?」

「ええ、わかりませんね。教えてくださいよ」ワシーリイは珍しく、微笑しながらいった。「さあ、もうおやすみなさい、ろうそくを消しますよ」

「ねえ、ぼくはろうそくなんかないほうが、お祈りしたものがよく見えるんだよ。あ、もうちょっとで秘密をしゃべっちゃうとこだった!」セリョージャは楽しそうに、笑いながらいった。

ろうそくが持ち去られてしまうと、セリョージャは母の声を聞き、母の姿を感じた。母はまくらもとに立って、いつくしむようなまなざしでセリョージャをいたわってくれた。しかし、風車やナイフが現われてきて、なにもかもごっちゃになってしまった
——そして、少年は眠りにおちた。

28

ペテルブルグへ到着すると、ヴロンスキーとアンナは一流のホテルの一つに落ち着いた。ヴロンスキーは別に階下へ部屋をとり、アンナは赤ん坊と、乳母と、小間使を連れて四部屋からなる一画を借りた。

着いたその日に、ヴロンスキーは兄のところへ出かけて行った。そこで、彼は、モスクワから用事で来ていた母に出会った。母と兄嫁はいつもと変りなく、彼を迎えた。ふたりは外国旅行のことをたずねたり、共通の知人のうわさなどをしたが、アンナとの関係については、ひと言もふれなかった。ところがその翌朝兄は、ヴロンスキーのもとをたずねて来て、自分のほうからアンナのことについてたずねた。そこでヴロンスキーは、自分はカレーニナとの関係を結婚と見なしているし、アンナも夫と離婚できると思うから、そのときには、ちゃんと正式に結婚する、それまではアンナを世間一般の妻と同様、自分の妻と認めているから、母にも兄嫁にもそのことを伝えてほしいと、きっぱりいった。

「たとえ、世間がそれをとやかくいったところで、ぼくは平気ですよ」ヴロンスキーはいった。「ただ、ぼくの身内の人たちが、ぼくと親戚《しんせき》関係を保っていきたいのなら、ぼくの妻に対しても、同じ態度をとってもらわなくちゃ困りますね」

いつも弟の判断を尊重している兄は、世間がこの問題の決着をつけるまでは、弟の意見の是非がよくわからなかった。兄自身としては、べつに異論はなかったので、ヴロンスキーといっしょに、アンナの部屋へたずねて行った。

ヴロンスキーは兄の前でも、ほかのすべての人間と同様、アンナに『あなた《ヴィ》』言葉で呼びかけて、親しい知人という態度で応対した。しかし、その言外には兄が自分たちふたりの関係を承知しているということをにおわせて、アンナがヴロンスキーの領地へ行くということなどを話した。

ヴロンスキーは、社交界でかなりの経験をつんでいたにもかかわらず、自分が現在おかれているような新しい境遇のために、妙な錯覚におちいっていた。彼には、社交界が自分とアンナに対して門戸を閉ざしているということぐらい、わかっていそうなものであった。ところが、今の彼には、なにかぼんやりした考えが生れていた——そんなことは昔の話で、今では世の中も急速に進歩しているのだから（彼はいつの間にか、今では進歩の味方になっていた）、社会の見方も一変しているし、したがって、自分たちが社交界に受けいれられるかどうかは、まだはっきりきまった問題ではない、と思っていた。《もちろん》彼は考えた。《宮廷の社交界はアンナを入れてくれないだろうが、親しい人たちは事態をちゃんと理解してくれるだろうし、またそうしなくちゃならないはずだ》

人間というものは、もしその姿勢を変えてもかまわないと知っていれば、かえって、何時間でもずっと足を折ったままますわっていられるものである。ところが、人間は足を折ったままじっとすわっていなければならぬと知ったなら、じきに痙攣《けいれん》が起って、伸ばしたいと思うところへ、足がぴくぴくと、伸びていったりするものである。これとまったく同じような経験を、ヴロンスキーは社交界との関係で味わったのである。もっとも、彼は心の底では、社交界が自分たちに門戸を閉ざしている、と知っていたけれども、今は社交界も変ってしまっているだろうから、自分たちを受けいれてくれるのではなかろうか、とさぐりを入れてみた。ところが、彼はすぐに、社交界は彼ひとりのためには開かれているが、アンナのためには閉ざされていることを悟った。まるで『猫《ねこ》と鼠《ねずみ》』の遊びのように、彼のために上げられていた手も、アンナの前では、たちまち、おろされてしまうのだった。

ヴロンスキーがはじめて会ったペテルブルグ社交界の婦人のひとりは、従妹《いとこ》のベッチイであった。

「まあ、お久しぶりね！」彼女はうれしそうにヴロンスキーを迎えた。「で、アンナは？　まあ、うれしいこと！　どこに泊っていらっしゃるの？　すばらしいご旅行のあとでは、このペテルブルグなんかさぞつまらないことでしょうね。あたしには、あなた方のローマでのハネ・ムーンが想像できましてよ。離婚のほうはどうなりまして？　もうすっかり片がついたの？」

離婚はまだすんでいないと知ったとき、ベッチイの喜びが薄らいだのを、ヴロンスキーは見のがさなかった。

「きっと、世間はあたしに石を投げるでしょうよ」ベッチイはいった。「でも、アンナをおたずねしますわ。ええ、かならず伺いますわ。そう長くはここにいらっしゃらないんでしょう？」

実際、ベッチイはその日すぐにアンナをたずねて来た。しかし、その調子はもう先ほどとはすっかり変っていた。どうやら、ベッチイは自分の大胆な行いを誇りとして、アンナにその変らざる友情を認めてもらいたいらしかった。ベッチイは社交界のニュースを話しながら、十分くらいしかいなかったが、帰りがけに、こんなことをいった。

「いつごろ離婚できるか、おふたりともおっしゃいませんでしたわね。まあ、あたしなんかそんなことちっとも気になりませんけれどね。でも、お高くとまっている連中は、おふたりが結婚なさらないうちは、きっと、つらくあたりますよ。それに、そんなことは今じゃとても簡単にできるんですのよ。Ça se fait.（訳注　ありふれたことですもの）それじゃ、金曜日にお発《た》ちになるんですね？　もう一度お目にかかれなくて、残念ですこと」

ヴロンスキーはベッチイの言葉の調子からもう社交界がどんな態度をとるか、悟れそうなものであったが、彼は自分の家族の中で、もう一度このさぐりをいれてみた。彼も母親には望みをかけていなかった。はじめて知り合ったときには、あれほどアンナに有頂天になって喜んだ母親が、今はむすこの出世を台なしにした張本人としてアンナに対してかたくなな気持になっていることは、ヴロンスキーも知っていたからである。しかし、彼は兄嫁のワーリヤに、大きな期待をかけていた。彼はワーリヤならアンナに石など投げるようなことはせずに、さりげない態度で、すすんでアンナのところへ出かけて行き、アンナを受けいれてくれるような気がしていた。

到着した翌日、ヴロンスキーはワーリヤのもとをたずねて行った。そして、おりよくひとりきりだったので、いきなり自分の希望を打ち明けた。

「ねえ、アレクセイ」ワーリヤは彼の言葉を聞き終るといった。「あたしがあなたをどんなに愛しているか、あなたのためなら、どんなことでも喜んでしてあげたいと思っていることはご存じですわね。でも、あたしがずっと黙っていたのは、あなたのためにも、アンナさんのためにも、なにひとつお役に立つことができないのを知っていたからなんですの」と、彼女は『アンナさん』という言葉を、とりわけ、念入りに発音しながらいった。「でも、どうか、あたしがとやかく思っているなんて、そんなことは考えないでくださいね。そんなことはけっしてありませんわ。たぶん、あたしだって、あの方の立場におかれたら、同じことをしたでしょうね。あたし、立ち入ったことはいえませんし、そうもできませんけれど」ワーリヤは相手の暗い顔をおずおずと見上げながら、いった。「それにしても、いうべきことはちゃんといわなくちゃいけませんわ。あなたは、あたしがあの方のところへ行ったり、あの方を家へお招きしたりして、それでもってあの方を社交界に復活させようとお望みなんでしょうけれど、あたしには、そんなことできませんわ。ねえ、おわかりになって。娘たちもだんだん年ごろになってまいりますし、それにあたしも主人のために、社交界で生きていかなくてはなりませんもの。まあ、たとえあたしが、アンナさんをおたずねするとしても、あの方を家へお招きするわけにはいかないのは、あの方もわかってくださるでしょう。いいえ、お招きするからには、あの方を変な目で見ている人にぶつからないようにしなくちゃなりませんし。でも、そんなことをするのは、かえって、あの方を侮辱することになりますわ。あたしには、あの方をお引き上げすることはできませんもの……」

「いや、それにしても、あなたが家でお会いになってる何百人という婦人よりも、あれがもっと堕落してるとは思いませんがね！」ヴロンスキーはさらに暗い顔をして、相手の言葉をさえぎり、兄嫁の決意が動かしがたいことを悟って、黙って席を立った。

「アレクセイ！　どうか、あたしに腹を立てないでね。お願いだから、あたしになんの罪もないってことを、わかってくださいね」ワーリヤは微笑を浮べながら、いった。

「べつにあなたに腹なんか立てちゃいませんよ」彼は相変らず暗い顔をしていった。「でも、ぼくは二重につらいんですよ。だって、このことが、ぼくたちの友情をこわすことになるからなんです。いや、こわすとこまでいかないまでも、薄らぐことはたしかですからね。ぼくにとっても、そうするよりほかどうしようもないことは、あなたもわかってくれるでしょうね」

こういって、彼は兄嫁のもとを辞した。

ヴロンスキーも、もうこれ以上の試みはむだだと悟り、ここ数日をペテルブルグで過すためには、まるで知らない町にでもいるように暮さなければならないから、自分にとって耐えがたい不愉快な事がらや、侮辱にあわないように、以前の社交界との交渉を、いっさい避けなければならないと考えた。こんな状態で、ペテルブルグ滞在をつづけていくにあたっての不愉快な事がらの一つは、カレーニンとその名が、いたるところにひそんでいるように思われることであった。どんな話をはじめても、話題がカレーニンにふれないようにするわけにはいかなかったし、また彼に会うまいとすれば、どこへも行かれなかった。すくなくとも、ヴロンスキーにはそう思われた。これはちょうど指を痛めた人が、いつもわざとでもするように、その痛い指ばかりが物にぶつかるような気がするのと、同じことであった。

ペテルブルグ滞在が、ヴロンスキーにいっそう耐えがたいものに思われたのは、そのあいだいつもアンナが、なにか彼には不可解な新しい気分でいるのが認められたからであった。時には、彼にすっかり惚《ほ》れこんでいるように見えたり、また時には冷淡になって、たえず、いらいらしながら、まったくわけのわからぬ人のようになるのだった。アンナはなにかに苦しみ、彼になにごとかを隠していた。そして、彼の生活を毒し、あれほど繊細な理解力をもっているアンナなら、自分自身にとっても、とても耐えがたいはずの侮辱をも、まるで気づいていないかのようにふるまっていた。

29

アンナにとって、ロシアへ帰る目的の一つは、わが子に会うことであった。イタリアを発ったその日から、アンナはこのことを思うと、いっときも心をわくわくさせずにはいられなかった。そして、ペテルブルグへ近づくにつれて、この対面の喜びと重大性が、ますます大きくなっていくように思われた。アンナはどうやってわが子に会ったらいいか、などというようなことは、まったく考えてもみなかった。わが子の住んでいる同じ町に行けば、わが子に会うことなどはまったく自然で、簡単なことのように思われた。ところが、いざペテルブルグへ着いてみると、思いがけなく、自分の社交界における現在の立場がはっきりわかってきて、わが子と会う段取りをつけることも、そう容易なことではないと悟った。

アンナはもうペテルブルグへ来てから、二日を過した。わが子を思う心は、片時も頭を去らなかったが、アンナはいまだにわが子に会えずにいた。アンナはカレーニンに出会うおそれのある屋敷へいきなりたずねる権利は、自分にないものと感じていた。いや、門前払いをされて、侮辱を受けるおそれもあった。手紙を認《したた》めて夫と交渉をもつことは、考えただけでも心苦しかった。アンナは夫のことを考えないでいるときだけ、落ち着いていられるからであった。わが子がいつ、どこへ散歩に行くかを知って、散歩の途中で会うのでは、もの足りなかった。アンナはこの対面について、いろいろと心がまえをしていたので、わが子にいいたいこともたくさんあったし、しっかり抱きしめたり、接吻《せっぷん》したりしたかった。セリョージャの年とった婆《ばあ》やがいたら、アンナの力になって、なにかいい知恵をかしてくれたかもしれない。しかし、この婆やはもうカレーニン家にいなかった。こんなふうにあれこれ迷ったり、婆やの行くえを捜したりしているうちに、二日は過ぎてしまった。

アンナは、カレーニンが、リジヤ伯爵《はくしゃく》夫人と親しくしていることを知ると、着いて三日めに、とても苦しい思いをしながら、例の手紙を書く決心をした。アンナはその中で、わが子に会えるかどうかは、一にかかって夫の寛大な心によるものだと、ことさらに書いた。もしこの手紙を夫が見れば、例の寛大な人間としての演技をつづけようとして、彼は断わったりなどしないことを、アンナは承知していたからである。

手紙を届けに行った使いの者が、返事はありません、というこのうえもなく残忍な、思いがけない返事をもたらした。アンナはその使いの者を部屋に呼び寄せて、その口から、使いの者がさんざん待たされたあげく、「べつにご返事はありません」といわれたときの様子をくわしく聞いたときほど、激しい屈辱を感じたことはなかった。アンナははずかしめられ、踏みにじられたように感じたが、しかしリジヤ伯爵夫人の立場からすれば、それもむりからぬことだと思った。アンナの悲しみは、それをひとりで耐えねばならぬものであるだけに、なおいっそうこたえた。アンナはその悲しみをヴロンスキーと分つこともできなければ、また分ちたくもなかった。ヴロンスキーは、自分がアンナの不幸の原因となっているにもかかわらず、アンナがわが子と会うという問題などは、彼にとってまったく取るに足らぬことに思われるだろうと、アンナも承知していたからである。いや、ヴロンスキーには、自分の苦しみの深刻さなどを、とても理解する力のないことを、アンナも知っていた。もしこんなことをいいだして、彼から冷淡な調子であしらわれでもしたら、そのためにきっと彼を憎むようになるにちがいないと、承知していた。そして、アンナはそのことをなによりも恐れていたので、わが子に関することは、いっさい彼に隠すようにしていたのである。

まる一日ずっと部屋にこもっていて、わが子に会える方法をいろいろと考えた末、アンナは夫に手紙を出すことにきめた。アンナはリジヤ伯爵夫人の手紙が届けられたときには、もう手紙の文面はできていた。伯爵夫人の沈黙はアンナをあきらめさせ、おとなしくさせたのであるが、その手紙とその行間に読みとれたいっさいは、すっかりアンナを激昂《げきこう》させた。そこに含まれていた悪意は、わが子に対する熱烈な正当な愛情に比べて、あまりにも残酷なことのように思われたので、アンナは他人を責める気持でいっぱいになり、みずから責めるのをやめてしまったほどであった。

《こんな冷淡さは、感情を偽るものだわ!》アンナは心の中でつぶやいた。《あの人たちはただあたしを侮辱して、小さい子どもをいじめさえすれば、あたしがおとなしくなるとでも思ってるんだわ！　とんでもない！　あんな女《ひと》はあたしより悪い女だわ。あたしはすくなくともうそだけはつかないんだから》そこでアンナは、あす、ちょうどセリョージャの誕生日にいきなり夫の家に乗りこんで行き、召使たちを買収するなりだますなりして、なんとしてでもあの子に会って、かわいそうなあの子をとりまいている醜い虚偽を、打ち砕いてしまおう、と決心した。

アンナはおもちゃ屋へ出かけて、いろんなおもちゃをたくさん買いこみ、行動計画を練った。朝早く、八時ごろ、まだきっとカレーニンが起きていない時分に、着くようにしよう。手にお金を用意して行き、玄関番や召使にやって通してもらおう。そして、顔からヴェールを上げずに、あたしはセリョージャの名付け親のかわりに、お祝いにやって来たのだが、お子さんのまくらもとへおもちゃを置いてくるように頼まれたから、といおう。アンナは、ただわが子にいうべき言葉だけは用意できなかった。どんなに考えてみても、なにひとつい言葉が考えつかなかった。

翌日、朝の八時に、アンナはただひとり、辻馬車《つじばしゃ》からおりて、かつて自分が住んでいた屋敷の大きな車寄せに立って、ベルを鳴らした。

「なんのご用だか、行ってうかがってごらん。どこかの奥さんだよ」まだ着替えもせずに、外套《がいとう》とオーヴァシューズという格好のカピトーヌイチは、戸のすぐそばに立ってヴェールで顔を隠した婦人を、窓越しに見ながら、いった。

玄関番の見習いで、アンナの知らない若者が、戸をあけたかと思うと、彼女は素早く中へはいって、マフの中から三ルーブル札を出して、急いで若者の手に握らせた。

「セリョージャ……セルゲイ・アレクセーヴィチ（訳注　セリョージャの正式な呼び方）」アンナはそう口走って、どんどん歩いて行こうとした。玄関番の見習いは、札をよくあらためてから、次のガラス戸のところでアンナをひきとめた。

「どなたさまにご用で？」若者はたずねた。

アンナはその言葉が耳にはいらなかったので、なんとも答えなかった。

見知らぬ婦人が、当惑している様子に気づいて、カピトーヌイチは自分で出て来て、婦人を戸の中へ入れてから、なんのご用ですかとたずねた。

「スコロドゥモフ公爵から、セルゲイ・アレクセーヴィチへお使いにまいりました」

アンナはいった。

「若さまはまだおやすみになっておられます」玄関番は注意ぶかく、相手をじろじろ見ながらいった。

アンナは、自分が九年間住んでいた屋敷の、まったく少しも変っていない玄関の控室のたたずまいが、これほどまでに強く自分の心を動かそうとは、夢にも考えてみなかった。喜ばしくも悩ましい追憶の数々が、次から次へ心にわいてきて、アンナは一瞬、自分がなんのためにここへ来たかすら、忘れるほどであった。

「しばらくお待ちいただけますでしょうか」カピトーヌイチは、アンナの毛皮外套を脱がせながらいった。

カピトーヌイチは外套を脱がせて、相手の顔をちらとのぞきこむと、すぐアンナだということに気づいて、無言のまま、低く腰をかがめた。

「さあ、どうぞ、奥さま」彼はいった。

アンナはなにかいおうとしたが、ひと言も口がきけなかった。アンナはすまなさそうな、祈るようなまなざしで、ちらと老人に目をやると、軽々とした素早い足どりで、階段をのぼって行った。カピトーヌイチは、からだを前へかがめ、オーヴァシューズを階段にひっかけながら、アンナを追い越そうとして、そのあとから駆けあがって行った。

「そちらには先生がいらっしゃいます。きっと、まだお召し替えなさっていないかもしれません。わたくしがお取り次ぎいたします」

アンナは、老人がなにをいってるのかもわからずに、なじみぶかい階段をのぼりつづけた。

「さあ、こちらへ。どうぞ左のほうへ。ちらかしていて、申しわけございません。若さまは今は昔の長いす部屋のほうにいらっしゃいますんで」玄関番は息を切らしながらいった。「失礼ですが、奥さま、ちょっとお待ちくださいまし。わたくしが見てまいりますから」彼はそういうと、アンナを追い越して、高いドアを細めにあけ、ドアの陰に隠れてしまった。アンナは心待ちしながら、じっとたたずんでいた。「たった今お目ざめになったところでございます」玄関番は、またドアの中から現われて、いった。

玄関番がそういったとたん、アンナは子供らしいあくびの音を聞きつけた。いや、そのあくびの音を聞いただけで、アンナはそれがわが子だと気づき、まるでその姿を目の前にありありと見る思いであった。

「さあ、入れておくれ、入れてちょうだい、おまえはあちらへお行き！」アンナはいって、高いドアの中へはいった。ドアの右手に寝台が置かれてあり、その上には、ボタンをはずしたシャツ一枚の男の子が、起きあがってすわっていた。男の子は小さなからだを曲げるようにして、伸びをしながら、あくびを終えようとしていた。男の子の唇《くちびる》が合わさったとたん、いかにも幸福らしい眠たそうな微笑が口もとに浮んで、その微笑とともに、男の子はまたゆっくりと、さも気持よさそうに、仰向けに倒れた。

「セリョージャ！」アンナはそっと音のしないように近づいて、ささやいた。

アンナはわが子と別れて以来ずっと、ことに近ごろたえず味わっている子供恋しさの情がつのってくるたびに、自分がいちばん好きだった四つ時分のわが子の姿を、心に描いていた。が、いまや、ここで見るわが子は、自分が残していった時分と比べても、すっかり変っていた。まして四つのときから見ると、すっかり変ってしまって、さらに背が伸びて、やせていた。これはどうしたことだろう！　まあ、顔のやせこけたこと、髪もこんなに短くなって！　まあ手だけ長くなって！　この子を残して行ってから、なんと変ったものだろう！　それにしても、この子こそわが子だ。その頭の格好も、唇も、柔らかい首筋も、幅の広い肩も、なにもかもわが子であった。

「セリョージャ！」アンナは、子供の耳もとに口を寄せて、ささやいた。

と、少年はまた片肘《かたひじ》をついて身を起し、なにかを捜し求めるように、髪の毛のもつれた頭を左右に振って、目を見ひらいた。数秒間、少年は静かにけげんそうな目つきで、目の前に身じろぎもせず立っている母親をながめていたが、やがてとつぜん、さも幸福そうににっこり笑った。と、またひとりでにくっついてくるまぶたをとじて、身を倒した。しかし、今度はうしろのほうへではなく、母のほうへ、母の腕の中へ身を投げかけた。

「セリョージャ！　あたしのかわいい坊や！」アンナは息を切らしながら、少年のふっくらしたからだを両手に抱きしめて、口走った。

「ママ！」少年は自分のからだのいろんな部分で、母の腕にさわろうと、その腕の中であちこち身をもがきながら、いった。

少年は、眠たそうに微笑を浮べながら、なおも目をとじたまま、ふっくらした小さな両手を、寝台の背から放して母の肩にしがみつき、子供特有の夢のようなかおりと暖かみを浴びせかけながら、ぴったり身を寄せて、母の首や肩に顔をこすりつけるのであった。

「ぼく、知ってたんだ」少年は目をあけながらいった。

「きょうはぼくの誕生日だもの。ママの来るのを知ってたんだ。今すぐ起きるよ」

そういいながら、少年はまた眠りかけた。アンナはむさぼるようにわが子をながめていた。自分のいないあいだに、わが子がすっかり大きくなって、変ってしまったのを見てとった。アンナは毛布の下から出ている、いまやこんなにも大きくなっているあらわな足に、見覚えがあるような、ないような気がした。そのやせこけた頬《ほお》や、前にはよく接吻してやった、頭のうしろの短く刈った巻毛には、見覚えがあった。アンナはそれらを残らず手でさわってみながら、ひと言も口がきけなかった。涙のためにのどがつまってしまうのであった。

「なにを泣いているの、ママ?」少年はすっかり目をさまして、いった。「ママ、なにを泣いているの?」今度は涙声で叫んだ。

「もう泣きませんよ……ママはね、うれしくて泣いているのよ。だって、もうずいぶん長いこと、坊やと会わなかったでしょう。もう泣きませんよ、泣きませんたら」アンナは顔をそむけて、涙をのみこみながらいった。「さあ、もうそろそろ着替えをしなくちゃだめよ」アンナは気をとりなおして、しばらく黙っていてから、こうつけ加えた。そして、わが子の手を放さずに、寝台のそばのいすに腰をおろした。そのいすの上には、少年の服が用意されてあった。

「ママのいないときは、どうやって着替えているの? どんなふうにして……」アンナはさりげなく、快活に話しかけようとしたが、やはりそれができなくて、また顔をそむけてしまった。

「ぼく、もう冷たい水で顔を洗ってないよ、パパがいけないとおっしゃったから。ママ、ワシーリイを見かけなかった? じきに来ますよ。あ、ママったらぼくの服の上にすわっちゃった!」そういって、セリョージャは大きな声で笑いだした。

アンナはその様子を見て、にっこりとほほえんだ。

「ママ、ぼくの大好きな、大好きなママ」少年はまた母に飛びついて、抱きしめながら叫んだ。少年は今母の微笑を見て、やっとこの出来事の意味を、はっきりわかったかのようであった。「こんなものいらないよ」少年は母から帽子をとりながら、いった。そして、帽子をとった母を見ると、今はじめて見でもしたように、母に接吻するために、またもや飛びかかっていった。

「でも、坊やはママのことをなんと思ってたの？　もう死んでしまったと思ってなかった？」

「そんなことは一度だってほんとうにしなかったよ」

「まあ、ほんとうにしなかったって？」

「ぼく知ってたんだ。ちゃんと知ってたんだよ」少年はお得意のせりふを繰り返していった。そして、自分の髪をなでている母の手をつかむと、掌《てのひら》のほうを自分の口へおしあてて、接吻しはじめた。

30

一方、ワシーリイは最近雇われたので、はじめこの婦人がだれであるか知らなかったが、ふたりの話の様子から、この婦人こそ、自分は知らないが、あの夫を捨てて行った少年の母親にちがいないと知って、中へはいって行ったものかどうか、またカレーニンに取り次いだものかどうか、と思い迷っていた。が、結局のところ、きまった時間にセリョージャを起すのは自分の義務であるから、だれが中にいようが、それが母親であろうとほかの人であろうと、そんなことをとやかくいう必要はない、自分はただ義務を果せばいいのだと結論して、服を着替え、戸口に近づいて、ドアをあけた。

ところが、母と子のむつまじいありさまや、ふたりの話し声や、ふたりの語り合っていることや、――こうしたすべてのことが、彼の考えを変えさせてしまった。彼はちょっと頭を振り、ほっと吐息をついて、ドアをしめた。《もう十分待ってみよう》彼は咳《せき》ばらいをして、涙をふきながら、心の中でつぶやいた。

ちょうどそのとき、屋敷の召使たちのあいだには、激しい動揺が起っていた。みんなは奥さまがやって来て、カピトーヌイチが中へ通したので、今は子供部屋にいらっしゃるということを知っていた。ところが、八時過ぎになれば、だんなさまはいつも子供部屋へ行かれることになっていたので、まさか夫妻が顔をあわすわけにはいかないから、なんとかしてそれを防がなければならないと、思っていた。召使のコルネイは、玄関番の部屋へおりて来て、だれがどういうふうに奥さまを通したのかをたずねた結果、カピトーヌイチが迎えて、案内したことを知ると、老人に小言をいった。玄関番は頑固《がんこ》に黙りこくっていた。しかし、コルネイが、そんなことをすれば、もうここを出て行ってもらわなくちゃならんといったとき、カピトーヌイチは相手のそばへとんで行って、その目の前で両手を振りまわしながら、こうまくしたてた。

「なるほど、おまえならお通ししなかったろうよ！ でも、わしは十年もご奉公していても、いつもお情けばかりかけていただいて、一ぺんだっていやな目にはあったことはねえぞ。じゃ、おまえは今すぐあちらへ行って、どうか、さっさとお帰りをっていってくりゃいいじゃねえか。なにしろ、おまえはなかなか小利口なところがあるからな。そうともよ！ ちっとは自分のことも考えてみるがいいや。だんなさまをたぶらかして、洗熊《あらいぐま》の外套なんかせしめたりしやがったくせによ！」

「この兵隊野郎め！」コルネイは小ばかにしたようにいって、そこへはいって来た婆《ばあ》やに話しかけた。「なあ、婆や、ひとつ知恵をかしておくれよ、こいつがだれにもいわないで、勝手にお通ししてしまったんだがね」コルネイは婆やにいった。「ところが、ご主人さまは、今にもお部屋を出て、子供部屋へおはいりになろうとしているんだよ」

「まあ、そりゃたいへん、たいへん！」婆やはいった。「それじゃ、コルネイ、あんたはなんとかして、だんなさまをお引き止めしておくれよ。あたしゃ、あちらへとんでって、なんとかして奥さまをお帰しするから。さあ、たいへん、たいへん」

婆やが子供部屋へはいって行ったとき、セリョージャは母に向って、ナージェンカといっしょに山から手橇《てぞり》ですべったとき、途中でひっくり返って、三度もとんぼ返りをしたことを話していた。アンナはわが子の声の響きを聞き、その顔や表情の変化をながめ、その手の感触を楽しんでいたが、子供の話していることはなにもわからなかった。もう帰らなければならない、この子を残して行かなければならない――アンナはただそのことばかりを考え、また感じていた。アンナは戸口に近づいて咳ばらいをしたワシーリイの足音も耳にしたし、近づいて来た婆やの足音も、ちゃんと聞いていた。しかし、アンナはもう口をきく力も、立ちあがる気力もないままに、まるで石と化した人のように、じっとすわっていた。

「まあ、奥さま！」婆やはアンナのそばへ近づいて、その手や肩に接吻《せっぷん》しながら、しゃべりだした。「きっと、神さまがお坊っちゃまのお誕生日なので、お恵みをかけてくださいましたんですよ。でも、奥さまはちっともお変りになりませんこと」

「あら、婆や。おまえが家にいるとは知らなかったわ」アンナはふと、われに返っていった。

「いえ、お屋敷におるのではございませんよ。娘といっしょに暮しておりますんで。きょうはお祝いにあがりましたので。ほんとになつかしいことで！」

婆やはいきなり泣きだして、またアンナの手に接吻した。

セリョージャは、目を輝かし、明るい微笑を浮べながら、片手で母をつかまえ、片手で婆やをおさえたまま、裸のふっくらした小さな足を、じゅうたんの上でばたばたさせはじめた。少年は自分の大好きな婆やが、母に優しくするのを見て、すっかり有頂天になってしまったのであった。

「ママ！　婆やはね、よく来てくれるんだよ。そして、来るとね……」少年はいいかけたが、婆やがなにか母にそっとささやくと、母の顔におびえたような表情と、母にはまったく似つかわしくない羞恥《しゅうち》の色が表われたのに気づいて、そのまま口をつぐんでしまった。

アンナはセリョージャに近づいて、

「かわいい坊や！」といった。

アンナはさようならといえなかった。しかし、母の顔色は、そのことを語っていたし、セリョージャもそれを悟った。「かわいい、かわいいクーチックちゃん！」アンナは、小さいときに呼んでいた名をいった。「ママのことを忘れないわね？　坊や……」アンナはもうそれからさきをいうことができなかった。

あとになってから、アンナはわが子にいえばよかった言葉を、どんなにたくさん思いついたことだろう。でも、今はなにひとつ思いつかなかったし、いうこともできなかった。しかし、セリョージャは母が自分にいおうと思ったことを、なにもかもすっかり悟った。母はふしあわせであり、自分を愛してくれていることを悟った。いや、それればかりか、婆やがひそひそ声でささやいたことまで悟った。「いつも八時過ぎになると」という言葉を耳にしたとき、少年はそれが父親のことをいっているのであり、母は父と会うわけにはいかないのだということも悟った。それは少年にもわかったけれども、なぜ母の顔に恐怖と羞恥の色が表われたのか、それだけはどうしてもわからなかった。……ママには罪はないんだけれども、パパを恐れて、なにかを恥ずかしく思っているんだな。少年は質問をして、その疑いをはっきりさせたいと思ったが、そうきくだけの勇気がなかった。ただ母が苦しんでいる様子を見て、母のことがかわいそうになった。少年は黙ったまま、ぴったりと母に身を寄せて、ささやくようにいった。

「まだ行っちゃいや。パパはそんなにすぐにはいらっしゃいませんよ」

母は、わが子が今口にしたことをほんとうに考えているのかどうか、見きわめようと思って、わざと自分のからだからわが子をおし放すようにした。と、少年のおびえたような顔には、少年が父親のことをいっているばかりでなく、父親のことをどう考えたらいいのかと、母にたずねてでもいるような表情が浮んでいた。

「ママの大好きなセリョージャ」アンナはいった。「パパを好きになってね。パパはママより、もっとりっぱな、もっといい方なんだから。ママはパパにとても悪いことをしたのよ。坊やも大きくなったら、自分でわかるけれど」

「ママよりいい人なんかいないよ！……」セリョージャは涙にむせびながら、夢中になって叫んだ。そして、母の両肩にしがみつくと、緊張のあまり震えている両手で、力いっぱいに自分のほうへ引き寄せようとした。

「ママの大好きな、かわいい坊や！」アンナはいって、わが子と同じように、子供っぽく、弱々しい声で泣きだした。

そのときドアがあいて、ワシーリイがはいって来た。と、もう一つの戸口に足音が聞えた。すると、婆やはおびえたようなささやき声で、「お見えになりますよ」といいながら、アンナに帽子を渡した。

セリョージャは寝床の上にがっくりすわりこむと、両手で顔をおおって、すすり泣きはじめた。アンナはわが子の手を引き離して、その涙にぬれた顔にもう一度接吻すると、足速に戸口へ出た。と向うから、カレーニンがやって来た。アンナの姿を見ると、足を止めて、軽く頭をさげた。

アンナはたった今、パパはママよりもっとりっぱな、もっといい方だ、といったばかりだったのに、ちらと夫のほうへ視線を投げて、全身をすみずみまで残らず見てとると、夫に対する嫌悪《けんお》と憎悪《ぞうお》と、わが子を独占されているという羨望《せんぼう》の念にかられた。アンナは急いでヴェールをおろし、足を速めて、ほとんど走るようにして、部屋を出て行った。

アンナはきのう、あれほど愛情と悲しみをこめて、店屋で選んだおもちゃを、取りだす暇もなく、そのまま持ち帰って来てしまった。

31

アンナは、わが子との再会を心から望んで、もう長いことそのことについて考え、いろいろと心がまえをしていたのだが、この再会がこれほど深い感銘を自分に与えようとは、夢にも思わなかった。ホテルのさびしい部屋へもどると、アンナはなぜ自分はこんなところにいるのか、長いこと納得がいかなかった。《ええ、もうなにもかもすんでしまった。あたしは、またもとのひとりぼっちなんだわ》アンナはそう心につぶやいて、帽子もとらず、暖炉のそばの肘掛けいすにすわった。アンナは窓と窓とのあいだに置かれたテーブルの上の青銅の時計に、じっと目をすえたまま、いろいろなもの思いにふけりはじめた。

外国から連れてきた小間使のフランス娘が、お召し替えなさいませんかといって、はいって来た。アンナはびっくりしたようにその顔をながめて、いった。

「あとで」

ボーイが、コーヒーはいかがですときさに来た。

「あとで」アンナはそう繰り返した。

イタリア人の乳母が、女の子に服を着替えさせて、はいって来ると、アンナのそばへ連れて来た。丸々と栄養のいい女の子は、いつものように母を見ると、手首を糸でくくったようにむっちり太ったあらわな手を、掌を下に向けてさしだし、まだ歯のはえぬかわいい口もとでにっこり笑いながら、魚が鰭《ひれ》を動かすように、その小さな両手で刺繍《ししゅう》のしてある糊《のり》のきいたスカートの襞《ひだ》をかくようにしながら、さらさらと音をたてた。と、ついこちらもにっこり笑って、女の子に接吻しないわけにいかなかった。

いや、指を一本突きだして、女の子がその指につかまって、きゃっきゃっと笑いながら、からだごと踊りあがるようにしないわけにいかなかった。さらに、唇《くちびる》を突きだして、女の子が接吻でもするような格好で、それをかわいい口もとへもっていくようにしないわけにはいかなかった。そこで、アンナはそれをなにもかもしてやった。そして、両手で女の子を抱きかかえ、ひょいと踊りあがるようにさせたり、その初々《ういうい》しい頬や、むきだしの肘に、接吻したりした。しかし、アンナは、この子を見るにつけても、セリョージャにいだいている気持に比べれば、この子に感じている気持などは、愛情とすらいえないものであることが、ますますはっきりしてくるのであった。この女の子はどこもかしこもかわいかったけれど、なぜか少しも心を打つものがなかった。はじめての子供は、たとえそれが愛を感じていない夫の子であっても、どんなに愛しても愛したりない深い愛情がそそがれた。ところが、この女の子は、もっともつらい境遇の中で生れたために、はじめての子の場合の百分の一も心づかいがはらわれなかった。いや、そればかりか、女の子のなかに見いだされるものは、なにもかもまだ将来への期待だけであった。が、セリョージャはもうほとんど一人前の人間であったし、しかも愛すべき人間であった。少年の心の中には、もう思想と感情との戦いがあった。少年は理解する力も、判断する力も、もっていた。アンナはわが子の言葉や目つきを思いだしながら、そう考えた。しかも、アンナは肉体的ばかりでなく、精神的にも、わが子と引き離されてしまったので、もうそれを取り返すことは不可能であった。

アンナは女の子を乳母に渡して、相手をさがらせたあと、胸のロケットを開いた。その中には、今の女の子とほとんど同じ年ごろのセリョージャの写真がはいっていた。アンナは立ちあがって、帽子を脱ぐと、小さなテーブルの上のアルバムを手にとった。その中には、いろんな年ごろのセリョージャの写真があった。アンナは、それらの写真を見くらべようと思って、アルバムから抜き取りはじめた。アンナは最後に、一枚、とてもいい最近の写真を残してすっかり抜き取ってしまった。それは、白いシャツを着たセリョージャが、いすに馬乗りになって、目を細め、口もとに笑いを浮べているのだった。それは少年にとっていちばん特徴的な、いちばんかわいい表情だった。アンナは器用そうな小さな手で、きょうはとくに緊張して動く白いしなやかな指で、幾度も写真のかどをつまみおこそうとしたが、どうしてもうまくいかなかった。ペーパー・ナイフがテーブルの上に見あたらなかったので、アンナはその隣にあった写真を抜き取り（それはローマでとったヴロンスキーの写真で、山高帽の下から、長い髪がのぞいていた）、それでわが子の写真をおしだした。《まあ、あの人だわ！》アンナはヴロンスキーの写真をながめて、いった。と、急に自分の今の悲しみの原因がだれであるかを思いだした。アンナは、この朝、まだ一度も彼のことを思いださなかった。ところが今、この男らしい、上品な、すっかりなじんでしまったなつかしい顔を見ると、アンナは不意に彼に対する愛情が、潮《うしお》のごとくわき起ってくるのを感じた。《それにしても、あの人はどこにいるのかしら？　なぜあの人はこんな苦しい思いをしているあたしを、ひとりぼっちにさせておくのかしら》アンナは自分がわが子に関するいっさいを彼に隠しているのも忘れて、急にそう非難がましい気持で考えた。アンナは、彼のところに今すぐ来てほしいと使いを出した。アンナは彼になにもかもいってしまおうと、その言葉までいろいろ考えたり、彼が自分を慰めてくれるときの愛情の表現をあれこれ想像しながら、胸のしびれる思いでじっと待っていた。使いはもどって来ると、今はお客がいるけれども、すぐそちらへ行くという返事をもって来たが、それと同時に、今ペテルブルグへ来ているヤーシュヴィン公爵《こうしゃく》を連れて行ってもいいかとたずねてよこした。《ひとりで来てはくれないんだわ。きのうの食事のときから、一度も会ってないというのに》アンナは考えた。《なにもかも話したいと思っていたのに、ヤーシュヴィンといっしょじゃ、だめだわ》とつぜん、アンナの頭には妙な考えが浮んできた。もしあの人があたしのことをきらいになったらどうしよう？

そして、アンナはこの数日来の出来事を思い返してみると、そのどれにも、この恐ろしい考えを裏書きするものが見いだせるような気がした。彼がきのう、宿で食事をしなかったことも、このペテルブルグでは、部屋を別々にするよう主張したことも、今も自分とふたりきりになるのを避けでもするかのように、ひとりでやって来ないということも。

《でも、そうなら、そのことをあたしにいうはずだわ。あたしだってそれを知っておかなくちゃならないわ。もしそれが事実だとわかったら、あたしだってどうしたらいいかぐらいは、ちゃんとわかるわ》アンナは、彼の愛がさめたことを知ったとき、自分がどんな状態になるかを考えるだけの気力がなくて、こんなことを心の中でつぶやいた。アンナは彼の愛がさめたものと考えて、自分がほとんど絶望的な立場に追いこまれたように感じ、そのために、さらにいっそう興奮してきた。アンナはベルを鳴らし、小間使を呼んで、化粧室へはいった。アンナは着替えをしながら、常にもまして、念入りに化粧をした。その様子はまるで、いったん愛情のさめた彼も、アンナがもっと似合うドレスを着て、もっと似合う髪型に結ったら、再び自分を愛してくれるようになる、とでもいうように見えた。

アンナはまだすっかり化粧ができあがらないうちに、ベルの音を聞いた。

アンナが客間へ通ったとき、彼女を注目して迎えたのは、彼でなくてヤーシュヴィンであった。ヴロンスキーは、アンナがテーブルの上に置き忘れたセリョージャの写真をながめまわしていて、すぐには彼女のほうを振り向こうとはしなかった。

「あたしたちは、もうお近づきでしたわね」アンナは自分の小さな手を、もじもじしている（彼の大きな図体《ずうたい》や無骨な顔に似合わず、それはいかにもこっけいに見えた）ヤーシュヴィンの大きな手の上にのせた。「去年の競馬のときからでしたわね。さあ、それを貸して」アンナはいって、素早い手つきで、ヴロンスキーの見ていたわが子の写真を取りあげ、そのきらきら輝いているひとみで意味ありげに彼を見つめた。「今年の競馬はようございましたか？　あたしはそのかわりといってはなんですけど、ローマで、コルソの競馬を見ましたわ。そうそう、あなたは外国の生活がおきらいでしたわね」アンナはやさしく微笑を浮べながらいった。「あなたのことはよく存じておりますわ。ご趣味だって、残らず承知していますわ。そりゃ、幾度もお会いはいたしませんけれど」

「そりゃ、残念ですな。なにしろ、ぼくの趣味ときたら、ほとんど悪いものばかりですからね」

ヤーシュヴィンは、左の口ひげをかみながらいった。

ヤーシュヴィンは、しばらく話をしているうちに、ヴロンスキーが時計を見たのに気づくと、アンナに向って、まだペテルブルグには長いことご滞在ですかとたずね、大きなからだを伸ばして、軍帽に手をかけた。

「そう長いことはないと思いますの」アンナはちょっとヴロンスキーのほうを向いて、どぎまぎしながら答えた。

「それじゃ、もうお目にかかれませんね？」ヤーシュヴィンは立ちあがり、ヴロンスキーのほうを向いて、話しかけた。「きみはどこで食事するんだい？」

「どうぞ、あたくしのところへお食事にいらしてくださいまし」アンナはきっぱりした調子でいったが、その様子はわれながら自分の当惑に腹を立てているようなふうであった。もっとも、アンナはいつも初対面の人の前で自分の境遇をあきらかにするときの常として、顔を赤らめた。「ここのお食事はおいしくありませんけれど、とにかく、この人とはお会いになれますもの。アレクセイは連隊のお友だちの中で、だれよりもあなたが好きなんですから」

「そりゃ、うれしいですね」ヤーシュヴィンは微笑を浮べて答えたが、ヴロンスキーは、その微笑からアンナがすっかり彼の気に入ったのを見てとった。

ヤーシュヴィンは会釈《えしゃく》をして出て行った。ヴロンスキーはあとに残った。

「あなたもお出かけになるの？」アンナはきいた。

「これでも、もう遅いくらいだよ」彼は答えた。「おい、先に行ってくれ！　すぐに追いつくから！」彼はヤーシュヴィンに向って叫んだ。

アンナは彼の手をとると、じっと目を放さずにその顔を見つめながら、相手を引き止めるために、なんといったものかと、心の中で考えていた。

「ね、待ってちょうだい。ちょっとお話ししたいことがあるの」そういって、アンナは相手の短い手をとって、それを自分の首へおしつけた。「ねえ、あの方をお食事にお招きしたの、かまわなくて？」

「なに、上出来だったよ」彼は落ち着いた微笑を浮べ、きれいな歯並みを見せて、アンナの手に接吻《せっぷん》しながら、いった。

「アレクセイ、まさかあたしのことをきらいになったんじゃないでしょうね？」アンナは両手で相手の手を握りしめながら、いった。「アレクセイ、あたし、ここへ来てからすっかりまいってしまいましたわ。あたしたち、いつ、発《た》つんですの？」

「いや、もうすぐだよ。ほんとに。ぼくだってここの生活がどんなにつらいか、とてもきみには信じられないくらいだよ」彼はいって、自分の手をひっこめた。

「じゃ、行ってらっしゃい、行ってらっしゃい！」アンナは侮辱でもされたようにいって、さっと彼のそばを離れた。

32

ヴロンスキーが宿へもどったとき、アンナはまだ帰って来ていなかった。彼が出かけてからまもなく、ある婦人がたずねて来て、アンナはその婦人といっしょに出かけた、ということであった。アンナが行き先も告げずに出かけたことも、こんな時分まで帰って来ないことも、けさほどもなんともいわないで、どこかへ出かけたことも、——こうしたいっさいのことは、けさのアンナの妙に興奮した顔色や、ヤーシュヴィンの目の前でほとんどひったくるようにしてわが子の写真をとったときの、あの敵意に満ちたような態度の思い出とひとつになって、ヴロンスキーを考えこませてしまった。彼はぜひともアンナとよく話し合わなければならないと決心した。そこで、彼は客間でアンナを待っていた。ところが、アンナはひとりきりでなく、叔母にあたるオブロンスキー公爵令嬢という、オールド・ミスを連れて帰って来た。それはけさほどたずねて来て、アンナがいっしょに買い物に出かけた婦人であった。アンナは、ヴロンスキーの心配そうな、いかにもけげんな顔色に、気づかないようなふりをして、けさの買い物について、おもしろそうに彼に話しだした。彼は、アンナの内部でなにか変ったことが起りつつあるのを見てとった。彼の上にちらと止ったアンナのきらきら輝くひとみの中には、はりつめた注意があったし、その話し方にも、しぐさにも、神経質な敏速さと優美さとがあった。それらのものは、ふたりが知り合ったころには、彼をとても魅了したものであったが、今ではなにか不安を感じさせ、おびやかすようなものになっていた。

食卓は四人前用意されていた。みんながもう顔をそろえて、小さな食堂へ行こうとしたとき、トゥシュケーヴィチが公爵夫人ベッチイからアンナへの伝言をもってたずねて来た。ベッチイは、健康がすぐれないので、お別れにうかがえなかったことをわびたうえ、六時半から九時までのあいだに、アンナに来てほしい、といってよこした。ヴロンスキーは、だれにも出会わないように、ちゃんと用意ができていることを示すこうした時間の指定を聞くと、ちらとアンナの顔を見た。しかし、アンナはそれに気づかないふうであった。

「まあ、残念ですこと。ちょうど六時半から九時までのあいだは、あたくしも都合が悪いんですの」アンナはかすかな微笑を浮べていった。

「公爵夫人はさぞ残念がられるでしょう」

「そりゃ、あたくしだって」

「じゃ、きっと、パッチイをお聞きにいらっしゃるんですね？」

「まあ、パッチイですって……いいことを教えてくださいましたわね。桟敷《さじき》の切符さえ手にはいりましたら、あたくしもまいりとうございますわ」

「私が手に入れてさしあげますよ」トゥシュケーヴィチは申し出た。

「それはどうも、ほんとにありがとうございます」アンナはいった。「それはそうと、ごいっしょにお食事をなさいません？」

ヴロンスキーは、ちょっと目につかぬくらいに、肩をすくめた。彼は、アンナがなにをしようとするのか、まったく納得がいかなかった。なぜ、こんなオールド・ミスの公爵令嬢を連れて来たのか、なぜトゥシュケーヴィチを食事に引き止めたのか、いや、なによりも驚くべきことは、なぜトゥシュケーヴィチを桟敷をとらせにやろうとするのか。アンナのような境遇にあるものが、顔なじみの社交界の全員が集まっている、パッチイの公演に出かけて行くなどということは、いったい正気のさたであろうか？　彼はまじめな目つきでアンナをながめた。しかし、アンナは相変らずいどむような、楽しいのか、やけになっているのかわからぬようなまなざしで、彼に答えるばかりであった。彼にはその意味が見当もつかなかった。食事のあいだじゅう、アンナはとてもきげんがよかった。まるでトゥシュケーヴィチにも、ヤーシュヴィンにも、わざとこびているかのように見えた。一同が食卓を離れて、トゥシュケーヴィチは桟敷をとりに出かけて行き、ヤーシュヴィンがたばこを吸いに外へ出たとき、ヴロンスキーは彼を誘って自分の部屋へおりて行った。しばらく休んでから、彼は階上《うえ》へ駆け上った。アンナはもうパリで仕立てた、ビロードをあしらった、明るい色の胸あきのひろい、絹の衣装を着て、高価な白いレースの髪飾りをつけていたが、それは顔をくっきり浮きださせて、そのきわだった美貌《びぼう》を、さらに効果的にしていた。

「ほんとに芝居へ行くつもりですか？」彼はアンナの顔を努めて見ないようにしながら、たずねた。

「なぜそんなにびっくりしたようにおききになるんですの？」アンナは相手が自分の顔を見なかったので、またも侮辱を感じながら、答えた。「ねえ、なぜあたしが行っちゃいけないんですの？」

アンナはまるで彼の言葉の意味がわからないみたいであった。

「いや、なに、べつに理由はありませんよ」彼は眉《まゆ》をしかめていった。

「だから、あたしもそういってるんじゃありませんか」アンナはわざと相手の皮肉な調子を理解しないふうに、いいかおりのする長い手袋を、静かに折り返しながら、いった。

「アンナ、お願いだよ！　きみはどうかしたのかい？」彼は相手の目をさまさせようとするかのようにいったが、それは、いつか夫がアンナにいったのとまったく同じ調子であった。

「なんのお話をしてらっしゃるのか、ちっともわかりませんわ」

「とても行かれないってことは、自分でもわかってるんでしょうね」

「どうしてですの？　なにもあたしはひとりでまいるわけじゃありませんわ、公爵令嬢のワルワーラさんも着替えにお帰りになったし、ごいっしょしてくださることになってるんですのよ」

彼は当惑とも絶望ともつかぬ様子で、肩をすくめた。

「それにしても、きみにはわからないんですか……」彼はいいかけた。

「ええ、そんなことはわかりたいとは思いません！」アンナはほとんど叫ぶようにいった。「思いませんとも！　自分でしたことをあたしが後悔するなんて？　いいえ、いいえ、ちっとも！　たとえもう一度はじめからやりなおしたところで、やっぱり同じことになったでしょうよ。あたしたちにとって、あたしにも、あなたにも、大事なことはただ一つ、あたしたちがお互いに愛しあっているかどうかってことですわ。もうそれ以外になんにも考えることなんてありませんわ。なんだってあたしたちはここで別々に暮して、顔も合せないでいるんですの？　あたしはあなたを愛しているんですから、あたしにはそんなことどうだってかまわないんです」アンナは一種独特の、彼には不可解な輝きを目に浮べて、ちらと彼の顔をのぞきながら、ロシア語でいった。「あなたさえ心変りをなさらなければ。ねえ、なんだってあたしの顔をごらんにならないの？」

彼はアンナの顔をながめた。そして、その顔といつもながらよく似合う衣装の美しさを、すっかり見てとった。が、今はその美しさも、優雅さも、ただ彼の心をいらだたせるばかりであった。

「ぼくの気持が変るなんてことはありませんよ。あなただってそれは知ってるじゃありませんか。でも、お願いですから、行かないでください」彼は優しい哀願の気持を声にこめて、またフランス語でいったが、しかしそのまなざしには冷たいものがあった。

アンナはその言葉に耳をかさないで、まなざしの中の冷たい色だけを見た。そして、いらだたしげに答えた。

「じゃ、なぜ行っちゃいけないのか、そのわけを説明してくださいな」

「なぜって、ひょっとするとあなたは……」彼はいいよどんだ。

「なんだか、ちっともわかりませんわ。ヤーシュヴィンは、n'est pas compromettant（訳注　お連れとして不似合いな人ではないし）公爵令嬢のワルワーラさんだって、なにもほかの人より悪いってことはありませんもの。あら、もういらした」

33

ヴロンスキーは、アンナがわざと自分の境遇を理解しようとしないことに対して、今はじめて、いまいましさ、というよりも、ほとんど憎悪《ぞうお》に近い感情を覚えた。この気持は、彼が自分のいまいましさの原因を、アンナに説明することができなかったので、なおさら激しくなった。もし彼は自分で考えていることを率直にいうことができたなら、きっとこういったにちがいない。《そんな目だつ格好をして、あのだれひとり知らぬもののない公爵《こうしゃく》令嬢と劇場に姿を現わしたら、それは自分が身を滅ぼした女であることを自分から認めることになるばかりでなく、社交界に挑戦《ちょうせん》することに、つまり永久に社交界と絶縁することになるんだよ》と。

彼もアンナにそこまではいえなかった。《いや、それにしても、なんだってあれにはこんなことがわからないんだろう。あれの心の中にはなにが起っているんだろう？》彼は心の中でつぶやいた。彼は、アンナを尊敬する気持が薄らいでくるのと同時に、アンナを美しいと思う気持がますます強くなってくるのを感じた。

ヴロンスキーは顔をしかめて、自分の部屋へもどると、ヤーシュヴィンのそばに腰をおろした。彼はいすの上に長い足をのばして、ソーダ水で割ったコニャックを飲んでいた。ヴロンスキーもそれと同じものを注文した。

「きみはランコフスキーの『モグーチイ』（訳注 馬の名前。ロシア語で「力強い」の意）のことを話してたね。ありゃいい馬だよ。きみ、買ったらいいじゃないか」ヤーシュヴィンは友人の暗い顔をちらと見て、いった。「尻《しり》がちょっと下がり気味だが、足と首は申し分ないからね」

「ぼくも買おうと思ってるよ」ヴロンスキーは答えた。

馬の話は彼の興味をひいたが、彼は片時もアンナのことが忘れられなかったので、われともなしに廊下の足音に耳をすましたり、暖炉の上の時計に目をやったりしていた。

「アンナさまが、劇場へお出かけになりますから、そう申しあげるようにとのことでございます」

ヤーシュヴィンは、泡立《あわだ》つソーダ水の中へ、もう一杯コニャックを入れて、ぐっと飲みほすと、ボタンをかけながら、立ちあがった。

「さあ、もう出かけようじゃないか」彼は口ひげの陰にかすかな微笑を浮べながらいった。彼はこの微笑で、自分はヴロンスキーのふさいでいるわけを知っているが、そんなことはべつにたいしたことじゃない、という気持を表わしたのであった。

「ぼくは行かないよ」ヴロンスキーは暗い顔をしていった。

「でも、ぼくは行かなくちゃならんよ。約束しちまったんだから。じゃ、またあとで、なんなら、平土間へでも来いよ、クラシンスキーの席があるから」ヤーシュヴィンは出がけに、こうつけ加えた。

「いや、用があるんだ」

《女房も厄介《やっかい》なものだが、女房でないやつは、もっと厄介だな》ヤーシュヴィンは宿を出ながら、考えた。

ヴロンスキーはひとりきりになると、いすから立ちあがって、部屋の中を歩きまわりはじめた。

《それにしてもきょうは、なにがあるんだっけ？　公演の四日めだな……エゴール兄さんも、細君といっしょに行ってるだろうし、きっと、おふくろもいっしょだろう。いや、つまり、ペテルブルグ社交界の全員があそこに集まってるってわけさ。今ごろあれは中へはいって、毛皮の外套《がいとう》を脱ぎ、明るいところへ姿を現わしたところだろう。

トゥシュケーヴィチ、ヤーシュヴィン、ワルワーラ公爵令嬢か……》彼は想像してみた。「じゃ、このおれはどうしたっていうんだ？　びくびくしているっていうのか、それとも、あれの保護役をトゥシュケーヴィチに頼んだっていうのか？　いや、どう考えてみたって、ばかげてるさ、まったくばかげているとも……いや、そうはいっても、なんだってあれはおれをこんな立場に追いこんだんだろう？」彼は片手を振って、つぶやいた。

彼はそのひょうしに、ソーダ水とコニャックのフラスコが置いてあった小さなテーブルにぶつかって、危うく倒すところだった。彼はそれをおさえようとしたが、落してしまったので、いまいましそうにテーブルを足でけとばして、ベルを鳴らした。「自分の仕事をよく覚えておけよ。こんなことのないようにな。さあ、ちゃんと片づけなくちゃだめじゃないか」

「おい、ちゃんと奉公するつもりなら」彼は、はいって来た召使にいった。

召使は、自分には罪はないと思ったので、言いわけをしようとした。が、主人の顔を見たとたん、その顔色から黙ってるにかぎると悟ったので、急いでぺこぺこしながら、じゅうたんの上にひざをつき、グラスや瓶の無事なのやこわれたのを、選《よ》り分けはじめた。

「そんなことはおまえの仕事じゃない。ボーイを呼んで片づけさせればいいんだ。おまえは、おれの燕尾服《えんびふく》を用意しろ」

ヴロンスキーは八時半に劇場へはいった。舞台はまさに最高潮であった。小がらな老人の座席係は、ヴロンスキーの外套を脱がせると、彼であると気づき、『閣下』と呼びかけて、どうか番号札などとらないで、ただフョードルとお呼びください、と申し出た。明るい廊下には、ひとりの座席係と、外套を手にして、戸口で聞いているふたりの召使のほかは、だれもいなかった。細めに開かれたドアの中からは、断音的なオーケストラの慎重な伴奏の響きと、はっきりと歌詞を歌うひとりの女性歌手の声が聞えてきた。ドアが開いて、ひとりの座席係がすべりこんだとき、終りに近づいていた歌詞が、驚くほどはっきりとヴロンスキーの耳に達した。が、ドアはすぐしまってしまったので、ヴロンスキーにはその歌詞と結尾装飾《カデンツァ》の終りが聞えなかったが、ドアの中から聞えてくる雷のような拍手の響きによって、結尾装飾《カデンツァ》が終ったことを悟った。彼が、シャンデリアや青銅《ブロンズ》のガス燈《とう》でまぶしいほど照らされた場内へはいったとき、どよめきはまだつづいていた。舞台にはひとりの女性歌手が、あらわな肩とダイヤモンドを輝かせながら、身をかがめて、微笑を浮べながら、片手をあずけたテノールの助けをかりて、フットライト越しに乱れ飛んでくる花束を集めていたが、やがて、ポマードでかためた髪を半分に分けた紳士が、フットライト越しに、なにやら品物を持った長い手をさしだしているほうへ近づいて行った。と、平土間の観客も、桟敷の人たちも、いっせいにみんなどよめきたって、前のほうへ乗りだしながら、大声をはりあげたり、拍手したりしていた。台の上の指揮者は、それを取り次いでやりながら、自分の白ネクタイをなおしていた。ヴロンスキーは、平土間のまん中まで行くと、足を止めて、あたりを見まわした。今夜の彼はこのなじみぶかい、いつもながらの光景――舞台や、人びとの騒ぎや、すしづめの場内の、もう知りぬいてしまっておもしろくもない、色とりどりの観客の群れなどには、いつもほどの注意さえはらわなかった。いつもながら桟敷の奥には、相も変らぬどこかの貴婦人が、どこかの将校と並んでいたし、相も変らず、どこのだれともわからぬ色とりどりな装いのご婦人たち、軍服姿、フロックの紳士たち、天井桟敷の相も変らぬきたならしい聴衆。こうした群衆の中にも、桟敷と平土間の前列あたりには、ほんものの紳士淑女が四十人ばかりいた。ヴロンスキーはさっそくこのオアシスへ注意を向け、すぐその仲間へはいって行った。

彼がはいって行ったとき、第一幕が終った。そこで、彼は兄の桟敷へ寄らずに、第一列めまで進み、フットライトのそばのセルプホフスコイの横に立ち止った。セルプホフスコイは片ひざを曲げて、踵《かかと》でフットライトを軽くこつこつたたいていたが、遠くから彼を見つけて、微笑を浮べて呼んだからである。

ヴロンスキーはまだアンナを見かけなかった。いや、彼はわざとそちらを見なかったのである。しかし、彼は人びとの視線の動きによって、アンナがどこにいるかわかっていた。彼は、目につかぬようにちらとあたりを振り向いたが、アンナは捜さなかった。彼はもっと悪い場合を想像して、目でそれとなくカレーニンを捜した。が、幸いなことに、今夜、カレーニンは劇場に来ていなかった。

「もうきみには軍人らしいところが、ほとんどなくなってしまったね！」セルプホフスコイは彼にいった。「外交官か、芸術家か、まあ、そういったところだね」

「ああ、家へ帰るとさっそく、燕尾服を着たってわけさ」ヴロンスキーは微笑を浮べて、ゆっくりとオペラ・グラスを取りだしながら、答えた。

「いや、じつをいうと、その点がぼくにはうらやましいのさ。なにしろ、ぼくは外国から帰って、こいつをつけたときには」彼は参謀肩章をさわってみせた。「まったく自由が惜しかったよ」

セルプホフスコイは、ヴロンスキーの軍人としての栄達には、もうずっと前からあきらめていたが、相変らず彼に好意をもっていたので、今夜もとくに愛想《あいそ》がよかった。

「きみが一幕めに遅れたのは残念だったね」

ヴロンスキーはそれを片方の耳で聞きながら、一階桟敷《さじき》から二階桟敷へとオペラ・グラスを移して、桟敷の中をよく見まわした。ヴロンスキーは、ターバンをした婦人と、オペラ・グラスを向けられて、腹立たしげにまたたきをしているはげ頭の老人のそばに、とつぜん、アンナの顔を見つけた。それはレースで縁どられた、目のさめるほど美しい、傲然《ごうぜん》とほほえんでいる顔であった。アンナは彼から二十歩ほど離れた、一階桟敷の五つめにいた。アンナは前の列にすわって、軽くからだをひねった姿勢で、なにやらヤーシュヴィンに話していた。美しい幅広な肩の上にのった頭の格好や、そのひとみや顔全体の控えめな、しかも興奮した輝きは、モスクワの舞踏会で見たときのアンナの容姿を、そっくりそのまま思い起させた。しかし、今の彼は、その美しさをまったく違ったふうに感じた。いまやアンナに対する彼の感情の中には、少しも神秘的なものがなかったので、その美貌は前よりもさらに激しく彼をひきつけながらも、それと同時に、彼の気持を侮辱するものであった。アンナはヴロンスキーのほうを見なかったが、彼はアンナがもう自分に気づいているのを感じていた。

ヴロンスキーがまたそちらへオペラ・グラスを向けたとき、彼はワルワーラ公爵令嬢がひどくまっ赤になって、不自然に笑いながら、隣の桟敷をたえず振り返っているのに気づいた。一方アンナは、扇をたたんで、それで手すりの緋《ひ》のビロードをたたきながら、どこかあらぬ方をながめていて、隣桟敷のほうへは見向きもしなかった。どうやら、そこで起っていることを、見たくないらしかった。ヤーシュヴィンの顔には、例のトランプに負けたときのような表情が浮んでいた。彼はしかめ面《つら》をして、左の口ひげを、だんだん深く口へおしこみながら、横目をつかって、やはり隣桟敷を見ていた。

その左隣の桟敷には、カルターソフ夫妻がいた。ヴロンスキーはこの夫妻を知っていたし、アンナが夫妻と知合いであることも承知していた。やせて小がらなカルターソフ夫人は、桟敷のまん中で、アンナに背を向けて、夫のさしだすマントを羽織っていた。夫人は青ざめて、腹立たしげな表情で、なにやら、興奮してしゃべっていた。太ったはげ頭の紳士カルターソフは、たえずアンナのほうを振り返りながら、妻をなだめようと努めていた。妻が出て行ってからも、夫は長いことときょろきょろ見まわしながら、アンナの視線を捕えようとしていた。どうやら、アンナに会釈《えしやく》したかったらしい。ところが、アンナは明らかに、わざとそれに気づかないふりをしながら、うしろ向きになったまま、自分のほうに短く刈った頭を突きだしているヤーシュヴィンに、なにやら話していた。カルターソフはついに会釈もせずに出て行き、桟敷はからっぽになった。

ヴロンスキーは、カルターソフ夫妻とアンナとのあいだにいったいなにが起ったのかは、わからなかった。しかし、彼はそれがなにかアンナにとって屈辱的なことであるのを悟った。彼がそれを悟ったのは、目撃したことにもよるが、それ以上にアンナの顔色から悟ったのである。アンナが、いったん自分で引き受けた役割を最後まで果そうと、必死になっていることは、彼の目にも明らかだった。そして、この外面的な落ち着きを装おうという役割は、見事に果されていた。アンナとその境遇を知らない人びと、また彼女が大胆にも社交界へ姿を現わしたばかりか、人目につきやすいレースの髪飾りをして、その美貌《びぼう》を見せびらかしたのに対して、婦人たちが哀れみや、怒りや、驚きの言葉を口にしたのを聞かなかった人びとは、アンナの落ち着きと美貌に見とれて、彼女が柱に縛りつけられたさらし者の気持を味わっているなどとは、夢にも疑ってみなかったであろう。

ヴロンスキーは、なにか起ったということはわかっていても、はたしてそれがなんであるかわからなかったので、不安を覚え、なにか聞き出せるかと期待しながら、兄の桟敷へ出かけて行った。彼はわざとアンナの桟敷とは反対側になる平土間の通路を選んで、外へ出ようとしたが、そのひょうしに、ふたりの知人と話をしていた自分の昔の連隊長に出くわしてしまった。ヴロンスキーは、カレーニン夫妻の名が話に出ているのも耳にしたし、連隊長が急いで話し相手に意味ありげに目くばせをして、大きな声でヴロンスキーを呼んだのにも、気づいた。

「おい、ヴロンスキー！　いったい、いつ連隊へ来てくれるんだね？　一度飲まなけりゃ、発《た》たしてやらんぞ。なにしろきみは連隊じゃ最古参だからな」連隊長はいった。

「どうにも都合がつかないんです。まことに残念ですが、また次の機会にしていただきましょう」ヴロンスキーはいって、兄のいる二階桟敷へ、階段を駆けのぼって行った。

ヴロンスキーの母である青みがかった黒い巻髪の老伯爵夫人は、兄の桟敷にすわっていた。ソローキン公爵令嬢を連れたワーリヤが、二階の廊下で彼と出会った。

ワーリヤはソローキン公爵令嬢を、義母《はは》のところまで連れて行くと、義弟に手をさしのべて、さっそく彼の聞きたがっていたことを話しだした。ワーリヤは、彼がめったに見たことがないほど興奮していた。

「あんなことをするなんて、ほんとに卑劣な忌《いま》わしいことですわ。だってマダム・カルターソフなんかには、なんの権利もないんですもの。マダム・カレーニンは……」

ワーリヤは話しだした。

「いったい、どういうことなんです？　ぼくは知らないんですよ」

「まあ、あなたはお聞きにならなかったの？」

「だって、そんな話はいちばんあとにぼくの耳にはいるんですからね」

「ほんとに、あのカルターソフの奥さんくらい意地が悪い人はいませんわ！」

「いったい、あの人がなにをしたんです？」

「主人から聞いたんですけど……あの人はカレーニン夫人を侮辱したんですもの。あの人のご主人が、桟敷越しにアンナさんとお話をなさりかけたら、カルターソフ夫人がご主人に食ってかかったんですって。なんでも、あの人は大きな声でなにやら失礼なことをいって、さっさと出て行ってしまったんですって」

「伯爵、お母さまがお呼びでいらっしゃいますよ」ソローキン公爵令嬢が、桟敷のドアから顔をのぞかせて、いった。「あたしはずっとおまえを待っていたんですよ」母はあざけるような笑いを浮べながらいった。

「おまえがどこにも見えないんだもの」

むすこは母が喜びの微笑をおさえかねているのを、見てとった。

「今晩は、お母さん。今あがろうと思っていたところですよ」彼は冷やかな調子でいった。

「なんだって、おまえは faire la cour à Madame Karenine?（訳注　カレーニン夫人のごきげんとりに行かないんだね？）」母はソローキン公爵《こうしゃく》令嬢がそばを離れたとき、こうつけ加えた。「Elle fait sensation. On oublie la Patti pour elle.（訳注　あの人は大評判になっていますよ。みんなはあの人のことで、パッチイを忘れてしまったくらいですよ）」

「お母さん、そのお話はぼくにしないようにお願いしたはずですが」彼は眉《まゆ》をひそめながら答えた。

「なに、みなさんのいってることをいったまでですよ」

　ヴロンスキーはなんとも答えなかった。そして、ソローキン公爵令嬢に二言三言言葉をかけてから、外へ出た。戸口のところで、彼は兄に会った。

「よう、アレクセイ！」兄はいった。「なんてひどいことだ、ありゃばかな女だよ、それだけの話さ……今あの人のところへ行こうと思ってたところだ。いっしょに行こう」

　ヴロンスキーは兄の言葉を聞いていなかった。彼は、足速に階下へおりて行った。彼はなにかしなければならないと感じながら、それがなんであるかわからなかった。彼は、アンナが自分自身をも彼をも、こんな不自然な立場に追いこんだのが、いまいましかったが、それと同時に、アンナの苦悩を哀れむ気持を覚えて、すっかり取り乱してしまった。彼は平土間へおりて行って、まっすぐにアンナのいる桟敷のほうへ歩いて行った。桟敷のそばには、ストリョーモフが立ったまま、アンナと話をしていた。

「もうあれ以上のテノールはおりませんな。Le moule en est brisé.（訳注　少なくなったもんですよ）」

ヴロンスキーはアンナに会釈して、ストリョーモフにあいさつしながら、立ち止った。

「あなたは遅れていらしたので、いちばんいいアリアをお聞きにならなかったようですわね」

アンナはあざけるように（ヴロンスキーにはそう思われた）彼をちらっと見て、いった。

「音楽にはどうせたいした耳をもっていませんからね」ヴロンスキーはきびしくアンナを見つめながら、答えた。

「ヤーシュヴィン公爵と同じですわね」アンナは微笑を浮べながらいった。「公爵ったら、パッチイの歌い方は声があんまり大きすぎるんですって」

「ありがとう」アンナはヴロンスキーが拾ってくれたプログラムを、長い手袋をはめた小さな手で受け取りながら、いった。が、そのときとつぜん、アンナの美しい顔がぴくっと震えた。アンナは立ちあがって、桟敷の奥のほうへひっこんだ。

次の幕がはじまっても、アンナの桟敷がからのままなのに気づくと、ヴロンスキーは、アリアがはじまったのにつれてひっそりと静まりかえった場内に、「しっ、しっ」という制止の声を受けながら、平土間を抜けて、帰途についた。

アンナはもう帰っていた。ヴロンスキーがその部屋へはいって行ったとき、アンナは劇場へ行ったままの衣装で、壁ぎわにいちばん近い肘掛《ひじか》けいすにすわって、じっと目の前を見つめていた。彼の顔をちらと見ると、すぐまたもとの姿勢に返った。

「アンナ」彼は声をかけた。

「あなたが、あなたがみんな悪いのよ！」アンナは立ちあがりながら、絶望と憤激の涙を声にこめながら、叫んだ。

「だから、行かないようにとあれほど頼んだじゃないか。きみがいやな目に会うことはわかっていたんだ……」

「いやな目ですとも！」アンナは叫んだ。「ほんとにひどいことだわ！　あたし、死ぬまで、あれだけはけっして忘れませんわ。あたしと並んですわるのがけがらわしいとまで、あの人はいったんですよ」

「ばかな女の言いぐさだよ」彼はいった。「でも、わざとあんな冒険を、いや、挑戦《ちょうせん》をしなければ……」

「あなたがそうやって落ち着きすましているのが憎らしいわ。あなたがしっかりしていれば、あんなとこまであたしを追いつめずにすんだはずだわ。あたしをほんとに愛していたら……」

「アンナ！　いったい、どんなつもりで、ぼくの愛情のことなんか今持ちだすんだ……」

「だって、あなたがあたしと同じくらい愛していらしたら、あたしと同じくらい苦しんでいらしたら……」アンナはおびえたような表情で相手の顔を仰ぎながら、いった。

ヴロンスキーはアンナをかわいそうに思ったが、それにしても、やはりいまいましかった。彼はアンナに自分の愛を誓った。というのは、今はただそれだけが、アンナの気持をしずめることができたからであった。彼は言葉に出してアンナを責めなかったが、その心の中ではアンナを責めていた。

彼には、口にするのも照れるような俗っぽい愛の誓いを、アンナはむさぼるように受けいれて、少しずつ落ち着いていった。その翌日、ふたりはすっかり仲直りをして、田舎へ向けて発って行った。

（下巻につづく）

トルストイ　原　卓也訳
クロイツェル・ソナタ　悪魔
性的欲望こそ人間生活のさまざまな悪や不幸の源であるとして、性に関する極めてストイックな考えと絶対的な純潔の理想を示す2編。

トルストイ　原久一郎訳
光あるうち光の中を歩め
古代キリスト教世界に生きるパンフィリウスと俗世間にどっぷり漬った豪商ユリウス。二人の人物に著者晩年の思想を吐露した名作。

トルストイ　工藤精一郎訳
戦争と平和（一〜四）
ナポレオンのロシア侵攻を歴史背景に、十九世紀初頭の貴族社会と民衆のありさまを生き生きと写して世界文学の最高峰をなす名作。

トルストイ　原　卓也訳
人生論
人間はいかに生きるべきか？　人間を導く真理とは？　トルストイの永遠の問いをみごとに結実させた、人生についての内面的考察。

トルストイ　木村　浩訳
復活（上・下）
青年貴族ネフリュードフと薄幸の少女カチューシャの数奇な運命の中に人間精神の復活を描き出し、当時の社会を痛烈に批判した大作。

ツルゲーネフ　神西　清訳
はつ恋
年上の令嬢ジナイーダに生れて初めての恋をした16歳のウラジミール――深い憂愁を漂わせて語られる、青春時代の甘美な恋の追憶。

ドストエフスキー
千種　堅訳
永遠の夫

妻は次々と愛人を替えていくのに、その妻にしがみついているしか能のない〝永遠の夫〟トルソーツキイの深層心理を鮮やかに照射する。

ドストエフスキー
原　卓也訳
賭博者

賭博の魔力にとりつかれ身を滅ぼしていく青年を通して、ロシア人に特有の病的性格を浮彫りにする。著者の体験にもとづく異色作品。

ドストエフスキー
江川　卓訳
地下室の手記

極端な自意識過剰から地下に閉じこもった男の独白を通して、理性による社会改造を否定し、人間の非合理的な本性を主張する異色作。

ドストエフスキー
工藤精一郎訳
死の家の記録

地獄さながらの獄内の生活、凄惨目を覆う笞刑、野獣のような状態に陥った犯罪者の心理——著者のシベリア流刑の体験と見聞の記録。

ドストエフスキー
小笠原豊樹訳
虐げられた人びと

青年貴族アリョーシャと清純な娘ナターシャの悲恋を中心に、農奴解放、ブルジョア社会へ移り変わる混乱の時代に生きた人々を描く。

ドストエフスキー
工藤精一郎訳
罪と罰（上・下）

独自の犯罪哲学によって、高利貸の老婆を殺し財産を奪った貧しい学生ラスコーリニコフ。良心の呵責に苦しむ彼の魂の遍歴を辿る名作。

ヘミングウェイ
高見　浩訳
老人と海
老漁師は、一人小舟で海に出た。やがて大物が綱にかかるが。不屈の魂を照射するヘミングウェイの文学的到達点にして永遠の傑作。

ヘミングウェイ
高見　浩訳
誰がために鐘は鳴る（上・下）
スペイン内戦に身を投じた米国人ジョーダンは、ゲリラ隊の娘、マリアと運命的な恋に落ちる。戦火の中の愛と生死を描く不朽の名作。

ヘミングウェイ
沼澤洽治訳
海流のなかの島々（上・下）
激烈な生を閉じるにふさわしい死を選んだアメリカ文学の巨星が、死と背中合せの生命の輝きを海の叙事詩として描いた自伝的大作。

フォークナー
加島祥造訳
八月の光
人種偏見に異様な情熱をもやす米国南部社会に対して反逆し、殺人と凌辱の果てに逮捕され、惨殺された男ジョー・クリスマスの悲劇。

フォークナー
加島祥造訳
サンクチュアリ
ミシシッピー州の町に展開する醜悪陰惨な場面——ドライブ中の事故から始まった、女子大生をめぐる異常な性的事件を描く問題作。

龍口直太郎訳
フォークナー短編集
アメリカ南部の退廃した生活や暴力的犯罪の現実を、斬新な独特の手法で捉えたノーベル賞受賞作家フォークナーの代表作を収める。

新潮文庫最新刊

D・ベントレー
村上和久訳
奪還のベイルート（上・下）
拉致された物理学者の母と息子を救え！　大統領子息ジャック・ライアン・ジュニアの孤高の死闘を描く軍事謀略サスペンスの白眉。

紺野天龍著
幽世《かくりよ》の薬剤師3
悪魔祓い。錬金術師。異界に迷い込んだ薬師・空洞淵は様々な異能と出会う……。現役薬剤師が描く異世界×医療ミステリー第3弾。

萩原麻里著
人形島の殺人
―呪殺島秘録―
古陶里は、人形を介して呪詛を行う呪術師の末裔。一族の忌み子として扱われ、殺人事件の容疑が彼女に――真実は「僕」が暴きだす！

筒井康隆著
モナドの領域
毎日芸術賞受賞
河川敷で発見された片腕、不穏なベーカリー、全知全能の創造主を自称する老教授。著者がその叡智のかぎりを注ぎ込んだ歴史的傑作。

池波正太郎著
まぼろしの城
上野《こうずけ》の国の城主、沼田万鬼斎の一族と、戦乱の世に翻弄された城の苛烈な運命。『真田太平記』の前日譚でもある、波乱の戦国絵巻。

尾崎世界観
千早茜著
犬も食わない
脱ぎっぱなしの靴下、流しに放置された食器、風邪の日のお節介。喧嘩ばかりの同棲中男女それぞれの視点で恋愛の本音を描く共作小説。

Title : АННА КАРЕНИНА (vol. II)
Author : Лев Н. Толстой

アンナ・カレーニナ (中)

新潮文庫　ト－2－2

昭和四十七年二月二十日　発行
平成二十四年十月三十日　六十刷改版
令和　五　年二月二十日　六十六刷

訳者　木《き》村《むら》浩《ひろし》
発行者　佐藤隆信
発行所　株式会社　新潮社
郵便番号　一六二―八七一一
東京都新宿区矢来町七一
電話　編集部(〇三)三二六六―五四四〇
　　　読者係(〇三)三二六六―五一一一
https://www.shinchosha.co.jp

価格はカバーに表示してあります。
乱丁・落丁本は、ご面倒ですが小社読者係宛ご送付ください。送料小社負担にてお取替えいたします。

印刷・錦明印刷株式会社　製本・加藤製本株式会社

ISBN978-4-10-206002-5 C0197